ESPAÑA & PORTUGAL

ATLAS DE CARRETERAS y TURÍSTICO
ATLAS ROUTIER et TOURISTIQUE
TOURIST and MOTORING ATLAS
STRASSEN- und REISEATLAS
TOERISTISCHE WEGENATLAS
ATLANTE STRADALE e TURISTICO

Sumario / Sommaire / Contents

Inhaltsübersicht / Inhoud / Sommario

Planos de ciudades / Plans de ville / Town plans
Stadtpläne / Stadsplattegronden / Piante di città

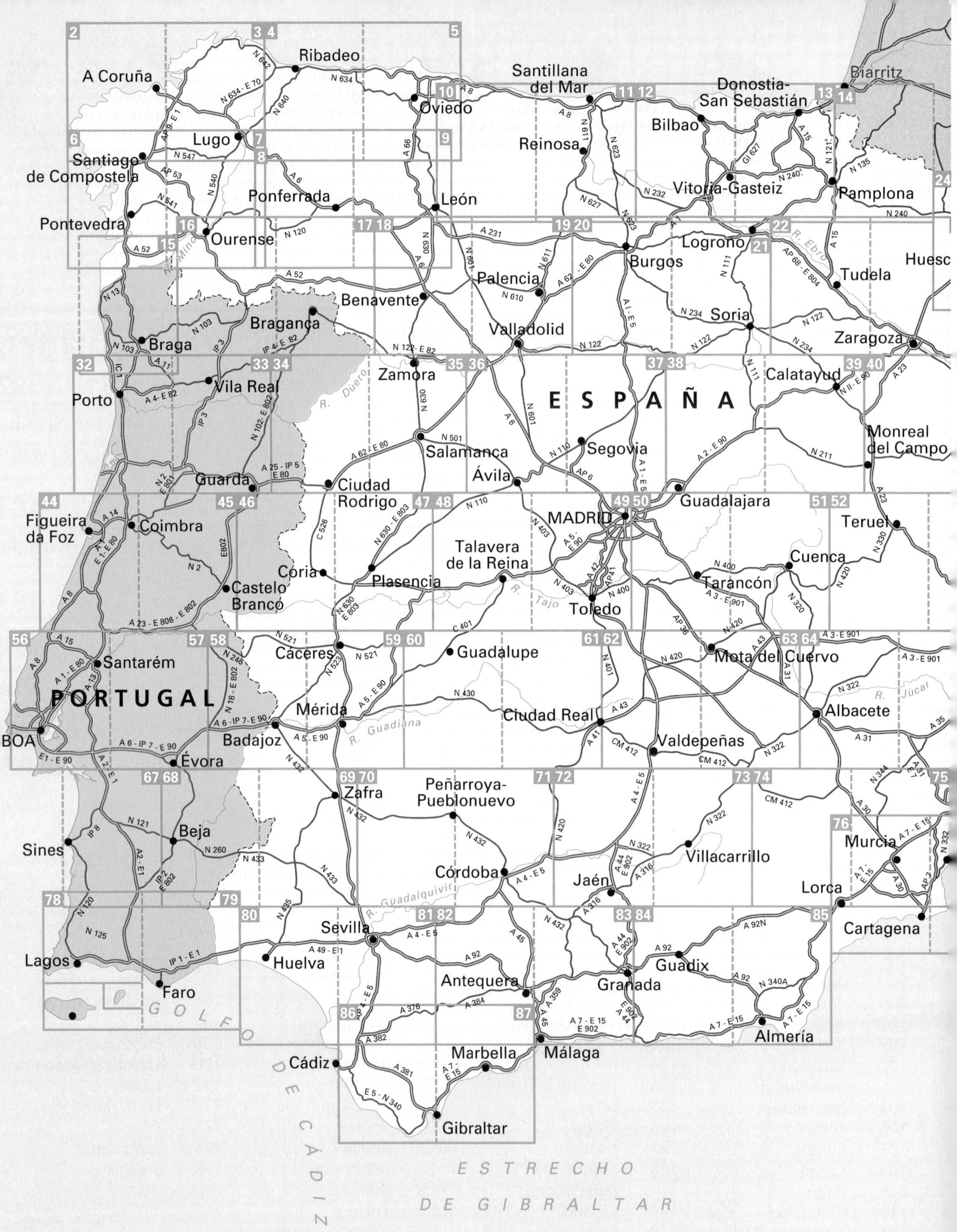

A Coruña
Ribadeo
Santillana del Mar
Donostia-San Sebastián
Biarritz
Oviedo
Bilbao
Lugo
Reinosa
Santiago de Compostela
Vitoria-Gasteiz
Pamplona
Ponferrada
León
Pontevedra
Ourense
Logroño
Burgos
Huesc
Tudela
Palencia
Benavente
Bragança
Soria
Valladolid
Braga
Zaragoza
Zamora
Vila Real
Calatayud
Porto
E S P A Ñ A
Salamanca
Segovia
Monreal del Campo
Ávila
Guarda
Ciudad Rodrigo
Guadalajara
MADRID
Figueira da Foz
Coimbra
Teruel
Talavera de la Reina
Cuenca
Coria
Plasencia
Tarancón
Castelo Branco
Toledo
Santarém
Cáceres
Guadalupe
Mota del Cuervo
PORTUGAL
Mérida
Ciudad Real
Albacete
LISBOA
Badajoz
Valdepeñas
Évora
Zafra
Peñarroya-Pueblonuevo
Beja
Sines
Villacarrillo
Murcia
Córdoba
Jaén
Lorca
Sevilla
Cartagena
Lagos
Huelva
Guadix
Antequera
Granada
Faro
Almería
Marbella
Málaga
Cádiz
Gibraltar
O C É A N O   A T L Á N T I C O
G O L F O   D E   C Á D I Z
E S T R E C H O   D E   G I B R A L T A R
R. Miño
R. Duero
R. Ebro
R. Tajo
R. Guadiana
R. Guadalquivir
R. Júcar

ISLAS CANARIAS

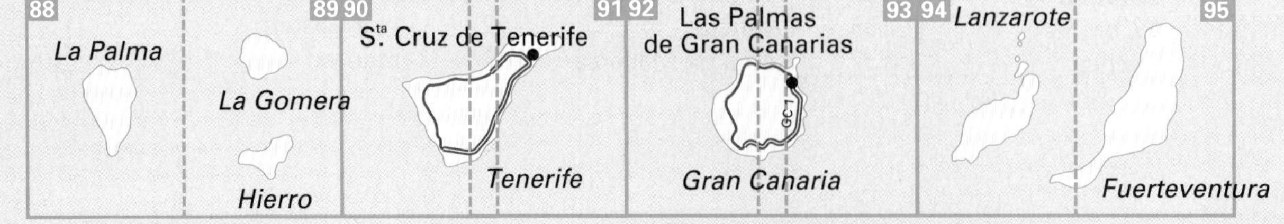

Información general
Grands itinéraires
Route planning
Reiseplanung
Grote verbindingswegen
Grandi itinerari

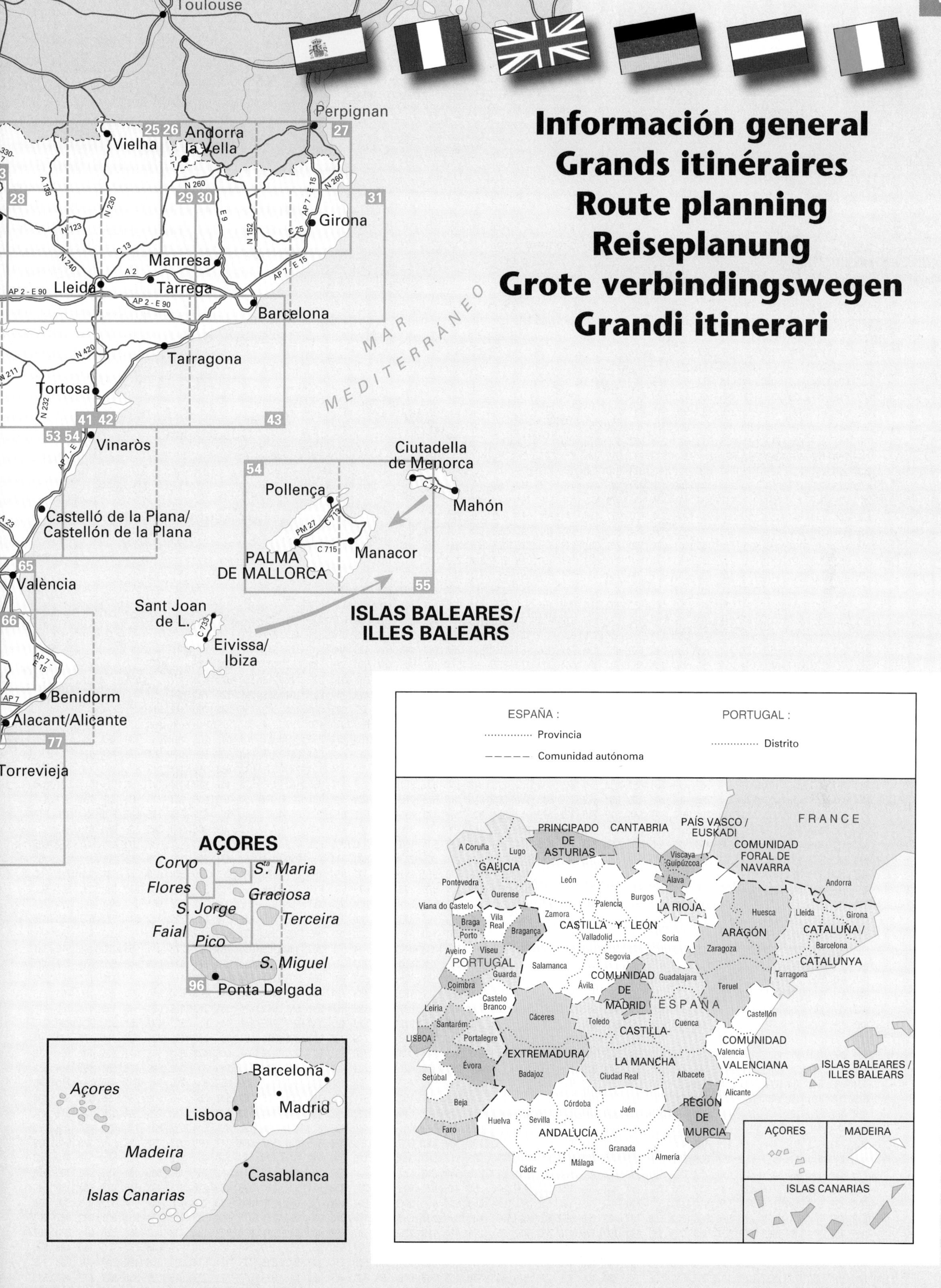

	Alacant / Alicante	Albacete	Algeciras	Almería	Andorra la Vella	Aveiro	Ávila	Badajoz	Barcelona	Beja	Bilbao	Braga	Bragança	Burgos	Cáceres	Cádiz	Castellón de la Plana / Castelló de la Plana	Castelo Branco	Ciudad Real	Coimbra	Córdoba	A Coruña	Cuenca	Donostia-San Sebastián	Évora	Faro	Girona	Granada	Guadalajara	Guarda	Huelva	Huesca	Jaén	Jerez de la Frontera	Leiria	León	Lisboa
Alacant / Alicante																																					
Albacete	170																																				
Algeciras	610	614																																			
Almería	296	363	348																																		
Andorra la Vella	684	695	1270	960																																	
Aveiro	939	773	794	1018	1158																																
Ávila	541	375	695	659	729	405																															
Badajoz	808	642	427	651	1013	405	382																														
Barcelona	538	550	1129	815	198	1169	739	1022																													
Beja	816	700	403	627	1194	396	563	181	1205																												
Bilbao	805	639	1044	945	600	704	418	731	611	869																											
Braga	1002	836	897	1120	1139	127	496	509	1151	499	686																										
Bragança	782	616	811	900	934	291	268	497	946	558	481	231																									
Burgos	652	486	891	786	597	551	266	578	608	717	160	534	351																								
Cáceres	707	541	447	671	912	401	235	133	923	272	603	506	370	450																							
Cádiz	718	606	127	461	1257	770	633	364	1152	339	983	875	749	829	385																						
Castellón de la Plana / Castelló de la Plana	263	275	841	527	426	947	547	820	281	1002	674	1010	790	655	738	875																					
Castelo Branco	878	712	602	827	1097	252	344	176	1109	278	644	346	288	490	214	542	887																				
Ciudad Real	391	225	548	427	809	717	317	304	701	543	605	779	560	452	317	451	426	478																			
Coimbra	932	766	739	963	1151	65	397	350	1162	340	697	171	295	544	346	678	940	226	710																		
Córdoba	515	347	296	360	998	787	506	381	893	356	794	892	750	641	402	264	590	555	191	732																	
A Coruña	1019	853	1107	1137	1096	373	522	755	1107	745	559	261	368	489	673	1046	1027	591	797	416	988																
Cuenca	329	163	703	521	657	689	292	562	542	744	550	752	532	397	480	688	267	628	270	682	432	769															
Donostia-San Sebastián	800	707	1111	1012	448	772	486	798	572	937	100	754	572	227	677	1051	635	711	666	765	863	654	618														
Évora	911	745	530	754	1116	352	485	103	1127	80	791	457	481	638	194	469	925	197	407	297	402	702	668	860													
Faro	803	684	382	614	1333	496	702	381	1230	147	1052	602	765	898	454	321	955	462	528	441	343	846	770	1120	227												
Girona	633	644	1223	909	272	1249	819	1102	105	1283	692	1232	1049	689	1020	1244	375	1188	795	1242	988	1188	636	637	1205	1323											
Granada	364	367	263	175	1025	905	533	499	883	474	821	996	776	668	520	339	596	673	302	850	236	1013	460	890	603	455	977										
Guadalajara	449	283	717	596	556	574	175	458	567	639	420	637	418	267	376	702	452	514	256	567	446	654	136	488	561	779	647	470									
Guarda	792	627	733	911	1012	159	258	306	1023	367	558	253	195	404	302	672	801	96	571	152	606	497	544	626	289	553	1102	785	424								
Huelva	696	578	275	507	1227	595	596	327	1124	246	945	700	712	792	348	214	849	500	422	540	236	945	663	1014	325	112	1218	350	672	635							
Huesca	576	615	1041	853	265	930	500	783	276	964	373	913	730	370	701	1027	411	869	581	923	771	869	428	247	887	1104	358	795	328	781	1001						
Jaén	409	283	341	220	941	849	449	400	808	458	737	912	692	584	421	366	533	574	218	751	110	929	375	805	504	444	902	95	386	700	342	714					
Jerez de la Frontera	653	574	102	435	1225	738	601	332	1120	307	951	843	717	797	353	37	845	506	418	683	232	1012	660	1019	436	287	1214	307	671	640	184	998	377				
Leiria	1000	834	680	904	1260	124	506	291	1271	282	806	236	399	653	287	619	1014	167	596	75	591	480	757	874	237	383	1351	747	672	259	481	1033	780	587			
León	765	600	854	884	780	471	269	540	792	722	343	376	193	190	419	793	774	453	544	487	734	321	517	412	601	861	871	758	397	365	759	554	673	761	579		
Lisboa	1035	869	576	800	1240	275	566	227	1251	178	866	367	530	712	318	515	1049	227	532	206	531	611	792	934	134	279	1331	643	686	319	377	1013	676	483	160	676	
	536	547	1121	812	153	1009	579	862	178	1044	452	992	809	449	780	1107	278	949	660	1002	851	948	477	411	966	1183	258	875	407	860	1081	117	790	1074	1111	621	1090
	674	614	1019	920	473	679	394	706	484	845	138	662	479	135	585	958	509	619	574	672	770	618	378	166	767	1027	564	794	279	530	924	246	709	926	781	307	842
	925	759	1013	1043	1002	431	429	700	1013	804	548	319	285	395	579	952	934	513	703	475	894	99	677	617	759	904	1093	918	557	419	918	775	833	920	539	226	672
	421	255	667	546	612	514	114	400	623	581	397	576	357	243	318	652	423	453	206	507	396	594	166	465	503	721	703	420	58	365	618	385	336	620	615	342	627
	473	477	139	205	1135	861	643	455	993	430	931	966	840	778	476	254	705	629	412	806	160	1123	570	1000	559	410	1087	127	581	763	307	908	203	229	747	872	605
	748	582	372	597	953	424	321	61	964	242	676	530	442	523	78	312	762	234	244	369	245	737	505	744	164	380	1044	440	398	326	277	726	389	279	311	486	288
	85	152	539	225	737	919	520	787	592	750	786	982	763	632	705	647	317	859	370	912	481	1000	309	854	890	731	686	293	427	770	628	630	338	583	979	748	926
	927	761	973	1045	1065	284	431	629	1076	657	611	172	191	458	539	912	935	419	705	328	896	178	679	680	612	758	1156	920	559	325	856	838	835	880	393	301	525
	872	707	960	990	888	578	376	647	899	829	293	483	300	297	526	900	881	560	650	594	841	301	624	387	751	968	979	865	504	472	865	661	780	867	686	129	784
	686	520	815	804	684	475	190	502	695	641	247	472	253	94	381	754	695	415	464	468	655	474	438	315	563	823	775	679	318	327	720	457	594	722	577	163	638
	687	691	1096	963	475	756	470	782	487	921	157	739	556	212	662	1035	511	695	651	749	847	695	528	82	843	1103	566	871	428	607	1001	162	786	1003	858	384	919
	690	701	1281	966	190	1306	876	1159	162	1341	672	1289	1106	746	1077	1302	432	1246	852	1299	1046	1245	694	576	1263	1380	65	1035	704	1157	1278	416	955	1270	1408	918	1387
	1041	876	1013	1159	1179	242	545	624	1191	615	655	130	305	572	620	952	1050	461	819	286	1010	134	793	749	570	716	1270	1034	673	367	814	953	949	920	351	416	483
	845	679	505	729	1050	286	435	78	1061	180	735	391	380	582	132	444	859	96	383	231	378	636	602	804	102	381	1141	572	495	188	410	823	521	412	172	545	226
	982	816	848	1073	1166	78	447	460	1178	450	713	58	220	559	456	787	990	296	760	121	760	302	733	781	406	551	1257	916	614	203	650	940	890	755	186	403	318
	632	466	644	750	850	312	97	330	862	469	397	405	166	243	209	583	640	252	410	305	601	460	383	465	391	651	941	625	264	163	548	624	540	550	414	209	475
	832	666	1012	971	698	672	387	699	709	838	103	623	440	182	578	951	772	612	625	665	822	466	577	197	760	1020	789	846	445	524	917	471	761	919	774	268	835
	1062	896	604	828	1251	193	497	254	1262	205	797	298	462	644	278	543	1006	158	559	138	559	543	749	866	161	306	1342	671	664	250	405	1024	703	510	79	607	84
	1034	869	1069	1153	1135	299	538	681	1146	671	598	187	298	528	677	1008	1043	517	813	342	1003	77	786	692	627	772	1226	1027	666	423	871	908	942	976	407	359	539
	518	353	757	637	706	486	86	474	718	655	353	549	329	200	392	726	527	425	297	479	487	566	271	422	577	795	797	511	150	337	692	480	426	694	587	314	649
	1001	835	542	766	1206	295	600	193	1217	144	900	401	564	747	284	481	1015	261	498	240	497	645	758	968	100	245	1297	609	652	353	343	980	642	449	181	710	49
	599	485	186	410	1136	652	515	246	1031	221	865	757	631	711	267	125	756	420	329	597	152	926	571	933	350	201	1125	253	582	554	95	909	288	95	538	675	396
	556	452	886	765	453	684	344	626	464	808	238	667	484	144	545	871	391	624	425	677	615	623	272	258	730	948	544	639	172	535	845	226	554	839	786	312	854
	446	457	1036	722	271	1093	663	946	101	1127	535	1076	893	533	864	1057	188	1032	608	1086	801	1031	449	495	1049	1136	194	790	491	944	1033	301	710	1025	1194	705	1173
	333	249	911	597	478	818	419	702	443	883	475	881	662	472	620	942	168	758	390	811	686	899	148	434	805	1021	537	665	247	670	918	252	493	910	920	660	929
	415	249	615	494	684	587	187	366	696	548	481	650	431	327	284	600	450	483	117	580	344	667	185	549	470	679	775	368	130	438	576	458	283	568	559	416	593
	179	190	757	443	497	880	480	753	352	935	652	943	723	588	671	791	77	819	358	873	522	960	200	572	857	869	445	511	383	731	767	389	461	759	946	709	980
	637	472	766	756	719	427	141	453	731	592	282	423	204	129	332	706	646	366	415	420	606	440	389	350	514	774	810	630	269	278	671	493	545	673	528	189	590
	1056	890	919	1174	1194	148	518	530	1205	521	740	63	285	587	526	858	1064	366	834	191	830	250	807	808	476	621	1285	1049	688	273	720	967	964	825	256	430	389
	1023	857	994	1141	1160	224	526	606	1172	596	707	112	286	553	601	933	1031	442	801	267	991	160	774	775	551	697	1251	1016	654	348	795	934	931	901	332	397	464
	945	780	913	1064	1083	179	427	486	1095	539	630	109	126	476	482	852	954	276	724	185	785	335	697	698	468	640	1174	938	577	182	738	857	853	820	276	320	407
	856	690	806	974	1075	87	321	380	1086	428	621	180	216	468	375	746	864	170	634	92	679	425	607	689	362	529	1166	848	487	76	627	848	764	713	164	409	296
	761	595	1000	900	554	660	374	686	566	825	65	643	460	115	565	939	629	599	554	653	751	598	506	114	747	1007	645	775	374	511	905	328	690	907	762	288	823
	680	514	710	798	832	370	167	397	843	536	378	339	105	225	276	649	688	310	458	363	648	398	431	447	458	718	923	672	311	221	615	605	588	617	472	147	533
	504	547	973	780	300	862	432	714	311	895	304	829	646	306	625	959	339	801	512	855	702	785	359	264	816	1035	391	727	260	713	929	74	642	927	964	474	942

Distancias

Las distancias están calculadas desde el centro de la ciudad y por la carretera más práctica para el automovilista, es decir, la que ofrece mejores condiciones de circulación, que no tiene por qué ser la más corta.

Distances

Les distances sont comptées à partir du centre-ville et par la route la plus pratique, c'est à dire celle qui offre les meilleures conditions de roulage, mais qui n'est pas nécessairement la plus courte.

Distances

Distances are shown in kilometres and are calculated from town/city centres along the most practicable roads, although not necessarily taking the shortest route.

Entfernungen

Die Entfernungen gelten ab Stadtmitte unter Berücksichtigung der günstigsten, jedoch nicht immer kürzesten Strecke.

Afstandstabel

De afstanden zijn in km berekend van centrum tot centrum langs de geschickste, dus niet noodzakelijkerwijze de hortste route.

Distanze

Le distanze sono calcolate a partire dal centro delle città e seguendo la strada che, pur non essendo necessariamente la più breve, offre le migliori condizioni di viaggio.

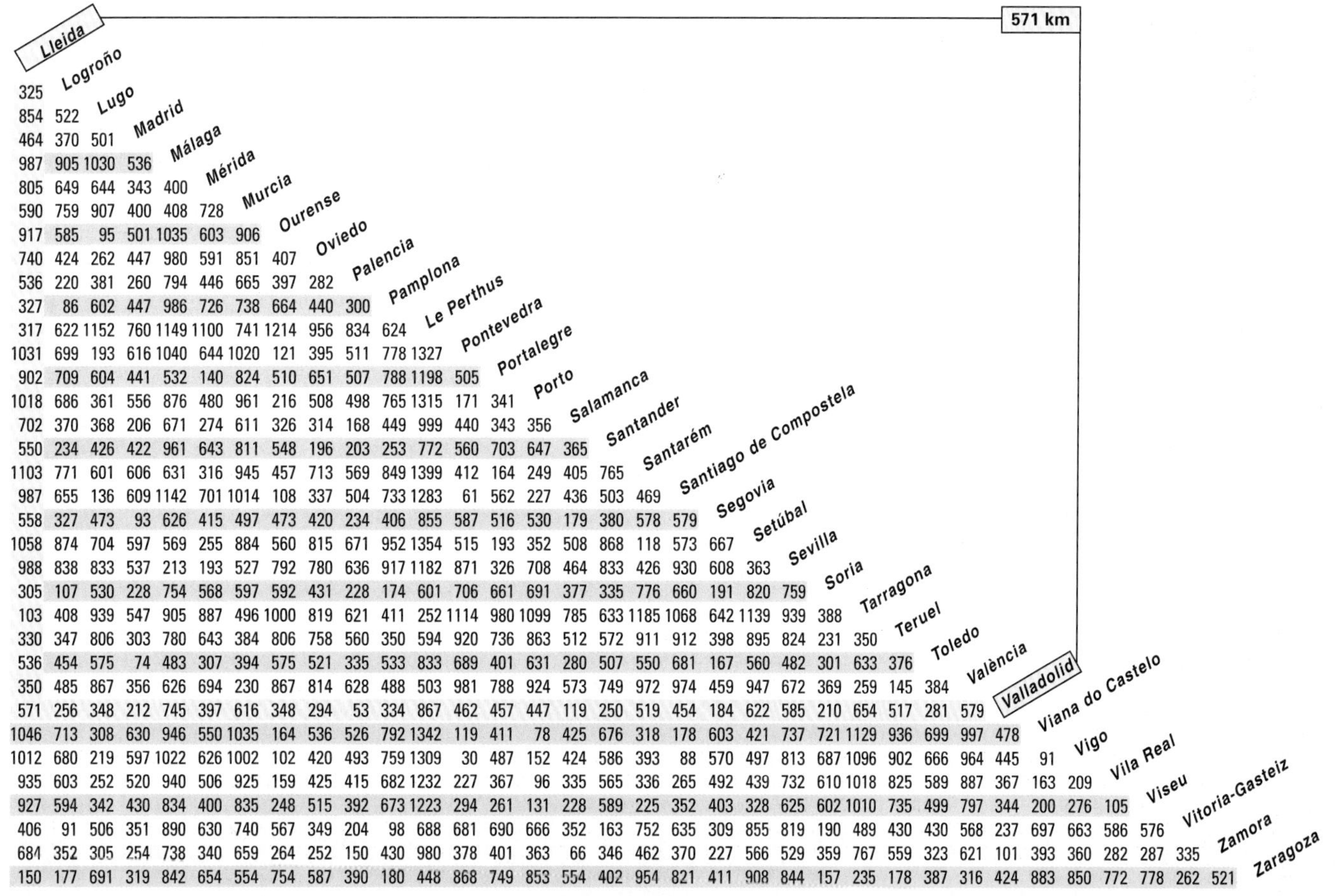

	Lleida	Logroño	Lugo	Madrid	Málaga	Mérida	Murcia	Ourense	Oviedo	Palencia	Pamplona	Le Perthus	Pontevedra	Portalegre	Porto	Salamanca	Santander	Santarém	Santiago de Compostela	Segovia	Setúbal	Sevilla	Soria	Tarragona	Teruel	Toledo	València	Valladolid	Viana do Castelo	Vigo	Vila Real	Viseu	Vitoria-Gasteiz	Zamora
Logroño	325																																	
Lugo	854	522																																
Madrid	464	370	501																															
Málaga	987	905	1030	536																														
Mérida	805	649	644	343	400																													
Murcia	590	759	907	400	408	728																												
Ourense	917	585	95	501	1035	603	906																											
Oviedo	740	424	262	447	980	591	851	407																										
Palencia	536	220	381	260	794	446	665	397	282																									
Pamplona	327	86	602	447	986	726	738	664	440	300																								
Le Perthus	317	622	1152	760	1149	1100	741	1214	956	834	624																							
Pontevedra	1031	699	193	616	1040	644	1020	121	395	511	778	1327																						
Portalegre	902	709	604	441	532	140	824	510	651	507	788	1198	505																					
Porto	1018	686	361	556	876	480	961	216	508	498	765	1315	171	341																				
Salamanca	702	370	368	206	671	274	611	326	314	168	449	999	440	343	356																			
Santander	550	234	426	422	961	643	811	548	196	203	253	772	560	703	647	365																		
Santarém	1103	771	601	606	631	316	945	457	713	569	849	1399	412	164	249	405	765																	
Santiago de Compostela	987	655	136	609	1142	701	1014	108	337	504	733	1283	61	562	227	436	503	469																
Segovia	558	327	473	93	626	415	497	473	420	234	406	855	587	516	530	179	380	578	579															
Setúbal	1058	874	704	597	569	255	884	560	815	671	952	1354	515	193	352	508	868	118	573	667														
Sevilla	988	838	833	537	213	193	527	792	780	636	917	1182	871	326	708	464	833	426	930	608	363													
Soria	305	107	530	228	754	568	597	592	431	228	174	601	706	661	691	377	335	776	660	191	820	759												
Tarragona	103	408	939	547	905	887	496	1000	819	621	411	252	1114	980	1099	785	633	1185	1068	642	1139	939	388											
Teruel	330	347	806	303	780	643	384	806	758	560	350	594	920	736	863	512	572	911	912	398	895	824	231	350										
Toledo	536	454	575	74	483	307	394	575	521	335	533	833	689	401	631	280	507	550	681	167	560	482	301	633	376									
València	350	485	867	356	626	694	230	867	814	628	488	503	981	788	924	573	749	972	974	459	947	672	369	259	145	384								
Valladolid	571	256	348	212	745	397	616	348	294	53	334	867	462	457	447	119	250	519	454	184	622	585	210	654	517	281	579							
Viana do Castelo	1046	713	308	630	946	550	1035	164	536	526	792	1342	119	411	78	425	676	318	178	603	421	737	721	1129	936	699	997	478						
Vigo	1012	680	219	597	1022	626	1002	102	420	493	759	1309	30	487	152	424	586	393	88	570	497	813	687	1096	902	666	964	445	91					
Vila Real	935	603	252	520	940	506	925	159	425	415	682	1232	227	367	96	335	565	336	265	492	439	732	610	1018	825	589	887	367	163	209				
Viseu	927	594	342	430	834	400	835	248	515	392	673	1223	294	261	131	228	589	225	352	403	328	625	602	1010	735	499	797	344	200	276	105			
Vitoria-Gasteiz	406	91	506	351	890	630	740	567	349	204	98	688	681	690	666	352	163	752	635	309	855	819	190	489	430	430	568	237	697	663	586	576		
Zamora	684	352	305	254	738	340	659	264	252	150	430	980	378	401	363	66	346	462	370	227	566	529	359	767	559	323	621	101	393	360	282	287	335	
Zaragoza	150	177	691	319	842	654	554	754	587	390	180	448	868	749	853	554	402	954	821	411	908	844	157	235	178	387	316	424	883	850	772	778	262	521

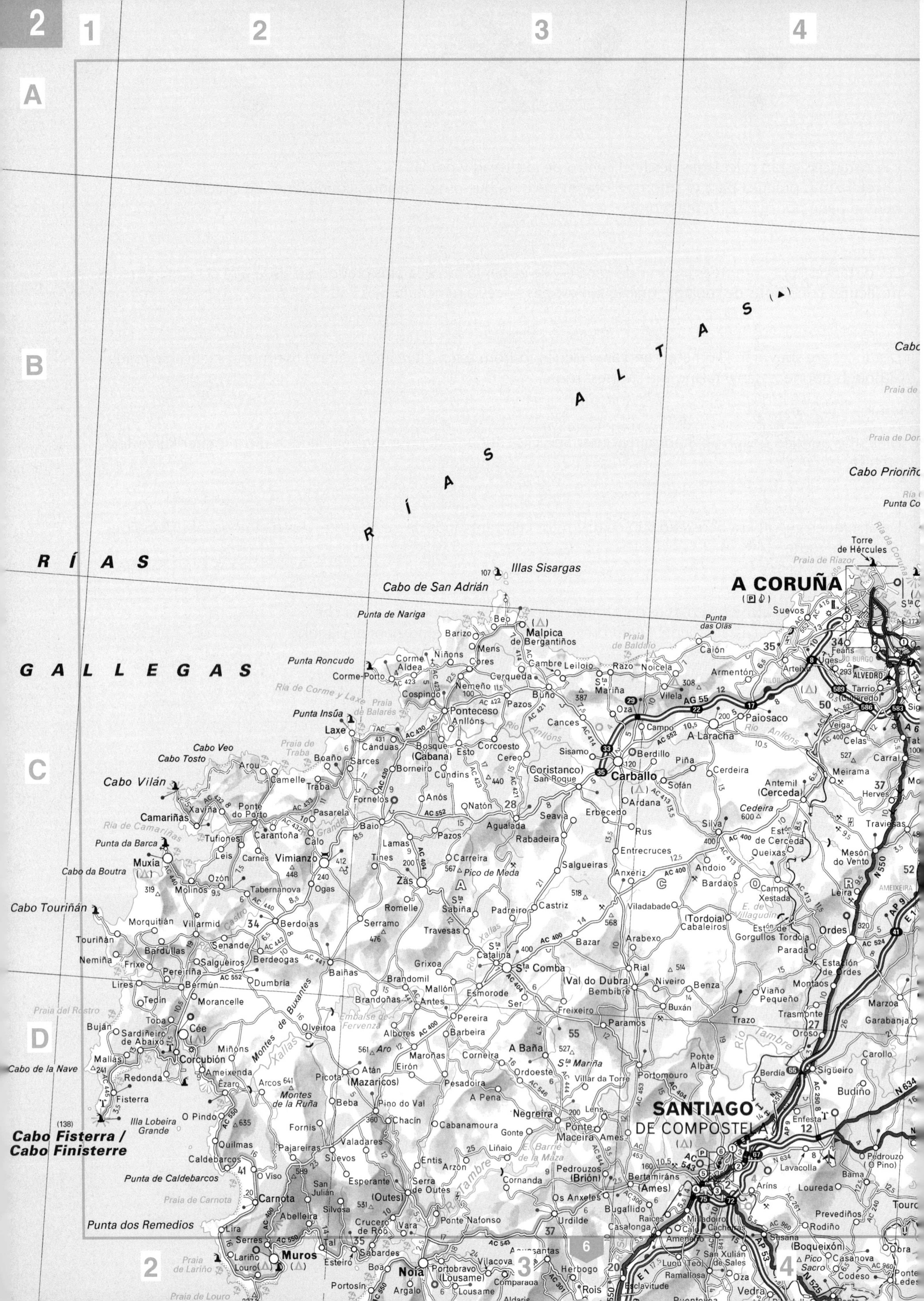
2
1
2
3
4
A
B
C
D
RÍAS ALTAS
RÍAS GALLEGAS
Illas Sisargas
Cabo de San Adrián
Punta de Nariga
Punta Roncudo
Punta Insúa
Cabo Veo
Cabo Tosto
Cabo Vilán
Camariñas
Ría de Camariñas
Punta da Barca
Muxia
Cabo da Boutra
Cabo Touriñán
Cabo de la Nave
Cabo Fisterra / Cabo Finisterre
Illa Lobeira Grande
Punta de Caldebarcos
Punta dos Remedios
A CORUÑA
Torre de Hércules
Praia de Riazor
Cabo Prioriño
SANTIAGO DE COMPOSTELA
Malpica de Bergantiños
Ponteceso
Laxe
Carballo
A Laracha
Paiosaco
Arteixo
Cerceda
Ordes
Zás
Vimianzo
Santa Comba
Negreira
Cée
Corcubión
Fisterra
Carnota
Muros
Noia
Outes
Mazaricos
Dumbría
Berdoias
Baio
Cabana
Coristanco
Tordoia
Val do Dubra
A Baña
Brión
Ames
Bertamiráns
Ría de Corme y Laxe
Montes de Buxantes
Montes de la Ruña
Embalse de Fervenza
E. Barrié de la Maza
Río Tambre
Río Anllóns
Río Xallas
Pico de Meda
Pico Sacro
Boqueixón
Sigüeiro
Lavacolla
Pedrouzo
Oroso
Trazo
Frades
Mesón do Vento
Carral
Meirama

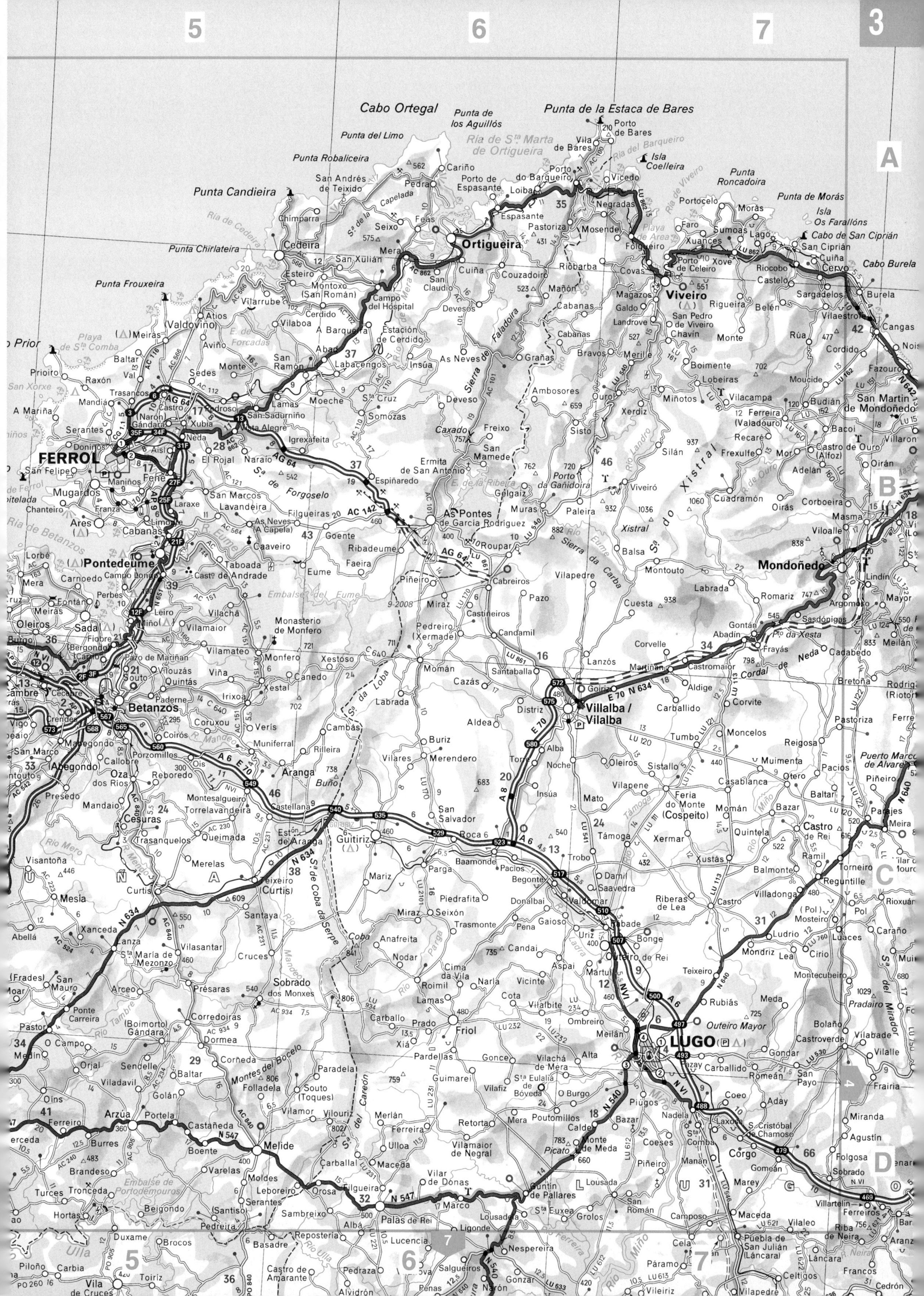
5
6
7
A
B
C
D
Cabo Ortegal
Punta de los Aguillós
Punta de la Estaca de Bares
Porto de Bares
Vila de Bares
Ría de S.ta Marta de Ortigueira
Ría del Barqueiro
Isla Coelleira
Punta del Limo
Punta Robaliceira
Punta Candieira
Punta Chirlateira
Punta Frouxeira
Ría de Cedeira
Punta Roncadoira
Punta de Morás
Isla Os Farallóns
Cabo de San Ciprián
Cabo Burela
San Andrés de Teixido
Cariño
Porto de Espasante
Pedra
Chimparra
Cedeira
Ortigueira
Espasante
Loiba
Porto do Barqueiro
Vicedo
Negradas
Pastoriza
Mosende
Folgueiro
Faro
Morás
Sumoas
Lago
San Ciprián
Cuiña
Cervo
Burela
Xuances
Xove
Portocelo
Porto de Celeiro
Riocobo
Castelo
Sargadelos
Viveiro
Rigueira
Belén
Vilaestrofe
Cangas
San Xulián
Esteiro
Mera
Seixo
Feas
San Claudio
Cuiña
Couzadoiro
Riobarba
Covas
Magazos
Galdo
Landrove
San Pedro de Viveiro
Chavín
Monte
Rúa
Cordido
Montoxo (San Román)
Campo del Hospital
Cerdido
Devesos
Mañón
Cabanas
Vilarrube
Atios
(Valdoviño)
Meirás
Playa de S.ta Comba
Vilaboa
A Barqueira
Estación de Cerdido
E. de Forcadas
Aviño
Baltar
Val
Prioiro
Raxón
San Xorxe
A Mariña
Mandiá
Trasancos
Sedes
Monte
San Ramón
Abad
Labacengos
Insúa
As Neves
Sierra de Faladoira
Graña
Cabanas
Bravos
Merille
Boimente
Lobeiras
Fazouro
Moucide
Budián
San Martín de Mondoñedo
Castro (Narón)
Gándara
Pedroso
Xubia
Lamas
Moeche
S.ta Cruz
Somozas
Deveso
Ambosores
Ouro
Miñotos
Vilacampa
Ferreira (Valadouro)
Bacoi
Serantes
Neda
Vista Alegre
San Sadurniño
Igrexafeita
Caxado
Freixo
San Mamede
Sisto
Xerdiz
Recaré
Castro de Ouro (Alfoz)
Villaronte
FERROL
San Felipe
Doniños
El Rojal
Aislo
Naraío
S.a de Forgoselo
Ermita de San Antonio
Espiñaredo
E. de la Ribeira
Porto da Gañidoira
Silán
Frexulfe
Mor
Adelán
Oirán
Ría de Ferrol
Maniños
Fene
Mugardos
San Marcos
Lavandeira
Gelgaiz
Muras
Viveiró
Sa do Xistral
Cuadramón
Corboeira
Oirás
Masma
Chanteiro
Franza
Laraxe
Ares
Limodre
Cabanas
Filgueiras
As Neves (A Capela)
Goente
As Pontes de García Rodríguez
Paleira
Xistral
Viloalle
Ría de Betanzos
Caaveiro
Ribadeume
Roupar
Balsa
Sierra da Carba
Mondoñedo
Lorbé
Pontedeume
Campo Longo
Taboada
Cast.o de Andrade
Eume
Faeira
Cabreiros
Montouto
Labrada
Lindín
Mera
Carnoedo
Perbes
Fontán
Piñeiro
Miraz
Vilapedre
Pazo
Romariz
Argomoso
Mayor
Meirás
Sada
Leiro
Miño
Vilachá
Embalse del Eume
Castiñeiros
Cuesta
Sasdónigas
Oleiros
Fiobre
(Bergondo)
Vilamaior
Monasterio de Monfero
Pedreiro (Xermade)
Candamil
Gontán
Abadín
P.to da Xesta
Frayás
Meilán
Cadabedo
Corvelle
Martiñán
Castromaior
Cordal de Neda
Pazo de Mariñán
Vilamateo
Monfero
Xestoso
Momán
Lanzós
Santaballa
Goiriz
Aldige
Corvite
Bretoña
Cambre
Cecebre
Crendes
Betanzos
Souto
Quintás
Viña
Canedo
Xestal
Irixoa
Cazás
Villalba / Vilalba
Distriz
Carballido
Rodrigás
Coiros
Paderne
Coruxou
Verís
Sa da Loba
Labrada
Aldea
Tumbo
Moncelos
Pastoriza
Mabegondo
San Marco
Callobre
Porzomillos
Muniferral
Rilleira
Cambás
Buriz
Merendero
Vilares
Alba
Torre
Noche
Oleiros
Sistallo
Reigosa
Muimenta
Otero
Pacios
Puerto Marco de Alvare
(Abegondo)
Oza dos Ríos
Reboredo
Ois
Aranga
Buño
Casablanca
Feria do Monte (Cospeito)
Vilapene
Mato
Insúa
Baltar
Pacios
Parajes
Presedo
Mandaio
Montesalgueiro
Torrelavandeira
Castellana
Estón de Aranga
San Salvador
Guitiriz
Roca
Momán
Quintela
Bazar
Castro de Rei
Meira
Cesuras
Trasanquelos
Queimada
Merelas
Mariz
Parga
Baamonde
Pacios
Begonte
Támoga
Xermar
Xustás
Ramil
Torneiro
Visantoña
Río Mero
Curtis
Teixeiro (Curtis)
Sa de Coba da Serpe
Piedrafita
Trobo
Damil
Saavedra
Balmonte
Reguntille
Mesía
Santaya
Miraz
Seixón
Trasmonte
Donalbai
Valdomar
Riberas de Lea
Castro
Villadonga
Rioxuán
Abellá
Xanceda
Lanza
Vilasantar
Cruces
Coba
Anafreita
Nodar
Pena
Gaioso
Rábade
Bonge
Uriz
Outeiro de Rei
Ludrio
Mosteiro
Pol
Luaces
Caraño
Cirio
Lea
S.ta María de Mezonzo
(Frades)
San Mauro
Arceo
Présaras
Sobrado dos Monxes
Roimil
Candai
Aspai
Martul
Mondriz
Teixeiro
Montecubeiro
Cima da Vila
Narla
Vicinte
Lamas
Cota
Vilalbite
Rubiás
Meda
Pradairo
Sa del Mirador
Ponte Carreira
Corredoiras
Carballo
Prado
Friol
Ombreiro
Outeiro Mayor
Bolaño
Pastor
(Boimorto) Gándara
Dormea
Xiá
Meilán
LUGO
Vilabade
Castroverde
Campo
Orjal
Sendelle
Corneda
Pardellas
Gonce
Alta
Vilachá de Mera
Gondar
Vilalle
Viladavil
Baltar
Montes del Bocelo
Paradela
Guimarei
S.ta Eulalia de Bóveda
Carballido
Romeán
San Payo
Frairía
Oins
Golán
Folladela
Souto (Toques)
Vilafiz
O Burgo
Piugos
Coeo
Aday
Arzúa
Ferreiro
Portela
Castañeda
Vilamor
Vilouriz
Merlán
Ferreira
Retorta
Mera
Poutomillos
Calde
Bazar
Nadela
Laxosa
S. Cristóbal de Chamoso
Miranda
Burres
Boente
Melide
Ulloa
Vilamaior de Negral
Monte de Meda
Picato
Coeses
S.ta Comba
Corgo
Agustín
Folgosa
Brandeso
Varelas
Carballal
Maceda
Pineiro
Manán
Gomeán
Sobrado
Turces
Tronceda
Embalse de Portodemouros
Moldes
Leboreiro
Orosa
Filgueira
Vilar de Donas
Guntín de Pallares
Lousada
Marey
Villartelín
Ferreiros
Hortas
Beigondo
(Santiso)
Serantes
Sambreixo
Palas de Rei
Marco
S.ta Euxea
Grolos
San Román
Camposo
Maceda
Vilaleo
Riba de Neira
Pedreira
Albá
Lousadela
Ligonde
Puebla de San Julián (Láncara)
Duxame
Brocos
Basadre
Reposteiría
Río Ulla
Lucencia
Nespereira
Cela
Láncara
Ulla
Piloño
Carbia
Castro de Amarante
Pedraza
Salgueiros
Páramo
Francos
Vila de Cruces
Toiriz
Alvidrón
Penas
Narón
Gonzar
Vileiriz
Vilapedre
Celtigos
Cedrón
FERROL
AG 64
AP 9
A 6
E 70
N 634
N 640
N 540
N 547
N VI
LU 862
LU 540
AC 862
AC 101
AC 142
AC 840
AC 934
AC 564
9-2008

4
8
9
10
A
B
C
D
C O S T A
C A N T Á B R I C A
Punta de Morás
Isla Os Farallóns
Cabo de San Ciprián
San Ciprián
Cuiña
Cervo
Cabo Burela
Sargadelos
Burela
Golfo de la Masma
Vilaestrofe
Cangas
Rúa
Cordido
Nois
Fazouro
Moucide
Praia de Llas
Praia de Rapadoira 9-2008
Praia del Castro
Budián
San Martín de Mondoñedo
Foz
Benquerencia
Bacoi
Castro de Ouro (Alfoz)
Villaronte
Oirán
Cosme (Barreiros)
Reinante
Devesa
Rinlo
Punta Corbeira
Autovía en obras
Ría de Ribadeo
Cabo Cebes
Ribadeo
Vilafrámil
Figueras
Serantes
Tapia de Casariego
Campos y Salave
Valdepares
Viavélez
(El Franco)
La Caridad
Ortiguera
Ría de Navia
Puerto de Vega
Luarca
Cabo Busto
Cadave
Busto
Barcia
Otur
Canero
Almuña
Moanes
Aspra
Navia
Pinera
Tox
Villapedre
Cartavio
Prendones
Miudes
Sueiro
La Roda
05-2008
Tol
Castropol
Barres
Ove
Vilela
Arante
Villamar
Vilamartín
Corboeira
Masma
Vilanova (Lourenzá)
Viloalle
Mondoñedo
Sto Tomé
San Adriano
Trabada
Sante
Vilaosende
Cedofeita
Porto de Abaixo
Villadevelle
Seares
Castrovaselle
Porzún
Vegadeo
Ría de Abres
Meredo
Añides
Balmonte
Lagar
Arancedo
Lebredo
La Braña
Penouta
Poblado Celta
Villacondide
Trelles
Coaña
Jarrio
Sante
Anleo
Vidural
Menudero
Arbón
Vivedro
Villartorey
Brañúas
Belén
La Figal
Soto de Trevías
Brieves
Carcedo
Muña
Lindín
Mayor
Argomoso
Sasdónigas
Pto de Xesta
Pto Cruz de Cancela
Meilán
Vilaformán
Saldoira
El Llano (San Tirso de Abres)
Guiar
Ouría
Folgueiras
Penzol
Rozadas
Boal
Serandinas
Miñagón
Villayón
Illaso
Busmente
Bobia
Caborno
Alto de Aristébano
Paredes
Pontigón
Merás
Alienes
Ayones
Naraval
Calleras
Fastias
Brañalonga
Villanueva
Meroú
Ponticiella
Parlero
Castrillón
Silvón
Doiras
Cedemonio
Bobia
Paramios
Mousende
Bres
Taramundi
Conforto
A Pontenova
Cadabedo
Bretoña
Rodrigas (Riotorto)
Vilamea
Pto de la Garganta
Glo
E. de Doiras
Valdedo
Rellanos
Navelgas
Alto de Forcayao
Bárcena del Monasterio
Bustoburniego
Villatresmil
Tablado de Riviella
Obona
Alto de Bustantigo
Bustantigo
Illano
Sarzol
Villanueva de Oscos
San Esteban de los Buitres
Vilaboa
Eo de San Pedro
Vilarmide
Ferreiravella
Pastoriza
Reigosa
Pacios
Puerto Marco de Alvare
Piñeiro
Sierra de Meira
Sierra de Carondio
Valle del Navia
Rañadoiro
Bendón
Borres
La Mortera
Sobrado
Tineo
El Rodical
Soto de la Barca
Alto de Porciles
Reigada
Gera
(Allande)
Pola de Allande
Santianes
Tuña
Jarceley
Llamas del Mouro
Arganza
Tamallanes
Linares
Villagrufe
Pto del Palo
Lago
San Emiliano
Sanzo
Pesoz
San Martín de Oscos
Sta Eulalia de Oscos
Ventoso
A Veiga de Logares
Villardíaz
La Trapa
Vilarchao
Otero
Baltar
Bazar
Castro
Rei
Parajes
Meira
San Xurxo
Ribera de Piquín
Berducedo
Grandas de Salime
Tebongo
Puelo
Onón
Abaniella
Parajes
Monasterio
Corias
Villalar
Cangas del Narcea
Besullo
Valledor
Sa de Valledor
Sierra del Oro
Villarpedre
Cornollo
Castro
Trobo
Torneiros
Reguntille
Vilar de Mouros
Crende
Rioxuán
Pol
Mosteiro
(Pol)
Carraño
Martín
Luaces
Ludrio
Cirio
Lea
Muiña
Neiro
Barbeitos
Fonfría
Alto de Acebo
Nogueirón
Peñafuente
E. de Grandas de Salime
Negueira de Muñiz
Vallador
Cervero
La Regla
Puenteciella
Mestas
Carballo
A Fonsagrada
Hospital
O Padrón
Suarna
Alto de Cerredo
Montecubeiro
Pradairo
Paradavella
Fonteo
A Lastra
Oviaño
Sa de Uría
Pozo de las Mujeres Muertas
Vegalagar
Cibuyo
Monasterio del Coto
Sestorraso
Bimeda
La Linde
Rabo
Sa de la Serrantina
Marentes
Valvaler
Lamas de Moreira
Seoane
Bolaño
Vilabade
Castroverde
Vilalle
Fontaneira
Cádabo (Baleira)
Frairia
San Payo
Gondar
Sa del Mirador
S. Antolín de Ibias (Ibias)
Cecos
Centenales
Puerto del Connio
Moal
Coto Nacional de Muniellos
Venta Nueva
Vega de Rengos
Villacibrán
Cibea
Vallado
Genestoso
Vegameoro
Rengos
Trascastro
Caniellas
Leitariegos
Puerto de Leitariegos
Queizán
Envernallas
Dangoleo
Boiro
Candanosa
Paradela
Miranda
Agustín
Folgosa
Sobrado
Penarrubia
Pedrafita Camporredondo
Navia de Suarna
Muñis
Larentes
Rao
Penamil
Son
A Ribeira
Busante
Sierra de Borde
Torga
Corralín
Rañadoiro
Larón
Puerto de Rañadoiro
Monasterio de Hermo
Puerto de Cerredo
Fondos de Vega
Reserva nacional de Degaña
Degaña
Cerredo
Caboalles de Arriba
Caboalles de Abajo
Villarino del Sil
Tejedo del Sil
Sisterna
Tormaleo
Llanelo
Rebollar
Luiña
Pto de Cienfuegos
Guimara
El Miro
Cuevas del Sil
Trascastro
Peranzanes
Chano
Miravalles
Reserva Nacional
Cariseda
Anllares del Sil
Susañe del Sil
Palacios del Sil
Matalavilla
Sierra
Balouta
Tejedo de A.
Anllarinos del S.
Suarbol
Donis
Piornedo
Robledo
Quindous
San Román (Cervantes)
Cancelada
Liber
Vilachá
Oselle
Cereixal
Becerreá
Porto de Campo da Arbore
Baralla
Aranza
Ferreiros
Villartelín
Riba de Neira
Láncara
Francos
Celtigos
Cedrón
N 642
N 634
N 640
N VI
A 6
A 8
E 70
LU 530
LU 750
LU 701
LU 722
AS 12
AS 14
AS 15
AS 21
AS 28
AS 210
AS 211
AS 212
AS 213
AS 216
AS 217
AS 219
AS 220
R. Navia
R. Eo
R. Agüeira
R. Narcea
R. Ibias
R. Neira
R. Sil

5
11
12
13
A
B
C
D
MAR CANTABRICO
VERDE
Cabo de Peñas
Bañugues
Punta de la Vaca
Verdicio
Podes
(Gozón)
Luanco
Nembro
San Juan de Nieva
Playa de Salinas
Cabo Vidio
Concha de Artedo
Cudillero
Riegoabajo
Salamir
Ballota
Novellana
Eta del Espíritu Sto
Sta María del Mar
Salinas
Avilés
Regueral
(Carreño)
Candás
Cabo Torres
GIJÓN
Ensenada de España
La Providencia
Villaverde
Punta de Tazones
Ría de Villaviciosa
Playa de Rodiles
Troncedo
Soto de L.
Artedo
S. Esteban
La Arena
Santiago del Monte
Piedras Blancas (Castrillón)
Zanzabornín
Prendes
Muse
Tabaza
Pervera
Veriña
Tremañes
Somió
Quintueles
Careñes
Tazones
San Cosme
Arcallana
S. Martín de luiña
Muros de Nalón
Soto del Barco
Campos
Los
Nubledo
Ambás
Quintes
Argüero
El Puntal
Mones
Autovía en obras 10-2008
07-2008
Faedo
Cuevas de Arbedales
(Corvera de Asturias)
Serín
Venta de las Ranas
Bedriñana
Selorio
Luces
Villamejín
Santianes
Pravia
Riberas
Callezuela (Illas)
Arlos
Sotiello
Santurio
La Camocha
Deva
Peón
El Pedroso
Villavaler
Folgueras
Selgas
Peñaullán
Santoseso
La Peral
Mareo
Caldones
Priesca
Villaviciosa
Lavio
Malleza
Linares
Corias
San Román
(Candamo)
Grullos
Sta Cruz
Villabona
Pinzales
Huerces
Quintana
Argañoso
Rozadas
Candanal
Amandi
Sandamías
S. Tirso
Bonielles
(Llanera)
Posada
Lugo de L.
La Madera
Pruvia
Muño
Collada
Fabares
Ambás
Valdediós
El Busto
La Peña
Priero
Salas
Villazón
Cornellana
Sandiche
Peñaflor
(Las Regueras)
Santullano
S. Cucao
Cayes
Argüelles
(Siero)
Pola de Siero
(Sariego)
La Vega
Poreño
Viñón
Sietes
Libardón
Acellana
Cabruñana
Grado
Doriga
Marinas
Brañes
Sa del Naranco
Lugones
Viella
Noreña
Aramil
Carçabada
Sta Eulalia (Cabranes)
Pandenes
Torazo
Pintueles
Vallobal
La Espina
Godán
Ovanes
Cermoño
Vega de Anzo
S. Pedro
S. Miguel de L.
Sta María
S. Claudio
Colloto
Lieres
Quintana
Camás
Ceceda
Miyares
Pedregal
Soto de los Infantes
Moutas
Aguera
Fuejo
Bayo
OVIEDO
Valdesoto
Nora
Nava
Pilona
S. Román
Villamayor
Puente de San Martín
San Pedro
Rodiles
Coalla
Sograndio
Trubia
Las Caldas
Cruces
Box
Sta María de B.
Carbayín
Riaño
La Cruz
S. Julián
Fuensanta
Infiesto
(Piloña)
Selviella
Vigaña
Villandás
Sama de Grado
Soto de Ribera
Manzaneda
Barros
Tuilla
Martimporra (Bimenes)
Ques
E. de la Barca
Alvariza
Santianes
S. Andrés
(Ribera de Arriba)
Agüeria
Olloniego
Lada
Langreo
Rozadas
Melendreros
Arenas
Bebares
Belmonte de Miranda
Restiello
Tuñón
S. Tirso
Sama
El Entrego
(S. Martín del Rey Aurelio)
Artedosa
Espinaredo
Vega
Yernes
(Sto Adriano)
Villanueva
Pedroveya
Sta Eulalia (Morcín)
Baiña
Rebollada
Ciaño
Sotrondio
Blimea
Ordaliego
Quintana
Vigaña
Villamarín
Proaza
Proacina
Busloñe
Ablaña
El Carbayo
La Nueva
Tiraña
Rebollada
La Marea
Riofabar
Peña Manteca
Tameza (Yernes y Tameza)
Villamejín
Grandiella
La Foz
La Traba
Mieres
Pola de Laviana (Laviana)
El Condado
Sa de Gibaniella
Aves
Agüerina
Llamoso
Tolinas
Desfiladero del Teverga
La Vega (Riosa)
Valdecuna
Sta Bárbara
Los Caleyos
(Sobrescobio)
Rioseco
Pto de Arnicio
Cenera
Figaredo
Urbiés
Villoria
Villamorey
E. de Tanes
Cuevas
Almurfe
Villamayor
Caranga
Bermiego
Llamo
Merujal
Tolivia
Bueres
Prado
Las Agüeras
Las Ventas
Gamoniteiro
Villallana
Ujo
Turón
Sta Cruz de M.
Sierra de Navaliego
La Colladona
San Andrés
Ladines
Orlé
Taja
San Martín
Entrago
Arrojo
Muriellos
Armada
Carabanzo
Moreda
(Aller)
Coballes
Campo de Caso
(Caso)
La Riera
Parque
Villanueva
La Plaza (Teverga)
Carrea
Sierra de Sobia
Bárzana (Quirós)
Llanuces
Pola de la Lena (Lena)
Bóo
Piñeres
Sta Ana
Cabañaquinta
Pelugano
Levinco
Caleao
Belerda
Soto
Pigüeña
Natural
Peña Negra
San Salvador
Fresnedo
Sta Marina
Vega del Rey
Sta Cristina de Lena
San Miguel
Bello
Santibáñez de la Fuente
Retriñón
Bezanes
Pola de Somiedo (Somiedo)
Reserva
Nacional de Somiedo
Villarín
Sallencia
Páramo
Ricabo
Felgueras
Murias
Cuérigo
Pola del Pino
Sa de Cortaguero
Gúa
Somiedo
Campomanes
Malvedo
Santibáñez de Murias
Llamas
Felechosa
Coto
Caunedo
Coto de B.
Valle de Lago
Zureda
Sotiello
La Frecha
Casomera
RICA
Puerto Ventana
Peña del Ranchón
Puente de los Fierros
Sierra de la Casomera
La Paraya
Sierra de las Fuentes de Invierno
Pto de San Isidro
San Isidro
Las Señas
Cornón
Sta María del Puerto
Puerto de Somiedo
Lagos de Saliencia
Torrestio
Peña Orniz
Peña Ubiña
Tuiza
Telledo
CORDILLERA
Pendilla de Arbas
Pto de la Vegarada
Isoba
La Cueta
Genestosa
Torrebarrio
Riospaso
Pajares
Pto de Piedrafita
Piedrafita
Redipuertas
Cofiñal
Muxavén
Lumajo
Villager de Laciana
Vega de Viejos
Torre de Babia
La Majúa
Villargusán
Puerto de la Cubilla
Puerto de Pajares
Arbás del Puerto
Tonín de A.
Braña Caballo
Campo
Canseco
Reserva nacional de
(Valdelugueros)
Lugueros
Villaseca de L.
Piedrafita de Babia
La Riera
Cospedal
Pinos
San Emiliano
Valgrande
Busdongo de Arbás
Camplongo de A.
Villablino
Cabrillanes
Huergas
Villasecino
Cirbanal
Cueto Negro
Túnel de Negrón
S. Martín de la T.
Villanueva de la Tercia
Pontedo
Cármenes
Tolibia de Arriba
Tolibia de Abajo
Riocuro
Quintanilla de Babia
Peñalba de Cilleros
Riolago
Robledo de Caldas
Caldas de Luna
Genicera
Villamanín
Valverdín
Rúcayo
Rozas
El Villar de Santiago
Sena de Luna
Casares de A.
Rodiezmo de la T.
Collada de Valdeteja
Felmín
Coto
Los Bayos
Pto de la Magdalena
Sa de Villabandín
Abelgas de Luna
E. de los Barrios de Luna
Aralla de L.
Villasimpliz
Valporquero de Torío
Illazo
Valdeteja
Oville
Nocedo de Curueño
Valdecastillo
Folledo
Buiza
La Vid
Vall. de V.
Las Cuevas
Paradilla
Carbonera
Ciñera
Vegacervera
Villalfeide
Cerecedo

6
SANTIAGO DE COMPOSTELA
PONTEVEDRA
VIGO
Cabo Fisterra / Cabo Finisterre
Fisterra
Corcubión
Cée
Carnota
Muros
Noia
Padrón
A Estrada
Negreira
Ordes
Sta Comba
Ría de Muros y Noia
Sierra de Barbanza
Porto do Son
Boiro
Rianxo
A Pobra do Caramiñal
Sta Eugenia (Ribeira)
Cabo de Corrubedo
Vilagarcía de Arousa
Vilanova de A.
Isla de Arousa
Cambados
A Toxa/La Toja
O Grove
Isla de Sálvora
Isla de Ons
Sanxenxo
Sangenjo
Ría de Pontevedra
Marín
Bueu
Moaña
Cangas
Cabo de Home
Islas Cíes
Isla de San Martiño
Ría de Vigo
Redondela
Ponteareas
Porriño
Baiona
Cabo Silleiro
Gondomar
Salvaterra de Miño
Tui
Valença do Minho
Mondariz
A Cañiza
Forcarei
Cuntis
Caldas de Reis
Sierra del Suido
Península de Morrazo
R Í A S B A I X A S / R Í A S B A J A S
D
E
F
2
3
4

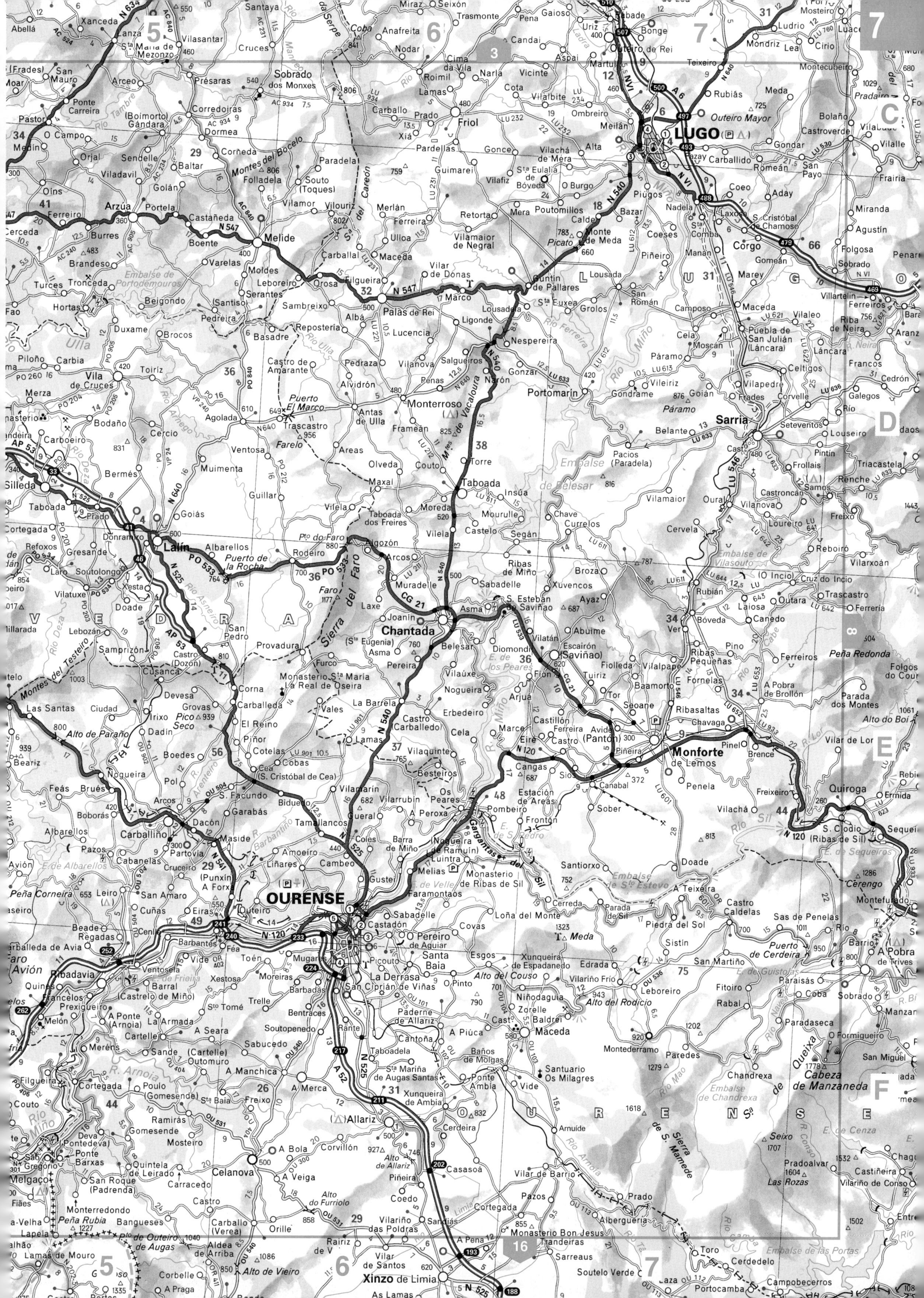

5
6
7
3
16
C
D
E
F
LUGO
Outeiro de Rei
Friol
Sobrado dos Monxes
Arzúa
Melide
Palas de Rei
Portomarín
Sarria
Monterroso
Vila de Cruces
Silleda
Lalín
Taboada
Chantada
Monforte de Lemos
Quiroga
Carballiño
OURENSE
Ribadavia
Celanova
Allariz
Maceda
Xinzo de Limia
Melgaço
Castro Caldelas
A Pobra de Trives
Montes del Bocelo
Sierra del Faro
Mtes de Vacaloura
Embalse de Belesar
Gargantas del Sil
Cabeza de Manzaneda
Sierra de S. Mamede
Río Miño
Río Sil
Río Arnoia
Río Ulla
Puerto de la Rocha
Puerto El Marco
Alto de Paraño
Alto del Rodicio
Alto del Couso
Puerto de Cerdeira
Peña Corneira
Peña Rubia
Peña Redonda
Alto do Boi
Montes del Testeiro
Pico Seco

A Fonsagrada
Hospital
Alto de Cerredo
Alto de Acebo
Negueira de Muñiz
Vallador
Cervero
La Regla
del Narcea
Puenteciella
Mestas
Mosteiro
Caraño
Martín
Luaces
Cirio
Muiña
S.a del Mirador
Fonfría
Suarna
O Padrón
Ouviaño
Pozo de las Mujeres Muertas
Vegalagar
Cibuyo
Montecubeiro
Meda
Pradairo
Paradavella
Lamas de Moreira
Marentes
Valvaler
Monasterio del Coto
Sestorraso
Bimeda
La Linde
Outeiro Mayor
Bolaño
Fonteo
A Lastra
Villacibrán
Castroverde
Vilabade
Fontaneira
Seoane
S. Antolín de Ibias (Ibias)
Puerto del Connio
Venta Nueva
Vega de Rengos
Cibea
Gondar
Vilalle
Cádabo (Baleira)
Cecos
Centenales
Coto Nacional de Muniellos
Moal
Vegameoro
Rengos
Trascastro
Carballido
Romeán
San Payo
Frairía
Queizán
Envernallas
Dangoleo
Boiro
Candanosa
Rañadoiro
Puerto de Rañadoiro
Caniellas
Coeo
Aday
Miranda
Paradela
Busante
Monasterio de Hermo
Laxosa
S. Cristóbal de Chamoso
Agustín
Pedrafita Camporredondo
Navia de Suarna
Muñis
Torga
Corralín
Larón
Corgo
Folgosa
Penarrubia
Penamil
Larentes
Rao
Sierra de Borde
Tormaleo
Sisterna
Fondos de Vega
Reserva nacional
Gomeán
Sobrado
Llanelo
Rebollar
Degaña
de Degaña
Cerredo
Marey
Son
Luiña
Caboalles
Tejedo
Maceda
Villartelín
Ferreiros
Baralla
Porto de Campo da Arbore
A Ribeira
Pto de Cienfuegos
Guimara
Puebla de San Julián (Láncara)
Vilaleo
Riba de Neira
Aranza
Vilachá
Oselle
Baloutá
Trascastro
El Miro
Cuevas
Moscán
Láncara
Francos
Cereixal
Becerreá
Liber
San Román (Cervantes)
Quindous
Miravalles
Chano
Peranzanes
Celtigos
Cedrón
Cancelada
Donis
Suarbol
Reserva Nacional
Cariseda
Anllares del Sil
Susañe del Sil
Vilapedre
Goián
Frades
Corvelle
Galegos
Vilaesteva
Piornedo
Robledo
Tejedo de A.
Suertes
Anllarinos del S.
Sarria
Seteventos
Louseiro
Guilfrei
As Nogais
A Degrada
Ancares
Pereda de Ancares
Candín
de los
Fresnedelo
S. Pedro de Paradela
Toldaos
Villanova
Sierra de Ancares
Burbia
Sorbeira
Estación de Páramo
Pintín
Alfoz
Doncos
Cela
Vilanova do Pedregal
Campo del Agua
Bárcena de la Abadía
Sorbeda del Sil
Frollais
Triacastela
Lamas
Nullán
Doiras
Peñarrubia
Ancares Leoneses
Lillo del Bierzo
Samos
Renche
Noceda
Villanueva del Pedrega
Fabero
Otero de Naragantes
Castroncán
Ferreiras
Pedrafita do Cebreiro
Penoselo
Fontoria
Matarrosa del Sil
Vilanova
Oural
Oribio
Fonfría
San Pedro
Pto de Pedrafita do Cebreiro
Sésamo
Berlanga del Bierzo
Loureiro
Freixo
Pto El Poyo
Hospital
El Castro
La Braña
Balboa
Villar de Acero
San Martín de Moreda
Langre
Librán
Sierra
Villar de las T.
Reboiró
O Cebreiro
Liñares
Casto Quintela
Valle de Finolledo
Vega de Espinareda
Embalse de Vilasouto
Vilarxoán
La Faba
Las Lamas
San Pedro de Olleros
Ocero
Tombrio de Abajo
Toreno
O Incio
Cruz do Incio
Cela
Rubián
Trascastro
Las Herrerías
Ambasmestas
Paradaseca
Fresnedo
Laiosa
Outara
Ferrería
Seoane do Courel
Zanfoga
Vega de Valcarce
Pradela
Trabadelo
San Juan de la Mata
Sancedo
Finolledo
Losada
Canedo
Villasinde
Canedo de la Mata
Sta Marina del Sil
Bóveda
San Fiz do Seo
Pereje
Villabuena
Arganza (Cabañas Raras)
Cabañas de la Dornilla
Pino
Peña Redonda
Sierra del Courel
Barjas
Moral de Varcace
Villafranca del Bierzo
Quilós
Sta Ana
Cubillos del Sil
Rodanillo
Ribas Pequeñas
Ferreiros
Visuña
Corrales
Congosto
Fornelas
Folgoso do Courel
Pico Piapaxaro
Dragonte
Cacabelos
Bembibre
A Pobra de Brollón
Parada dos Montes
Seara
Río Barjas
Cadafresnas
Corullón
Pieros
Magaz de A.
Columbrianos
S. Miguel de las D.
Almázcara
Vilarbacu
Ferramulín
Villarrubín
Viariz
Hornija
Carracedo
Camponaraya
Calamocos
Castropodame
basaltas
Chavaga
Alto do Boi
Gestoso
Oencia
Arnadelo
(Villadecanes)
Carracedelo
Ponferrada
Turienzo Castañero
Monforte de Lemos
Pinel
Brence
Vilar de Lor
Arnado
Sobredo
Cabeza de Campo
Toral de los
Villadepalos
Dehesas
Onamio
Penela
Outeiro
San Tirso
Friera
Villaverde
LE 142
Molinaseca
Paradasolana
Rebide
Fistéus
Montouto
Lusio
Oulego
Tara
Sobrado
Villalibre de la J.
Salas de los B.
Riego de Ar
Quiroga
Freixeiro
Ermida
Sierra de los Cabalos
Sierra de la Encina
Portela de Aguiar
Priaranza del Bierzo
Ozuela
S. Esteban de V.
Acebo
Sil
S. Clodio (Ribas de Sil)
Sequeiros
Robledo
Covas
Carucedo
Borrenes
Villanueva de V.
Doade
E. de Sequeiros
San Vicente
Rubia
E. de Peñarrubia
Orellan
Las Médulas
Sta Lucía de V.
S. Clemente de V.
Espinoso de C.
S. Cristóbal de V.
Teixeira
Cerengo
Vilamartín de Valdeorras
Pobla
A Veiga
Montes Aquilianos
Montes de V.
Guiana
Bouzas
Becerril
Castro Caldelas
Vlaster
Roblido
A Rúa
O Barco
Sobradelo
Salas de la Ribera
Castroquilame
Pombriego
Peñalba de Santiago
Poblac
del Sol
Sas de Penelas
Montefurado
Pumares
Vega de Y.
Santalavilla
Puente de Domingo Flórez
Llamas de C.
Cabeza de la Yegua
Alto El Morredero
Molina
Puerto de Cerdeira
Río
Barrio
A Pobra de Trives
Seadur
Petín
Embalse de San Martiño
Santigoso
Viladequinta
Mequa
Portela
Benuza
Sigüeya
El Morredero
Alto Las Portillin
San Martiño
E. de Guistolas
Paraisás
Larouco
Freixido
Embalse de Sta Baia
Candeda
Carballeda
Casoio
Sierra
Fitoiro
Rabal
Coba
Sobrado
Portomourisco
Riomao
Casaio
Silván
Odollo
Noceda
Lentellais
Prada
Sierra del Eixe
Castrillo de Cabrera
Saceda
Paradaseca
Manzaneda
O Bolo
Embalse de Prada
Fonte da Cova
O Formigueiro
Placín
Valbuxán
Cambela
Lamalonga
Nogar
Corporale
Queixa
Cabeza de Manzaneda
San Miguel
Raigada
Pradolongo
Vilanova
R. Cabrera
Forna
Quintanilla de Losada
Baillo
Chandrexa
Embalse de Chandrexa
Vilarmeao
A Veiga
Castromao
A Ponte
Peña Trevinca
La Baña
Losadilla
Encinedo
Iruela
Truchas
Alto de Covelo
Xares
Valdín
Sta Eulalia de C.
Villarino
Truchillas
E. de Cenza
E. de Bao
San Mamede
Corzos
Mourisca
Seixo
Chaguazoso
S.a Segundera
Moncalvo
SIERRA DE LA CABRE
Alto del Peñón
Vizcodillo
Pradoalvar
Castiñeira
Vilariño de Conso
Las Rozas
Viana do Bolo
Ramilo
Porto
San Ciprián
Escuredo
Vega del
San Cibrao
Rubiás
E. de S. Sebastián
Parque
Natural
Entrecinsa
Solbeira
San Martín de Castañeda
Murias
Rábano de S.
Doney de la R.
Villarejo de la Sierra
Río Camba
Embalse de las Portas
Toro
Pixeiros
E. de Pías
Ribadelago
Lago de Sanabria
Trefacio
San Justo
Rozas
Galende
San Juan de la Cuesta
Carbajalinos
Santiago de la R.
Sanabria
Portocamba
Campobecerros
Vilaseco
Pías
Río Tuela
E. de Puente Porto
Quintana
Sotillo de S.
Gusandanes
Rosinos de la Requejada
Espadañedo
Cerrubio
CANTABRICA
CORDILLERA
O Courel
MO

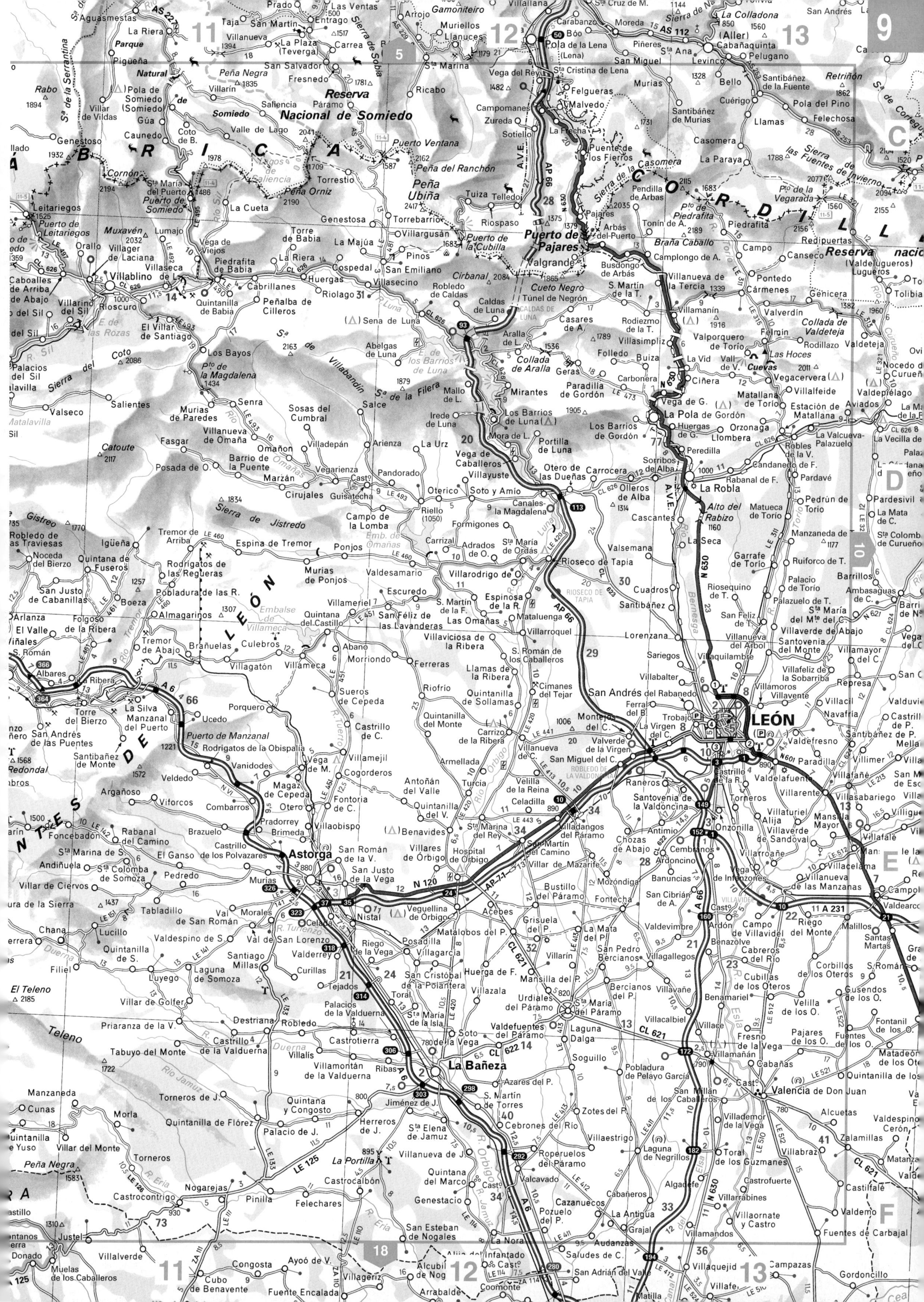

9
11
12
13
Aguasmestas
Taja
San Martín
Entrago
La Plaza (Teverga)
Sierra de Sobia
Gamoniteiro
Pola de la Lena (Lena)
La Colladona
Cabañaquinta
(Aller)
Parque Natural de Somiedo
Pola de Somiedo (Somiedo)
Reserva Nacional de Somiedo
Peña Negra
Villar de Vildas
Puerto Ventana
Peña del Ranchón
Peña Ubiña
Peña Orniz
Cornón
Puerto de Somiedo
Leitariegos
Puerto de Leitariegos
Muxavén
Villablino
Piedrafita de Babia
Villager de Laciana
Caboalles de Arriba
Caboalles de Abajo
Rioscuro
Villaseca de L.
Cabrillanes
Peñalba de Cilleros
Riolago
Huergas
Villasecino
San Emiliano
Torrebarrio
Pinos
Puerto de la Cubilla
Puerto de Pajares
Pajares
Valgrande
Cueto Negro
Túnel de Negrón
Busdongo de Arbás
Arbás del Puerto
Campomanes
Vega del Rey
Felgueras
Malvedo
La Frecha
Puente de los Fierros
Sierra de la Casomera
Puerto de Piedrafita
Piedrafita
Villamanín
Villanueva de la Tercia
Puerto de la Vegarada
Redipuertas
Reserva nacional
Valdelugueros
Lugueros
Tolibia
Felmín
Collada de Valdeteja
Valdeteja
Rodillazo
Las Hoces
Cuevas
Vegacervera
Caldas de Luna
Sena de Luna
Abelgas de Luna
E. de los Barrios de Luna
Sierra de la Filera
Sierra de Villabandín
Puerto de la Magdalena
Los Bayos
Sierra del Coto
Palacios del Sil
El Villar de Santiago
Collada de Aralla
Geras
La Pola de Gordón
Los Barrios de Gordón
Los Barrios de Luna
Mirantes
Ciñera
Matallana de Torío
Villalfeide
La Robla
Alto del Rabizo
Villayuste
Otero de las Dueñas
Carrocera
Olleros de Alba
Canales-la Magdalena
Riello
Omañón
Villanueva de Omaña
Murias de Paredes
Senra
Sosas del Cumbral
Salce
Catoute
Sierra de Jistredo
Gistreo
Igüeña
Tremor de Arriba
Espina de Tremor
Rodrigatos de las Regueras
Pobladura de las R.
Emb. de Omañas
Carrizal
Adrados de O.
Sta María de Ordás
Rioseco de Tapia
Valsemana
Garrafe de Torío
Villarodrigo de O.
Espinosa de la R.
Mataluenga
Embalse de Villameca
Villameca
Quintana del Castillo
San Feliz de las Lavanderas
Villaviciosa de la Ribera
Villarroquel
Cuadros
Santibáñez
Lorenzana
Sariegos
Villaquilambre
LEÓN
San Andrés del Rabanedo
Trobajo
Ferral del B.
Valverde de la Virgen
La Virgen del C.
Valdefresno
Puente Castro
Onzonilla
Villaturiel
Mansilla Mayor
Villasabariego
Bembibre
Albares
Torre del Bierzo
La Silva
Manzanal del Puerto
Puerto de Manzanal
Rodrigatos de la Obispalía
Brañuelas
Culebros
Villagatón
Tremor de Abajo
Almagarinos
Folgoso de la Ribera
Boeza
Noceda del Bierzo
Quintana de Fuseros
San Justo de Cabanillas
Robledo de las Traviesas
Montes de León
Foncebadón
Rabanal del Camino
Castrillo de los Polvazares
El Ganso
Astorga
San Justo de la Vega
Veguellina de Órbigo
Hospital de Órbigo
Villares de Órbigo
Benavides
Villadangos del Páramo
San Martín del Camino
Chozas de Abajo
Santovenia de la Valdoncina
Villar de Mazarife
Bustillo del Páramo
Fontecha
Mansilla del P.
Sta María del Páramo
Laguna Dalga
Valdefuentes del Páramo
Soto de la Vega
La Bañeza
Villamañán
Valencia de Don Juan
Cabreros del Río
Villanueva de las Manzanas
Palacios de la Valduerna
Riego de la Vega
Castrillo de la Valduerna
Tabuyo del Monte
Teleno
El Teleno
Destriana
Priaranza de la V.
Quintana y Congosto
Palacio de J.
Jiménez de J.
Villanueva de J.
Pozuelo del P.
Laguna de Negrillos
Toral de los Guzmanes
Villamandos
Castrocontrigo
Nogarejas
Peña Negra
La Portilla
Castrocalbón
San Esteban de Nogales
La Nora
Alija del Infantado
Audanzas
Saludes de C.
San Adrián del Valle
Villaquejid
Campazas
Gordoncillo
Fuentes de Carbajal
Valdemora
Castilfalé
Matanza
Cubo de Benavente
Congosta
Ayoó de V.
Villageriz
Alcubilla de Nog
Arrabalde
Coomonte
Fuente Encalada
Villalverde
Justel
Muelas de los Caballeros

13
14
15
C O S T A
V E R D E
Villaviciosa
Colunga
Ribadesella
Llanes
Pola de Siero
Nava
Infiesto
Arriondas
Cangas de Onís
Covadonga
Langreo
Sotrondio
Pola de Laviana (Laviana)
Cabañaquinta
Mirador de la Reina
Lago de Enol
Lago de la Ercina
Parque Nacional de los Picos de Europa
PICOS DE EUROPA
Desfiladero de los Beyos
Desfiladero de la Hermida
Reserva nacional de Sueve
Reserva nacional de los Picos de Europa
Torre Cerredo
Peña Vieja
Naranjo de Bulnes
Mirador de Oseja
Posada de Valdeón
Fuente Dé
Potes
Puerto de Panderruedas
Puerto de Pandetrave
Puerto de San Glorio
Puerto del Pontón
Puerto de Tarna
Puerto de San Isidro
Puerto de la Vegarada
Puerto de Piedrafita
Coto nacional de Reres
Reserva Nacional de Riaño
Riaño
Embalse de Riaño
Sierra de Riaño
C O R D I L L E R A C A N T Á B R I C A
Reserva nacional de Mampodre
Mampodre
Puebla de Lillo
Isoba
San Isidro
Reserva nacional (Valdelugueros)
Reserva de Fuentes Carrionas
Peña Prieta
Curavacas
Espigüete
Boca de Huérgano
Puerto del Pando
Puerto de Monteviejo
Alto de las Portillas
Pico Cerroso
Pico Relance
Boñar
Embalse de Porma
Cistierna
Guardo
Saldaña
Collada de Valdeteja
Las Hoces
Cuevas
La Robla
Alto del Rabizo
LEÓN
Mansilla de las Mulas
Gradefes
Almanza
L E Ó N
19

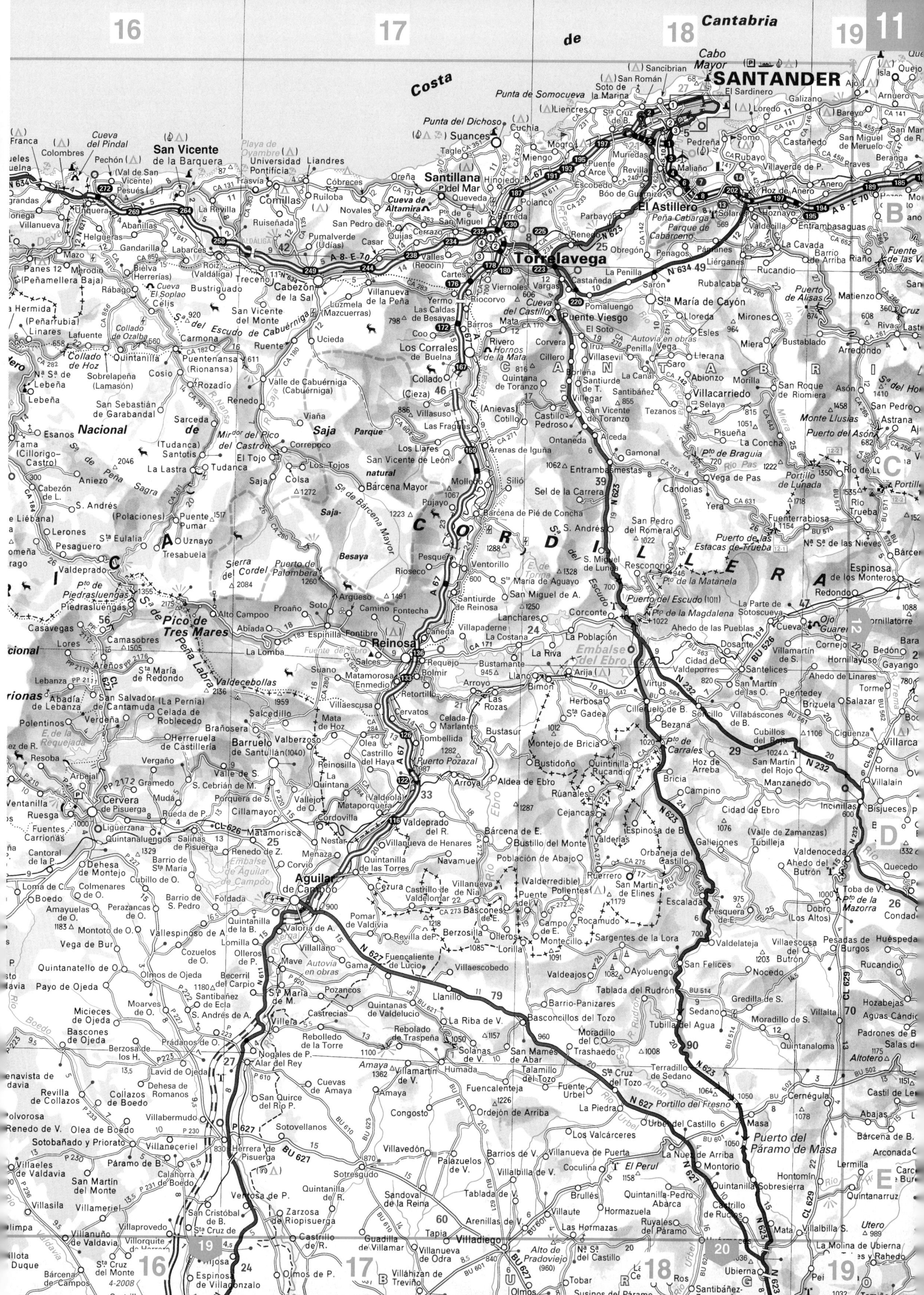

16
17
18
19
Cantabria
Costa
de
SANTANDER
Cabo Mayor
El Sardinero
Sancibrian
San Román
Soto de la Marina
Punta de Somocueva
Liencres
Punta del Dichoso
Suances
Cuchia
San Vicente de la Barquera
Playa de Oyambre
Universidad Pontificia
Liandres
Comillas
Santillana del Mar
Cueva de Altamira
Cueva del Pindal
Colombres
Pechón
Unquera
Pesués
Cóbreces
Ruiloba
Novales
Oreña
Hinojedo
Queveda
Mogro
Miengo
Polanco
Puente Arce
Muriedas
Revilla
Maliaño
Pedreña
Somo
Loredo
Galizano
Bareyo
Castañedo
Rubayo
Villaverde de P.
San Miguel de Meruelo
El Astillero
Solares
Hoznayo
Anero
Hoz de Anero
Valdecilla
Entrambasaguas
Peña Cabarga
Parque de Cabárceno
Obregón
Penagos
Pámanes
Liérganes
La Cavada
Barrio de Arriba
Riaño
Torrelavega
Cartes
Viernoles
Vargas
Castañeda
La Penilla
Sarón
Rubalcaba
Rucandio
Cabezón de la Sal
Treceño
Valdáliga
Roiz
Labarces
Gandarilla
Helgueras
Abanillas
Mazo
Merodio
Panes
Peñamellera Baja
Bielva
Herrerías
Rábago
Cueva El Soplao
Célis
Bustriguado
Villanueva de la Peña
Luzmela (Mazcuerras)
Yermo
Riocorvo
Las Caldas de Besaya
Cueva del Castillo
Puente Viesgo
Pomaluengo
Sta María de Cayón
Lloreda
Esles
Mirones
Miera
Puerto de Alisas
Matienzo
Arredondo
San Vicente del Monte
Sa del Escudo de Cabuérniga
Hermida
Peñarrubia
Linares
Lafuente
Collado de Ozalba
Carmona
Ruente
Ucieda
Collado de Hoz
Quintanilla
Puentenansa (Rionansa)
Cosío
Sobrelapeña (Lamasón)
Lebeña
Nª Sª de Lebeña
Rozadío
Valle de Cabuérniga (Cabuérniga)
Los Corrales de Buelna
Coo
Barros
Rivero
Hornos de la Mata
Corvera
Cillero
Collado
Cieza
Villasuso
Las Fraguas
Anievas
Cotillo
Castillo Pedroso
Quintana de Toranzo
San Vicente de Toranzo
Villegar
Alceda
Ontaneda
Vega
Penilla
Villasevil
Abionzo
Villacarriedo
Selaya
San Roque de Riomiera
Asón
Astrana
San Sebastián de Garabandal
Renedo
Viaña
Sarceda
Tudanca
Santotis
La Lastra
Mirador del Pico del Castrón
El Tojo
Correpoco
Los Tojos
Saja
Colsa
Bárcena Mayor
Parque natural Saja-Besaya
Sa de Bárcena Mayor
San Vicente de León
Los Llares
Arenas de Iguña
Molledo
Silió
Pujayo
Bárcena de Pié de Concha
Sel de la Carrera
Entrambasmestas
Gamonal
Vega de Pas
Pisueña
La Concha
Puerto del Asón
Monte Llusías
Pto de Braguia
Río Pas
Candolias
Yera
Portillo de Lunada
Río de Lu
Fuenterrabiosa
Río Trueba
Nacional
Esanos
Tama
Cillorigo-Castro
Sa de Peña Sagra
Aniezo
Cabezón de L.
S. Andrés
Liébana
Polaciones
Puente Pumar
Uznayo
Tresabuela
Lerones
Sta Eulalia
Pesaguero
Valdeprado
Cordillera Cantábrica
San Pedro del Romeral
Puerto de las Estacas de Trueba
Nª Sª de las Nieves
Espinosa de los Monteros
S. Andrés
S. Miguel de Luena
Resconorio
Pto de la Matanela
Sa del Escudo
Ventorillo
Pesquera
Rioseco
Sierra del Cordel
Puerto de Palombera
Pto de Piedrasluengas
Piedrasluengas
Sa de Pico de Tres Mares
Peña Labra
Alto Campoo
Proaño
Soto
Argüeso
Camino
Fontecha
Santiurde de Reinosa
Sta María de Aguayo
San Miguel de A.
Lanchares
Corconte
Puerto del Escudo
Pto de la Magdalena
Ahedo de las Pueblas
La Parte de Sotoscueva
Ojo Guareña
Cueva
Redondo
Casavegas
Abiada
Espinilla
Fontibre
Reinosa
Fuente del Ebro
La Lomba
Salces
Requejo
Bolmir
Cañeda
Villapaderne
La Costana
La Población
Embalse del Ebro
La Riva
Bustamante
Llano
Arija
Cidad de Valdeporres
Dosante
Villamartín de S.
Cornejo
Bedón
Hornillayuso
Gayango
Santelices
San Martín de las O.
Ahedo de Linares
Torme
Lores
Camasobres
Areños
Sta María de Redondo
Lebanza
Abadía de Lebanza
San Salvador de Cantamuda
Valdecebollas
Suano
Matamorosa (Enmedio)
Retortillo
Arroyo
Las Rozas
Bimón
Herbosa
Sta Gadea
Cilleruelo de B.
Virtus
Soncillo
Villabáscones de B.
Puentedey
Brizuela
Salazar
Polentinos
Verdeña
La Pernía
Celada de Roblecedo
Salcedillo
Villaescusa
Cervatos
Mata de Hoz
Celada-Marlantes
Bustasur
Montejo de Bricia
Bezana
Pto de Carrales
Cubillos del Rojo
Cigüenza
Villarcayo
E. de la Requejada
Resoba
Herreruela de Castillería
Brañosera
Barruelo de Santullán
Valberzoso
Olea
Castrillo del Haya
Fombellida
Puerto Pozazal
Bustidoño
Quintanilla-Rucandio
Hoz de Arreba
San Martín del Rojo
Horna
Vergaño
Arbejal
Valle de S.
Gramedo
S. Cebrián de M.
Reinosilla
La Quintana
Arroyal
Aldea de Ebro
Rúanales
Bricia
Campino
Manzanedo
Villalaín
Cervera de Pisuerga
Ventanilla
Ruesga
Mudá
Porquera de S.
Cillamayor
Vallejo de O.
Valdeola
Mataporquera
Cordovilla
Cejancas
Espinosa de B.
Cidad de Ebro
Incinillas
Bisjueces
Fuentes Carrionas
Liguerzana
Quintanaluengos
Rueda de P.
Salinas de Pisuerga
Matamorisca
Nestar
Valdeprado del R.
Villanueva de Henares
Bárcena de E.
Bustillo del Monte
Valderías
Orbaneja del Castillo
Gallejones
Valle de Zamanzas
Tubilleja
Valdenoceda
Cantoral de la P.
Dehesa de Montejo
Barrio de Sta María
Renedo de Z.
Embalse de Aguilar de Campoo
Menaza
Corvio
Quintanilla de las Torres
Navamuel
Población de Abajo
Ruerrero
San Martín de Elines
Ahedo del Butrón
Quecedo
Loma de C.
Colmenares de O.
Cubillo de O.
Boedo
Aguilar de Campoo
Cezura
Castrillo de Valdelomar
Villanueva de Nía
Valderredible
Polientes
Puente del V.
Escalada
Pesquera de E.
Toba de V.
Pto de la Mazorra
Condado
Amayuelas de O.
Perazancas de O.
Barrio de S. Pedro
Foldada
Quintanilla de la B.
Valoria de A.
Pomar de Valdivia
Básconez de E.
Campo de E.
Rocamundo
Dobro (Los Altos)
Montoto de O.
Vallespinoso de A.
Revilla de P.
Berzosilla
Olleros
Lorilla
Montecillo
Sargentes de la Lora
Valdelateja
Villaescusa del Butrón
Pesadas de Burgos
Huéspeda
Vega de Bur
Cozuelos de O.
Lomilla
Olleros de P.
Villallano
Mave
Autovía en obras
Gama
Fuencaliente de Lucio
Villaescobedo
Valdeajos
Ayoluengo
San Felices
Nocedo
Rucandio
Quintanatello de O.
Olmos de Ojeda
Becerril del Carpio
Sta María de M.
Pozancos
Quintanas de Valdelucio
Llanillo
Tablada del Rudrón
Gredilla de S.
Hozabejas
Aguas Cándidas
Payo de Ojeda
Santibañez de Ecla
S. Andrés de A.
Castrecias
Villela
Barrio-Panizares
Basconcillos del Tozo
Sedano
Villalta
Moradillo de S.
Padrones de B.
Micieces de Ojeda
Moarves de O.
Rebolledo de la Torre
Rebolado de Traspeña
La Riba de V.
Moradillo del C.
Tubilla del Agua
Quintanaloma
Salas de B.
Bascones de Ojeda
Prádanos de O.
Solanas de V.
San Mamés de Abar
Trashaedo
Altotero
Berzosa de los H.
Nogales de P.
Alar del Rey
Lavid de Ojeda
Dehesa de Romanos
Amaya
Villamartín de V.
Humada
Talamillo del Tozo
Sta Cruz del Tozo
Terradillo de Sedano
Fuente-Urbel
Castil de Le
Revilla de Collazos
Collazos de Boedo
Cuevas de Amaya
San Quirce del Río P.
Congosto
Fuencalenteja
Ordejón de Arriba
La Piedra
Portillo del Fresno
Cernégula
Abajas
Polvorosa
Renedo de V.
Olea de Boedo
Villabermudo
Sotovellanos
Urbel del Castillo
Masa
Puerto del Páramo de Masa
Bárcena de B.
Sotobañado y Priorato
Villaneceriel
Páramo de B.
Herrera de Pisuerga
Villavedón
Palazuelos de V.
Barrios de V.
Los Valcárceres
Villanueva de Puerta
La Nuez de Arriba
Arconada
Villaeles de Valdavia
San Martín del Monte
Calahorra de Boedo
Sotresgudo
Villalbilla de V.
Coculina
El Perul
Montorio
Hontomín
Lermilla
Villasila
Villameriel
Verrosa de P.
Quintanilla de R.
Sandoval de la Reina
Tablada de V.
Brullés
Hormazuela
Quintanilla-Pedro Abarca
Quintanilla Sobresierra
Quintanarruz
San Cristóbal de B.
Sta Cruz de B.
Zarzosa de Riopisuerga
Arenillas de V.
Villaute
Las Hormazas
Ruyales del Páramo
Castrillo de Rucios
Mata
Villalbilla S.
Utero
Villanuño de Valdavia
Villaprovedo
Villorquite de Herrera
Castrillo de R.
Guadilla de Villamar
Tapia
Villadiego
Alto de Pradoviejo
Nª Sª del Castillo
La Molina de Ubierna
Rahedo
Sta Cruz del Monte
Bárcena de Campos
Villota
Duque
Espinosa de Villagonzalo
Olmos de P.
Villanueva de Odra
Villahizan de Treviño
Olmos
Tobar
Susinos del Páramo
Ros
Santibáñez-Zarzaguda
Ubierna
4-2008

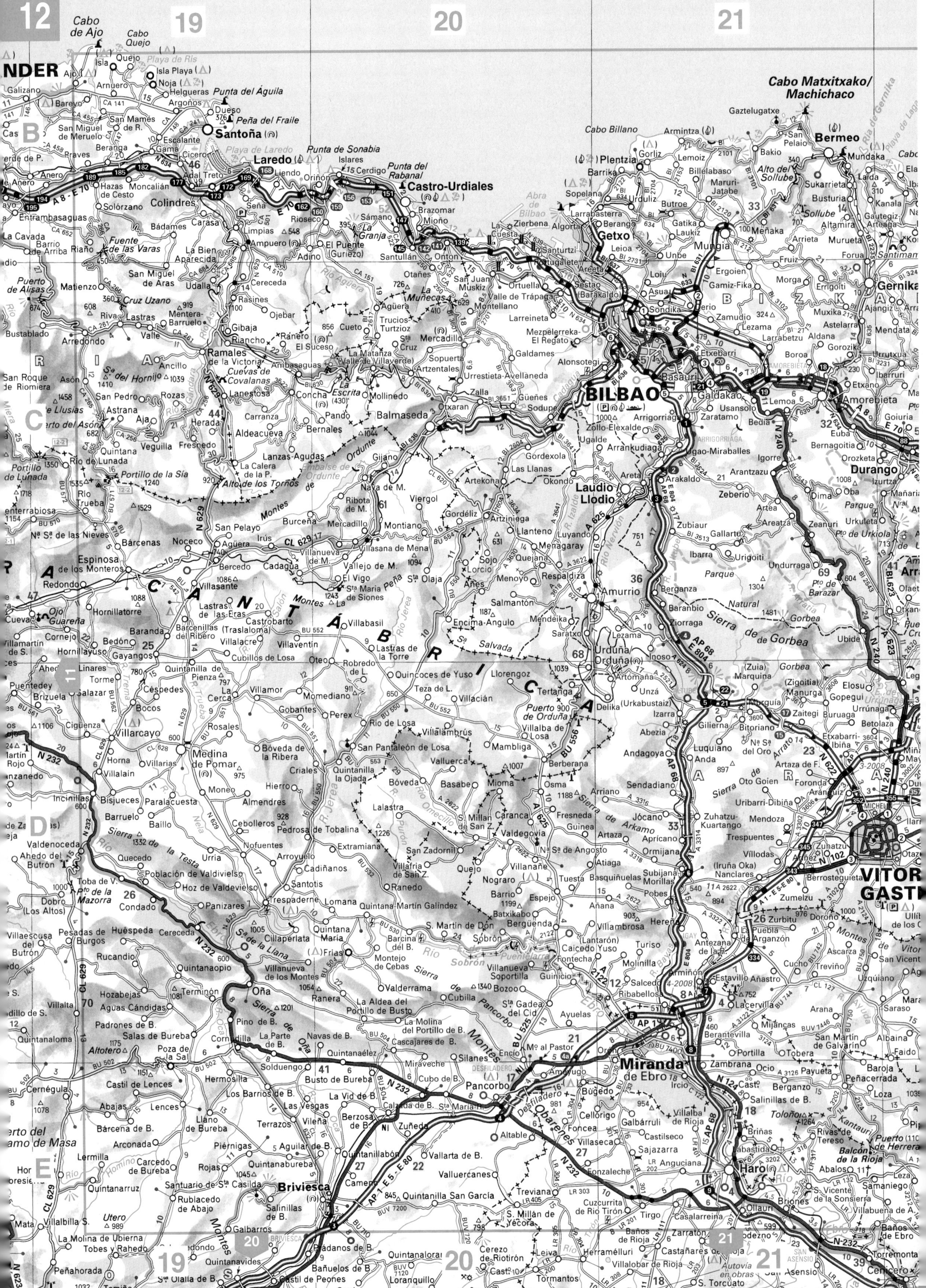
19
20
21
Cabo de Ajo
Cabo Quejo
Cabo Matxitxako/ Machichaco
Santoña
Laredo
Castro-Urdiales
Plentzia
Bermeo
Getxo
Mungia
Gernika
BILBAO
Basauri
Galdakao
Amorebieta
Durango
Laudio Llodio
Amurrio
Balmaseda
Ramales de la Victoria
Espinosa de los Monteros
Villarcayo
Medina de Pomar
Urduña Orduña
Miranda de Ebro
Haro
Briviesca
Pancorbo
Oña
VITORIA GASTEIZ
Colindres
Ampuero
Santurtzi
Portugalete
Sestao
Montes de Ordunte
Sierra de Gorbea
Sierra Salvada
Sierra de Arkamo
Montes Obarenes
CANTÁBRICA

22
23
24
25
GOLFO DE VIZCAYA
Costa Vasca
BIARRITZ
Rer de la Vierge
Ilbaritz
Bidart
Guéthary
ST JEAN-DE-LUZ
Cabo Higuer
Socoa
Ciboure
Hondarribia / Fuenterrabía
Hendaye
Urrugne
Nª Sª de Guadalupe
Monte Jaizkibel
Pasaia
Pasai Donibane
Lezo
Irun
Behobia
Biriatou
Ascain
Col de St Ignace
Ibardin
La Rhune
Lizuniaga
Sare
Zugarramurdi
Grotte de Sarew
Lizarrieta
Bera/Vera de B.
Etxalar
Lesaka
Igantzi
Berrizaun
Arantza
Bidasoa
Sunbilla
Señorio de Bertiz
P. Natural
Elgorriaga
Narbarte
Oronoz-Mugairi
Oieregi
Doneztebe/Santesteban
Zubieta
Ituren
Oitz
Donamaria
Urrotz
Almandoz
Berroeta
Saldias
Beintza-Labaien
Castº de Velate
Puerto de Belate
Lantz
Arraitz
Alkotz
Auza
Larraintzar
Latasa
Lizaso
Olague
Egozkue
Leranotz
Iragi
Eguaras
Arósteguí
Erice
Ciáurriz
Usi
Marcaláin
Cildoz
Oláibar
Olaiz
Olave
Orikain
Villava
Huarte
PAMPLONA
Mutilva
Tajonar
Zulueta
Noáin
Beriáin
Torres
Imarcoain
Subiza
Campanas
Tiebas
Muruarte de Reta
Unzué
Echagüe
Olóriz
Bariáin
Solchaga
Artariáin
Barásoain
Garínoain
Orisoain
Pueyo
Sansoáin
San Martín de Unx
Tafalla
Olite
Biurrun
Adiós
Úcar
Enériz
Olcoz
Tirapu
Pto del Carrascal
Puente la Reina
Sta María de Eunate
Mañeru
Cirauqui
Lorca
San Cristóbal
Mendigorría
Artajona
Muruzábal de Andión
Larraga
Berbinzana
Miranda de Arga
San Marcos
Lerín
Sesma
Allo
Papelera Sarrió
Dicastillo
Arellano
Arróniz
Luquín
Morentin
Aberin
Oteiza
Villamayor de M.
Monasterio de Irache
Ayegui
ESTELLA
Villatuerta
Zurucuáin
Bearin
Arizala
Garisoain
Guirguillano
Allo
Echarren
Artazu
Legarda
Uterga
Pto del Perdón
Salinas de Pamplona
Astrain
Paternáin
Zizur Mayor
Cizur Menor
Ciriza
Zabalza
Etxauri
Bidaurreta
Belascoáin
Muez
Arzoz
Salinas de Oro
Iturgoyen
Lezáun
Arizaleta
Ugar
Abárzuza
Ibiricu
Eraul
Santisima Trinidad
Sierra de Andía
Pto de Ulzurrun
Munárriz
Goñi
Arteta
Ollo
Anoz
Olza
Asiain
Arazuri
Ororbia
Sarasa
Berrioplano
San Cristóbal
Aldaba
Osinaga
Larumbe
Irurtzun
Erice
Errotz
Oskia
Dorrao/Torrano
Beriain
Pto de Lizarraga
Lizarraga
Bakaiku
Iturmendi
Urdian
Olazti/Olazagutia
Ziordia
Altsasu/Alsasua
Etxarri-Aranatz
Lakuntza
Arbizu
Arruazu
Uharte Arakil
Irañeta
Ihabar
Etxeberri
Latasa
Santuario de San Migel de Aralar
Hachueta
Sierra de Aralar
Odieta
Iribas
Baraibar
Irumugarrieta
Errazkin
Pto de Azpirotz
Lekunberri
Aldatz
Berrueta
Arrarats
Orokieta
Eltzaburu
Jauntsarats
Beunza
Etxaleku
Leitza
Ezkurra
Eratsun
Puerto de Usateguieta
Gorriti
Alto Uitzi
Uitzi
Areso
Betelu
Arribe
Intza
Gaintza
Azkarate
Amezketa
Abaltzisketa
Bedaio
Orexa
Lizartza
Gaztelu
Berastegi
Pto de San Antón
Elduain
Belauntza
Urdelar
Mandoegui
Goizueta
Arano
Montes de Cinco Villas
Artikutza
Alto de Bianditz
Peñas de Aya
Oiartzun
San Martzial
Monte Urdaburu
Ereñotzu
Pagoaga
Otita Leitzaran
Adarra
Andoain
Urnieta
Hernani
Astigarraga
Errenteria/Rentería
DONOSTIA-SAN SEBASTIÁN
Mte Ulía
Mte Igeldo
Igeldo
Lasarte-Oria
Usurbil
Orio
Aia
Aginaga
Andatza
Zarautz
Getaria
Punta Itzarri
Zumaia
Deba
Mutriku
Saturrarán
Ondarroa
Lekeitio
Mendexa
Ispaster
Amoroto
Berriatua
Markina-Xemein
Bedaroa
Gizaburuaga
Nabarniz
Aulesti
Munitibar-Arbatzegi Gerrikaitz
Balcón de Bizkaia
Iruzubieta
Etxebarria
Barinaga
Iturreta
Pto de Trabakua
Mallabia
Ermua
Eibar
Elgoibar
Mendaro
Altzola
Itziar
Larruskain
Olatz
Urberuaga
Ugarteberri
Zestoa
Ekain
Aizarnazabal
Aizarna
Meaga
Pagoeta
Lasao
Madariaga
Izarraitz
Alto de Azkarate
Azkoitia
Azpeitia
Erdoizta
Asteasu
Larraul
Alkisa
Ernio
Irura
Zizurkil
Aduna
Villabona
Amasa
Anoeta
Hernialde
Tolosa
Berrobi
Ibarra
Albiztur
Bidania
Errezil
Beizama
Nuarbe
Aratzerreka
Urrestilla
S. Ignacio de Loiola
Soraluze/Placencia de las Armas
Elosua
Bergara
Elgeta
Angiozar
Elorrio
Abadiño
Zaldibar
Berriz
Axpe
Pto de Kampazar
Elorregi
Arrasate / Mondragón
Gesalibar
Aramaio
Ibarra
Aretxabaleta
Eskoriatza
Leintz-Gatzaga
Puerto de Arlaban
Alto de Deskarga
Antzuola
Urretxu
Zumarraga
Ezkio
Legazpi
Oñati
Urrexola
Goroeta
Araotz
Arantzazu
Aloña
Aizkorri
Sierra de Urkilla
Zegama
Zerain
Segura
Idiazabal
Olaberria
Mutiloa
Ormaiztegi
Gabiria
Beasain
Ordizia
Itsaso
Itsasondo
Legorreta
Ikaztegieta
Alegia
Altzo
Astigarreta
Gaintza
Zaldibia
Lazkao
Ataun
Ezt. de Larraitz
Txindoki
Aia
San Gregorio
Pto de Lizarrusti
Pto de Etxegarate
GIPUZKOA
Ullibarri-Gamboa
Ozaeta
Barrundia
Narvaja
Aspárrena
Gordoa
Aratz
E. de Urdalur
Nanclares de G.
Ullibarri-Arrazua
Castº
Guevara
Maturana
Mendijur
Audikana
Heredia
Zalduondo
Araia
Albéniz
Egino
San Millán
Eguilaz
Dallo
Zuazo
Salvatierra/Agurain
San Román de S. Millán
Gazeo
Alegría-Dulantzi
Argómaniz
Elburgo
Argandoña
Estíbaliz
Acilu
Alaiza
Opacua
Eguileor
Iruraiz-Gauna
Gereñu
Pto de Opacua
Sierra de Urbasa
Pto de Urbasa
Baquedano (Améscoa Baja)
Aranarache
Eulate
Larraona
Zudaire
San Martín
Monasterio de Iranzu
Artavia
Musitu
Roitegui
Contrasta
Ibisate
Azáceta
Cantera Laminoria
Puerto Azáceta
Egileta
Quina
Vírgala Mayor
Cicujano
Sabando
Alda
Arraia-Maeztu
Done Bikendi Harana
Gastiáin
Ulíbarri
Viloria
Galbarra (Lana)
Zúñiga
Ganuza
Sª de Santiago de Loquiz
Larrión (Allín)
Zubielqui
Metauten
Arlucea
Apellániz
Atauri
Campezo
Corres
Antoñana
Orbiso
Parque Natural de Izki
Marquinez
Sáseta
Belabia
San Román de Campezo
Acedo
Murieta
Mendaza
Ancín
Igúzquiza
Abaigar
Nazar
Oco
Olejua
Otiñano
Piedramillera
Sorlada
Etayo
B. de San Gregorio
Mirafuentes
Mués
Torralba del Río
Azuelo
Aguilar de C.
Cabredo
Nª Sª de Codés
Marañón
Genevilla
Sta Cruz de Campezo
Quintana
Urturi
Bajauri
Bernedo
Navarrete
Villafría
Lagrán
Mendilerroa
Lapoblación
Meano
Kripan
Yécora
Elvillar
Páganos
Laguardia
Lanciego
Barriobusto
Labraza
Aras
Espronceda
Desojo
Sansol
Los Arcos
Bargota
Armañanzas
Torres del Río
El Busto
Moreda de Álava
Viana
Navaridas
Elciego
Assa
Lapuebla de Labarca
E. del Cortijo
El Cortijo
LOGROÑO
Fuenmayor
Lazagurría
Río Odrón
Río Ega
Río Arga
Río Oria
Río Urumea

25 26 27

Tarnos
Chiberta
BAYONNE
Quartier-Neuf
Adour
Puyôo
Lahontan
Sallespisse
Hagetaubin
Orthez
Bidache
Salies-de-Béarn
Anglet
BIARRITZ
Rer de la Vierge
St Pierre d'Irube
Mouguerre
Briscous
Urt
Bardos
Carresse
Ste Suzanne
Arthez-de-Béarn
Maslacq
Ilbaritz
Bidart
Guéthary
St-JEAN-DE-LUZ
Arcangues
Route impériale des Cimes
La Bastide-Clairence
Labastide-Villefranche
Escos
Oraàs
l'Hôpital-d'Orion
Orion
Arance
Lagor
Mourenx
Ustaritz
Hasparren
Arraute
Sauveterre-de-B.
Laàs
Ciboure
Larressore
Urcuray
Bonloc
Isturits
Grottes d'Isturits et d'Oxocelhaya
Labets-Biscay
St Gladie
Barraute
Vielleségure
Ascain
Ibarron
St Pée-s-Nivelle
Souraïde
Espelette
Cambo-les-Bains
St Esteben
Gestas
Bugnein
Nabas
Castetnau
Navarrenx
Col de St Ignace
Itxassou
Louhossoa
Hélette
St Palais
Charritte-de-Bas
Dognen
Lucq-de-Béarn
la Rhune
Lizuniaga
Sare
Ainhoa
Dantxarinea
Artzamendi
Mt Baygoura
Iholdy
Lohitzun
Moncayolle
Gurs
Préchacq-N.
Bera/Vera de B.
Lizarrieta
Grotte de Sare
Zugarramurdi
Urdazubi/Urdax
Pto de Otxondo
Irissarry
Bidarray
St Martin d'Arrossa
Ossès
Larceveau
Mauléon-Licharre
l'Hôpital-St Blais
St Goin
Etxalar
Berrizaun
Pico Gorramakil
PYRÉNÉES
Col d'Osquich
Musculdy
Barcus
Ledeuix
P. Natural Señorío Bidasoa de Bertiz
Amaiur/Maya
Azpilkueta
Arizkun
Erratzu
Pto de Izpegui
Valle del Baztan
St Etienne-de-Baigorry
Jaxu
Lacarre
St Jean-Pied-de-Port
St Jean-le-Vieux
ATLANTIQUES
Sauguis
Féas
Sunbilla
Autza
Elbete (Baztan)
Elizondo
Irurita
Oronoz-Mugairi
Narbarte
(Bertizarana)
Igorriaga
Aincille
Lecumberry
Forêt des Arbailles
Aussurucq
Tardets-Sorholus
Aramits
Doneztebe/Santesteban
Oieregi
Ziga
Vallée des Aldudes
Adarza
Mendive
Hauskoa
Estérençuby
Ahusquy
Montory
Arette
Donamaria
Almandoz
Berroeta
Aldudes
Luzaide/Valcarlos
Arnéguy
Urepel
Beherobie
Col de Burdincurutcheta
Licq-Athérey
Lourdios-Ichère
Vallée
Pic des Escaliers
Col Bagargui
Cast. de Velate
Puerto de Belate
Pto de Artesiaga
Col. de Urkiaga
Puerto d'Arnostéguy
Urculu
Som. d'Ocabe
Larrau
Pic d'Issarbe
Pic Soulaing
Crevasses d'Holcarté
Ste Engrâce
(Ultzama) Eltzaburu
Coto Nacional Adi de Kintoa
Pto Ibañeta
Orzanzurieta
Fábrica de Orbaitzeta
Bosque del Irati
Col d'Erroymendi
Gorges de Kakuetta
Col de la Pierre St Martin
Arette-Pierre-St-Mart
Arraitz
Auza
Lantz
Alkotz
Larraintzar
Embalse de Eugi
Sorogain
Lastur
Orreaga/Roncesvalles
Aurizberri-Espinal
Auritz/Burguete
Orbaitzeta
Na Sa de las Nieves
Orhi
Puerto de Larrau
Otchogorrigagna
E. de Irabia
Eugi
Zilbeti
(Anue) Olague
Iragi
Lintzoain
Lizaso
Latasa
Urtasun
Mezkiritz
Orbara
Aria
Sierra de Abodi
Paso Tapia
Abodi
Alto Laza
Pic d'Anie
Aróstegui
Egozkue
Leranotz
Erro
Esnotz
Garralda
Hiriberri/Villanueva de Aezkoa
Santuario de Muskida
Eguaras
Etsain
Zubiri
Arrieta
Arive
Garaioa
Sierra Longa
Ciáurriz
Urdániz (Esteribar)
Aintzioa
Abaurrepea/Abaurrea Baja
Abaurregaina/Abaurrea Alta
Izalzu
Uztárroz
Maz
Ostiz
Zandio (Oláibar)
Olave
Errea
Ardaitz
Labia
Arce
Oroz-Betelu
Jaurrieta
Ochagavía
Sa de Uztárroz
Zuriza
Pic de Laraille
Cildoz
Oláiz
Espoz
Úriz (Arce)
Lacabe
Azparren
Ezcároz
Oronz
Isaba
La Mina
San Cristóbal
Ilurdotz
Remendía
Esparza de Salazar
Reserva Nacional
Oricáin
Villava
Zunzarren
Embalse de Itoiz
Elcóaz
Sarriés
Sta Bárbara
Urzainqui
Forca
de los Valles
Visauri
Huarte
Echálaz
Egüés
Mendióroz
Ayechu
Igal
Vidángoz
Roncal
PAMPLONA
Olaberri
Sa de Zariquieta
Ongoz
Izal
Güesa
Garde
Sa del Vedao
Valle de Hecho
Aranguren
Uroz
Lizoáin
Beortegui
Adoáin
Gallués
Valle de Salazar
Valle del Roncal
Sa de San Miguel
Mutilva
Urroz-Villa
Aoiz
Epároz
Olagato
Uscarrés
Ansó
Siresa
Sa de Maito
Cizur Menor
Tajonar
Lizarraga
Villaveta
Ekai de (Longuida)
Meoz
Zabalza
Salinas de Pamplona
Noáin
Labiano
Artaiz
Irurozqui
Ustés
Hecho
Beriáin
Zulueta
Elorz
Unciti
Aós
Fago
Perdón
Torres
Najurieta
Ardanaz (Izagaondoa)
Artajo
Sansoáin
Aspurz
Pto Las Coronas
Burgui
Urdués
Subiza
Autovía en obras
Izaga
Artieda
Napal
Murillo Berroya
Navascués
Valle de Ansó
Campanas
Tiebas
Otano
Monreal
Induráin
San Vicente
Alto de Iso
Sa de Illón
Virgen de la Peña
Biurrun
Adiós
Úcar
Higa
Salinas de I.
Idocín
Ripodas
Hoz de Arbayún
Bigüézal
Castillo-Nuevo
Salvatierra de Esca
Majones
Siresa
Sinués
Muruarte de Reta
Tirapu
Olcoz
Unzué
Echagüe
Leoz
Abínzano
Pto Loiti
Domeño
Tabar
Usún
Sa de Leyre
Sa de Orba
Villarreal de la Canal
del Carrascal
Olóriz
Bariáin
Sa de Izco
Izco
Lumbier
Arangoiti
Monasterio de Leyre
Sigüés
Asso Veral
Foz de Biniés
Biniés
Embún
Las Tiesas
Solchaga
Artariáin
Hoz de Lumbier
Yesa
Escó
Puerto Olaz
Liédena
Tiermas
Berdún
Silo
Sta Engracia
Somanés
Barásoain
San Pelayo
Leache
Javierregay
Garínoain
Orisoain
Amatriáin
Olleta
Moriones (Ezprogui)
Sada
Aibar
Rocaforte
Javier
E. de Yesa
Artieda
Mianos
Martés
Puente la Reina de Jaca
Sta Cilia de Jaca
Sansomáin
Undués de Lerda
Sierra Nobla
Arrés
Busquil
Pueyo
Lerga
Eslava
Ayesa
Sangüesa
Binacua
Sánsoain
Alto Lerga
Undués-Pintano
Bagüés
Gallipienzo Nuevo
Chucho Alto
Pintano
Alastuey
Tafalla
San Martín de Unx
Gallipienzo
Cáseda
Navardún
Urriés
Río Regal
Larués
Bailo
Monasterio de San Juan de la Peña
Torre de Peña
Sos del Rey Católico
Isuerre
Longás
Alto de Sta Barbara
Sierra de la
Ujué
Sa de San Pedro
Lobera de Onsella
Onsella
Petilla de Aragón
Olite
Ena

2 3 4 5

F G H

COSTA VERDE

Punta de Couso
Bueu
Cobres
Rial (Soutomaior)
Fornelos de Montes
Estacas
A Graña
Caseiro
Beade
Regada
Portela
Ermelo
Peninsula de Morrazo
Sotojusto
Viso
Cesantes
Moscoso
Ventin
Sierra del Faro
Vilanova
Aldán
Meira
S. Adrián de Cobres
Hío
Donón
Coiro
Moaña
Domaio
Redondela
Pazos de Borbén
Piñeiro
Faro de Avión
Carballeda de Avia
Ribadavia
Cabo de Home
Cangas
Chapela
Cepeda
Prado
Fofe
Godóns
Quines
Francelos
Isla de Monteagudo
VIGO
Vigo
Galleiro
Barciademera
Pto de Moncelos
Maceira
Prexigueiro
Melón
A Ponte (Arnoia)
Islas Cíes
Playa de Rodas
Playa de Samil
Bouzas
Lavadores
Madroa
Vilar
Padróns
Mondariz
Lougares
Covelo
Gandarela
Isla de San Martiño
Ría de Vigo
Matamá
Guizán
Mondariz Balneario
Pto de Fuentefría
Merens
Castrelos
Canido
Mos
Prado
Lamosa
A Cañiza
Parque natural
Valadares
Beade
Ponteareas
Vilasobroso
Parañós
Mouriscados
Filgueira
Cortegada
Monte Ferro
Islas As Estelas
Panxón
Nigrán
Areas
Oliveira
Guillade
Vilacoba
A Franqueira
Valeixe
Couto
Playa América
Vincios
Eidos
Porriño
Guláns
Luneda
Vilar
Baiona
Monterreal
Galiñeiro
Cristiñade
Fornelos
Crecente
Deva (Pontedeva)
Ponte Barxas
Gomesende
Cabo Silleiro
Chenlo
Mourentán
Baredo
A. Ramallosa
Gondomar
Mosende
Budiño
Leirado
Ribarteme
Arbo
Gregorio
São Gregório
Area
Parque natural del Monte Alhoya
Rubiós
Melgaço
San Roque (Padrenda)
Quintela de Leira
Belesar
Donas
Salvaterra de Miño
As Neves
Sela
Molino
Groba
Salceda de Caselas
Castelo
Monção
Peso
Fiães
Monterredondo
Mougás
Malvas
Guillarei
Caldelas
Paderne
À-da-Velha
Peña Rubia
Bangueses
Villadesuso
Tebra
Tui
Penso
Ceivães
Cousso
Lapela
Pto de Outeiro
Lousado
Friestas
Troporiz
Longos Vales
Cubalhão
Lamas de Mouro
Torroña
Vilameán
Areas
Monte do Faro
Gondomil
Sago
Rio Mouro
Gave
Giestoso
(Oia)
Arrabal
Burgueira
Valença do Minho
Pias
Moreira
Merufe
Riba de Mouro
Castro Laboreiro
Portos
Capilla
(Tomiño)
O Seixo
Forcadela
Tuido-Gandra
Taião
Boivão
Barroças e Taias
Tangil
Portela do Lagarto
Loureza
Cerdal
Anhões
Sta Marinha
Outeiro Alvo
Sanxián
Rio Minho
São Pedro da Torre
Campos
Gondelim
Extremo
Rio Vez
Sistelo
Serra da Peneda
Ameijoeira
Lobeira
Fornelos
Goián
Reboreda
Fontoura
Nª Sra da Peneda
Lovelhe
Rosal
Vª Nª de Cerveira
São Bento
Insalde
Portela
Gavieira
Queguas
Praia Fedorento
Tabagón
Salcidos
Candemil
Ferreira
Aboim das Choças
Cabreiro
Rouças
Parque
Guxinde
A Guarda
Gondarém
Mentrestido
Padornelo
Pedrada
Herdadiña
Citania de Sta Tegra
Seixas
Sopo
Rubiães
Paredes de Coura
Serra do Soajo
(Entrimo)
Terrachán
Camposancos
Vilar de Mouros
Covas
Coura
Gondoriz
Carracolva
Adrão
Olelas
Quintás
Xende
Caminha
R. Coura
Cunha
Bico
Aguiã
Mezio
Várzea
Bgem do Alto Lindoso
Fondevila (Lobios)
Venade
Arga de São João
Romarigães
Cabana Maior
Paradela
Praia de Moledo
Rio Frio
Soajo
Acerêdo
Moledo do Minho
Azevedo
Serra de Arga
Labrojo
Arcos de Valdevez
Ermelo
Lindoso
Vilameá
Vila Praia de Âncora
Cabração
Miranda
Cidadelhe
Torneiros
Âncora
Orbacém
Bárrio
Vale
Britelo
Freixieiro
Amonde
Calheiros
Refoios do Lima
Távora
Souto
São Jorge
Ermida
Nacional
Afife
Vilar de Murteda
Estorãos
Entre Ambos-os-Rios
Praia de Afife
Sta Luzia
Sta Comba
Jolda
Bravães
Ponte da Barca
Touvedo
Vila Chã
Serra Amarela
Portela do Homem
Montedor
Outeiro
Gandra
Crasto
Sampriz
Germil
Carreço
Ponte de Lima
Azias
Geira
Nogueira
Lanheses
Serdedelo
Aboim da Nóbrega
Meixões de Cima
Bgem Vilarinho das Furnas
Portela de Leonte
Areosa
Sta Luzia
Meadela
Correlha
Fornelos
Brufe
Campo do Gerês
Viana do Castelo
Sta Marta de Portuzelo
Torre
Facha
Rebordões
Boalhosa
Oural
Valdreu
Covide
Junceda
Serra da Peneda-Gerês
Praia do Cabedelo
Darque
Deocriste
Geraz do Lima
Godinhaços
Portela de Vade
Vilar
Fraga Negra
Gerês
Cabril
Vila Franca
Cabaços
Rio Mau
Oriz
Terras de Bouro
Pico de Regalados
Vilar da Veiga
Anha
Vila de Punhe
Mato
Nevolgide
Ponte
S. Bento da Porta Aberta
Neiva
Barroselas
Freixo
Marrancos
Caldelas
Nª Sra d'Abadia
Amorosa
Citânia
Vila Verde
Caniçada
Salamonde
Ruivães
Alvarães
Balugães
Escariz
Castelo do Neiva
Panque
Moure
Rendufe
Bouro
Ventosa
Pousada de São Bento
Guilheta
Aborim
Laje
Parada de Bouro
Bgem Cerdeirinhas
Forjães
Fragoso
Soutelo
Amares
Vieira do Minho
Sa da Cabreira
Belinho
Palme
Roriz
Cervães
R. Cávado
Monsul
Serzedelo
Mar
Vila Chã
Carapeços
Lijó
Prado
Palmeira
Covelas
Calvos
Anissó
Marinhas
Curvos
Abade de Neiva
Eirogo
Padim da Graça
S. Frutuoso de Montélios
Adaúfe
Este
Pinheiro
Castº
Travassos
Guilhofrei
Praia de Suave Mar
Esposende
Barcelos
Bgem da Penida
Areias de Vilar
BRAGA
Bom Jesus do Mte
Póvoa de Lanhoso
Rossas
Praia de Ofir
Perelhal
Barcelinhos
Sobreposta
Sobradelo da Goma
Celeiro
Fão
Vila Seca
Martim
Mte Sameiro
Arosa
Aboim
Gamil
Moure
Tadim
Stª Mª Madalena
Citânia
Garfe
Milhazes
Remelhe
Esporões
Longos
(Sto Estêvão) Briteiros
Monte
Apúlia
Barqueiros
Faria
Celeirós
Queimadela
Sande
Caldas das Taipas
Gonça
Cristelo
Silveiros
Sta Eulália
Pedraído
Várzea Cova
Crias
Pedra Furada
Chorente
Nine
São Torcado
Travassós
Estela
Sta Maria (Arnoso)
Escudeiros
Brito
Guimarães
Estorãos
Moreira do Rei
Aguçadoura
Laúndos
Viatodos
Louro
Ronfe
Mesão Frio
Arões
Fornelos
Navais
Macieira
Vale (S. Cosme)
Gandarela
Praia de Sto André
Rates
Fontainhas
Gondifelos
Selho
Cepães
Fafe
A Ver-o-Mar
Amorim
Balazar
Outiz
Gavião
Vermoim
Gondar
Penha
Lameira
Rio Mau
Vila Nova de Famalicão
Tabuadelo
Armil
Silvares
Rego
Póvoa de Varzim
Junqueira
Vilarinho das Cambas
Oliveira
Delães
Nespereira
Caçarilhe
Touguinha
Ribeirão
Avidos
Riba d'Ave
Caldas de Vizela
Nª Srª do Viso (856)
Vila do Conde
Vilarinho
Fradelos
Lousado
Aves
Lordelo
Rêgadas
Borba da Montanha
Celorico de Basto
Azurara
Árvore
Macieira da Maia
Trofa
Rebordões
Campo
Trofa
Sta Quitéria
Carvalho
Praia da Árvore
Vairão
Nª Srª da Assumpção
Roriz
Sta Eulália
Torrados
Felgueiras
Fervença
Mindelo
Monte de S. Gens de Cidaí
Couto
Sto Tirso
Lustosa
Longra
Moreira do Castelo
Vila Chã
Modivas
Guilhabreu
Monte
Raimonda
Barrosas
Airães
Codeçoso
Labruge
Vilar de Pinheiro
Muro
Avioso
Carvalhosa
Meixomil
Freamunde
Lixa
Ponte Nova
Praia de Labruge
Coronado
Reguenga
Paços de Ferreira
Fridão
Lavra
Castº de Maia
Seroa
Frazão
Ferreira
Silvares
Caíde de Rei
Mancelos
Vila Chã
Praia de Agudela
Padrão da Moreira
Guardeiras
Nogueira

6
16
32

5
6
7
8
E
F
G
H
Nogueira
Boedes
Cotelas
Cobas
Cea
(S. Cristóbal de Cea)
Vilaquinte
Besteiros
Monforte
Lemos
Penela
Brence
Quiroga
Rebide
Ermida
Pol
S. Facundo
Arcos
Garabás
Bidueiro
Vilamarín
Vilarrubín
Peares
A Peroxa
Cangas
Sios
Canabal
Sober
Freixeiro
Vilachá
Pombeiro
Frontón
Boborás
Carballiño
Dacón
Maside
Partovia
Tamallancos
Gueral
Coles
Barra de Miño
(Nogueira de Ramuín)
Luintra
Gargantas del Sil
E. de S. Pedro
Río Sil
S. Clodio
(Ribas de Sil)
Sequeiros
E. de Sequeiros
Pazos
Cabanelas
Cruceiro
Amoeiro
Liñares
Cambeo
Guste
Melias
Monasterio de Ribas de Sil
Santiorxo
Embalse de Sto Estevo
Doade
A Teixeira
Castro Caldelas
Cerengo
Montefurado
Leiro
San Amaro
(Punxín)
A Forxa
OURENSE
Faramontaos
Cerreda
Parada de Sil
Piedra del Sol
Sas de Penelas
Río
Barrio
A Pobra de Trives
Cuñas
Eiras
Outeiro
Sabadelle
Castadón
Covas
Loña del Monte
Meda
Sistín
San Martiño
Puerto de Cerdeira
Beade
Regadas
Cenlle
Barbantes
Féa
O Pereiro de Aguiar
Santa Baia
Esgos
Xunqueira de Espadanedo
Edrada
Leboreiro
Fitoiro
Paraisás
Coba
Sobrado
Ribadavia
Ventosela
Toén
Vide
Moreiras
Mugares
Picouto
La Derrasa
San Ciprián de Viñas
Pinto
Alto del Couso
Vilariño Frío
Alto del Rodicio
Rabal
Manzaneda
Barral
(Castrelo de Miño)
Xestosa
Barbadás
Niñodaguia
Zorelle
Baldrei
Francelos
Prexigueiro
A Ponte
(Arnoia)
La Armada
Trelle
Sto Tomé
Bentraces
Paderne de Allariz
Cast.
Maceda
Montederramo
Paradaseca
O Formigueiro
Melón
Cartelle
A Seara
Soutopenedo
Rante
Cantoña
A Piúca
Paredes
Merens
Sande
(Cartelle)
Outomuro
Sabucedo
Taboadela
Baños de Molgas
Santuario Os Milagres
Chandrexa
Cabeza de Manzaneda
San Miguel
Raigada
Cortegada
Poulo
(Gomesende)
A Manchica
A Merca
Sta Mariña de Augas Santas
Ponte Ambía
Vide
Embalse de Chandrexa
Sta Baia
Freixo
Xunqueira de Ambía
Vilarmeao
Ramirás
Gomesende
Mosteiro
Allariz
Cerdeira
Arnuide
Sierra de S. Mamede
Seixo
E. de Cenza
Deva
(Pontedeva)
Ponte Barxas
A Bola
Corvillón
Alto de Allariz
Casasoá
Pradoalvar
Las Rozas
Chaguazo
Castiñeira
Vilariño de Conso
Quintela de Leirado
Celanova
A Veiga
Piñeira
Vilar de Barrio
Prado
San Roque
(Padrenda)
Carracedo
Alto do Furriolo
Coedo
Cortegada
Pazos
Alberguería
Monterredondo
Peña Rubia
Castro
Bangueses
Carballo
(Verea)
Orille
Vilariño das Poldras
Sandiás
Monasterio Bon Jesus de Trandeiras
Entrecin
Pto de Outeiro de Augas
Aldea de Arriba
Rairiz de Veiga
A Pena
Toro
Lamas de Mouro
Alto de Vieiro
Vilar de Santos
Sarreaus
Cerdedelo
Embalse de las Portas
Giestoso
Portos
Corbelle
A Praga
Xinzo de Limia
Soutelo Verde
Laza
Portocamba
Campobecerros
Estación de Vilarino de Conso
Castro Laboreiro
Bande
As Lamas
(A Porqueira)
A Forxa
Escornabois
Baldriz
Retorta
Fontefría
Estación de Castrelo
Peña Nofre
San Mamed
Moreiras
Trasmiras
Estivadas
Alto de Estivadas
Servoi
Piornedo
Lobeira
Sta Comba de Bande
Laroá
Blancos
Vilar de Rei
Nocedo do Val
Castrelo do Val
Vendas da Barreira
E. de las Conchas
Queguas
Cualedro
Vences
Gondulfes
San Cristobo
San Lorenzo
Guxinde
Herdadiña
(Muiños)
Mugueimes
Texós
Queirogás
Riós
(Entrimo)
Terrachán
Calvos de Randín
Cebreiro
Covas
San Martiño
Monterrei
Verín
Alto de Fumaces
Olelas
Quintás
Maus de Salas
Tosende
Baltar
Lucenza
Albarellos
Fumaces
Xendive
Embalse de Salas
Flariz
Cabreiroá
Progo
Castrelo de Abajo
Lindoso
Fondevila
(Lobios)
Cela
Requiás
Tourém
Randín
San Paio
Vilamaior
Xironda
Villaza
Medeiros
Vilardevós
Soutochao
Aceredo
Vilameá
Sierra de Xurés
Sendim
Cabeço Alto
Pardornelos
San Millán
Oimbra
Vilar de Cervos
Atrave
Torneiros
Vilar
Padroso
Sto André
Serra do Larouco
Vilar de Perdizes
Bousés
San Gibrau
Florderrei
Vilar Seco de Lomba
Alto de Nevosa
Pitões das Júnias
Mourilhe
Gralhas
Solveira
Videferre
Tamaguelos
Arzádigos
Segirei
Portela do Homem
Minas dos Carris
Sezelhe
Meixedo
Montalegre
R. Assureira
Vilarelho da Raia
Mandín
Rabal
Lama de Arcos
Sa de Peñas Libres
São Vicente
Sandim
Geira
Covelães
Bgem de Alto Cávado
Pedrario
Soutelinho da Raia
Vilela Seca
Feces de Abaixo
Travancas
Edral
Portela de Leonte
Outeiro
São Pedro
S. Vicente da Chã
Meixide
Sarraquinhos
Ervededo
Sto António de Monforte
Mairos
Espinho
Campo do Gerês
Bgem de Paradela
Paradela
Fiães do Rio
Castanheira
Gralhós
Calvão
Bustelo
Dadim
Vilar da
Junceda
Serra da Peneda - Gerês
Viade de Baixo
Sanjurge
Outeiro Seco
Vila Verde da Raia
Águas Frias
Sanfins
Fervidelas
Morgade
Ardãos
Seara Velha
Tronco
São Jomil
Gerês
Covelo do Gerês
Pisões
Vila da Ponte
Bgem do Alto Rabagão
Vilarinho Negrões
Arcos
Sto Estêvão
Pedome
Cabril
Reigoso
Carvalhais
Cervos
Sa de Leiranco
Bobadela
Soutelo
Chaves
Bobadela
Nozelos
Lebução
Vilar da Veiga
Ferral
Lama Chã
Vale de Anta
Aveledas
Fiães
Salamonde
Pondras
Armada
Alturas do Barroso
Lavradas
Sapelos
Curalha
São Lourenço
Bouçoães
Ruivães
Bgem de Venda Nova
Sapiãos
Redondelo
Nantes
Tinhela
Ventosa
Pousada de São Bento
Venda Nova
Pereira
Vilarinho Seco
Carvalhelhos
Beça
Boticas
São Pedro de Agostém
Carvela
Alvarelhos
Sonim
Vale das
Soutilha
São Velho
Vieira do Minho
Sa da Cabreira
Borralha
Salto
Barroso
Viveiro
Vilar
Campos
Codessoso
Anelhe
Pinho
Vilela do Tâmega
Lagarelhos
Sta Valha
Sá
Vilarandelo
Nogueira da Montanha
Frioes
Covas do Barroso
Arcossó
Vidago
Moreiras
Santiago de Ribeira de Alharíz
Ervões
Fornos do Pinhal
Bouça
Fradizela
Serra do Seixa
Torrinheiras
Capeludos
Loivos
Guilhofrei
Rossas
Gondiães
Freixeda
Oura
Vila do Conde
Matosinhos
Serapicos
Vassal
Possacos
Vale de Gouvinhas
Sobradelo da Goma
Bucos
Celeiro
Vilar de Cunhas
Monteiros
Parada de Monteiros
Bragado
Sabroso
Serra da Padrela
S. João da Corveira
Valoura
Algeriz
Valpaços
Vale de Telhas
Vale de Salgueiro
Aboim
Rio Douro
Sto Aleixo de Além Tâmega
Pensalvos
Vreia de Bornes
Argemil
Padrela
Tazem
Carrazedo de Montenegro
Águas Reves e Castro
Mascarenh
Monte
Queimadela
Cabeceiras de Basto
Chacim
Bragadas
Minheu
Pedras Salgadas
Miradeses
Abambres
Pedraído
Várzea Cova
Ribeira de Pena
Afonsim
Sta Marta da Montanha
Valugas
Sta Maria de Émeres
Rio Torto
Cavês
Tinhela de Baixo
Curros
Veiga de Lila
Estorãos
Moreira do Rei
Portela de Sta Eulália
Vila Pouca de Aguiar
Canaveses
Pai Torto
Carvalhais
Faia
Arco de Baúlhe
Soutelo de Aguiar
Penabeice
Suçães
Vilar de
Fornelos
Gandarela
Cerva
Gouvães da Serra
Revel
Tresminas
Jou
São Pedro de Veiga de Lila
Golfeiras
Mirandela
Fafe
Vila Nune
Atei
Montido
Freiria
Passos
Canedo de Basto
Limões
Alvadia
Teloes
Alfarela de Jales
Carvas
Valongo de Milhais
Salgueiros
Silvares
Rego
Fermil
Cacarilhe
Nª Sra da Graça
Macieira
Soutelinho
Zimão
Vreia
OU 504
OU 540
OU 531
OU 301
OU 302
OU 540
OU 536
OU 113
OU 110
OU 310
OU 312
N 120
N 525
N 532
N 103
N 308
N 311
N 312
N 206
N 213
N 205
N 2
A 52
A 24 - IP 3
A 7 - IC 5
E 801
E 82
IP 4

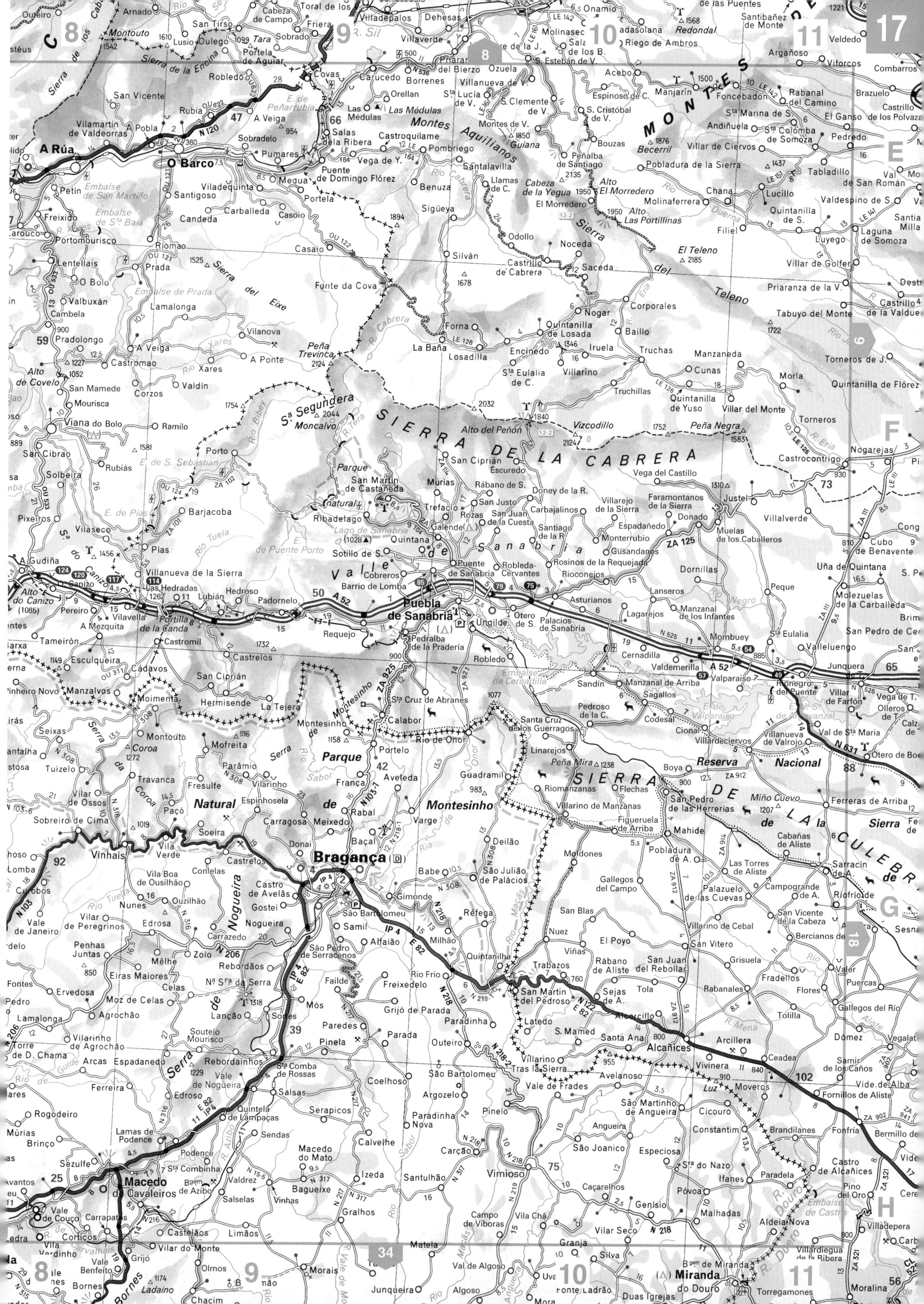
A Rúa
O Barco
Sierra de la Encina
Montouto
San Tirso
Lusio
Oulego
Portela de Aguiar
Robledo
San Vicente
Rubia
A Pobla
Vilamartín de Valdeorras
A Veiga
Sobradelo
Pumares
Covas
Carucedo
Borrenes
Orellan
Las Médulas
Salas de la Ribera
Castroquilame
Pombriego
Puente de Domingo Flórez
Vega de Y.
Montes Aquilianos
Villaverde
Priaranza del Bierzo
Ozuela
Villadepalos
Dehesas
Toral de los
Friera
Sobrado
Cabeza de Campo
Arnado
Onamio
Molinaseca
Riego de Ambros
Redondal
Acebo
Manjarín
Foncebadón
Rabanal del Camino
Santa Marina de S.
Andiñuela
Santa Colomba de Somoza
El Ganso
Pedredo
Castrillo de los Polvazares
Brazuelo
Combarros
Viforcos
Argañoso
Santibañez de Monte
Veldedo
Montes
Becerril
Villar de Ciervos
Pobladura de la Sierra
Tabladillo
Val de San Román
Valdespino de S.
Lucillo
Chana
Molinaferrera
Quintanilla de S.
Filiel
Luyego
Laguna de Somoza
El Teleno
Villar de Golfer
Priaranza de la V.
Castrillo de la Valduerna
Tabuyo del Monte
Sierra del Teleno
Peñalba de Santiago
Alto El Morredero
El Morredero
Alto Las Portillinas
Cabeza de la Yegua
Bouzas
S. Cristóbal de V.
S. Clemente de V.
Montes de V.
Guiana
Llamas de C.
Odollo
Noceda
Castrillo de Cabrera
Saceda
Silván
Sigüeya
Benuza
Santalavilla
Casaio
Fonte da Cova
Peña Trevinca
Forna
La Baña
Losadilla
Encinedo
Quintanilla de Losada
Nogar
Corporales
Baillo
Truchas
Iruela
Villarino
Sta Eulalia de C.
Manzaneda
Cunas
Quintanilla de Yuso
Truchillas
Villar del Monte
Torneros
Morla
Quintanilla de Flórez
Torneros de J.
Embalse de San Martiño
Embalse de Sta Baia
Petín
Freixido
Santigoso
Viladequinta
Candeda
Carballeda
Portomourisco
Riomao
Prada
Lentellais
O Bolo
Valbuxán
Cambela
Sierra del Eixe
Embalse de Prada
Lamalonga
Pradolongo
A Veiga
Vilanova
Castromao
A Ponte
Alto de Covelo
San Mamede
Mourisca
Corzos
Valdín
Viana do Bolo
Ramilo
Sa Segundera
Moncalvo
Sierra de la Cabrera
Alto del Peñón
Vizcodillo
Peña Negra
Porto
Rubiás
E. de S. Sebastián
San Cibrao
Solbeira
Pixeiros
Barjacoba
Vilaseco
Pías
Parque
San Martín de Castañeda
natural
Ribadelago
Lago de Sanabria
Murias
Trefacio
Rábano de S.
San Justo
Rozas
Galende
San Ciprián
Escuredo
Vega del Castillo
Castrocontrigo
Nogarejas
Doney de la R.
Carbajalinos
Villarejo de la Sierra
Faramontanos de la Sierra
Espadañedo
Donado
Justel
Villalverde
Muelas de los Caballeros
Cubo de Benavente
Santiago de la R.
Monterrubio
Gusandanos
San Juan de la Cuesta
Quintana
Sotillo de S.
Valle de Sanabria
Cobreros
Barrio de Lomba
Puente de Sanabria
Robleda-Cervantes
Rosinos de la Requejada
Rioconejos
Dornillas
Peque
Uña de Quintana
Molezuelas de la Carballeda
A Gudiña
Canizo
Alto do Canizo
Villanueva de la Sierra
Las Hedradas
Lubián
Hedroso
Padornelo
Puebla de Sanabria
Otero de S.
Palacios de Sanabria
Asturianos
Lagarejos
Lanseros
Manzanal de los Infantes
Mombuey
Sta Eulalia
Valleluengo
San Pedro de Ceque
Pereiro
Vilavella
A Mezquita
Portilla de la Canda
Requejo
Ungilde
Pedralba de la Pradería
Robledo
Castromil
Tameirón
Esculqueira
Cádavos
Castrelos
Cernadilla
Valdemerilla
Valparaiso
Junquera
Rionegro del Puente
Villar de Farfón
Vega de Tera
Olleros de Tera
Embalse de Cernadilla
Sandín
Manzanal de Arriba
Sagallos
Codesal
Cional
Villardeciervos
Pedroso de la C.
Villanueva de Valrojo
Val de Sta Maria
Otero de Bodas
Pinheiro Novo
Manzalvos
Moimenta
Hermisende
La Tejera
San Ciprián
Sta Cruz de Abranes
Calabor
Montesinho
Rio de Onor
Santa Cruz de los Guerragos
Linarejos
Peña Mira
Sierra de la Culebra
Reserva Nacional
Boya
San Pedro de las Herrerías
Miño Cuevo
Ferreras de Arriba
Flechas
Riomanzanas
Villarino de Manzanas
Figueruela de Arriba
Mahide
Cabañas de Aliste
Seixas
Montouto
Mofreita
Coroa
Tuizelo
Travanca
Parâmio
Fresulfe
Vilarinho
França
Aveleda
Portelo
Parque Natural de Montesinho
Guadramil
Vilar de Ossos
Paçó
Espinhosela
Carragosa
Meixedo
Rabal
Varge
Deilão
Sobreiro de Cima
Soeira
Vinhais
Vila Verde
Castrelos
Donai
Baçal
Bragança
Babe
São Julião de Palácios
Moldones
Pobladura de A.
Gallegos del Campo
Las Torres de Aliste
Sarracín de A.
Palazuelo de las Cuevas
Campogrande de A.
Riofrío de Aliste
San Vicente de la Cabeza
Bercianos de Aliste
Vila Boa de Ousilhão
Conlelas
Castro de Avelãs
Gostei
Nogueira
Gimonde
São Bartolomeu
Samil
Alfaião
Réfega
Milhão
Quintanilha
San Blas
Nuez
Viñas
El Poyo
Villarino de Cebal
San Vitero
Grisuela
Rábano de Aliste
San Juan del Rebollar
Trabazos
San Martín del Pedroso
Sejas de A.
Tola
Rabanales
Fradellos
Flores
Puercas
Gallegos del Río
Vale de Janeiro
Vilar de Peregrinos
Nunes
Edrosa
Ouzilhão
Carrazedo
Penhas Juntas
Zoio
Mêlhe
Rebordãos
São Pedro de Serracenos
Rio Frio
Faílde
Freixedelo
Eiras Maiores
Celas
Nª Srª da Serra
Ervedosa
Moz de Celas
Agrochão
Lanção
Sortes
Mós
Grijó de Parada
Paradinha
Latedo
S. Mamed
Santa Ana
Alcañices
Alcorcillo
Arcillera
Tolilla
Domez
Lamalonga
Vilarinho de Agrochão
Soutelo Mourisco
Paredes
Parada
Pinela
Outeiro
Vilarino
Tras la Sierra
Avelanoso
Vivinera
Ceadea
Samir de los Caños
Vide de Alba
Fornillos de Aliste
Torre de D. Chama
Arcas
Espadanedo
Rebordainhos
Sta Comba de Rossas
Coelhoso
São Bartolomeu
Vale de Frades
Moveros
Ferreira
Vale de Nogueira
Edroso
Salsas
Argozelo
Pinelo
São Martinho de Angueira
Cicouro
Constantim
Brandilanes
Fonfría
Bermillo de Alba
Rogodeiro
Múrias
Brinço
Quintela de Lampaças
Serapicos
Paradinha Nova
Angueira
São Joanico
Especiosa
Lamas de Podence
Sendas
Calvelhe
Macedo do Mato
Carção
Vimioso
Sta do Nazo
Ifanes
Paradela
Castro de Alcañices
Sezulfe
Podence
Sta Combinha
Valdrez
Izeda
Santulhão
Póvoa
Pino del Oro
Macedo de Cavaleiros
Bagueixe
Salselas
Vinhas
Gralhos
Caçarelhos
Genísio
Malhadas
Aldeia Nova
Villadepera
Vale de Couço
Carrapatas
Corticos
Castelãos
Limãos
Campo de Víboras
Vila Chã
Vilar Seco
Vilar do Monte
Vale Benfeito
Grijó
Matela
Granja
Silva
Miranda do Douro
Villardiegua de la Ribera
Torregamones
Moralina
Olmos
Morais
Val de Algoso
Junqueira
Algoso
Fonte Ladrão
Duas Igrejas
Bornes
Ladaino
Chacim
Reserva Nacional

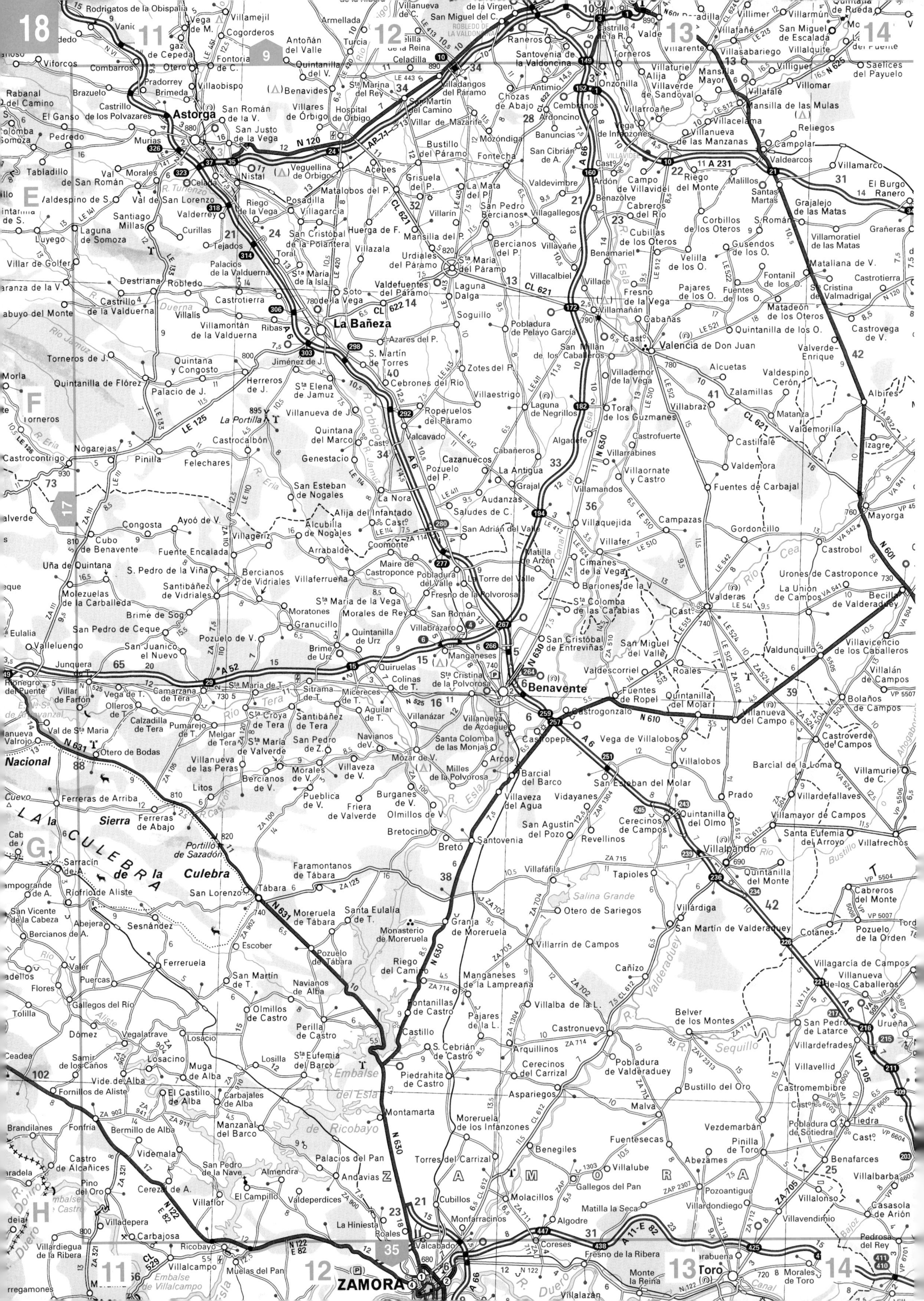
Astorga
La Bañeza
Benavente
Valencia de Don Juan
Mansilla de las Mulas
Mayorga
Villalpando
ZAMORA
Toro
Rodrigatos de la Obispalía
Villamejil
Vega de M.
Cogorderos
Fontoria de C.
Armellada
Turcia
Antoñán del Valle
Villanueva de C.
San Miguel del C.
Robledo de la Valdoncina
Raneros
Santovenia de la Valdoncina
Villarente
Villafañé
Villasabariego
Villimer
Villarmún
San Miguel de Escalada
Villaquilte
Rabanal del Camino
El Ganso
Combarros
Brazuelo
Pradorrey
Brimeda
Villaobispo
Castrillo de los Polvazares
San Román de la V.
San Justo de la Vega
Murias
Pedredo
Tabladillo
Val de San Román
Valdespino de S.
Val de San Lorenzo
Celada
Nistal
Veguellina de Órbigo
Benavides
Sta Marina del Rey
Villares de Órbigo
Hospital de Órbigo
Villadangos del Páramo
San Martín del Camino
Villar de Mazarife
Bustillo del Páramo
Mozóndiga
Chozas de Abajo
Antimio
Cembranos
Ardoncino
Banuncias
Onzonilla
Vega de Infanzones
Villaturiel
Alija
Villaverde de Sandoval
Villarroañe
Villanueva de las Manzanas
Villacelama
Mansilla Mayor
Reliegos
Campolar
Valdearcos
Villamarco
El Burgo Ranero
Santas Martas
Grajalejo de las Matas
Villamoratiel de las Matas
Matallana de V.
Castrotierra
Sta Cristina de Valmadrigal
Fontanil de los O.
Matadeón de los Oteros
Castrovega de V.
Valverde-Enrique
Zalamillas
Villabraz
Albires
Matanza
Valdemorilla
Izagre
Castilfalé
Valdemora
Fuentes de Carbajal
Gordoncillo
Castrobol
Urones de Castroponce
La Unión de Campos
Becilla de Valderaduey
Valderas
Campazas
Villafer
Villaquejida
Cimanes de la Vega
Bariones de la V.
Sta Colomba de las Carabias
San Cristóbal de Entreviñas
San Miguel del Valle
Valdescorriel
Roales
Fuentes de Ropel
Quintanilla del Molar
Castrogonzalo
Villanueva del Campo
Bolaños de Campos
Castroverde de Campos
Villavicencio de los Caballeros
Valdunquillo
Villalán de Campos
Barcial de la Loma
Villamuriel de C.
Villardefallaves
Villamayor de Campos
Santa Eufemia del Arroyo
Villafrechós
Cabreros del Monte
Pozuelo de la Orden
Cotanes
Villagarcía de Campos
Villanueva de los Caballeros
San Pedro de Latarce
Urueña
Villardefrades
Villavellid
Castromembibre
Tiedra
Pobladura de Sotiedra
Benafarces
Villalbarba
Villalonso
Casasola de Arión
Villavendimio
Pedrosa del Rey
Morales de Toro
Villardondiego
Pozoantiguo
Abezames
Pinilla de Toro
Vezdemarbán
Fuentesecas
Malva
Bustillo del Oro
Pobladura de Valderaduey
Belver de los Montes
Castronuevo
Villalba de la L.
Cañizo
San Martín de Valderaduey
Villárdiga
Quintanilla del Monte
Tapioles
Otero de Sariegos
Villafáfila
Salina Grande
Villarrín de Campos
Manganeses de la Lampreana
Revellinos
San Agustín del Pozo
Cerecinos de Campos
Quintanilla del Olmo
Prado
Villalobos
San Esteban del Molar
Vega de Villalobos
Vidayanes
Barcial del Barco
Villaveza del Agua
Santovenia
Bretó
Bretocino
Granja de Moreruela
Monasterio de Moreruela
Riego del Camino
Fontanillas de Castro
Pajares de la L.
Castillo
S. Cebrián de Castro
Arquillinos
Cerecinos del Carrizal
Aspariegos
Moreruela de los Infanzones
Benegiles
Torres del Carrizal
Villalube
Gallegos del Pan
Molacillos
Cubillos
Monfarracinos
Algodre
Coreses
Fresno de la Ribera
Matilla la Seca
Monte la Reina
Villalazán
Roales
Valcabado
Muelas del Pan
Villalcampo
Ricobayo
Embalse de Villalcampo
Embalse de Ricobayo
Embalse del Esla
Andavías
Palacios del Pan
Almendra
San Pedro de la Nave
El Campillo
Valdeperdices
La Hiniesta
Montamarta
Piedrahita de Castro
Losilla
Sta Eufemia del Barco
Perilla de Castro
Olmillos de Castro
Navianos de Alba
San Martín de T.
Pozuelo de Tábara
Escober
Moreruela de Tábara
Santa Eulalia de T.
Faramontanos de Tábara
Tábara
San Lorenzo
Sesnández
Abejera
Ferreruela
Puercas
Valer
Flores
Gallegos del Río
Tolilla
Domez
Vegalatrave
Losacio
Losacino
Muga de Alba
Samir de los Caños
Vide de Alba
Fornillos de Aliste
El Castillo de Alba
Carbajales de Alba
Manzanal del Barco
Bermillo de Alba
Fonfría
Brandilanes
Videmala
Castro de Alcañices
Cereza de A.
Pino del Oro
Villaflor
Villadepera
Carbajosa
Villardiegua de la Ribera
Sarracín de A.
Riofrío de Aliste
Campogrande de A.
San Vicente de la Cabeza
Bercianos de A.
Ferreras de Arriba
Ferreras de Abajo
Litos
Portillo de Sazadón
Sierra de la Culebra
LA CULEBRA
Otero de Bodas
Val de Sta María
Valrojo
Villanueva de las Peras
Bercianos de V.
Morales de V.
Villaveza de V.
Pueblica de V.
Friera de Valverde
Burganes de V.
Olmillos de V.
Sta María de Valverde
Melgar de Tera
Pumarejo de T.
Calzadilla de Tera
Olleros de T.
Vega de T.
Villar de Farfón
Rionegro del Puente
Camarzana de Tera
Sta María de T.
Sta Croya de Tera
Santibáñez de Tera
San Pedro de Z.
Navianos de V.
Mózar de V.
Milles de la Polvorosa
Arcos
Castropepe
Santa Colomba de las Monjas
Villanueva de Azoague
Villanázar
Aguilar de T.
Micereces de T.
Sitrama de T.
Colinas de T.
Sta Cristina de la Polvorosa
Manganeses
Quiruelas
Brime de Urz
Quintanilla de Urz
Villabrázaro
San Román
Morales de Rey
Sta María de la Vega
Fresno de la Polvorosa
La Torre del Valle
Pobladura del Valle
Maire de Castroponce
Villaferrueña
Arrabalde
Coomonte
San Adrián del Valle
Matilla de Arzón
Alcubilla de Nogales
Alija del Infantado
La Nora
Saludes de C.
Audanzas
Pozuelo del P.
Cazanuecos
La Antigua
Grajal
Villamandos
Villaornate y Castro
Villarrabines
Castrofuerte
Algadefe
Toral de los Guzmanes
Villademor de la Vega
Laguna de Negrillos
Villaestrigo
Roperuelos del Páramo
Valcavado
Quintana del Marco
Genestacio
San Esteban de Nogales
Villanueva de J.
Sta Elena de Jamuz
Cebrones del Río
Zotes del P.
S. Martín de Torres
Jiménez de J.
Azares del P.
Herreros de J.
Quintana y Congosto
Palacio de J.
Quintanilla de Flórez
Torneros de J.
Villamontán de la Valduerna
Ribas
Villalís
Castrillo de la Valduerna
Destriana
Robledo
Castrotierra
Palacios de la Valduerna
Tejados
Curillas
Santiago Millas
Valderrey
Riego de la Vega
Toral
Sta María de la Isla
San Cristóbal de la Polantera
Villagarcía
Posadilla
Matalobos del P.
Grisuela del P.
Acebes
Huerga de F.
Villazala
Soto de la Vega
Valdefuentes del Páramo
Urdiales del Páramo
Sta María del Páramo
Mansilla del P.
Villarín
La Mata del P.
San Pedro Bercianos
Fontecha
Bercianos del P.
Laguna Dalga
Soguillo
Pobladura de Pelayo García
San Millán de los Caballeros
Villacé
Villamañán
Fresno de la Vega
Cabañas
Pajares de los O.
Quintanilla de los O.
Alcuetas
Valdespino Cerón
Gusendos de los O.
Velilla de los O.
Cubillas de los Oteros
Corbillos de los Oteros
S. Román
Cabreros del Río
Benazolve
Campo de Villavidel
Riego del Monte
Malillos
Ardón
Valdevimbre
San Cibrián de A.
Villagallegos
Villacalbiel
Villavañe
Benamariel
Laguna de Somoza
Luyego
Villar de Golfer
Castrocalbón
La Portilla
Felechares
Pinilla
Nogarejas
Castrocontrigo
Congosta
Ayoó de V.
Villageriz
Cubo de Benavente
Fuente Encalada
Uña de Quintana
S. Pedro de la Viña
Bercianos de Vidriales
Santibáñez de Vidriales
Molezuelas de la Carballeda
Brime de Sog
San Pedro de Ceque
Pozuelo de V.
Moratones
Granucillo
San Juanico el Nuevo
Junquera de T.
Valleluengo
Nacional
Río Tera
R. Esla
R. Órbigo
R. Duero
R. Valderaduey
Río Cea
Sequillo
Duerna
Río Jamuz
R. Eria
R. Turienzo
A 6
A 66
A 52
A 231
AP-71
N 120
N 601
N 630
N 631
N 610
N 525
N 122
E 82
A 11-E 82
CL 621
CL 622
CL 612
CL 529
9
11
12
13
14
17
35
E
F
G
H

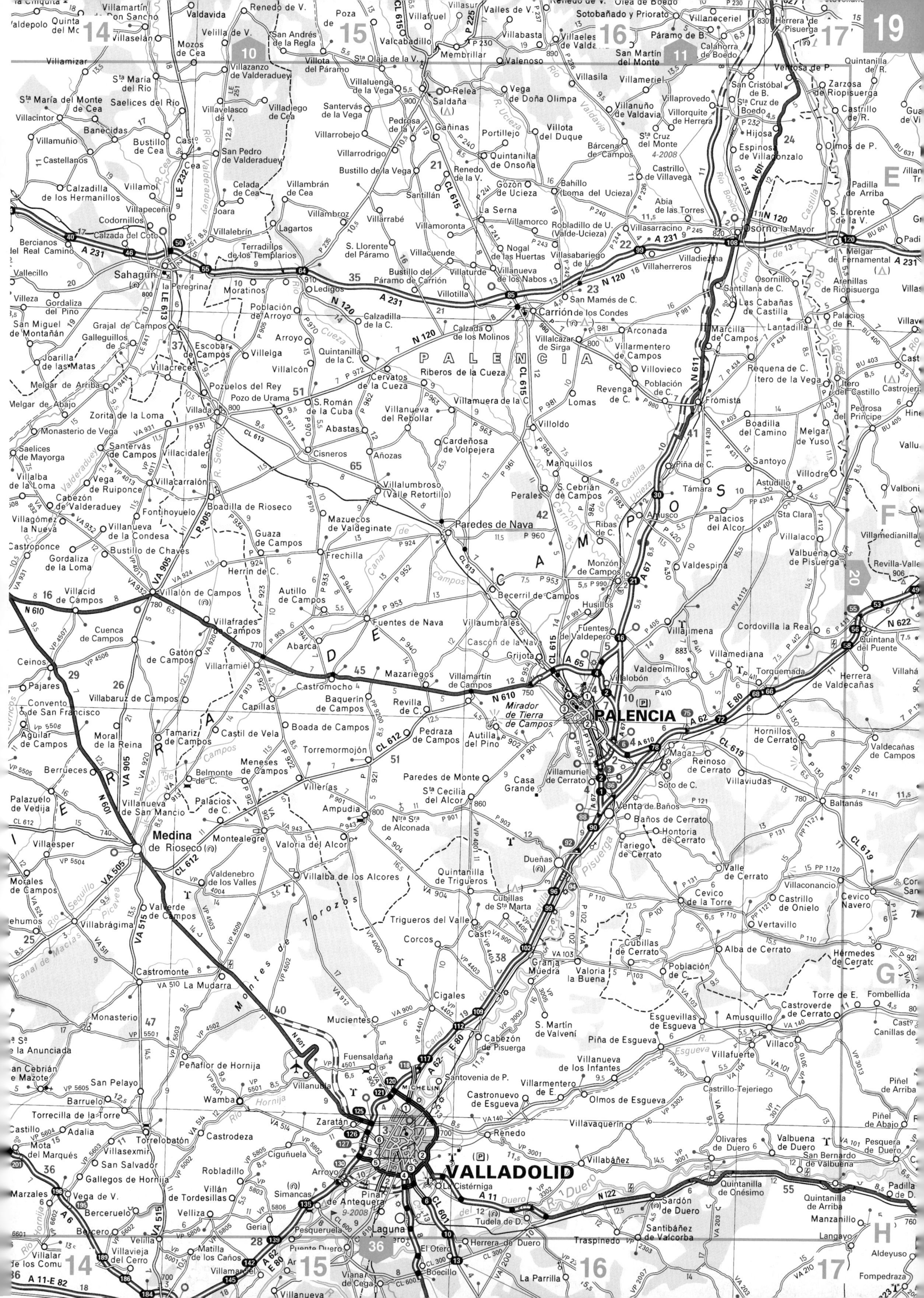

19
14
15
16
17
10
11
20
36
E
F
G
H
PALENCIA
CAMPOS
DE
TIERRA DE CAMPOS
VALLADOLID
Palencia
Valladolid
Medina de Rioseco
Sahagún
Carrión de los Condes
Saldaña
Osorno la Mayor
Frómista
Villada
Villalón de Campos
Paredes de Nava
Dueñas
Venta de Baños
Magaz
Baltanás
Torquemada
Herrera de Pisuerga
Astudillo
Becerril de Campos
Fuentes de Nava
Grijota
Villamuriel de Cerrato
Cigales
Cabezón de Pisuerga
Santovenia de P.
Fuensaldaña
Zaratán
Arroyo
Simancas
Laguna de Duero
La Cistérniga
Tudela de D.
Boecillo
Herrera de Duero
Renedo
Villabáñez
Sardón de Duero
Quintanilla de Onésimo
Olivares de Duero
Valbuena de Duero
San Bernardo de Valbuena
Tordesillas
Torrelobatón
Wamba
Peñaflor de Hornija
Villanubla
Mucientes
Castromonte
La Mudarra
Valverde de Campos
Villabrágima
Montealegre
Valoria del Alcor
Ampudia
Torremormojón
Castromocho
Villarramiel
Villafrades de Campos
Cuenca de Campos
Ceinos
Villalba de los Alcores
Trigueros del Valle
Corcos
Cubillas de Sta Marta
Quintanilla de Trigueros
Monzón de Campos
Husillos
Amusco
Piña de C.
Támara
Villalobón
Villamartín de Campos
Mazariegos
Autillo de Campos
Frechilla
Guaza de Campos
Boadilla de Rioseco
Cisneros
Villalumbroso (Valle Retortillo)
Villoldo
Revenga de C.
Lomas
Villalcázar de Sirga
Arconada
Villarmentero de Campos
Marcilla de Campos
Lantadilla
Itero de la Vega
Boadilla del Camino
Melgar de Yuso
Santoyo
Villodre
Palacios del Alcor
Valdespina
Villajimena
Cordovilla la Real
Villamediana
Valdeolmillos
Hornillos de Cerrato
Reinoso de Cerrato
Soto de C.
Villaviudas
Baños de Cerrato
Hontoria de Cerrato
Tariego de Cerrato
Valle de Cerrato
Cevico de la Torre
Vertavillo
Alba de Cerrato
Población de C.
Valoria la Buena
Granja Muedra
Esguevillas de Esgueva
Piña de Esgueva
Villanueva de los Infantes
Villarmentero de E.
Castronuevo de Esgueva
Olmos de Esgueva
Villavaquerín
Castrillo-Tejeriego
Villafuerte
Villaco
Amusquillo
Castroverde de Cerrato
Torre de E.
Fombellida
Piñel de Arriba
Piñel de Abajo
Pesquera de Duero
Padilla de D.
Manzanillo
Langayo
Aldeyuso
Fompedraza
Mirador de Tierra de Campos
N 120
N 610
N 601
N 611
N 620
N 622
N 122
A 231
A 62
A 65
A 67
A 11
E 80
CL 612
CL 613
CL 615
CL 619
CL 601
MICHELIN

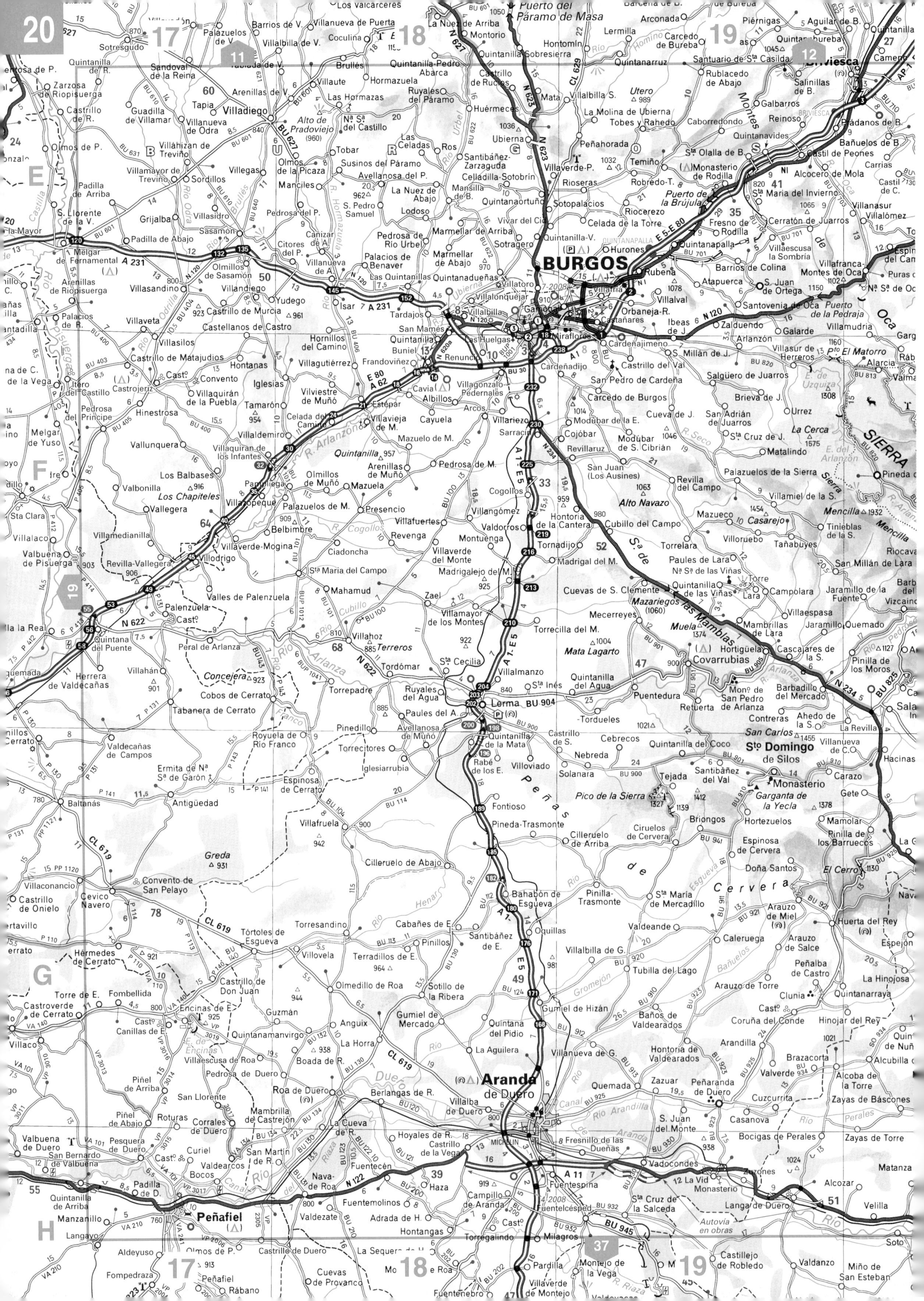

17 18 19

Los Valcárceres
Puerto del Páramo de Masa
Barrios de V.
Villanueva de Puerta
La Nuez de Arriba
Montorio
Arconada
Piérnigas
Aguilar de B.
Quintanilla
Sotresgudo
Palazuelos de V.
Villalbilla de V.
Coculina
Hontomín
Lermilla
Carcedo de Bureba
Quintanabureba
Quintanilla de R.
Sandoval de la Reina
Tablada de V.
Brullés
Quintanilla-Pedro Abarca
Quintanilla Sobresierra
Quintanarruz
Santuario de Sta Casilda
Briviesca
Cameno
Zarzosa de Riopisuerga
Arenillas de V.
Villaute
Hormazuela
Castrillo de Rucios
Rublacedo de Abajo
Salinillas de B.
Castrillo de R.
Tapia
Villadiego
Las Hormazas
Ruyales del Páramo
Mata
Villalbilla S.
Utero
Guadilla de Villamar
Villanueva de Odra
Alto de Pradoviejo
Nª Sª del Castillo
Huérmeces
La Molina de Ubierna
Galbarros
Tobes y Rahedo
Caborredondo
Reinoso
Prádanos de B.
Ubierna
Quintanavides
Bañuelos de B.
Olmos de P.
Villahizán de Treviño
Las Celadas
Ros
Santibáñez-Zarzaguda
Peñahorada
Sta Olalla de B.
Castil de Peones
Tobar
Olmos de la Picaza
Susinos del Páramo
Villaverde-P.
Temiño
Monasterio de Rodilla
Villamayor de Treviño
Villegas
Avellanosa del P.
Celladilla-Sotobrín
Alcocero de Mola
Carrias
Sordillos
Padilla de Arriba
Manciles
La Nuez de Abajo
Mansilla de B.
Rioseras
Robredo-T.
Puerto de la Brújula
Sta María del Invierno
Castil de C.
S. Pedro Samuel
Lodoso
Quintanaortuño
Sotopalacios
Riocerezo
Villanasur
Villalómez
S. Llorente de la V.
Grijalba
Villasidro
Pedrosa del P.
Vivar del Cid
Celada de la Torre
Fresno de Rodilla
Cerratón de Juarros
Sasamón
Padilla de Abajo
Canizar de A.
Pedrosa de Río Urbel
Marmellar de Arriba
Quintanilla-V.
Hurones
Quintanapalla
Melgar de Fernamental
Olmillos de Sasamón
Citores del P.
Villanueva de A.
Palacios de Benaver
Marmellar de Abajo
Sotragero
Villaescusa la Sombría
Villafranca-Montes de Oca
Arenillas de Riopisuerga
Las Quintanillas
Quintanadueñas
BURGOS
Rubena
Barrios de Colina
Villasandino
Villandiego
Villatoro
Villarmero
Atapuerca
S. Juan de Ortega
Nª Sª de Oca
Puerto de la Pedraja
Palacios de R.
Castrillo de Murcia
Yudego
Isar
Tardajos
Villalonquéjar
Villalbilla
Gamonal
Villatría
Villalval
Orbaneja-R.
Santovenia de Oca
Villaveta
Castellanos de Castro
San Mamés
Castañares
Ibeas de J.
Zalduendo
Galarde
Villamudria
Villasilos
Hornillos del Camino
Quintanilla
Las Huelgas
Miraflores
Cardeñajimeno
Arlanzón
Villasur de Herreros
Pto El Matorro
Castrillo de Matajudíos
Hontanas
Buniel
Renuncio
Cardeñadijo
S. Millán de J.
Castrillo del Val
Alarcia
Itero del Castillo
Castrojeriz
Cast.º
Convento
Villagutiérrez
Frandoviñez
San Pedro de Cardeña
Salgüero de Juarros
Valmala
Villaquirán de la Puebla
Iglesias
Villagonzalo-Pedernales
Carcedo de Burgos
Brieva de J.
Pedrosa del Príncipe
Hinestrosa
Tamarón
Vilviestre de Muñó
Estépar
Cavia
Albillos
Arcos
Cueva de J.
San Adrián de Juarros
Urrez
Celada del Camino
Villavieja de M.
Cayuela
Villariezo
Modúbar de la E.
La Cerca
Melgar de Yuso
Villaldemiro
Mazuelo de M.
Sarracín
Cojóbar
Modúbar de S. Cibrián
Sta Cruz de J.
SIERRA
Vallunquera
Villaquirán de los Infantes
Quintanilla
Revillaruz
Matalindo
Los Balbases
Arenillas de Muñó
Pedrosa de M.
San Juan (Los Ausines)
Revilla del Campo
Palazuelos de la Sierra
Pineda de la Sierra
Valbonilla
Los Chapiteles
Pampliega
Olmillos de Muñó
Mazuela
Cogollos
Alto Navazo
Villamiel de la S.
Vallegera
Villazopeque
Palazuelos de M.
Presencio
Villangómez
Hontoria de la Cantera
Cubillo del Campo
Mazueco
Casarejo
Mencilla
Sta Clara
Belbimbre
Villafuertes
Valdorros
Torrelara
Villoruebo
Tinieblas de la S.
Villamedianilla
Revenga
Montuenga
Tornadijo
Tañabuyes
Villalaco
Villaverde-Mogina
Ciadoncha
Villaverde del Monte
Madrigal del M.
Paules de Lara
Riocavado
Valbuena de Pisuerga
Revilla-Vallegera
Villodrigo
Sta María del Campo
Madrigalejo del M.
Nª Sª de las Viñas
San Millán de Lara
Mahamud
Cuevas de S. Clemente
Quintanilla de las Viñas
Torre
Campolara
Jaramillo de la Fuente
Valles de Palenzuela
Zael
Lara
Mazariegos
Villaespasa
Palenzuela
Villamayor de los Montes
Mecerreyes
Mambrillas de Lara
Jaramillo Quemado
Villahoz
Torrecilla del M.
Muela
Terreros
Mata Lagarto
Hortigüela
Cascajares de la S.
Pinilla de los Moros
Quintana del Puente
Peral de Arlanza
Tordómar
Sta Cecilia
Covarrubias
Villahán
Herrera de Valdecañas
Concejera
Torrepadre
Villalmanzo
Quintanilla del Agua
Sta Inés
Monº de San Pedro de Arlanza
Barbadillo del Mercado
Cobos de Cerrato
Ruyales del Agua
Lerma
Puentedura
Retuerta
Contreras
Tabanera de Cerrato
Paules del A.
Tordueles
Ahedo de la S.
San Carlos
La Revilla
Pinedillo
Avellanosa de Muñó
Castrillo de S.
Cebrecos
Quintanilla del Coco
Sto Domingo de Silos
Villanueva de C.
Valdecañas de Campos
Royuela de Río Franco
Torrecitores
Quintanilla de la Mata
Nebreda
Hacinas
Rabé de los E.
Villoviado
Solanara
Santibáñez del Val
Tejada
Monasterio
Carazo
Ermita de Nª Sª de Garón
Espinosa de Cerrato
Iglesiarrubia
Peñas de Cervera
Pico de la Sierra
Garganta de la Yecla
Gete
Baltanás
Antigüedad
Fontioso
Pineda-Trasmonte
Ciruelos de Cervera
Briongos
Hortezuelos
Mamolar
Villafruela
Cilleruelo de Arriba
Espinosa de Cervera
Pinilla de los Barruecos
Greda
Cilleruelo de Abajo
Doña Santos
El Cerro
Convento de San Pelayo
Villaconancio
Cevico Navero
Castrillo de Onielo
Bahabón de Esgueva
Pinilla-Trasmonte
Sta María de Mercadillo
Arauzo de Miel
Huerta del Rey
Torresandino
Cabañes de E.
Valdeande
Caleruega
Tórtoles de Esgueva
Santibáñez de E.
Oquillas
Arauzo de Salce
Espejón
Hérmedes de Cerrato
Villovela
Terradillos de E.
Pinillos
Villalbilla de G.
Tubilla del Lago
Peñalba de Castro
Castrillo de Don Juan
Olmedillo de Roa
Sotillo de la Ribera
Arauzo de Torre
La Hinojosa
Torre de E.
Fombellida
Clunia
Quintanarraya
Castroverde de Cerrato
Encinas de E.
Guzmán
Gumiel de Mercado
Gumiel de Hizán
Baños de Valdearados
Cast.º
Coruña del Conde
Hinojar del Rey
Canillas de E.
Quintanamanvirgo
Anguix
Quintana del Pidio
Villaco
La Horra
La Aguilera
Hontoria de Valdearados
Arandilla
Villaescusa de Roa
Boada de R.
Villanueva de G.
Brazacorta
Alcubilla de Nuñó
Pedrosa de Duero
Valverde
Alcoba de la Torre
Piñel de Arriba
Aranda de Duero
Quemada
Zazuar
Peñaranda de Duero
Zayas de Báscones
San Llorente
Roa de Duero
Berlangas de R.
Villalba de Duero
Cuzcurrita
Piñel de Abajo
Roturas
Mambrilla de Castrejón
Corrales de Duero
La Cueva de R.
S. Juan del Monte
Casanova
Valbuena de Duero
Pesquera de Duero
Curiel
San Martín de R.
Hoyales de R.
Castrillo de la Vega
Fresnillo de las Dueñas
Bocigas de Perales
Zayas de Torre
San Bernardo de Valbuena
Valdearcos
Bocos
Fuentecén
Nava de Roa
Haza
Vadocondes
Zuzones
Matanza
Padilla de D.
La Vid
Monasterio
Alcozar
Quintanilla de Arriba
Fuentemolinos
Campillo de Aranda
Fuentespina
Sta Cruz de la Salceda
Langa de Duero
Velilla
Manzanillo
Peñafiel
Valdezate
Adrada de H.
Cast.º
Fuentelcésped
Autovía en obras
Langayo
Hontangas
Torregalindo
Milagros
Soto
Aldeyuso
Olmos de P.
Castrillo de Duero
La Sequera de H.
Castillejo de Robledo
Fompedraza
Peñafiel
Cuevas de Provanco
Montejo de la Vega
Valdanzo
Miño de San Esteban
Rábano
Fuentenebro
Pardilla
Villaverde de Montejo

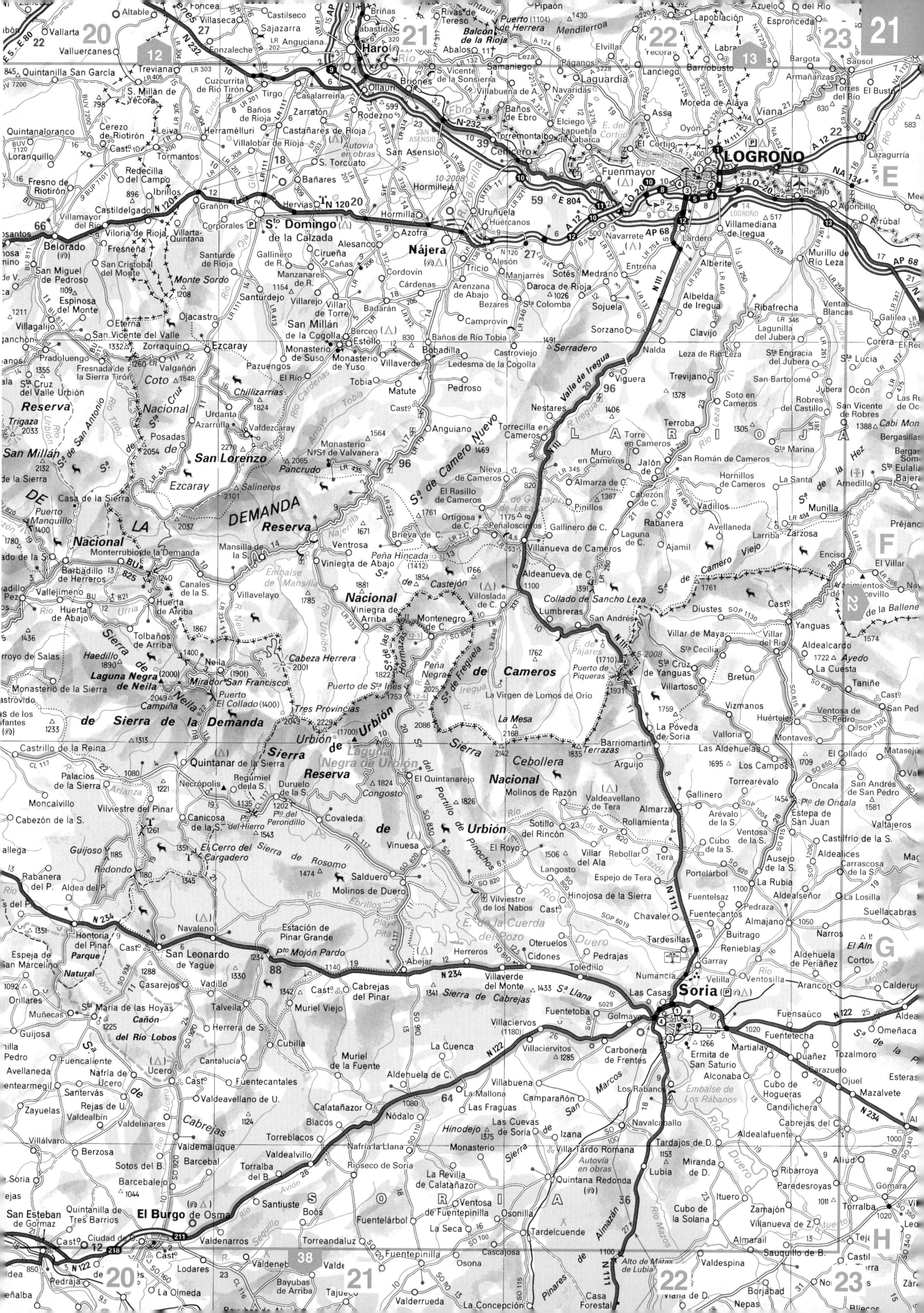

20 21 22 23

Altable Foncea Villaseca Castilseco Sajazarra Anguciana Briñas Labastida Haro Rivas de Tereso Balcón de la Rioja Puerto de Herrera Pipaón Mendilerroa Lapoblación Azuelo Espronceda

Vallarta Valluercanes Fonzaleche Treviana Quintanilla San García Cuzcurrita de Río Tirón Tirgo S. Millán de Yécora Casalarreina Ollauri Briones S. Vicente de la Sonsierra Ábalos Samaniego Villabuena de A. Elvillar Páganos Laguardia Lanciego Barriobusto Yécora Labraza Bargota Sansol Armañanzas Torres del Río El Busto

Quintanaloranco Cerezo de Riotirón Leiva Herramélluri Baños de Rioja Zarratón Rodezno Castañares de Rioja Villalobar de Rioja Navaridas Baños de Ebro Elciego Lapuebla de Labarca Moreda de Álava Assa Oyón Viana

Loranquillo Tormantos Redecilla del Campo Ibrillos San Asensio S. Torcuato Bañares Cenicero Torremontalbo El Cortijo Fuenmayor LOGROÑO Lazagurría

Fresno de Riotirón Castildelgado Grañón Villamayor del Río Viloria de Rioja Villarta-Quintana Corporales Sto. Domingo de la Calzada Hervías Hormilla Hormilleja Uruñuela Huércanos Navarrete Lardero Villamediana de Iregua Recajo Agoncillo Arrúbal

Belorado Fresneña San Cristóbal del Monte Santurde de Rioja Gallinero de R. Cirueña Alesanco Cañas Azofra Nájera Tricio Alesón Manjarrés Sotés Medrano Entrena Alberite Murillo de Río Leza

San Miguel de Pedroso Espinosa del Monte Monte Sordo Santurdejo Manzanares de R. Villarejo Villar de Torre Cordovín Cárdenas Arenzana de Abajo Bezares Sta. Colomba Daroca de Rioja Sojuela Albelda de Iregua Ribafrecha Ventas Blancas Galilea

Villagalijo Ojacastro Eterna San Vicente del Valle San Millán de la Cogolla Badarán Berceo Estollo Camprovín Baños de Río Tobia Sorzano Clavijo Lagunilla del Jubera Corera El Redal

Pradoluengo Zorraquín Ezcaray Valgañón Fresneda de la Sierra Tirón Monasterio de Suso Monasterio de Yuso Bobadilla Villaverde Castroviejo Ledesma de la Cogolla Serradero Nalda Leza de Río Leza Sta. Engracia del Jubera Sta. Lucía

Sta. Cruz del Valle Urbión Pazuengos El Río Tobia Matute Pedroso Viguera Trevijano San Bartolomé Jubera Ocón Coto Chillizarrias Valle de Iregua

Reserva Nacional Trigaza Urdanta Azarrulla Valdezcaray Castº Nestares Terroba Soto en Cameros Robres del Castillo San Vicente de Robres Las Ruedas de Ocón

San Millán Posadas Anguiano Torrecilla en Cameros Torre en Cameros Cabi Monte Bergasillas

Sª de San Antonio Sª de San Lorenzo Monasterio de Valvanera Pancrudo Sª de Camero Nuevo Muro en Cameros Jalón de C. San Román de Cameros Sta. Marina Bergasa Sta. Eulalia Bajera

de la Sierra Ezcaray Salineros Nieva de Cameros Almarza de C. Hornillos de Cameros La Santa Arnedillo Sª de la Hez

DE LA DEMANDA Casa de la Sierra Puerto Manquillo El Rasillo de Cameros Pinillos Cabezón de C. Vadillos Munilla

Reserva Nacional Ortigosa de C. Peñaloscintos Gallinero de C. Rabanera Avellaneda Larriba Zarzosa Préjano

Monterrubio de la Demanda Mansilla de la S. Ventrosa Brieva de C. Villanueva de Cameros Laguna de C. Ajamil Enciso El Villar

Barbadillo de Herreros Viniegra de Abajo Peña Hincada Sª de Castejón Aldeanueva de C. Sª de Camero Viejo Yacimientos de Navalsaz

Vallejimeno Canales de la S. Embalse de Mansilla Villavelayo Nacional Viniegra de Arriba Villoslada de C. Collado de Sancho Leza Diustes Castº

Huerta de Abajo Huerta de Arriba Montenegro de C. Lumbreras San Andrés Yanguas de la Ballena

Tolbaños de Arriba Sierra de Neila Sª de las Tormazas Sª de Freguela E. de Pajares Villar de Maya Villar del Río Aldealcardo

Haedillo Neila Cabeza Herrera Peña Negra de Cameros Puerto de Piqueras Sta. Cecilia Sta. Cruz de Yanguas Bretún Ayedo La Cuesta Taniñe

Laguna Negra de Neila Mirador San Francisco Monasterio de la Sierra Puerto El Collado Puerto de Sta. Inés La Virgen de Lomos de Orio Villartoso

Campiña Tres Provincias Urbión La Mesa La Póveda de Soria Vizmanos Huérteles Ventosa de S. Pedro San Pedro

Sierra de la Demanda Sierra de Urbión Laguna Negra de Urbión Sierra Cebollera Terrazas Barriomartín Valloria Montaves

Castrillo de la Reina Quintanar de la Sierra Reserva Nacional Arguijo Las Aldehuelas Los Campos El Collado Matasejún

Palacios de la Sierra Necrópolis Regumiel de la S. Duruelo de la S. El Quintanarejo Congosto Molinos de Razón Valdeavellano de Tera Torrearévalo Oncala San Andrés de San Pedro

Moncalvillo Vilviestre del Pinar Canicosa de la S. Pto. del Hierro Pto. del Perondillo Covaleda Portillo de Urbión Gallinero Almarza Rollamienta Arévalo de la S. Pto. de Oncala Estepa de San Juan

Cabezón de la S. El Cerro del Cargadero Sierra de Rosomo Vinuesa El Royo Sotillo del Rincón Ventosa de la S. Castilfrío de la S. Valtajeros

Guijoso Redondo Salduero Molinos de Duero Villar del Ala Rebollar Tera Cubo de la S. Ausejo de la S. Aldealices Carrascosa de la S.

Rabanera del P. Aldea del P. Langosto Espejo de Tera Portelárbol La Rubia

Hontoria del Pinar Parque Natural Navaleno San Leonardo de Yagüe Estación de Pinar Grande Playa Pita E. de la Cuerda del Pozo Vilviestre de los Nabos Hinojosa de la Sierra Fuentelsaz Chavaler Fuentecantos Aldealseñor Almajano Pedraza La Losilla Suellacabras

Espeja de San Marcelino Casarejos Vadillo Pto. Mojón Pardo Abejar Herreros Oteruelos Cidones Pedrajas Toledillo Tardesillas Buitrago Renieblas Narros El Almarza

Orillares Sta. María de las Hoyas Cañón del Río Lobos Talveila Muriel Viejo Cabrejas del Pinar Villaverde del Monte Sª Llana Sierra de Cabrejas Las Casas Numancia Garray Velilla Ventosilla Arancón Aldehuela de Periáñez Cortos Calderuela

Muñecas Guijosa Herrera de S. Cubilla Villaciervos Fuentetoba Golmayo Soria Fuensaúco Fuentetecha Aldea Omeñaca

Pedro Fuencaliente Avellaneda Nafría de Ucero Ucero Cantalucía Muriel de la Fuente La Cuenca Villaciervitos Carbonera de Frentes Ermita de San Saturio Martialay Duáñez Tozalmoro

Fuentearmegil Santervás Rejas de U. Valdealbín Castº Fuentecantales Valdeavellano de U. Aldehuela de C. Villabuena Camparañón San Marcos Los Rábanos Alconaba Embalse de Los Rábanos Cubo de Hogueras Garrazuelo Ojuel Esteras Mazalvete

Zayuelas Sª de Cabrejas Valdelinares Calatañazor La Mallona Las Fraguas Candilichera

Villálvaro Nódalo Blacos Hinodejo Las Cuevas de Soria Izana Navalcaballo Cabrejas del C. Aldealafuente

Berzosa Valdemaluque Torreblacos Barcebal Valdealvillo Nafría la Llana Monasterio Sierra de San Marcos Villa Tardo Romana Tardajos de D. Lubia Miranda de D.

Soria Sotos del B. Torralba del B. Rioseco de Soria La Revilla de Calatañazor Quintana Redonda Ribarroya Paredesroyas Gómara

Barcebalejo Santiuste Boós Ventosa de Fuentepinilla Osonilla Itueros Zamajón Villanueva de Z. Torralba

San Esteban de Gormaz Quintanilla de Tres Barrios El Burgo de Osma Fuentelárbol La Seca Tardelcuende Cubo de la Solana Almarail Sauquillo de Boñices

Ciudad de Osma Castº Valdenarros Torreandaluz Fuentepinilla Cascajosa Osona Alto de Matas de Lubia Valdespina Castil

Pedraja Lodares Valdenebro Bayubas de Arriba Tajueco Valderrueda La Concepción Pinares de Almazán Casa Forestal Viana de D. Borjabad Nepas La Olmeda

E F G H

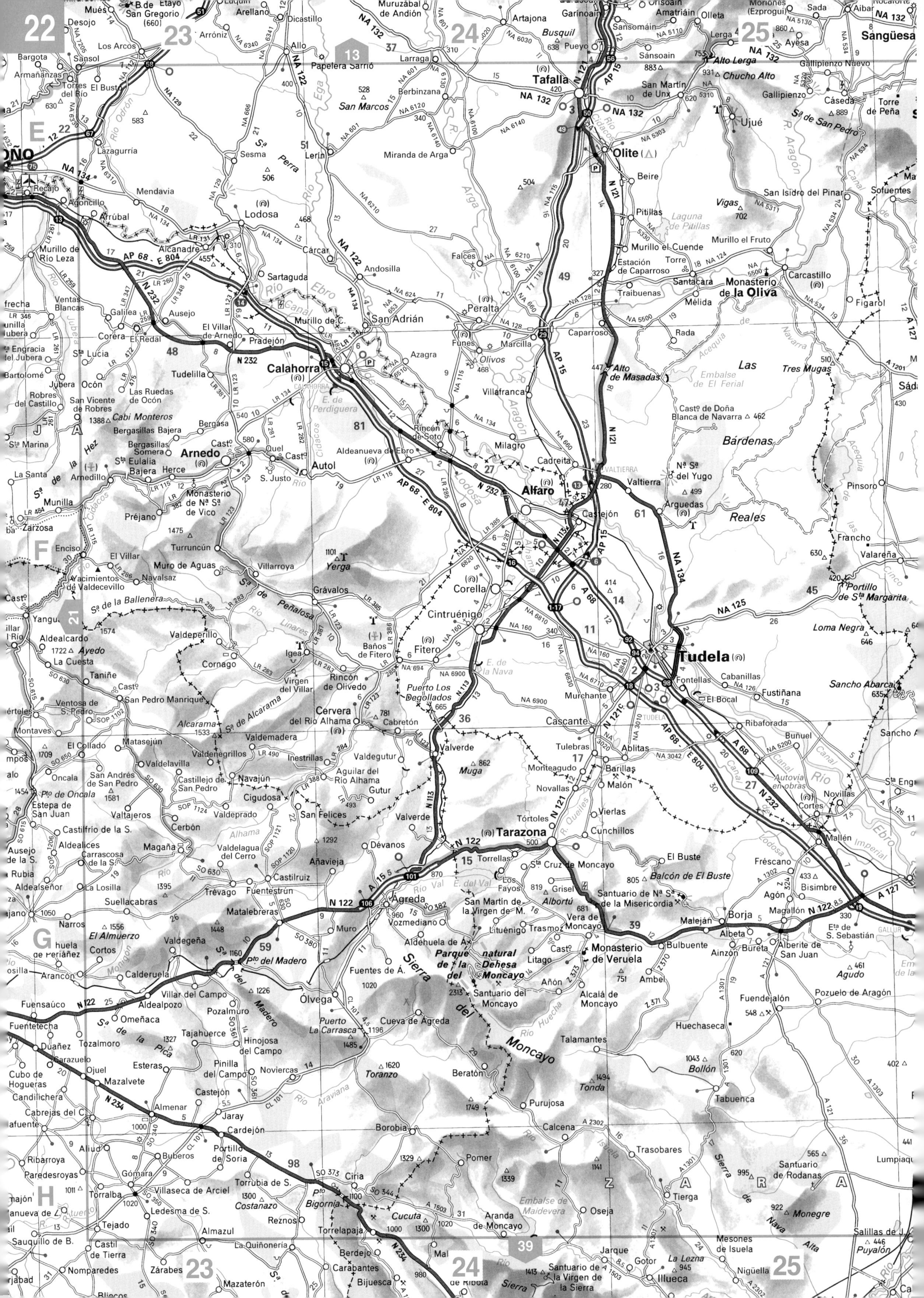
22
23
24
25
13
21
39
E
F
G
H
Desojo
Los Arcos
Sansol
Bargota
Armañanzas
Torres del Río
El Busto
Arróniz
Arellano
Dicastillo
Allo
Papelera Sarrió
Muruzábal de Andión
Artajona
Larraga
Busquil
Pueyo
Garínoain
Sansomáin
Amatriáin
Olleta
Sánsoain
Lerga
Ayesa
Sangüesa
Alto Lerga
Chucho Alto
Gallipienzo Nuevo
Gallipienzo
Cáseda
Torre de Peña
San Martín de Unx
Ujué
Sª de San Pedro
Tafalla
Olite
Beire
San Marcos
Berbinzana
Miranda de Arga
Lerín
Sesma
Sª Perra
Lazagurría
Mendavia
Lodosa
Agoncillo
Arrúbal
Recajo
Murillo de Río Leza
Alcanadre
Sartaguda
Cárcar
Andosilla
San Adrián
Murillo de C.
Peralta
Falces
Funes
Marcilla
Olivos
Villafranca
Caparroso
Pitillas
Laguna de Pitillas
Murillo el Cuende
Murillo el Fruto
Estación de Caparroso
Santacara
Traibuenas
Mélida
Monasterio de la Oliva
Carcastillo
Figarol
San Isidro del Pinar
Sofuentes
Vigas
Rada
Alto de Masadas
Embalse de El Ferial
Las Bárdenas Reales
Tres Mugas
Castº de Doña Blanca de Navarra
Nª Sª del Yugo
Arguedas
Valtierra
Cadreita
Milagro
Pinsoro
Francho
Valareña
Portillo de Sta Margarita
Loma Negra
Sancho Abarca
Calahorra
Pradejón
El Villar de Arnedo
Ausejo
Galilea
Corera
El Redal
Tudelilla
Ocón
Jubera
Las Ruedas de Ocón
Robres del Castillo
San Vicente de Robres
Cabi Monteros
Bergasa
Bergasillas Bajera
Bergasillas Somera
Arnedo
Quel
Autol
Aldeanueva de Ebro
Rincón de Soto
E. de Perdiguera
Sta Eulalia Bajera
Herce
Arnedillo
S. Justo
La Santa
Sª de la Hez
Munilla
Monasterio de Nª Sª de Vico
Préjano
Zarzosa
Enciso
Turruncún
Yerga
Muro de Aguas
Villarroya
El Villar
Navalsaz
Yacimientos de Valdecevillo
Sª de Peñalosa
Gravalos
Corella
Alfaro
Castejón
Cintruénigo
Fitero
Baños de Fitero
Igea
Tudela
Fontellas
Cabanillas
Fustiñana
El Bocal
Ribaforada
Buñuel
Murchante
Cascante
Tulebras
Ablitas
Barillas
Monteagudo
Novallas
Malón
Vierlas
Tórtoles
Tarazona
Cunchillos
E. de la Nava
Puerto Los Degollados
Cervera del Río Alhama
Cabretón
Valverde
Muga
Valdegutur
Aguilar del Río Alhama
Gutur
Inestrillas
Valdemadera
Navajún
Cigudosa
San Felices
Rincón de Olivedo
Virgen del Villar
Cornago
Valdeperillo
Sª de la Ballenera
Yanguas
Aldealcardo
Ayedo
La Cuesta
Taniñe
San Pedro Manrique
Ventosa de S. Pedro
Montaves
Alcarama
Sª de Alcarama
El Collado
Matasejún
Valdelavilla
Valdenegrillos
Oncala
San Andrés de San Pedro
Castillejo de San Pedro
Pto de Oncala
Estepa de San Juan
Valtajeros
Valdeprado
Castilfrío de la S.
Cerbón
Aldealices
Carrascosa de la S.
Magaña
Valdelagua del Cerro
Castilruiz
Añavieja
Dévanos
Torrellas
Los Fayos
Sta Cruz de Moncayo
Grisel
El Buste
Balcón de El Buste
Fréscano
Bisimbre
Agón
Magallón
Mallén
Cortes
Novillas
Borja
Maleján
Albeta
Bureta
Alberite de San Juan
Ainzón
Bulbuente
Santuario de Nª Sª de la Misericordia
Vera de Moncayo
Trasmoz
Lituénigo
Albortú
San Martín de la Virgen de M.
Ágreda
Vozmediano
Aldehuela de A.
Parque natural Dehesa del Moncayo
Monasterio de Veruela
Litago
Añón
Alcalá de Moncayo
Ambel
Agudo
Fuendejalón
Pozuelo de Aragón
Huechaseca
Santuario del Moncayo
Sierra del Moncayo
Talamantes
Bollón
Tabuenca
Trevago
Fuentestrún
Suellacabras
Matalebreras
Muro
Narros
El Almuerzo
Cortos
Valdegeña
Pto del Madero
Sª del Madero
Calderuela
Arancón
Fuentes de Á.
Ólvega
Villar del Campo
Aldealpozo
Omeñaca
Pozalmuro
Sª de la Pica
Tajahuerce
Hinojosa del Campo
Puerto La Carrasca
Cueva de Ágreda
Fuensaúco
Fuentetecha
Duáñez
Tozalmoro
Esteras
Pinilla del Campo
Noviercas
Toranzo
Beratón
Tonda
Cubo de Hogueras
Ojuel
Mazalvete
Candilichera
Castejón
Almenar
Jaray
Cabrejas del C.
Cardejón
Purujosa
Calcena
Borobia
Trasobares
Portillo de Soria
Buberos
Aliud
Ribarroya
Paredesroyas
Gómara
Villaseca de Arciel
Torrubia de S.
Ciria
Pomer
Costanazo
Pto Bigornia
Cucuta
Reznos
Aranda de Moncayo
Embalse de Maidevera
Oseja
Tierga
Sierra de Nava Alta
Santuario de Rodanas
Monegre
Lumpiaque
Torralba
Tejado
Ledesma de S.
Almazul
Torrelapaja
Castil de Tierra
La Quiñonería
Berdejo
Carabantes
Bijuesca
Nomparedes
Zárabes
Mazaterón
Sauquillo de B.
Santuario de la Virgen de la Sierra
Jarque
Gotor
Illueca
La Lezna
Mesones de Isuela
Nigüella
Salillas de J.
Puyalón

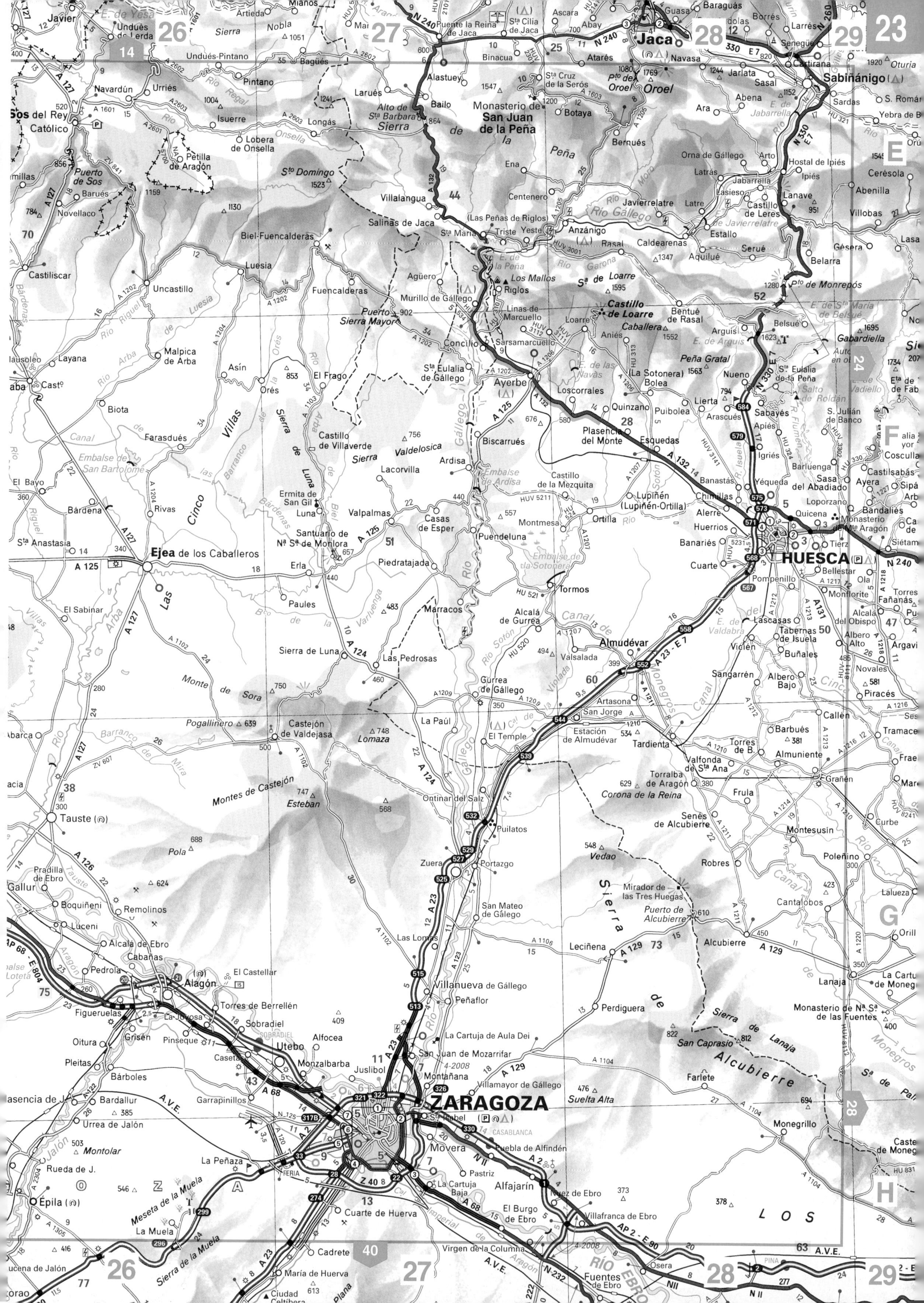
26
27
28
29
14
Javier
Undués de Lerda
Sierra
Nobla
Artieda
Undués-Pintano
Bagüés
Pintano
Navardún
Urriés
Sos del Rey Católico
Isuerre
Longás
Lobera de Onsella
Petilla de Aragón
Puerto de Sos
Barués
Novellaco
Sto Domingo
1523
Salinas de Jaca
Biel-Fuencalderas
Luesia
Castiliscar
Uncastillo
Fuencalderas
Puerto Sierra Mayor
Agüero
Murillo de Gállego
Riglos
Los Mallos
Layana
Malpica de Arba
Asín
Orés
El Frago
Biota
Farasdués
Castillo de Villaverde
Sierra Valdelosica
Sierra de Luna
Cinco Villas
Ermita de San Gil
Luna
Valpalmas
Casas de Esper
Santuario de Nª Sª de Monlora
Embalse de San Bartolomé
El Bayo
Bárdena
Rivas
Sta Anastasia
Ejea de los Caballeros
Erla
Piedratajada
Paules
El Sabinar
Marracos
Sierra de Luna
Las Pedrosas
Monte de Sora
Pogallinero
Castejón de Valdejasa
Lomaza
La Paúl
Montes de Castejón
Esteban
Tauste
Pola
Pradilla de Ebro
Gallur
Boquiñeni
Remolinos
Luceni
Alcalá de Ebro
Cabañas
Pedrola
Alagón
El Castellar
Torres de Berrellén
Figueruelas
La Joyosa
Sobradiel
Grisén
Pinseque
Utebo
Alfocea
Oitura
Pleitas
Casetas
Monzalbarba
Bárboles
Bardallur
Urrea de Jalón
Montolar
Rueda de J.
La Peñaza
Épila
Meseta de la Muela
La Muela
Sierra de la Muela
Cadrete
María de Huerva
Cuarte de Huerva
ZARAGOZA
Juslibol
San Juan de Mozarrifar
La Cartuja de Aula Dei
Montañana
Villamayor de Gállego
Movera
Puebla de Alfindén
Pastriz
La Cartuja Baja
Alfajarín
El Burgo de Ebro
Nuez de Ebro
Villafranca de Ebro
Virgen de la Columna
Fuentes de Ebro
Osera
Río Ebro
LOS
Monegrillo
Farlete
Suelta Alta
Sierra de Alcubierre
San Caprasio
Sierra de Lanaja
Perdiguera
Leciñena
Alcubierre
Lanaja
Monasterio de Nª Sª de las Fuentes
Puerto de Alcubierre
Mirador de las Tres Huegas
Sierra
Vedao
Robres
Senés de Alcubierre
Frula
Montesusin
Poleñino
Cantalobos
Corona de la Reina
Torralba de Aragón
Valfonda de Sta Ana
Grañén
Tardienta
Estación de Almudévar
San Jorge
Artasona
Almudévar
Valsalada
Gurrea de Gállego
El Temple
Ontinar del Salz
Puilatos
Zuera
Portazgo
San Mateo de Gálego
Las Lomas
Villanueva de Gállego
Peñaflor
Alcalá de Gurrea
Tormos
Embalse de la Sotonera
Puendeluna
Montmesa
Ortilla
Lupiñén (Lupiñén-Ortilla)
Castillo de la Mezquita
Embalse de Ardisa
Ardisa
Lacorvilla
Biscarrués
Ayerbe
Sta Eulalia de Gállego
Concilio
Sarsamarcuello
Linas de Marcuello
Loarre
Castillo de Loarre
Sª de Loarre
Caballera
Bentué de Rasal
Aniés
Loscorrales
Plasencia del Monte
Esqueda
Quinzano
Puibolea
Bolea
(La Sotonera)
Peña Gratal
Arguis
Belsué
Nueno
Sta Eulalia de la Peña
Salto de Roldán
Lierta
Arascués
Sabayés
Apiés
Igriés
Yéqueda
Banastás
Chimillas
Alerre
Huerrios
Banariés
Cuarte
HUESCA
Pompenillo
Monflorite
Bellestar
Quicena
Monasterio de Mte Aragón
Loporzano
Sasa del Abadiado
Barluenga
Lascasas
Tabernas de Isuela
Buñales
Vicién
Sangarrén
Albero Bajo
Barbués
Torres de B.
Almuniente
Callén
Piracés
Argavieso
Novales
Albero Alto
Alcalá del Obispo
Ola
Torres de Fañanás
Mopán
Curbe
Lalueza
Orillena
Sesa
Tramaced
Fraella
Estallo
Caldearenas
Aquilué
Serué
Anzánigo
Rasal
Triste
Yeste
Sta María
(Las Peñas de Riglos)
Villalangua
Centenero
Javierrelatre
Latre
Castillo de Lerés
Lanave
Ipiés
Hostal de Ipiés
Latrás
Jabarrella
Lasieso
Orna de Gállego
Arto
Ara
Abena
Sasal
Jarlata
Navasa
Jaca
Guasa
Baraguás
Borrés
Larrés
Senegüé
Cartirana
Sabiñánigo
Sardas
Atarés
Binacua
Abay
Ascara
Sta Cilia de Jaca
Puente la Reina de Jaca
Alastuey
Bailo
Larués
Alto de Sta Barbara
Sierra de la Peña
Monasterio de San Juan de la Peña
Sta Cruz de la Serós
Botaya
Pto de Oroel
Oroel
Bernués
Ena
Río Gállego
Pto de Monrepós
Belarra
Gésera
E. de Sta María de Belsué
Gabardiella
Cerésola
Abenilla
Villobas
S. Julián de Banco
Ayera
Sipán
Bandaliés
Castilsabás
Coscullano
Siétamo
A.V.E.
Mitad de San Bartolomé
E. de Vadiello
E. de Arguis
E. de Jabarrella
E. de Javierrelatre
E. de la Peña
Canal de Monegros
E. de Valdabra
E
F
G
H
A 132
A 125
A 127
A 124
A 23
A 68
A 129
N 240
N 330
N 232
AP 68 - E 804
AP 2 - E 90
A 23 - E 7
40
24
28

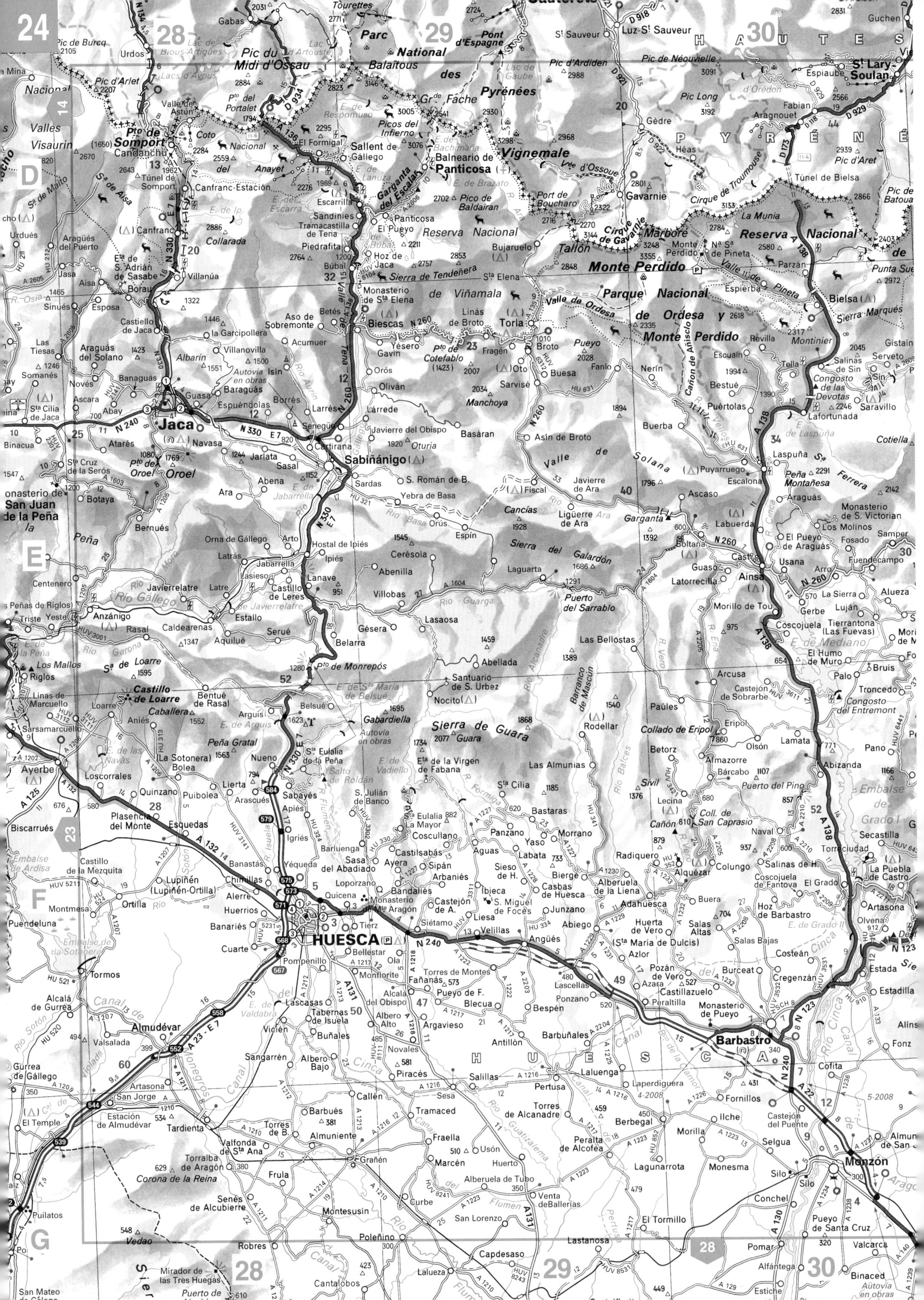
Parc National des Pyrénées
Pic du Midi d'Ossau
Vignemale
Pto de Somport
Jaca
Sabiñánigo
Biescas
Torla
Broto
Panticosa
Sallent de Gállego
Canfranc-Estación
Gavarnie
Cirque de Gavarnie
Monte Perdido
Parque Nacional de Ordesa y Monte Perdido
Reserva Nacional
Bielsa
St Lary-Soulan
Túnel de Bielsa
Aínsa
Boltaña
Sierra de Guara
Guara
Sierra del Galardón
Puerto del Sarrablo
Pto de Monrepós
Castillo de Loarre
Los Mallos
Riglos
Ayerbe
Peña Oroel
San Juan de la Peña
Alquézar
Barbastro
Monzón
HUESCA
Almudévar
Grañén
Tardienta
Sariñena
Huesca
Gargantas del Escalar
Valle de Tena
Balneario de Panticosa
Congosto de las Devotas
Congosto del Entremont
Embalse de Mediano
Embalse de Grado
Monasterio de S. Victorian
Monasterio de Pueyo
Cañón de Añisclo
Valle de Ordesa
Valle de Pineta
Valle de Solana
Sierra de Tendeñera
Canal de Monegros
N 240
N 260
N 330
A 23 - E 7
A 22
A 132
A 138
N 123
24
25
28
29
30
D
E
F
G

25
31
32
33
D
E
F
G
26
29
Borderes-Louron
Bourg-d'Oueil
Cier-de-L.
Bacanera
Melles
Bausen
Canejan
Eylie
Col de la Core
Mayrègne
Antignac
Estarvielle
(1569) Col de Peyresourde
Cazeaux-de-L.
Juzet
Les
Pradet
Pic de Maubermé
Puerto de Orlá
Mt Valier
Col de Pause
Ustou
Conflens
Stillon
Aulus-les-Bains
Loudenvielle
Oô
BAGNÈRES-DE-LUCHON
Superbagnères
Bossòst
Montlude
Sa Sascorjada
South deth pish
Val d'Aran
Montgarri
Pto de Aulà
Salau
Coll del Portillón
Arres
Vilamòs
Arròs
Vila
Aubert
Tramezaygues
Bordes du Lys
Vée du Lys
Hospice de France
Es Bòrdes
Pont d'Arròs
Vilac
Bagergue
Salardú
Pró de Beret
Beret
Reserva
Pico de Moredo
Monte Rouch
Pico de Certascan
Pic Rouge de Bassies
Lac d'Oô
Pico de Sauvegarde
Machimala
Perdiguero
Vielha
Betren
Garòs
Gessa
Escunhau
Tredòs
Arties
Baqueira
Nacional
Alós d'Isil
Isil
Noarre
Port de la Bonaigua
Campirme
Alto
Pico d'Estats
MALADETA
Uelhs deth Joeu
Tuca-Betrém
Bany de Tredos
Sorpe
Cerbi
Gavàs
Tavascan
Montarenyo
Vall Ferrera
los Circos
Posets
Reserva
Viados
Pico de la Maladeta
Túnel de Vielha
València d'Àneu
Unarre
Esterri d'Àneu
Lladorre
Pallars-Aranés
Nacional
Aneto
Montardo
Port de Caldes
Tuc de Saboredo
Son
Vall d'Àneu
Pantà de la Torrassa
Lladrós
Areu
Benasque
de
Benasque
Pico de Vallibierna
Pic de Comaloforno
Punta Alta
Jou
La Guingueta
Esterri de Cardós
Eriste
Cerler
Anciles
Guayente
San Juan de Plan
Sahún
Pantà de Senet
Estany de Sant Maurici
Espot
Estaon
Ribera de Cardós
Valle
Negra
Sa de Llauset
Caldes de Boí
Parc Nacional
Prd d'Espot
Norís
Pto de Sahún
Pico de Cerler
Ribagorçana
Senet
Sant Nicolau
d'Aigüestortes
Super-Espot
Alins
Ainet de Besan
Sesué
Pico de Cornadelo
Bono
Estany de Sant Maurici
Escaló
Araós
Villanova
Liri
Erill la Vall
Boí
Tírvia
Sa de Màniga
Chía
Castejón de Sos
Urmella
Forcat
Barruera
Taüll
P. del Pesso
E. Gento
Llavorsí
Farrera
Barbaruéns
Congosto de Ventamillo
Bisaurri
Denúy
Castanesa
Vall de Boí
Durro
Montsent de Pallars
Vall de Llessui
Caregue
Etª de Sta Magdalena
Coll. de Fadas
Villarué
Vilaller
Sa de Cardet
Noguera
Boí-Taüll
Cabdella
Llessui
Sorre
Surp
Montenartró
Ermita
Seira
Gabás
S. Martín
Laspaúles
Montanuy
Llesp
P. de Llena
Espui
Bernui
Altron
Roní
Rialp
Port Ainé
Coll de la Baseta
S. Feliú
Coll. de Espina
Sarroqueta
Castelló de Tor
La Torre de Cabdella
Fosca
Olp
Torreta de l'Orri
Sant Joan de l'Erm
Solanell
(Valle de Bardají)
Llert
Abella
Espés
Sa de Ballabriga
Bonansa
Malpàs
Enviny
Sort
Sant Andreu
Senz
Coll. de Foradada
Campo
Turbón
Las Villas de Turbón
Pont de Suert
Benés
Mont-ros
Vilamur
Rubió
Coll. del Cantó
La Seu
Foradada del Toscar
Espluga
(Valle de Lierp)
Egea
Ballabriga
Calvera
Casòs
Viu de Llevata
Sarroca de Bellera
La Plana
Baro
Tornafort
Soriguera
Llagunes
Castellbò
Pallerols
Ranín
Morillo de Liena
Torre la Ribera
(Veracruz) Beranúy
Santoréns
Coll de Creu de Perves
La Pobleta de Bellvei
Peramea
Feixa
Guils
La Parròquia d'Hortó
Merli
Villacarli
Pallerol
Pantà d'Escale
Senterada
Montcortès
Gerri de la Sal
Llano des Calderes
Noves de Segre
Monclús
Sopeira
Sa de Sant Gervàs
Castells
Taús
Espaén
Els Hostalets
Serradúy
Sta Liestra y S. Quilez
Esdolomada
La Puebla de Roda (Isábena)
Ribera de Vall
Espluga de Serra
Erinyà
Congost de Collegats
La Guàrdia d'Ares
Roda de Isábena
Serradell
Serra de Prada
Centenera
Cajigar
Berganúy
Arén
Sapeira
La Pobla de Segur
Hortoneda
Sa de Boumort
Cabó
El Vilar
La Puebla de Fantova
Noguero (Monesma y Cajigar)
Claravàlls
Gurp
Sant Joan de Vinyafrescal
Claverol (Conca de Dalt)
Cap de Boumort
El Pujal
Organyà
Congost de Tres Ponts
Bellestar
Panillo
Benavente
Salanova
Salàs de Pallars
Aramunt
Riu de Carreu
Figols d'Organyà
Collet de Nargó
Capella
Laguarrés
Lascuarre
Castigaleu
Talarn
Pantà de Sant Antoni
Coll de Bòixols
Abella de la Conca
Bòixols
Graus
Sa del Castillo de Laguarrés
Montañana
Puente de Montañana
Eroles
Tremp
Suterranya
Orcau
Sant Romà d'Abella
Coll de Faidella
Cañón
Embalse de Barasona
Calvera
Luzás
Figols
Palau de Noguera
Vilamitjana
Figuerola d'Orcau
Isona
El Coscollet
Torres del Obispo
Litera
Viacamp
Puigcercós
Gavet
Conques
Pantà d'Oliana
Benabarre
Tolva
Castellnou de Montsec
Castell de Mur
Sant Serni
Covet
Gavarra
Aler
Juseu
Guàrdia de Tremp
P. de Terradets
Sant Salvador de Toló
Oliana
Peramola
Trago
Aguinaliu
Sa de Mongay
Alsamora
Sant Esteve de la Sarga
Moror
Llimiana
Benavent
Coll de Corniols
Ciscar
Cellers
Sant Martí de Barcedana
Carrodilla
Caladrones
Castº
Montsec d'Ares
Ogern
Purroy de la Solana
Pilzán
Sant Alís
Pas de Terradets
Pantà de Rialb
Estaña
Montsec de Rúbies
del Monte
Calasanz
Corçà
l'Ametlla
Vilanova de M.
Castillo del Plá
Àger
Gabasa
Zurita
Estopiñán (Estopiñán del Castillo)
La Règola
Figuerola de Meià
Peralba
Sta Maria de Meià
Llúcars
Torrec
Cast.
Montmagastre
Peralta de la Sal
Saganta
Pantà de Canelles
Fontllonga
Garsola
Montargull
Santes Creus
Azanúy
Fontdepou
Sa de Sant Mamet
Cuatrocorz
Camporrélls
Vall Llebrera
Anya
El Segre
Gualter
Baélls
Nacha
Pantà de Camarasa
Alentorn
Vilanova de l'Aguda
Sta Linya
Alòs de Balaguer
Baldomar
Vilves
Ponts
Pantà de Sta Anna
Artesa de Segre
Collfred
El Tossal
Alcampell
Baldellou
Les Avellanes
Rala Alta
P. d'Alòs
Rubió
Colldelrat
San Esteban de Litera
Vilanova de les A.
Mont-roig
Camarasa
Oliola
Sanaüja
Castillonroy
Foradada
Plandogau
Tamarite de Litera
Albelda
Os de Balaguer
Sant Llorenç de M.
Cubells
Montclar d'U.
Tudela de Segre
Cabanabona
Selvanera
Sta Mª de Bellpuig
P. de Sant Llorenç de Montgai
Binéfar
Ivars de Noguera
Donzell
Palou de Sanaüja
Cataluña
La Torre de Fluvià
Coscó
Algayón
Alfarràs
Castelló de Farfanya
Algerri
Gerb
El Sió
Mafet
Florejacs
Massoteres
Altorricón
Almenar
Montgai
Preixens
Agramunt
Guissona
Balaguer
Les Ventoses
Puigverd d'Agramunt

34
35
36
Grotte de Niaux
Ornolac-Ussat-les-Bains
Montagne de
Niaux
Port de Lers
Les Cabannes
Aston
Aulus-les-Bains
Auzat
Vicdessos
Siguer
Luzenac
Caussou
Prades
Comus
Espezel
Niort-de-Sault
Aunat
Axat
Montfort-s-Boulzane
Pic de Serembarre
Col de Chioula
Col du Pradel
Mijanès
Roquefort-de-Sault
Col d'Aussou
Ax-les-Thermes
Ascou
Orlu
Quérigut
Pic Rouge de Bassies
Pic de Baljésou
Pic de Certascan
l'Artigue
Marc
Tute de l'Ours
F R A N C E
Madrès
Mérens-les-Vals
Lac de Naguilles
Noarre
Pico d'Estats
Pic du Port
Montarenyo
Vall Ferrera
Pic Peric
Formiguères
Villefranche
Pic de l'Estanyo
l'Hospitalet
Lladorre
Lladrós
Pallars-Aran
Port de Rat
El Serrat
Pic de la Cabanette
Col de Puymorens
Pic Carlit
les Angles
Ayguatébia
Areu
Monteixo
Alt de Comapedrosa
Arinsal
Llorts
La Cortinada
Soldeu
Canillo
Col de la Quillane
Esterri de Cardós
Tor
Norís
Erts
Ordino
Porté-Puymorens
Tunnel de Puymorens
la Llagonne
Mont-Louis
Olette
Fontpédrouse
Coll. de Cabris
Pal
La Massana
Túnel d'Envalira
Alt del Griu
Pas de la Casa
Font Nègre
Font-Romeu
Alins
Ainet de Besan
ANDORRA LA VELLA
Encamp
Port d'Envalira
Targassonne
Araós
Tirvia
Sª de Màniga
Salòria
Os de Civís
Escaldes-Engordany
Pic dels Pessons
Puigpedrós
Dorres
Odeillo
Col de la Perche
Planès
Pic Redoun
Latour-de-Carol
Ur
Llívia
Saillagouse
Portella de Bastiments
Farrera
Sta Coloma
Certers
Reserva Nacional de Cerdanya
Folch
Enveitg
Llo
Err
E de Sta Magdalena
Sant Juliá de Lòria
Civís
Pera
Meranges
Guils de Cerdanya
Puigcerdà
Bourg-Madame
Pic de Finestrelles
Ulldeter
Montenartró
Ermita
Fontaneda
P. de Monturull
Osséja
Núria
Reserva Nacional
Ars
Juberri
Arcavell
Bolvir
Ger
Age
Puigmal
Coma de Vaca
Setcases
Coll de la Baseta
Sant Joan Fumat
La Forga de Moles
Bescaran
Aránser
Lles de Cerdanya
Talltendre
Éller
Vilallobent
Port Ainé
Solanell
Sant Joan de l'Erm
Aristot
Prullans
Isòvol
Sanguerola
Alp
Queixans
Urtx
Valcebollère
Balandrau
Freser i Setcases
Sant Andreu
Anserall
La Seu d'Urgell
Seo de Urgel
Calbinyà
Estamariu
El Pont de Bar
Martinet
Bellver de Cerdanya
Prats de Cerdanya
Das
Queralbs
Tregurà de Dalt
Coll. del Canto
Castellbò
Pallerols
Aravell
Vall
Castellciutat
Alàs i Cerc
Arsèguel
Toloriu
Montellà
Urús
Masella
La Molina
Collada de Toses
Dòrria
Solar
Ventolà
Pardines
Guils
La Parròquia d'Hortó
Montferrer i Castellbò
Adrall
Ortedó
Cava
Estana
Túnel de Cadí
Tosa d'Alp
Super Molina
Toses
Fornells de la M.
Planoles
Ribes de Freser
El Ges
El Quer Foradat
Coll de Pal
Puigllançada
Castellar de n' Hug
Campelles
Baell
Sant Martí de
Espaén
Noves de Segre
El Pla de Sant Tirs
Reserva Cadí
SERRA DE CADÍ
Comabona
Sant Jordi
Gréixer
Rebost
Moixeró
Bruguera
Cristal Parc Natural de Cadí-
S. Julià Saltor
Sant Joan de les Abad.
Els Hostalets
Castellar de Tost
National
Josa del Cadí
Nª Sª de Gresolet
Gisclareny
Bagà
Paller
Gombrèn
La Guàrdia d'Ares
Montsec de Tost
Fórnols
Estasen
Guardiola de Berguedà
Llobregat
La Pobla de Lillet
Coll de Merolla
Campdevànol
de Prada
Cabó
El Vilar
Sorribes
Els Cloterons
Gósol
Pedraforca
Saldes
Ripoll
Montan
Tuixén
Cadí
L'Espà
Serra d'Ensija
Vallcebre
Sant Julià de Cerdanyola
Sant Jaume de Frontanyà
Sant Bernabé de les Tenes
El Pujal
Organyà
Congost de Tresponts
Tuixén-Lavansa
Tossa Pelada
Gallina Pelada
Figols
Figols d'Organyà
Llobera
Port del Comte
La Coma
La Pedra
Rasos de Peguera
La Nou
Castell de l'Areny
Palmerola
Les Llosses
Coll de Nargó
Alinyà
Sª de Port del Comte
Font Calders
Cercs
Vilada
Borredà
Sora
Llinars
Querol
Sant Llorenç de Morunys
Peguera
Alpens
Coll de Jou
Llinars de l'Aigua d'Ora
Sant Quirze de Pedret
La Quar
Montesquiu
Cambrils
Odèn
Creu de Codo
Guixers
Pantà de la Llosa del Cavall
Castellar del Riu
Nª Sª de Queralt
Berga
Colònia Rosal
Sant Agustí de Lluçanès
Sant Quirze de Besora
El Coscollet
Pantà d'Oliana
La Guàrdia
La Valldan
Sant Maurici
Sta Eulàlia de Puig-oriol
Borgonyà
Orís
Sant Boi de Lluçanès
Capolat
Avià
Perafita
Lluçà
Sobremunt
L'Espunyola
L'Ametlla de Casserres
Olvan
Sagàs
Peramola
Oliana
Trago
Lladurs
Gironella
Els Bassacs
Sta Maria de Merlès
Sant Martí d'Albars
Can Bondia
Sant Hipòlit de Voltregà
Pantà de Rialb
Ogern
Castellar de la Ribera
Cirera
Montclar
Prats de Lluçanès
Olost
Sta Cecília de V.
Ribera Salada
Olius
Montmajor
Caserres
El Guixaró
Sant Bartomeu del Grau
Solsona
Naves
Gargallà
Puig-reig
La Torre d'Orista
Gurb
Riera de Madrona
Pinell
El Pi de Sant Just
Viver
Can Marçal
Sant Feliu Sasserra
Can Vidal
Oristà
Sentfores
Riner
Clariana
Serrateix
L'Ametlla de Merola
Gaià
Sta Eulàlia de Riuprimer
Llobera
L'Hostal Nou
Cardona
El Miracle
Santes Creus
Sant Miquel
El Salí
Castelladral
Navàs
Sta Maria d'Oló
L'Estany
Muntanyola
Ponts
Vilanova de l'Aguda
Su
Fontelles
Balsareny
Avinyó
Tona
Sanaüja
Ardèvol
Salo
Castellnou de Bages
Sallent
Moià
Coll de la Pollosa
Collsuspina
Olioia
Sª de Pinós
Vallmanya
Pinós
Biosca
Súria
Centelles
Selvanera
Palou de Sanaüja
Torà
Sª de Castelltallat
Callús
Santpedor
Artés
Calders
Sant Martí de Centelles
Florejacs
La Molsosa
Sant Mateu de Bages
Sant Martí de Torroella
Monistrol de Calders
Castellcir
Massoteres
Caste de R.
Fonollosa
Fals
Castellterçol
Sant Joan
d'Agramunt
Vicfred
Ivorra
Calonge de Segarra
Aguilar de Segarra
Talamanca
Sant Safaja
33
34
35
36
29
30

PERPIGNAN
Golfe du Lion
Côte Vermeille
Pyrénées-Orientales
Pic du Canigou
Prades
Ille-s-Têt
Millas
Thuir
Elne
Canet-en-Roussillon
Canet-Plage
St Cyprien-Plage
Argelès-s-Mer
Argelès-Plage
Collioure
Port-Vendres
Cap Béar
Banyuls-s-Mer
Cerbère
Cap Cerbère
Portbou
Vernet-les-Bains
Amélie-les-Bains-Palalda
Céret
le Boulou
le Perthus
Coll del Pertús
Arles-s-Tech
Prats-de-Mollo-la Preste
Roc de Frausa
Albères
La Jonquera
Colera
Llançà
Cap de Creus
Parc natural
Cadaqués
Roses
Castelló d'Empúries
Empuriabrava
Parc Natural dels Aiguamolls de l'Empordà
Golf de Roses
Figueres
Camprodon
Girona
Olot
Zona Volcànica de la Garrotxa
Banyoles
Empúries
L'Escala
L'Estartit
Illes Medes
Torroella de Montgrí
Cap de Begur
Begur
La Bisbal d'Empordà
Palafrugell
Cap de Sant Sebastià
Calella de Palafrugell
Palamós
Platja d'Aro
S'Agaró
Sant Feliu de Guíxols
Les Gavarres
Tossa de Mar
Vic
Manlleu
Montseny
Anglès
Sta Coloma de Farners
Llagostera
Cassà de la Selva
Hostalric
37
38
39
D
E
F
G
30
31
40
46

28
29
30
31
24
Lasaosa
Abellada
Las Bellostas
Santuario de S. Urbez
Nocito
Gabardiella
Sierra de Guara
Guara
Rodellar
Paúles
Collado de Eripol
Eripol
Arcusa
Castejón de Sobrarbe
Olsón
Lamata
Abizanda
Palo
Troncedo
Congosto del Entremont
Bruis
Formigales
Morillo de Monclús
Solipueyo
Perarrúa
Pano
Ejep
Panillo
Embalse de Grado I
Graus
Secastilla
Torreciudad
La Puebla de Castro
San Román de Castro
Artasona
Olvena
Desfiladero
Sierra de Carrodilla
Estada
Estadilla
Centenera
La Puebla de Fantova
Bellestar
Benavente
Capella
Laguarrés
Lascuarre
Sª del Castillo de Laguarrés
Calvera
Luzás
Torres del Obispo
Benabarre
Aler
Juseu
Aguinaliu
Viacamp
Tolva
Ciscar
Caladrones
Castº
Pilzán
Purroy de la Solana
Estaña
Roda de Isábena
La Puebla de Roda (Isábena)
Esdolomada
Serradúy
Cajigar
Noguero (Monesma y Cajigar)
Salanova
Castigaleu
Sta Liestra y S. Quilez
Embalse de Barasona
Sierra de Guara
Almazorre
Bárcabo
Puerto del Pino
Betorz
Sivil
Lecina
Coll. de San Caprasio
Cañón
Naval
Radiquero
Alquézar
Colungo
Salinas de H.
Coscojuela de Fantova
El Grado
Hoz de Barbastro
E. de Grado II
Buera
Salas Altas
Salas Bajas
Huerta de Vero
Adahuesca
Alberuela de la Liena
Bierge
Abiego
Azlor
Costeán
Burceat
Cregenzán
Pozán de Vero
Castillazuelo
Azara
Peraltilla
Monasterio de Pueyo
Barbastro
Las Almunias
Sta Cilia
Bastaras
Panzano
Morrano
Yaso
Labata
Aguas
Sieso de H.
Casbas de Huesca
Junzano
Ibieca
S. Miguel de Foces
Liesa
Castejón de A.
Siétamo
Angüés
Velillas
Coscullano
Castilsabás
Ayera
Sipán
Arbaniés
Bandaliés
Sasa del Abadiado
Barluenga
Loporzano
Quicena
Monasterio de Mte Aragón
Tierz
HUESCA
Bellestar
Ola
Monflorite
Torres de Montes
Fañanás
Pueyo de F.
Blecua
Lascellas
Ponzano
Bespén
Alcalá del Obispo
Albero Alto
Argavieso
Antillón
Barbuñales
Tabernas de Isuela
Buñales
Novales
Piracés
Salillas
Pertusa
Laluenga
Laperdiguera
Fornillos
Castejón del Puente
Cofita
Fonz
Alins del Monte
Calasanz
Gabasa
Castillo del Plá
Peralta de la Sal
Zurita
Saganta
Estopiñán (Estopiñán del Castillo)
Camporrélls
Nacha
Baélls
Cuatrocorz
Azanúy
Almunia de San Juan
Monzón
Aragón
Selgua
Ilche
Morilla
Berbegal
Torres de Alcanadre
Peralta de Alcofea
Lagunarrota
Monesma
Silo
San Esteban de Litera
Tamarite de Litera
Albelda
Alcampell
Baldellou
Castillonroy
Ivars de Noguera
Alfarràs
Almenar
Binéfar
Cataluña
Algayón
Altorricón
Altorricón-Tamarite
Esplús
Binaced
Valcarca
Pueyo de Santa Cruz
Conchel
Pomar
Alfántega
Estiche
Casasnovas
Autovía en obras
Sta Lecina
Castelflorite
Lastanosa
El Tormillo
Sariñena
La Laguna
Capdesaso
Lalueza
Orillena
Curbe
Venta de Ballerías
Alberuela de Tubo
Huerto
Usón
Marcén
Fraella
Tramaced
Sesa
Callén
Barbués
Almuniente
Grañén
Montesusín
San Lorenzo
Poleñino
Cantalobos
Lanaja
La Cartuja de Monegros
San Juan del Flumen
Monasterio de Nª Sª de las Fuentes
Albalatillo
Pallaruelo de Monegros
Sena
Villanueva de Sigena
Monasterio de Sigena
Alcanadre
la Clamor Vieja
Alcolea de Cinca
Albalate de Cinca
Virgen de la Chalamera
Belver
Osso
Ontiñena
Chalamera
Almudáfar
San Miguel
Valonga
Vencillon
Almacelles
Suquets
Pla de la Font
Raimat
Gimenells
Torres
Vallmanya
LLEIDA
Alguaire
Portell
Vilanova de Segrià
Rosselló
Torrefarrera
Alpicat
Albatàrrec
Montoliu
Sudanell
Alcarràs
Torres de Segre
Soses
Sunyer
Aitona
Serós
Sarroca de Lleida
Serra Grossa
Llardecans
Maials
Tossal del Penjat
Sigena
Sª de Pallaruelo
Monegrillo
Castejón de Monegros
Ballobar
El Basal
Zaidín
Velilla de Cinca
Miralsot de Abajo
Fraga
Torrente de Cinca
Massalcoreig
Monestir
Convent
La Granja de Escarpe
Montnegre
Monmeneu
Mequinenza
Embalse de Mequinenza
El Pla
Sable
Refugio de Pescadores
Valcuerna
Candasnos
Peñalba
Llano de las Menorcas
La Punta
MONEGROS
Huegas
La Almolda
Valfarta
Bujaraloz
Valdelosjugos
Puiburell
Laguna la Playa
Salinas
Velilla de Ebro
Cinco Olivas
Alforque
Alborge
Sástago
Monasterio
Almatret
N 240
N 123
N 230
A 138
A 22
A 131
A 130
A 230
A 2
AP 2 - E 90
N II
N 211
A.V.E.
F
G
H
41
23

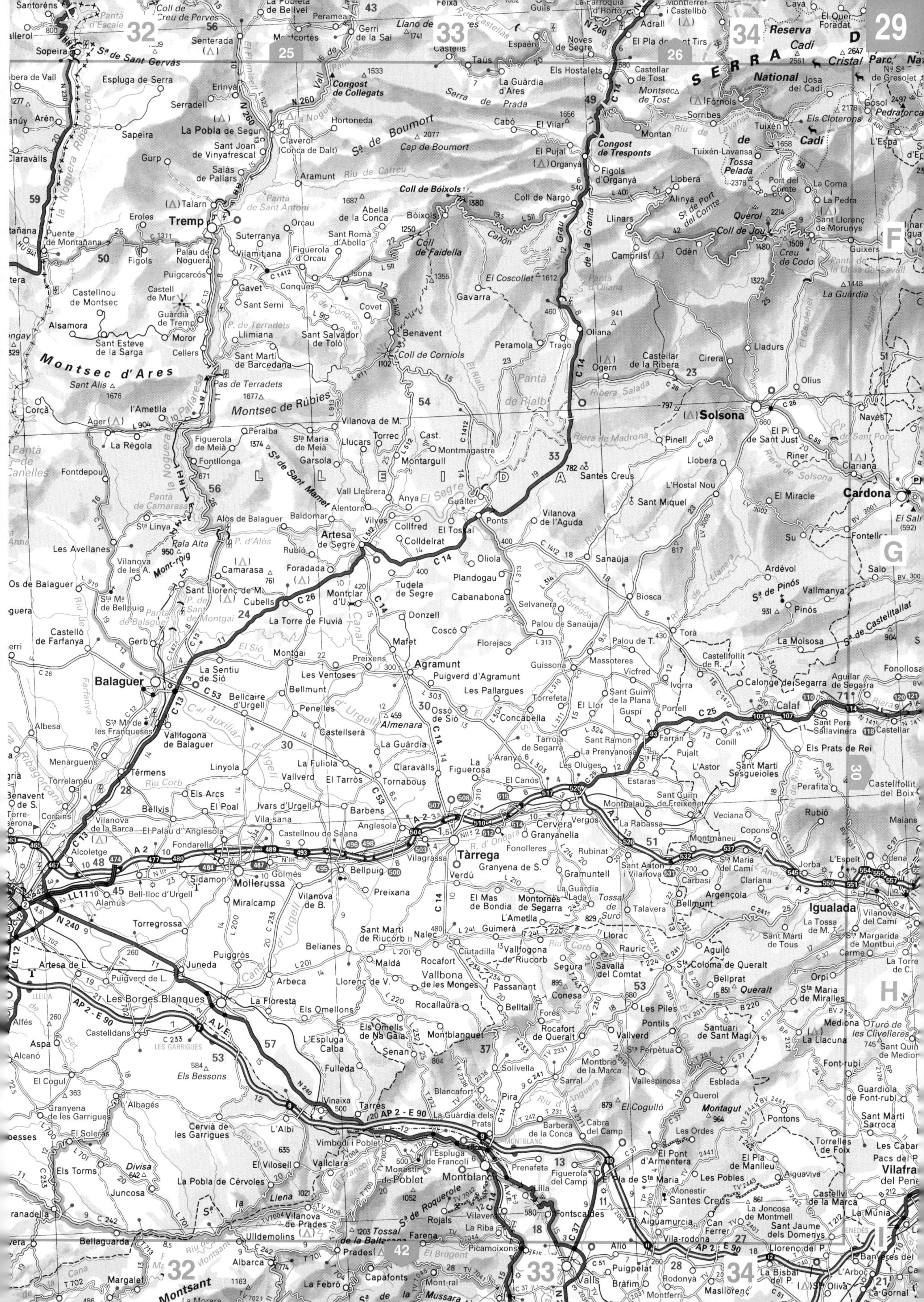

32
33
34
25
26
42
D
F
G
H
I
Santoréns
Coll de Creu de Perves
Pantà d'Escale
La Pobleta de Bellvei
Peramea
Gerri de la Sal
Montcortès
Llano de Castellas
Guils
Noves de Segre
Espaén
Adrall
El Pla de Sant Tirs
Montferrer i Castellbò
Reserva
Cadí
El Querforadat
Cava
Sopeira
Sa de Sant Gervàs
Senterada
Castells
Taús
La Guàrdia d'Ares
Els Hostalets
Castellar de Tost
Montsec de Tost
SERRA
Parc Natural
Josa del Cadí
Cristal
Gósol
Pedraforca
Espluga de Serra
Erinyà
Congost de Collegats
Serra de Prada
Fórnols
Sorribes
Serradell
Arén
La Noguera Ribagorçana
Sapeira
La Pobla de Segur
Hortoneda
Sa de Boumort
Cabó
El Vilar
Montan
Tuixén
de Cadí
Els Cloterons
Gurp
Sant Joan de Vinyafrescal
Claverol (Conca de Dalt)
Cap de Boumort
El Pujal
Organyà
Congost de Tresponts
Tuixén-Lavansa
Tossa Pelada
Claravalls
Salàs de Pallars
Aramunt
Riu de Carreu
Fígols d'Organyà
Llobera
Port del Comte
La Coma
La Pedra
Talarn
Tremp
Pantà de Sant Antoni
Abella de la Conca
Coll de Bòixols
Coll de Nargó
Alinyà
Sa de Port del Comte
Querol
Sant Llorenç de Morunys
Eroles
Puente de Montañana
Suterranya
Orcau
Sant Romà d'Abella
Bòixols
Cañón
Llinars
Coll de Jou
Creu de Codo
Guixers
Palau de Noguera
Vilamitjana
Figuerola d'Orcau
Coll de Faidella
Cambrils
Odèn
Figols
Puigcercós
Isona
Conques
El Coscollet
Grau de la Granta
Pantà d'Oliana
Pantà de la Llosa del Cavall
La Guàrdia
Castellnou de Montsec
Castell de Mur
Gavet
Sant Serni
Covet
Gavarra
Guàrdia de Tremp
Alsamora
Sant Esteve de la Sarga
Moror
P. de Terradets
Llimiana
Sant Salvador de Toló
Benavent
Peramola
Oliana
Trago
Lladurs
Cellers
Sant Martí de Barcedana
Coll de Corniols
El Rialb
Ogern
Castellar de la Ribera
Cirera
Montsec d'Ares
Sant Alis
Pas de Terradets
Ribera Salada
Pantà de Rialb
Olius
Corçà
l'Ametlla
Montsec de Rúbies
Àger
La Règola
Vilanova de M.
Solsona
Navès
Pantà de Canelles
Figuerola de Meià
Peralba
Sta Maria de Meià
Torrec
Cast.
Montmagastre
Llucars
Garsola
Montargull
Riera de Madrona
Pinell
El Pi de Sant Just
Fontdepou
Fontllonga
Sa de Sant Mamet
LLEIDA
Santes Creus
Llobera
Riner
Clariana
Pantà de Camarasa
Vall Llebrera
Anya
El Segre
Gualter
L'Hostal Nou
Riera de Solsona
Cardona
El Miracle
Sant Miquel
Alòs de Balaguer
Baldomar
Alentorn
Vilves
Collfred
Ponts
Vilanova de l'Aguda
Sta Linya
Rala Alta
P. d'Alòs
Artesa de Segre
El Tossal
Colldelrat
Riera de Sallent
Su
Fontelles
Les Avellanes
Rubió
Oliola
Sanaüja
Mont-roig
Camarasa
Foradada
Plandogau
Ardèvol
Salo
Vilanova de les A.
Os de Balaguer
Sant Llorenç de M.
Cubells
Montclar d'U.
Tudela de Segre
Cabanabona
Selvanera
Biosca
Sa de Pinós
Vallmanya
Sta Ma de Bellpuig
Pantà de Balaguer
P. de Sant Montgai
La Torre de Fluvià
Canal
Donzell
Llobregós
Pinós
Palou de Sanaüja
Coscó
Sa de Castelltallat
Castelló de Farfanya
Gerb
El Sió
Montgai
Mafet
Florejacs
Palou de T.
Torà
La Molsosa
Preixens
Agramunt
Guissona
Massoteres
Castellfollit de R.
Balaguer
La Sentiu de Sió
Les Ventoses
Puigverd d'Agramunt
Vicfred
Ivorra
Calonge de Segarra
Aguilar de Segarra
Fonollosa
Bellmunt
Les Pallargues
Torrefeta
Sant Guim de la Plana
Bellcaire d'Urgell
Penelles
Ossó de Sió
Concabella
El Llor
Guspí
Portell
Calaf
Riera
Sant Pere Sallavinera
Castellar
Sta Ma de les Franqueses
Cal auxiliar d'Urgell
Albesa
Vallfogona de Balaguer
Almenara
Castellserà
Tarroja de Segarra
Farrán
Conill
Sant Ramon
Els Prats de Rei
La Guàrdia
L'Aranyó
La Prenyanosa
Sta Fe
Pujalt
Menàrguens
Linyola
La Fuliola
Claravàlls
Figuerosa
Les Oluges
L'Astor
Sant Martí Sesgueioles
Torrelameu
Vallverd
El Tarròs
Tornabous
El Canós
Estaràs
Castellfollit del Boix
Termens
Riu Corb
Els Arcs
Sant Guim de Freixenet
Perafita
Benavent de S.
Bellvís
El Poal
Ivars d'Urgell
Barbens
Cervera
Vergós
Veciana
Rubió
Torre-serona
Corbins
Vilanova de la Barca
El Palau d'Anglesola
Vila-sana
Castellnou de Seana
Anglesola
Granyanella
La Rabassa
Copons
Maians
Fondarella
R. d'Ondara
Fonolleres
Rubinat
Montmaneu
Alcoletge
Vilagrassa
Tàrrega
Sant Antoni i Vilanova
Sta Maria del Camí
Jorba
L'Espelt
Òdena
Sidamon
Mollerussa
Golmés
Bellpuig
Granyena de S.
Gramuntell
Carbasí
Bell-lloc d'Urgell
Verdú
Preixana
La Guàrdia Lada
Argençola
L'Anoia
Clariana
Alamús
Miralcamp
Vilanova de B.
El Mas de Bondia
Montornès de Segarra
Tossal de Suró
Bellmunt
Talavera
Igualada
Torregrossa
L'Ametlla
Vilanova del Camí
La Tossa de M.
Sant Martí de Riucorb
Nalec
Guimerà
Llorac
Sant Martí de Tous
Sta Margarida de Montbui
Belianes
Ciutadilla
Vallfogona de Riucorb
Rauric
Aguiló
Carme
Artesa de L.
Puiggròs
Rocafort
Segura
Savallà del Comtat
Sta Coloma de Queralt
La Torre de C.
Juneda
Maldà
Puigverd de L.
Arbeca
Llorenç de V.
Vallbona de les Monges
Passanant
Conesa
Bellprat
Queralt
Orpí
Sta Maria de Miralles
Les Borges Blanques
La Floresta
Rocallaura
Belltall
Les Piles
Alfés
Els Omellons
Forès
Pontils
Mediona
Els Omells de Na Gaia
Montblanquet
Rocafort de Queralt
Vallverd
Santuari de Sant Magí
Turó de les Clivelleres
Castelldans
Aspa
Les Garrigues
L'Espluga Calba
Senan
Sta Perpètua
La Llacuna
Sant Quintí de Mediona
Alcanó
Els Bessons
Fulleda
Solivella
Montbrió de la Marca
Font-rubí
El Cogul
Sarral
Vallespinosa
Esblada
Blancafort
Pira
Riu d'Anguera
Guardiola de Font-rubí
Granyena de les Garrigues
L'Albagés
Vinaixa
Tarrés
El Cogulló
Querol
Montagut
Sant Martí Sarroca
La Guàrdia dels Prats
Barberà de la Conca
Cabra del Camp
Pontons
Cervià de les Garrigues
L'Albi
Les Ordes
El Soleràs
Vimbodí i Poblet
Montblanc
Torrelles de Foix
Les Cabanyes
Pacs del Penedès
Els Torms
Divisa
El Vilosell
Vallclara
L'Espluga de Francolí
Prenafeta
Figuerola del Camp
El Pont d'Armentera
El Pla de Manlleu
Aiguaviva
Vilafranca del Penedès
Juncosa
La Pobla de Cérvoles
Monestir de Poblet
El Francolí
El Pla de Sta Maria
Les Pobles
Monestir Santes Creus
Castellví de la Marca
Granadella
Sa de Roquerole
Lilla
Fontscaldes
La Joncosa de Montmell
La Múnia
Vilanova de Prades
Llena
Vilaverd
Rojals
La Riba
Aiguamúrcia
Can Ferrer
Sant Jaume dels Domenys
Bellaguarda
Ulldemolins
Tossal de la Baltasana
Farena
Vila-rodona
Prades
El Brugent
Picamoixons
Alió
Montsant
Albarca
Valls
Puigpelat
Rodonyà
La Bisbal del P.
L'Arboç
Banyeres del Penedès
Margalef
Capafonts
La Febró
Mont-ral
Mussara
Bràfim
Montferri
Masllorenç
Sant Oliva
La Gornal

30
35
36
37
Cristal Parc Natural de Cadí
Cadí
Pedraforca
Gósol
Bagà
Guardiola de Berguedà
Saldes
Gisclareny
Gombrèn
La Pobla de Lillet
Castellar de n'Hug
Puigllançada
Campdevànol
Ripoll
Sant Joan de les Abadesses
Camprodon
Coll de Capsacosta
Sant Salvador de B.
Capsec
Sant Joan les Fonts
Castellfollit de la Roca
Olot
Parc Natural de la Zona Volcànica de la Garrotxa
Sant Jaume de Frontanyà
Vallfogona de Ripollès
Coll de Canes
Riudaura
Sant Privat d'en Bas
Les Preses
Vidrà
Hostalets d'en Bas
Alpens
Sora
Montesquiu
Sant Quirze de Besora
Sant Pere de T.
Torelló
Manlleu
Roda de Ter
Tavertet
Pantà de Sau
Sant Hilari Sacalm
Les Planes d'Hostoles
Sant Feliu de Pallerols
El Far
Sant Martí Sacalm
Vilanova de Sau
Tavèrnoles
Folgueroles
Calldetenes
Sant Julià de Vilatorta
Sant Sadurní d'Osormort
Espinelves
Col de Revell
Viladrau
Arbúcies
Montseny
Matagalls
Parc Natural del Montseny
Turó de l'Home
Seva
El Brull
Tona
Vic
Gurb
Taradell
Muntanyola
Sant Bartomeu del Grau
Oristà
Olost
Prats de Lluçanès
Lluçà
Perafita
Sobremunt
Sant Martí d'Albars
Berga
Cercs
Borredà
Vilada
Nª Sª de Queralt
Avià
Casserres
Gironella
Puig-reig
Navàs
Balsareny
Sallent
Súria
Cardona
Solsona
Castelltallat
Sant Mateu de Bages
Callús
Santpedor
Artés
Moià
Calders
Manresa
Sant Fruitós de Bages
Navarcles
Talamanca
Sant Vicenç de Castellet
Parc Natural de Sant Llorenç del Munt i de l'Obac
Montcau
La Mola
Monistrol de Montserrat
Montserrat
Collbató
Esparreguera
Olesa de Montserrat
Martorell
Terrassa/Tarrasa
Sabadell
Castellar del Vallès
Sentmenat
Caldes de Montbui
Centelles
Castellcir
Aiguafreda
Tagamanent
Figaró
La Garriga
Cardedeu
Granollers
Llinars del Vallès
Sant Celoni
Campins
Gualba
Santa Maria de Palautordera
Mollet
Montmeló
Parets
La Roca del Vallès
Cerdanyola
Ripollet
Montcada i Reixac
Rubí
Sant Cugat del Vallès
Tibidabo
Molins de Rei
Sant Feliu
L'Hospitalet
BARCELONA
Badalona
Sant Adrià de Besòs
Montgat
El Masnou
Premià de Mar
Vilassar de Mar
Mataró
Argentona
Cardedeu
Calafell
Calaf
Igualada
Òdena
Capellades
Piera
Sant Sadurní d'Anoia
Gelida
Vilafranca del Penedès
Sant Boi
Viladecans
Gavà
Castelldefels
El Prat de Llobregat
EL PRAT-BARCELONA
Garraf
Costas de Garraf
Platja de Cova Fumada
Sitges
C O S T A
Costa
BARCELONA
34
35
36
37

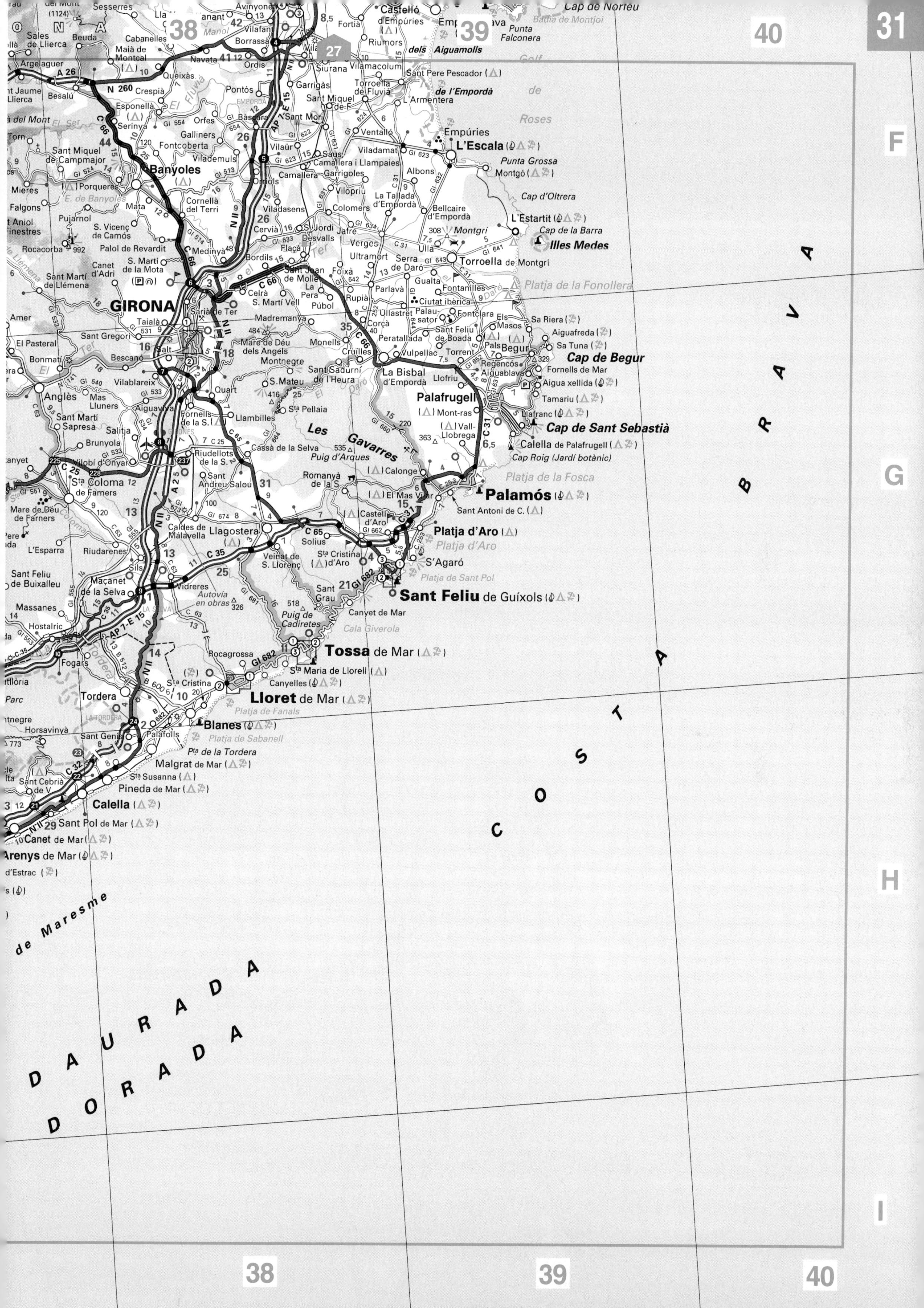

38
39
40
F
G
H
I
27
Castelló d'Empúries
Fortià
Riumors
Vilafant
Borrassà
Avinyonet
Sesserres
Cabanelles
Maià de Montcal
Navata
Ordis
Siurana
Vilamacolum
Sant Pere Pescador
dels Aiguamolls
Golf de Roses
Badia de Montjoi
Cap de Norfeu
Punta Falconera
Sales de Llierca
Beuda
Argelaguer
Besalú
Queixàs
Crespià
Pontós
Garrigàs
Torroella de Fluvià
de l'Empordà
L'Armentera
Sant Miquel de F.
Esponellà
Serinyà
Orfes
Bàscara
Sant Mori
Ventalló
Empúries
L'Escala
Punta Grossa
Montgó
Galliners
Fontcoberta
Vilademuls
Vilaür
Saus
Camallera i Llampaies
Garrigoles
Viladamat
Albons
Sant Miquel de Campmajor
Banyoles
Porqueres
E. de Banyoles
Mieres
Falgons
Mata
Cornellà del Terri
Orriols
Viladasens
Vilopriu
Colomers
La Tallada d'Empordà
Bellcaire d'Empordà
Cap d'Oltrera
L'Estartit
Cap de la Barra
Illes Medes
Pujarnol
S. Vicenç de Camós
Palol de Revardit
Rocacorba
Cervià
Sant Jordi Desvalls
Jafre
Montgrí
Ullà
Verges
Flaçà
Medinyà
Ultramort
Serra de Daró
Torroella de Montgrí
Canet d'Adri
S. Martí de la Mota
Sant Martí de Llémena
Bordils
Sant Joan de Mollet
Foixà
Parlavà
Gualta
Fontanilles
Platja de la Fonollera
GIRONA
Celrà
S. Martí Vell
La Pera
Púbol
Rupià
Ullastret
Palau-sator
Ciutat ibèrica
Fontclara
Els Masos
Sa Riera
Aiguafreda
Sa Tuna
Amer
Sarrià de Ter
Madremanya
Taialà
Sant Gregori
Corçà
Peratallada
Sant Feliu de Boada
Pals
Begur
Cap de Begur
El Pasteral
Bonmatí
Salt
Bescanó
Mare de Déu dels Angels
Monells
Cruïlles
Montnegre
Vulpellac
Torrent
Regencós
Aiguablava
Fornells de Mar
Aigua xelida
Tamariu
Vilablareix
Quart
S. Mateu
Sant Sadurní de l'Heura
La Bisbal d'Empordà
Llofriu
Palafrugell
Mont-ras
Llafranc
Cap de Sant Sebastià
Anglès
Mas Lluners
Aiguaviva
Sant Martí Sapresa
Salitja
Fornells de la S.
Llambilles
Sta Pellaia
Les Gavarres
Vall-Llobrega
Calella de Palafrugell
Cap Roig (Jardí botànic)
Brunyola
Vilobí d'Onyar
Riudellots de la S.
Cassà de la Selva
Puig d'Arques
Calonge
Platja de la Fosca
Sta Coloma de Farners
Sant Andreu Salou
Romanyà de la S.
El Mas Vilar
Palamós
Sant Antoni de C.
Mare de Déu de Farners
Caldes de Malavella
Llagostera
Castell d'Aro
Platja d'Aro
L'Esparra
Riudarenes
Solius
Sta Cristina d'Aro
Veïnat de S. Llorenç
S'Agaró
Sant Feliu de Buixalleu
Sils
Maçanet de la Selva
Vidreres
Autovía en obras
Sant Grau
Platja de Sant Pol
Sant Feliu de Guíxols
Massanes
Hostalric
Puig de Cadiretes
Canyet de Mar
Cala Giverola
Fogars
Rocagrossa
Tossa de Mar
Sta Maria de Llorell
Canyelles
Sta Cristina
Tordera
Lloret de Mar
Platja de Fanals
Horsavinyà
Sant Genís
Palafolls
Blanes
Platja de Sabanell
Pta de la Tordera
Malgrat de Mar
Sta Susanna
Sant Cebrià de V.
Pineda de Mar
Calella
Sant Pol de Mar
Canet de Mar
Arenys de Mar
d'Estrac
de Maresme
COSTA BRAVA
DAURADA
DORADA

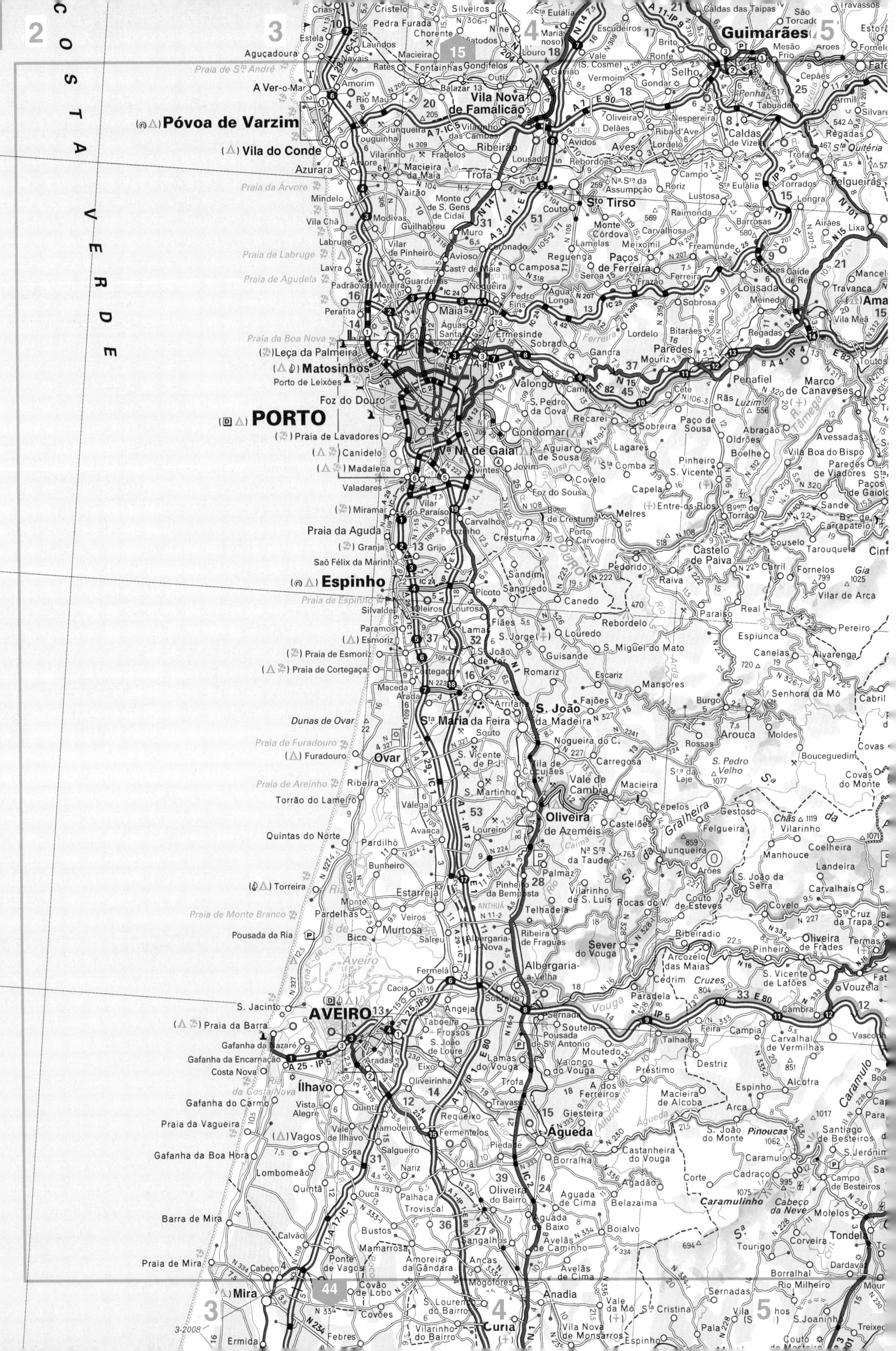

2 3 4 5

H I J K

COSTA VERDE

Póvoa de Varzim
Vila do Conde
Azurara
Praia de Sto André
A Ver-o-Mar
Aguçadoura
Estela
Praia da Árvore
Mindelo
Vila Chã
Labruge
Praia de Labruge
Praia de Agudela
Lavra
Padrão da Légua
Perafita
Praia de Boa Nova
Leça da Palmeira
Matosinhos
Porto de Leixões
Foz do Douro
PORTO
Praia de Lavadores
Canidelo
Madalena
Valadares
Miramar
Praia da Aguda
Granja
São Félix da Marinha
Espinho
Praia de Espinho
Silvalde
Paramos
Esmoriz
Praia de Esmoriz
Praia de Cortegaça
Cortegaça
Maceda
Dunas de Ovar
Praia de Furadouro
Furadouro
Ovar
Praia de Areinho
Ribeira
Torrão do Lameiro
Quintas do Norte
Torreira
Praia de Monte Branco
Pousada da Ria
Murtosa
Estarreja
S. Jacinto
AVEIRO
Praia da Barra
Gafanha da Nazaré
Gafanha da Encarnação
Costa Nova
Ílhavo
Gafanha do Carmo
Praia da Vagueira
Vagos
Gafanha da Boa Hora
Barra de Mira
Praia de Mira
Mira
Ermida

Vila Nova de Famalicão
Trofa
Maia
Ermesinde
Valongo
Gondomar
Vª Nª de Gaia
Sto Tirso
Paços de Ferreira
Lousada
Paredes
Penafiel
Marco de Canaveses
Guimarães
Caldas de Vizela
Felgueiras
Castelo de Paiva
Arouca
Sta Maria da Feira
S. João da Madeira
Oliveira de Azeméis
Vale de Cambra
Sever do Vouga
Albergaria-a-Velha
Águeda
Oliveira do Bairro
Anadia
Curia
Oliveira de Frades
Vouzela
S. Pedro do Sul
Tondela
Caramulo
Caramulinho

15
44

3-2008

5
6
7
8
Vila Pouca de Aguiar
Mirandela
Mondim de Basto
Celorico de Basto
Murça
Vila Real
Mateus
Sabrosa
Alijó
Carrazeda de Ansiães
Vila Flor
Tua
Pinhão
Peso da Régua
Lamego
Resende
Armamar
Tabuaço
S. João da Pesqueira
Vila Nova de Foz Côa
Pocinho
Tarouca
Moimenta da Beira
Penedono
Mêda
Castelo Melhor
Castro Daire
Sernancelhe
Aguiar da Beira
Vila Nova de Paiva
Trancoso
Pinhel
Sátão
S. Pedro do Sul
Viseu
Penalva do Castelo
Celorico da Beira
Mangualde
Fornos de Algodres
Nelas
Canas de Senhorim
Guarda
Gouveia
Serra do Alvão
Serra do Marão
Sª de Montemuro
Sª de Leomil
Serra da Lapa
Serra de Bigorne
DOURO
Parque Natural do Alvão
Parque Natural
Parque arqueológico do Vale do Côa
A 24 - IP 3
A 7 - IC 5
IP 4
E 82
IP 5
E 80
A 25 - IP 5
N 102 - IP 2 - E 802
A 23 - IP 2
16
34
45
46
H
I
J
K

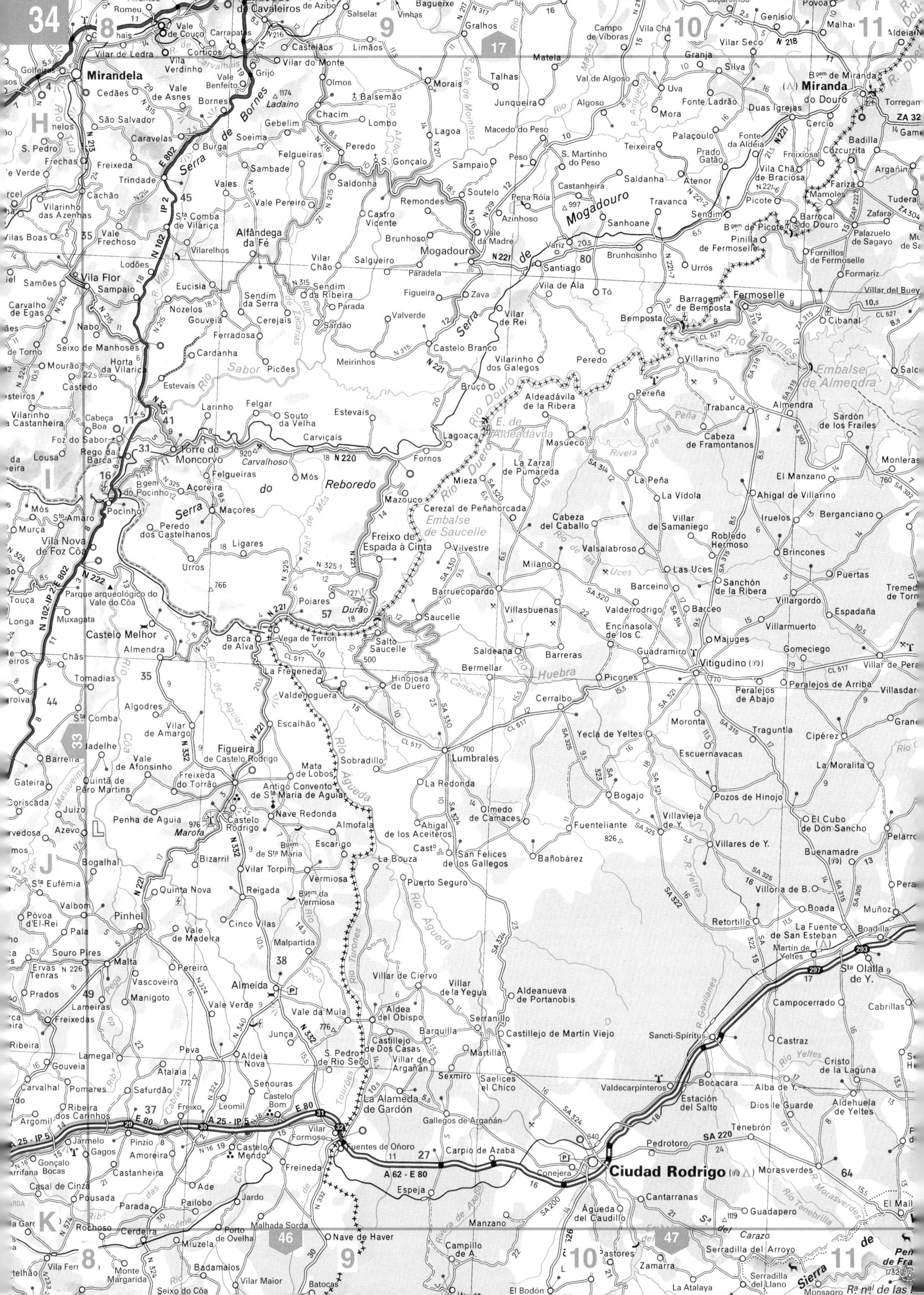

Romeu
Vale de Couço
Carrapatas
de Cavaleiros
de Azibo
Salselas
Bagueixe
Vinhas
Gralhos
Campo de Víboras
Vila Chã
Genísio
Póvoa
Malhadas
Aldeia Nova
Mirandela
Vilar de Ledra
Vila Verdinho
Corticos
Castelãos
Limãos
Vilar do Monte
Vilar Seco
Granja
Matela
Golfeiras
Cedães
Vale de Asnes
Vale Benfeito
Grijó
Olmos
Morais
Talhas
Val de Algoso
Uva
Silva
Bgem de Miranda
Miranda do Douro
Torregamones
São Salvador
Bornes
Ladaino
1174
Balsemão
Junqueira
Algoso
Fonte Ladrão
Duas Igrejas
Mora
ZA 324
Caravelas
Soeima
Gebelim
Chacim
Lombo
Lagoa
Macedo do Peso
Cércio
Gamones
S. Pedro
Frechas
Burga
Felgueiras
Peredo
S. Gonçalo
Teixeira
Palaçoulo
Fonte de Aldeia
Badilla
Cózcurrita
Freixeda
Sambade
Sampaio
Peso
S. Martinho do Peso
Prado Gatão
Freixiosa
Arganin
Trindade
Serra de Bornes
Saldonha
Saldanha
Vila Chã de Braciosa
Fariza
Vales
Vale Pereiro
Remondes
Soutelo
Castanheira
Atenor
Mamoles
Tudera
Vilarinho das Azenhas
Cachão
Castro Vicente
Pena Róia
997
Azinhoso
Travanca
Picote
Zafara
Sta Comba de Vilariça
Alfândega da Fé
Serra de Mogadouro
Sanhoane
Sendim
Barrocal do Douro
Bgem de Picote
Vilas Boas
Vale Frechoso
Brunhoso
Mogadouro
Vale da Madre
Pinilla de Fermoselle
Palazuelo de Sagayo
Vilarelhos
Lodões
Vilar Chão
Salgueiro
Paradela
Variz
Santiago
Brunhosinho
Urrós
Fornillos de Fermoselle
Formariz
Samões
Vila Flor
Sampaio
Eucisia
Sendim da Ribeira
Sendim da Serra
Figueira
Zava
Vila de Ala
Tó
Fermoselle
Villar del Buey
Carvalho de Egas
Nozelos
Gouveia
Cerejais
Parada
Sardão
Valverde
Vilar de Rei
Barragem de Bempostа
Bemposta
Cibanal
Nabo
Ferradosa
Seixo de Manhoses
Castelo Branco
Rio Tormes
Torre de Torno
Mourão
Horta da Vilariça
Cardanha
Picões
Meirinhos
Vilarinho dos Galegos
Peredo
Villarino
Salce
Castedo
Estevais
Rio Sabor
Bruçó
Embalse de Almendra
Vilarinho da Castanheira
Larinho
Felgar
Souto da Velha
Estevais
Aldeadávila de la Ribera
Pereña
Trabanca
Almendra
Sardón de los Frailes
Cabeça Boa
Foz do Sabor
Carviçais
Lagoaça
E. de Aldeadávila
Masueco
Cabeza de Framontanos
Lousa
Rego da Barca
Torre de Moncorvo
Carvalhoso
Fornos
Monleras
Felgueiras
Mós
Serra do Reboredo
La Zarza de Pumareda
El Manzano
Bgem do Pocinho
Açoreira
Mazouco
Mieza
La Peña
La Vídola
Ahigal de Villarino
Mós
Sto Amaro
Pocinho
Serra
Maçores
Cerezal de Peñahorcada
Embalse de Saucelle
Cabeza del Caballo
Villar de Samaniego
Iruelos
Berganciano
Murça
Vila Nova de Foz Côa
Peredo dos Castelhanos
Ligares
Freixo de Espada à Cinta
Vilvestre
Valsalabroso
Robledo Hermoso
Brincones
Urros
Milano
Las Uces
Puertas
Touça
Parque arqueológico do Vale do Côa
766
Poiares
Durão
727
Barruecopardo
Barceino
Sanchón de la Ribera
Villargordo
Tremedal de Tormes
Longa
Muxagata
Villasbuenas
Valderrodrigo
Barceo
Espadaña
Castelo Melhor
Barca de Alva
Vega de Terrón
Saucelle
Salto Saucelle
Encinasola de los C.
Majuges
Villarmuerto
Almendra
Chãs
Saldeana
Barreras
Guadramiro
Vitigudino
Gomeciego
Villar de Peralonso
Tomadias
La Fregeneda
Bermellar
Huebra
Picones
Peralejos de Arriba
Villasdardo
Valdenoguera
Hinojosa de Duero
Peralejos de Abajo
Algodres
Escalhão
Cerralbo
Sta Comba
Vilar de Amargo
Moronta
Tragunta
Cipérez
Grandes
Barreira
Vale de Afonsinho
Figueira de Castelo Rodrigo
Sobradillo
Lumbrales
Yecla de Yeltes
Escuernavacas
La Moralita
Gateira
Quinta de Pêro Martins
Freixeda do Torrão
Mata de Lobos
Antigo Convento de Sta Maria de Aguiar
La Redonda
Bogajo
Pozos de Hinojo
Coriscada
Juizo
Penha de Aguia
Marofa
976
Castelo Rodrigo
Nave Redonda
Almofala
Ahigal de los Aceiteros
Olmedo de Camaces
Fuenteliante
Villavieja de Y.
El Cubo de Don Sancho
Azevo
Escarigo
Bgem de Sta Maria
Cast.o
San Felices de los Gallegos
Bañobárez
826
Villares de Y.
Buenamadre
Pelarrodríguez
Bogalhal
Bizarril
Vilar Torpim
La Bouza
Vermiosa
Puerto Seguro
Sta Eufémia
Quinta Nova
Reigada
Bgem da Vermiosa
Villoria de B.
Valbom
Rio Águeda
R. Yeltes
Boada
Muñoz
Póvoa d'El-Rei
Pinhel
Cinco Vilas
Retortillo
La Fuente de San Esteban
Boadilla
Pala
Vale de Madeira
Malpartida
Martín de Yeltes
Souro Pires
Malta
Sta Olalla de Y.
Ervas Tenras
Pereiro
Villar de Ciervo
Villar de la Yegua
Vascoveiro
Almeida
Aldeanueva de Portanobis
Campocerrado
Cabrillas
Prados
Manigoto
Lameiras
Vale Verde
Vale da Mula
Aldea del Obispo
Freixedas
Barquilla
Castillejo de Martín Viejo
Sancti-Spíritus
Castraz
Junça
776
Castillejo de Dos Casas
Ribeira
Peva
Aldeia Nova
Martillán
S. Pedro de Rio Seco
Villar de Argañán
Cristo de la Laguna
Lamegal
Gouveia
Atalaia
Sexmiro
Saelices el Chico
Valdecarpinteros
Bocacara
Alba de Y.
Carvalhal
Pomares
Safurdão
772
Senouras
Castelo Bom
Estación del Salto
Dios le Guarde
Aldehuela de Yeltes
La Alameda de Gardón
Freixo
Leomil
Ribeira dos Carinhos
Argomil
Gallegos de Argañán
Tenebrón
Vilar Formoso
Jarmelo
Pínzio
Fuentes de Oñoro
Pedrotoro
Gagos
Castelo Mendo
Amoreira
Carpio de Azaba
Gonçalo Bocas
Freineda
Conejera
Ciudad Rodrigo
Morasverdes
Castanheira
Casal de Cinza
Ade
Espeja
Pousada
Cantarranas
Parada
Pailobo
Jardo
Águeda del Caudillo
Guadapero
1119
El Maíllo
Rochoso
Cerdeira
Porto de Ovelha
Manzano
Malhada Sorda
Nave de Haver
Miuzela
Campillo de A.
Pastores
Serradilla del Arroyo
Sierra de Peña de Francia
Vila Fernando
Monte Margarida
Badamalos
Zamarra
Serradilla del Llano
Seixo do Côa
Vilar Maior
Batocas
El Bodón
La Atalaya
Monsagro
1732
A 25 - IP 5
E 80
A 62 - E 80
N 221
N 332
N 220
N 102
IP 2
E 802
SA 220
SA 324
CL 517

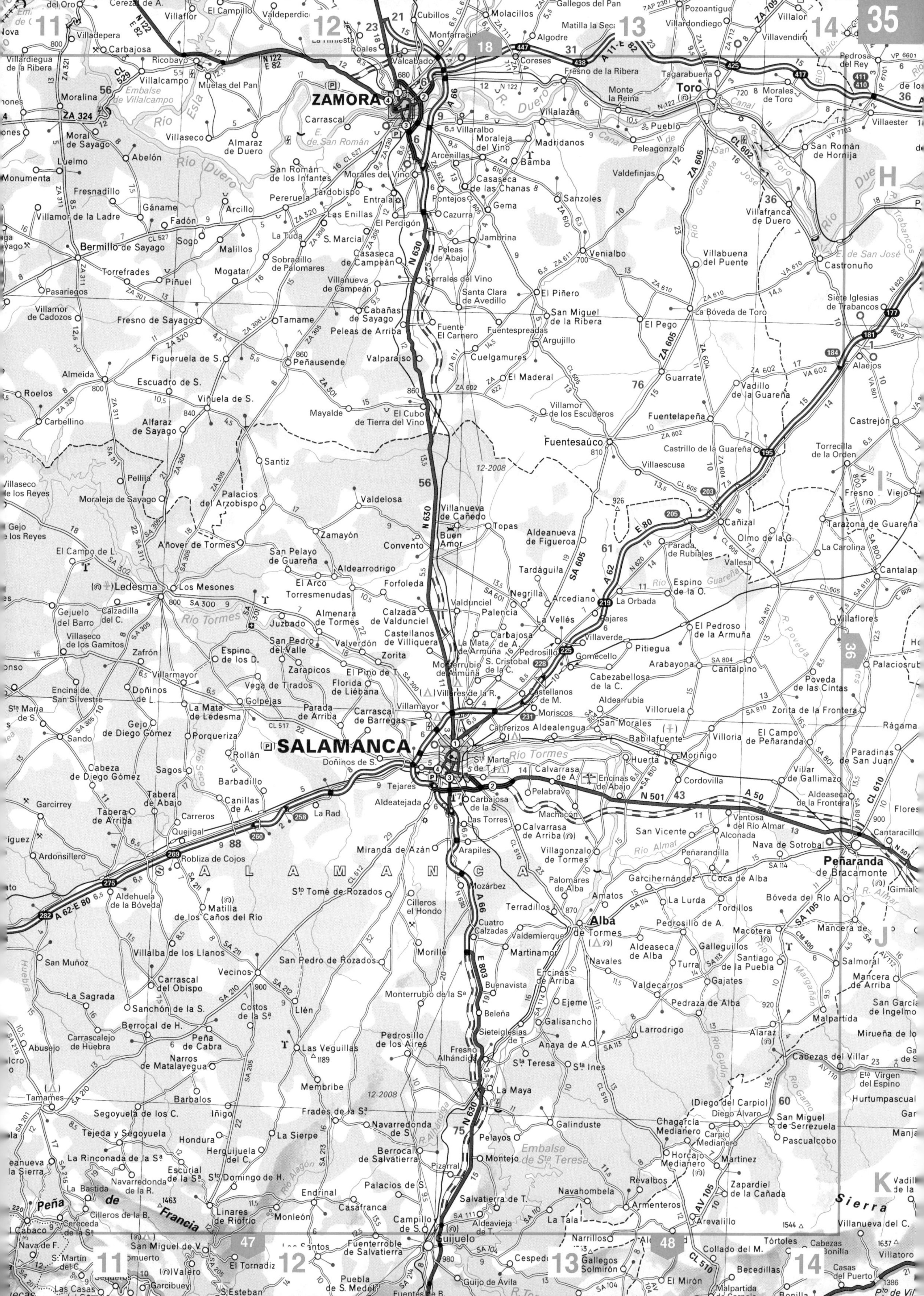
11
12
13
14
ZAMORA
SALAMANCA
Toro
Alba de Tormes
Peñaranda de Bracamonte
Ledesma
Guijuelo
Fuentesaúco
Bermillo de Sayago
Río Duero
Río Esla
Río Tormes
Río Almar
Río Guareña
Embalse de Villalcampo
Embalse de Sta Teresa
Peña de Francia
Sierra
S A L A M A N C A
Villaflor
El Campillo
Valdeperdices
Cubillos
Molacillos
Gallegos del Pan
Pozoantiguo
Villalonso
Villadepera
Carbajosa
Ricobayo
Villalcampo
Muelas del Pan
Roales
Valcabado
Monfarracinos
Algodre
Matilla la Seca
Villardondiego
Villavendimio
Coreses
Fresno de la Ribera
Tagarabuena
Pedrosa del Rey
Moralina
Carrascal
Villaseco
Almaraz de Duero
Villaralbo
Moraleja del Vino
Madridanos
Villalazán
Monte la Reina
Pueblo
Peleagonzalo
Morales de Toro
Villaester
San Román de Hornija
Moral de Sayago
Abelón
Luelmo
Monumenta
Fresnadillo
Gáname
Fadón
Arcillo
Villamor de la Ladre
San Román de los Infantes
Morales del Vino
Arcenillas
Bamba
Casaseca de las Chanas
Valdefinjas
Pereruela
Tardobispo
Entrala
Pontejos
Cazurra
Gema
Sanzoles
Villafranca de Duero
Las Enillas
La Tuda
S. Marcial
El Perdigón
Jambrina
Sogo
Malillos
Casaseca de Campeán
Peleas de Abajo
Venialbo
Villabuena del Puente
Castronuño
Sobradillo de Palomares
Torrefrades
Piñuel
Mogatar
Villanueva de Campeán
Corrales del Vino
El Piñero
Pasariegos
Santa Clara de Avedillo
Siete Iglesias de Trabancos
Villamor de Cadozos
Fresno de Sayago
Tamame
Cabañas de Sayago
Peleas de Arriba
Fuente El Carnero
Fuentespreadas
San Miguel de la Ribera
El Pego
La Bóveda de Toro
Argujillo
Figueruela de S.
Peñausende
Valparaíso
Cuelgamures
Almeida
Escuadro de S.
El Maderal
Guarrate
Alaejos
Roelos
Viñuela de S.
Mayalde
El Cubo de Tierra del Vino
Vadillo de la Guareña
Carbellino
Alfaraz de Sayago
Villamor de los Escuderos
Fuentelapeña
Castrejón
Torrecilla de la Orden
Castrillo de la Guareña
Santiz
Villaescusa
Pellila
Moraleja de Sayago
Palacios del Arzobispo
Valdelosa
Fresno el Viejo
Villanueva de Cañedo
Topas
Buen Amor
Convento
Cañizal
Tarazona de Guareña
Zamayón
Añover de Tormes
Aldeanueva de Figueroa
Olmo de la G.
El Campo de L.
San Pelayo de Guareña
Parada de Rubiales
La Carolina
Vallesa
Aldearrodrigo
Tardáguila
Cantalapiedra
Los Mesones
El Arco
Torresmenudas
Forfoleda
Espino de la O.
La Orbada
Negrilla
Arcediano
Valdunciel
Palencia
Gejuelo del Barro
Calzadilla del C.
Almenara de Tormes
Calzada de Valdunciel
Juzbado
La Vellés
Rajares
El Pedroso de la Armuña
Villaflores
Villaseco de los Gamitos
Zafrón
Castellanos de Villiquera
Carbajosa de A.
Villaverde
Pitiegua
Espino de los D.
San Pedro del Valle
Valverdón
La Mata de Armuña
Pedrosillo
Zorita
Gomecello
Arabayona
Cantalpino
Palaciosrubios
Villarmayor
Zarapicos
El Pino de T.
Monterrubio de Armuña
S. Cristóbal de la C.
Cabezabellosa de la C.
Poveda de las Cintas
Encina de San Silvestre
Doñinos de L.
Vega de Tirados
Florida de Liébana
Villares de la R.
Castellanos de M.
Aldearrubia
Villoruela
Zorita de la Frontera
Golpejas
Parada de Arriba
Carrascal de Barregas
Villamayor
Moriscos
La Mata de Ledesma
Sando
Gejo de Diego Gómez
Porqueriza
Cabrerizos
Aldealengua
San Morales
Babilafuente
Villoria
El Campo de Peñaranda
Paradinas de San Juan
Rollán
Doñinos de S.
Sta Marta de T.
Huerta
Moriñigo
Cabeza de Diego Gómez
Sagos
Calvarrasa de A.
Encinas de Abajo
Cordovilla
Villar de Gallimazo
Barbadillo
Tejares
Pelabravo
Aldeaseca de la Frontera
Garcirrey
Tabera de Abajo
Tabera de Arriba
Canillas de A.
Aldeatejada
Carbajosa de la S.
Machacón
Ventosa del Río Almar
Carreros
La Rad
Las Torres
Calvarrasa de Arriba
San Vicente
Alconada
Nava de Sotrobal
Cantaracillo
Ardonsillero
Robliza de Cojos
Miranda de Azán
Arapiles
Villagonzalo de Tormes
Peñarandilla
Mozárbez
Palomares de Alba
Garcihernández
Coca de Alba
Gimialcón
Aldehuela de la Bóveda
S^to Tomé de Rozados
Amatos
La Lurda
Tordillos
Bóveda del Río A.
Matilla de los Caños del Río
Cilleros el Hondo
Terradillos
Cuatro Calzadas
Valdemierque
Pedrosillo de A.
Macotera
Mancera de S.
Villalba de los Llanos
Martinamor
Aldeaseca de Alba
Galleguillos
Morille
Navales
Turra
Santiago de la Puebla
Salmoral
San Muñoz
Vecinos
San Pedro de Rozados
Encinas de Arriba
Mancera de Arriba
Carrascal del Obispo
Valdecarros
Gajates
La Sagrada
Monterrubio de la S^a
Buenavista
Ejeme
Pedraza de Alba
San García de Ingelmo
Sanchón de la S.
Cortos de la S^a
Llén
Beleña
Malpartida
Berrocal de H.
Galisancho
Larrodrigo
Carrascalejo de Huebra
Peña de Cabra
Pedrosillo de los Aires
Sieteiglesias de T.
Anaya de A.
Alaraz
Mirueña de lo
Abusejo
Narros de Matalayegua
Las Veguillas
Fresno Alhándiga
Sta Teresa
Sta Ines
Cabezas del Villar
Ermita Virgen del Espino
Membribe
La Maya
Hurtumpascual
Tamames
Barbalos
(Diego del Carpio)
Diego Álvaro
Segoyuela de los C.
Iñigo
Frades de la S^a
Navarredonda de S.
Chagarcía Medianero
Carpio Medianero
San Miguel de Serrezuela
Tejeda y Segoyuela
Hondura
La Sierpe
Galinduste
Pelayos
Pascualcobo
La Rinconada de la S^a
Herguijuela del C.
Berrocal de Salvatierra
Montejo
Horcajo Medianero
Martínez
Navarredonda de la R.
Escurial de la S^a
S^to Domingo de H.
Pizarral
Revalbos
Zapardiel de la Cañada
La Bastida
Endrinal
Palacios de S.
Navahombela
Armenteros
Peña
Cilleros de la B.
Linares de Riofrío
Casafranca
Salvatierra de T.
Monleón
La Tala
Arevalillo
Villanueva del C.
Cereceda de la S^a
Cabaco
Campillo de S.
Aldeavieja de T.
San Miguel de V.
Nava de F.
Los Santos
Fuenterroble de Salvatierra
Narrillos
Collado del M.
Tórtoles
Cabezas Bonilla
Villatoro
El Tornadizo
Valero
Cespedosa
Gallegos Solmirón
Becedillas
Casas del Puerto
Garcibuey
S. Esteban
Puebla de S. Medel
Fuentes de B.
Guijo de Ávila
El Mirón
Malpartida de Corneja
Bonilla
N 630
A 66
A 62-E 80
N 501
A 50
E 803
N 122
A 11-E 82
CL 605
CL 610
CL 527
CL 517
12-2008

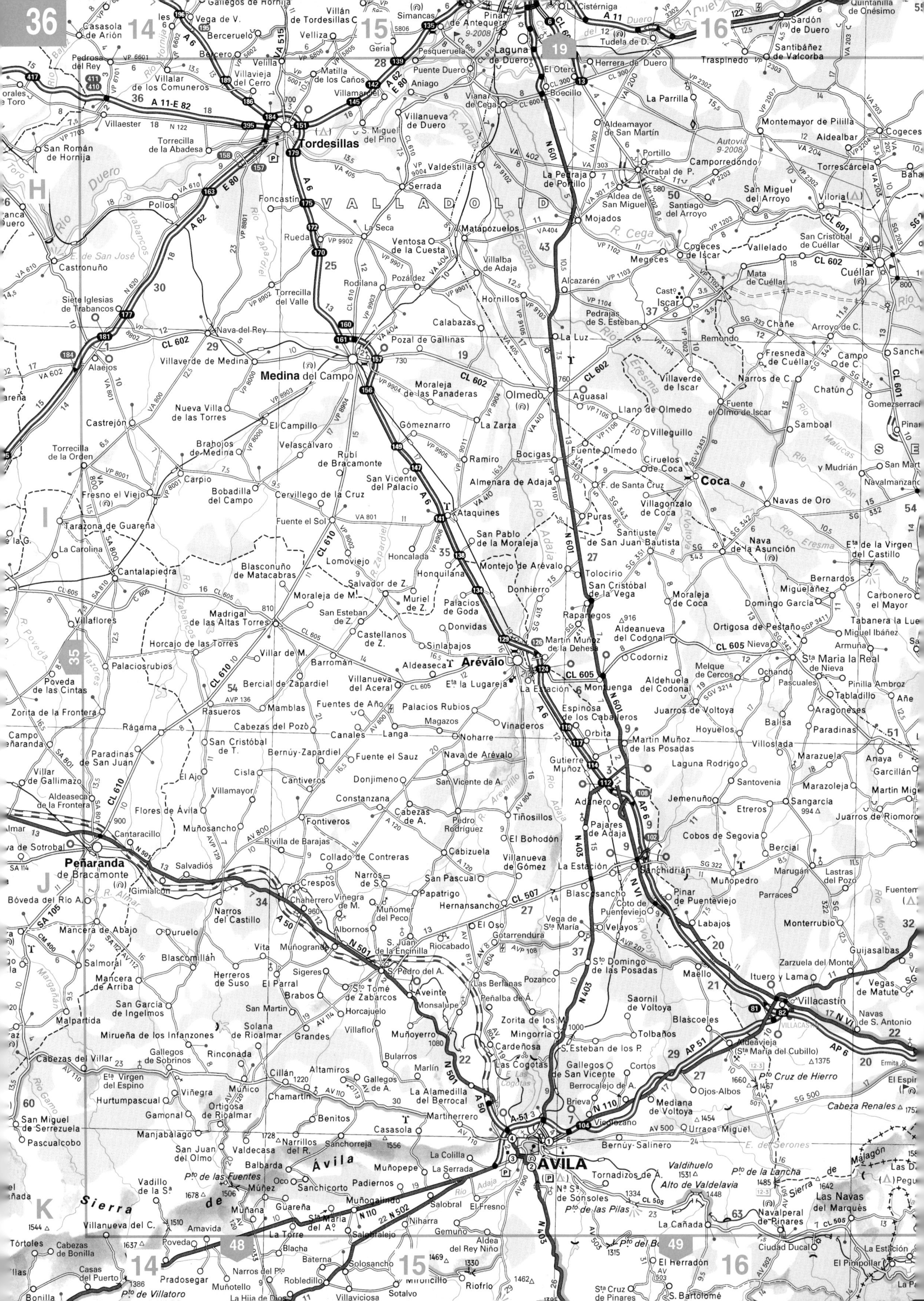

Casasola de Arión
Vega de V.
Bercerueló
Villán de Tordesillas
Simancas
Pinar de Antequera
La Cistérniga
Sardón de Duero
Quintanilla de Onésimo
Pedrosa del Rey
Velilla
Villavieja del Cerro
Villalar de los Comuneros
Matilla de los Caños
Geria
Pesqueruela
Puente Duero
Aniago
Laguna de Duero
El Otero
Boecillo
Tudela de D.
Herrera de Duero
Santibáñez de Valcorba
Traspinedo
Villamarciel
Viana de Cega
La Parrilla
Villaester
Torrecilla de la Abadesa
Tordesillas
S. Miguel del Pino
Villanueva de Duero
Aldeamayor de San Martín
Montemayor de Pililla
Aldealbar
Cogeces
San Román de Hornija
Valdestillas
Portillo
Camporredondo
Torrescárcela
Serrada
La Pedraja de Portillo
Arrabal de P.
Aldea de San Miguel
Santiago del Arroyo
San Miguel del Arroyo
Viloria
Foncastín
VALLADOLID
Pollos
Mojados
La Seca
Matapozuelos
Rueda
Ventosa de la Cuesta
Castronuño
E. de San José
Cogeces de Íscar
Megeces
Vallelado
San Cristóbal de Cuéllar
Villalba de Adaja
Rodilana
Pozáldez
Alcazarén
Mata de Cuéllar
Cuéllar
Siete Iglesias de Trabancos
Torrecilla del Valle
Hornillos
Íscar
Pedrajas de S. Esteban
Calabazas
Chañe
Arroyo de C.
Nava del Rey
La Luz
Remondo
Alaejos
Villaverde de Medina
Pozal de Gallinas
Fresneda de Cuéllar
Campo de C.
Medina del Campo
Moraleja de las Panaderas
Olmedo
Aguasal
Villaverde de Íscar
Narros de C.
Chatún
Nueva Villa de las Torres
El Campillo
La Zarza
Llano de Olmedo
Fuente el Olmo de Íscar
Castrejón
Gómeznarro
Villeguillo
Samboal
Torrecilla de la Orden
Brahojos de Medina
Velascálvaro
Rubí de Bracamonte
Ramiro
Bocigas
Fuente Olmedo
Ciruelos de Coca
Coca
San Vicente del Palacio
Carpio
Bobadilla del Campo
Fresno el Viejo
Cervillego de la Cruz
Almenara de Adaja
F. de Santa Cruz
Villagonzalo de Coca
Navas de Oro
Ataquines
Puras
Fuente el Sol
Tarazona de Guareña
San Pablo de la Moraleja
Santiuste de San Juan Bautista
Nava de la Asunción
Eta de la Virgen del Castillo
La Carolina
Lomoviejo
Honcalada
Montejo de Arévalo
Tolocirio
Cantalapiedra
Blasconuño de Matacabras
Honquilana
San Cristóbal de la Vega
Bernardos
Miguelañez
Carbonero el Mayor
Salvador de Z.
Muriel de Z.
Moraleja de M.
Donhierro
Moraleja de Coca
Domingo García
Villaflores
Madrigal de las Altas Torres
San Esteban de Z.
Palacios de Goda
Rapariegos
Aldeanueva del Codonal
Ortigosa de Pestaño
Tabanera la Luenga
Miguel Ibáñez
Castellanos de Z.
Donvidas
Martín Muñoz de la Dehesa
Horcajo de las Torres
Villar de M.
Sinlabajos
Nieva
Armuña
Sta María la Real de Nieva
Palaciosrubios
Barromán
Aldeaseca
Arévalo
Codorniz
Melque de Cercos
Ochando
Poveda de las Cintas
Bercial de Zapardiel
Villanueva del Aceral
Eta la Lugareja
La Estación
Montuenga
Aldehuela del Codonal
Pascuales
Pinilla Ambroz
Tabladillo
Zorita de la Frontera
Rasueros
Mamblas
Fuentes de Año
Palacios Rubios
Espinosa de los Caballeros
Juarros de Voltoya
Aragoneses
Campo de Peñaranda
Rágama
Cabezas del Pozo
Canales
Langa
Magazos
Vinaderos
Orbita
Hoyuelos
Balisa
Paradinas
Paradinas de San Juan
San Cristóbal de T.
Bernúy-Zapardiel
Fuente el Sauz
Noharre
Nava de Arévalo
Martín Muñoz de las Posadas
Villoslada
Marazuela
Anaya
Villar de Gallimazo
El Ajo
Cisla
Cantiveros
Donjimeno
San Vicente de A.
Gutierre Muñoz
Laguna Rodrigo
Garcillán
Aldeaseca de la Frontera
Villamayor
Santovenia
Marazoleja
Flores de Ávila
Constanzana
Tiñosillos
Adanero
Jemenuño
Sangarcía
Martín Miguel
Muñosancho
Fontiveros
Cabezas de A.
Pedro Rodríguez
Pajares de Adaja
Etreros
Juarros de Riomoros
Cantaracillo
Rivilla de Barajas
El Bohodón
Cobos de Segovia
Peñaranda de Bracamonte
Salvadiós
Collado de Contreras
Cabizuela
Villanueva de Gómez
La Estación
Sanchidrián
Bercial
Muñopedro
Lastras del Pozo
Gimialcón
Crespos
Narros de S.
San Pascual
Pinar de Puenteviejo
Marugán
Parraces
Bóveda del Río A.
Chaherrero
Viñegra de M.
Papatrigo
Hernansancho
Blascosancho
Coto de Puenteviejo
Labajos
Monterrubio
Narros del Castillo
Muñomer del Peco
Albornos
El Oso
Gotarrendura
Vega de Sta María
Velayos
Mancera de Abajo
Duruelo
Vita
Muñogrande
S. Juan de la Encinilla
Riocabado
Guijasalbas
Salmoral
Blascomillán
Sigeres
S. Pedro del A.
Sto Domingo de las Posadas
Maello
Zarzuela del Monte
Mancera de Arriba
Herreros de Suso
El Parral
Sto Tomé de Zabarcos
Aveinte
Las Berlanas
Pozanco
Ituero y Lama
Vegas de Matute
San García de Ingelmos
Brabos
Monsalupe
Peñalba de A.
Saornil de Voltoya
Villacastín
Malpartida
San Martín
Horcajuelo
Zorita de los M.
Blascoeles
Navas de S. Antonio
Mirueña de los Infanzones
Solana de Rioalmar
Grandes
Villaflor
Muñoyerro
Mingorría
Tolbaños
Aldeavieja (Sta María del Cubillo)
Gallegos de Sobrinos
Rinconada
Cardeñosa
S. Esteban de los P.
Cabezas del Villar
Bularros
Las Cogotas
Gallegos de San Vicente
Cortos
Eta Virgen del Espino
Cillán
Altamiros
Marlín
Gallegos de A.
Berrocalejo de A.
Pto Cruz de Hierro
Hurtumpascual
Viñegra
Muñico
Chamartín
La Alamedilla del Berrocal
Mediana de Voltoya
Ojos-Albos
El Espinar
Gamonal
Ortigosa de Rioalmar
Martiherrero
Brieva
Cabeza Renales
San Miguel de Serrezuela
Manjabálago
Benitos
Casasola
Vicolozano
Urraca-Miguel
Pascualcobo
San Juan del Olmo
Valdecasa
Narrillos del R.
Sanchorreja
Bernúy-Salinero
E. de Serones
Balbarda
Ávila
La Colilla
ÁVILA
Tornadizos de A.
Valdihuelo
Pto de la Lancha
Sierra de Malagón
Vadillo de la Sa
Pto de las Fuentes
Oco
Muñopepe
La Serrada
Padiernos
Alto de Valdelavía
Las Navas del Marqués
Sanchicorto
Múñez
Muñogalindo
Nª Sª de Sonsoles
Pto de las Pilas
Sierra de
Muñana
Guareña
Sta María del Aº
Salobral
El Fresno
La Cañada
Navalperal de Pinares
Villanueva del C.
Amavida
Niharra
Gemuño
Ciudad Ducal
Tórtoles
Cabezas de Bonilla
Poveda
La Torre
Salobralejo
Aldea del Rey Niño
Pto del Boquerón
El Herradón
La Estación
Blacha
Baterna
Solosancho
El Pimpollar
Casas del Puerto
Pradosegar
Narros del Pto
Robledillo
Mironcillo
Riofrío
Sta Cruz de Pinares
S. Bartolomé
Bonilla
Pto de Villatoro
Muñotello
La Hija de Dios
Villaviciosa
Sotalvo
14
15
16
H
I
J
K
A 6
A 11-E 82
A 62
E 80
N 601
CL 602
CL 610
CL 605
N 501
A 50
N 403
AP 6
N VI
CL 507
AP 51
N 110
N 502
A 51
CL 505
R. Duero
R. Adaja
R. Eresma
R. Cega
R. Zapardiel
R. Trabancos
R. Voltoya
R. Almar

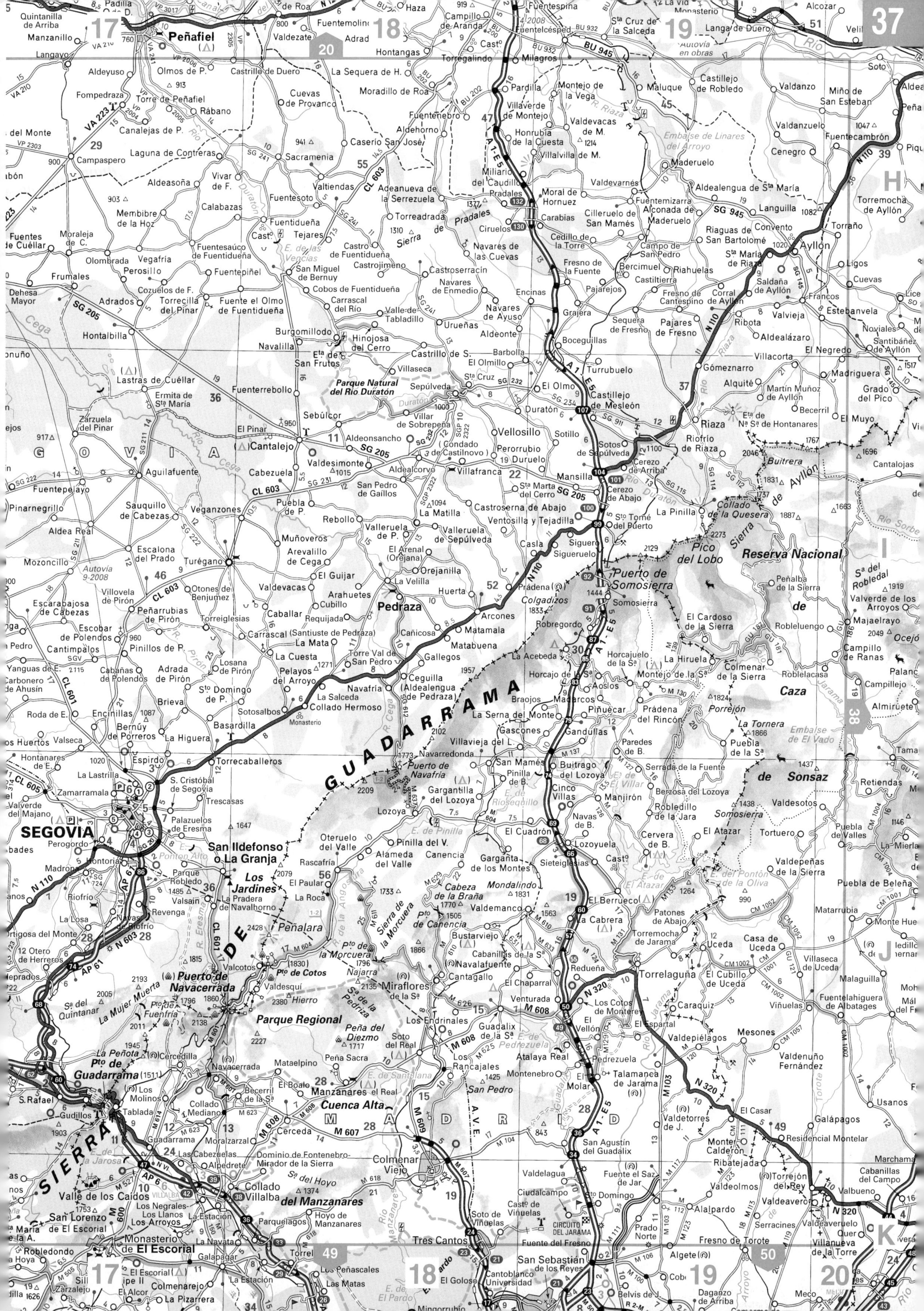
Peñafiel
Quintanilla de Arriba
Manzanillo
Langayo
Aldeyuso
Olmos de P.
Castrillo de Duero
Fompedraza
Torre de Peñafiel
Rábano
Canalejas de P.
Campaspero
Laguna de Contreras
Sacramenia
Valdezate
Fuentemolinos
Adrad
Hontangas
La Sequera de H.
Moradillo de Roa
Cuevas de Provanco
Caserío San José
Aldehorno
Fuentenebro
Campillo de Aranda
Haza
Torregalindo
Milagros
Fuentespina
Fuentelcésped
Sta Cruz de la Salceda
Langa de Duero
Alcozar
Pardilla
Montejo de la Vega
Maluque
Castillejo de Robledo
Valdanzo
Miño de San Esteban
Villaverde de Montejo
Valdevacas de M.
Honrubia de la Cuesta
Villalvilla de M.
Embalse de Linares del Arroyo
Valdanzuelo
Fuentecambrón
Cenegro
Maderuelo
Aldeasoña
Vivar de F.
Valtiendas
Adeanueva de la Serrezuela
Miliario del Caudillo
Pradales
Moral de Hornuez
Valdevarnés
Aldealengua de Sta María
Fuentesoto
Calabazas
Membibre de la Hoz
Fuentidueña
Tejares
Torreadrada
Sierra de Pradales
Carabias
Ciruelos
Cilleruelo de San Mamés
Fuentemizarra
Alconada de Maderuelo
Languilla
Torremocha de Ayllón
Moraleja de C.
Fuentes de Cuéllar
Olombrada
Vegafría
Fuentesaúco de Fuentidueña
Castro de Fuentidueña
Castrojimeno
Navares de las Cuevas
Cedillo de la Torre
Campo de San Pedro
Riaguas de San Bartolomé
Convento
Torraño
Ayllón
Sta María de Riaza
Perosillo
Fuentepiñel
San Miguel de Bernuy
Castroserracín
Navares de Enmedio
Fresno de la Fuente
Bercimuel
Riahuelas
Castiltierra
Ligos
Cuevas
Frumales
Dehesa Mayor
Adrados
Cozuelos de F.
Torrecilla del Pinar
Fuente el Olmo de Fuentidueña
Cobos de Fuentidueña
Carrascal del Río
Encinas
Navares de Ayuso
Pajarejos
Grajera
Fresno de Cantespino
Corral de Ayllón
Saldaña de Ayllón
Francos
Estebanvela
Valle de Tabladillo
Urueñas
Aldeonte
Sequera de Fresno
Pajares de Fresno
Ribota
Valvieja
Aldealázaro
Noviales
Santibáñez de Ayllón
Hontalbilla
Burgomillodo
Hinojosa del Cerro
Navalilla
Ermita de San Frutos
Castrillo de S.
Barbolla
El Olmillo
Boceguillas
Turrubuelo
Villaseca
Gómeznarro
El Negredo
Villacorta
Madriguera
Alquité
Martín Muñoz de Ayllón
Grado del Pico
Lastras de Cuéllar
Parque Natural del Río Duratón
Sepúlveda
Sta Cruz
El Olmo
Castillejo de Mesleón
Fuenterrebollo
Ermita de Sta María
Zarzuela del Pinar
Sebúlcor
Villar de Sobrepeña
Duratón
Sotillo
Riaza
Becerril
Ermita de Nª Sª de Hontanares
El Muyo
El Pinar
Cantalejo
Aldeonsancho
Vellosillo
(Condado de Castilnovo)
Perorrubio
Duruelo
Sotos de Sepúlveda
Cerezo de Arriba
Riofrío de Riaza
Buitrera
Cantalojas
Aguilafuente
Valdesimonte
Cabezuela
Aldealcorvo
Villafranca
Mansilla
Sta Marta del Cerro
Cerezo de Abajo
Fuentepelayo
San Pedro de Gaíllos
Castroserna de Abajo
Pinarnegrillo
Sauquillo de Cabezas
Veganzones
Puebla de P.
Rebollo
La Matilla
Ventosilla y Tejadilla
Sto Tomé del Puerto
La Pinilla
Collado de la Quesera
Sierra de Ayllón
Aldea Real
Muñoveros
Valleruela de P.
Valleruela de Sepúlveda
Casla
Siguero
Sigueruelo
Pico del Lobo
Reserva Nacional
Escalona del Prado
Turégano
Arevalillo de Cega
El Arenal (Orejana)
Mozoncillo
Orejanilla
El Guijar
La Velilla
Puerto de Somosierra
Somosierra
Peñalba de la Sierra
Sa del Robledal
Valdevacas
Villovela de Pirón
Otones de Benjumea
Arahuetes
Cubillo
Pedraza
Huerta
Prádena
Colgadizos
Valverde de los Arroyos
Escarabajosa de Cabezas
Peñarrubias de Pirón
Torreiglesias
Caballar
Requijada
Arcones
El Cardoso de la Sierra
Robleluengo
Majaelrayo
Escobar de Polendos
Carrascal (Santiuste de Pedraza)
Cañicosa
Matamala
Robregordo
La Mata
Matabuena
Campillo de Ranas
Cantimpalos
Pinillos de P.
La Cuesta
Torre Val de San Pedro
Gallegos
La Acebeda
Horcajuelo de la Sa
La Hiruela
Colmenar de la Sierra
Roblelacasa
Yanguas de E.
Cabañas de Polendos
Adrada de Pirón
Losana de Pirón
Pelayos del Arroyo
Ceguilla (Aldealengua de Pedraza)
Horcajo de la Sa
Aoslos
Montejo de la Sa
Caza
Carbonero de Ahusín
Sto Domingo de P.
Navafría
La Salceda
Braojos
Madarcos
Pradena del Rincón
Porrejón
Campillejo
Roda de E.
Encinillas
Brieva
Sotosalbos
Collado Hermoso
La Serna del Monte
Piñuécar
Almiruete
Bernúy de Porreros
Basardilla
Monasterio
Villavieja del L.
Gascones
Gandullas
La Tornera
Embalse de El Vado
Los Huertos
Valseca
La Higuera
Guadarrama
Paredes de B.
Puebla de la Sa
Hontanares de E.
Espirdo
Torrecaballeros
Navarredonda
Puerto de Navafría
San Mamés
Buitrago del Lozoya
Serrada de la Fuente
de Sonsaz
La Lastrilla
S. Cristóbal de Segovia
Pinilla de B.
Cinco Villas
Manjirón
Berzosa del Lozoya
Retiendas
Zamarramala
Trescasas
Gargantilla del Lozoya
E. de Riosequillo
Robledillo de la Jara
Valdesotos
Valverde del Majano
Segovia
Palazuelos de Eresma
Lozoya
E. de Pinilla
El Cuadrón
Navas de B.
Cervera de B.
Somosierra
Tortuero
Puebla de Valles
La Mierla
Perogordo
San Ildefonso La Granja
Oteruelo del Valle
Pinilla del V.
Lozoyuela
El Atazar
Madrona
Hontoria
Pontón Alto
Alameda del Valle
Rascafría
Canencia
Garganta de los Montes
Sieteiglesias
Valdepeñas de la Sierra
Puebla de Beleña
Riofrío
Parque Robledo
Los Jardines
El Paular
Mondalindo
E. de El Atazar
E. del Pontón de la Oliva
Valsaín
La Pradera de Navalhorno
La Roca
Cabeza de la Braña
Valdemanco
El Berrueco
Patones de Abajo
Matarrubia
Monte Hue
La Losa
Revenga
Navas de Riofrío
Peñalara
Sierra de la Morcuera
Pto de Canencia
La Cabrera
Torremocha de Jarama
Casa de Uceda
Ortigosa del Monte
Otero de Herreros
Pto de Cotos
Pto de la Morcuera
Bustarviejo
Cabanillas de la Sa
Navalafuente
Redueña
Uceda
Torrelaguna
El Cubillo de Uceda
Villaseca de Uceda
Malaguilla
Puerto de Navacerrada
Valcotos
Valdesquí
Najarra
Miraflores de la Sa
Cantagallo
El Chaparral
Venturada
Los Cotos de Monterey
Caraquiz
Viñuelas
Fuentelahiguera de Albatages
Sa del Quintanar
La Mujer Muerta
Pto de la Fuenfría
Hierro
Sa de la Pedriza
Los Endrinales
Guadalix de la Sa
E. de Pedrezuela
El Vellón
El Espartal
Valdepiélagos
Mesones
Parque Regional
Peña del Diezmo
Soto del Real
Atalaya Real
Pedrezuela
Valdenuño Fernández
La Peñota
Pto de Guadarrama
Cercedilla
Navacerrada
Mataelpino
Peña Sacra
Los Rancajales
Montenebro
Molar
Talamanca de Jarama
S. Rafael
Los Molinos
Becerril de la Sa
El Boalo
Manzanares el Real
E. de Santillana
San Pedro
Valdetorres de J.
El Casar
Galápagos
Usanos
Gudillos
Tablada
Collado Mediano
Cuenca Alta
Cerceda
Moralzarzal
Madrid
A.V.E.
San Agustín del Guadalix
Residencial Montelar
Sierra
Guadarrama
Las Cabezuelas
Alpedrete
Dominio de Fontenebro-Mirador de la Sierra
Colmenar Viejo
Montecalderón
Ribatejada
Marchamalo
E. de la Jarosa
Valle de los Caídos
Collado Villalba
Sa del Hoyo
Valdelagua
Fuente el Saz de Jar
Torrejón del Rey
Cabanillas del Campo
San Lorenzo de El Escorial
Los Negrales
Los Llanos
La Estación
Los Arroyos
del Manzanares
Hoyo de Manzanares
Parquelagos
Soto de Viñuelas
Ciudalcampo
Casa de Viñuelas
Sto Domingo
Alalpardo
Valdeolmos
Valdeavero
Valdeaveruelo
Valbueno
Quer
Villanueva de la Torre
Monasterio de El Escorial
Robledondo
La Navata
Galapagar
Torrelodones
Tres Cantos
Circuito del Jarama
Prado Norte
Fuente del Fresno
Fresno de Torote
Serracines
La Hoya
Zarzalejo
El Escorial
Colmenarejo
La Pizarrera
Las Matas
Los Peñascales
El Goloso
E. de El Pardo
Cantoblanco Universidad
San Sebastián de los Reyes
Algete
Cobeña
Belvis de J.
Daganzo de Arriba
Meco
Mingorrubio

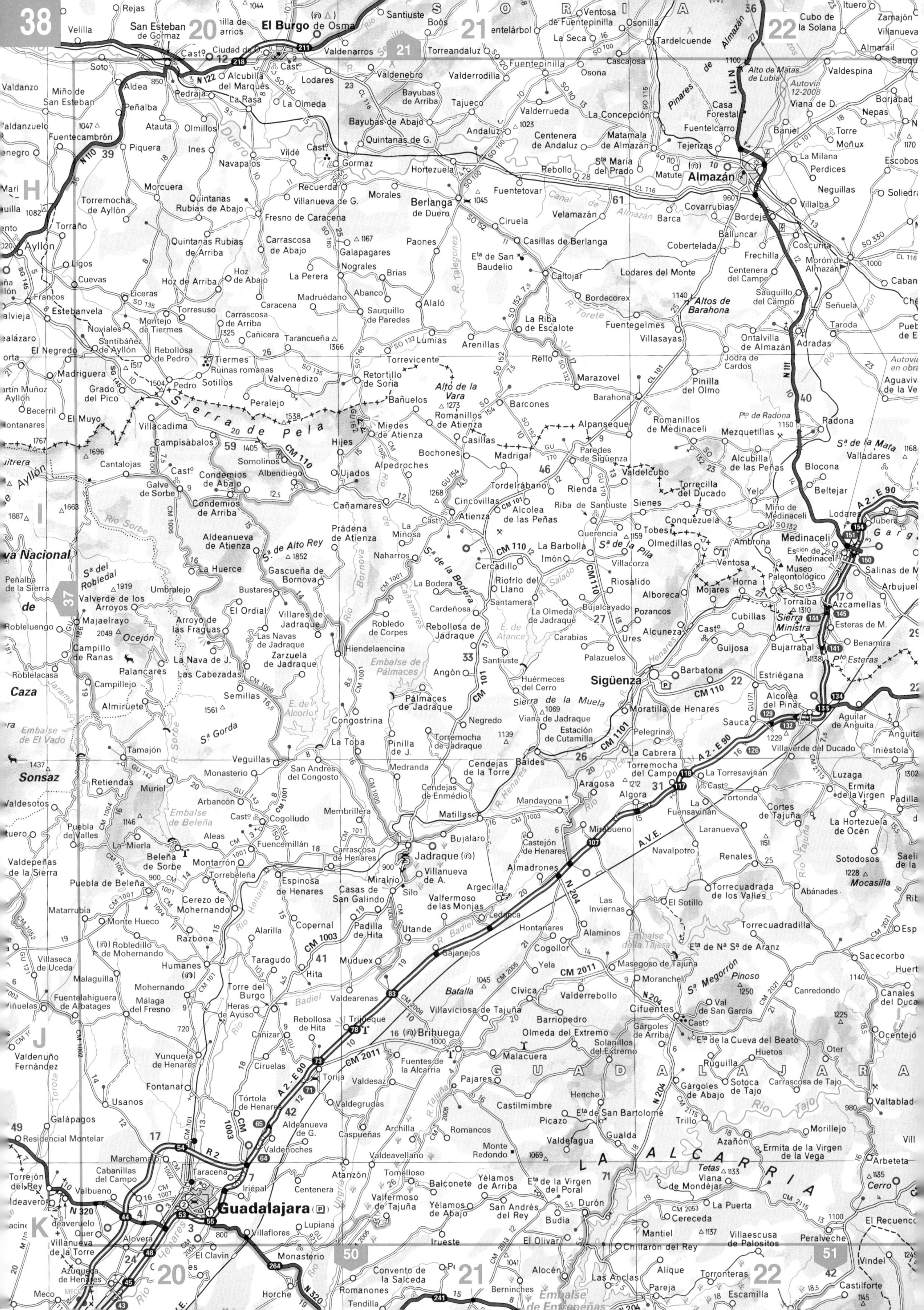
SORIA
GUADALAJARA
LA ALCARRIA
El Burgo de Osma
San Esteban de Gormaz
Velilla
Rejas
Ciudad de Osma
Alcubilla del Marqués
Santiuste
Boós
Valdenarros
Lodares
Valdenebro
Valderrodilla
Torreandaluz
Fuentepinilla
Osonilla
Ventosa de Fuentepinilla
La Seca
Tardelcuende
Pinares de Almazán
Cubo de la Solana
Itueros
Zamajón
Villanueva
Almarail
Valdespina
Alto de Matas de Lubia
Autovía 12-2008
Viana de D.
Borjabad
Nepas
Torre
Moñux
Baniel
La Milana
Perdices
Escobosa
Neguillas
Soliedra
Villalba
Almazán
Casa Forestal
Fuentelcarro
Tejerizas
Matute
La Concepción
Matamala de Almazán
Centenera de Andaluz
Valderrueda
Osona
Cascajosa
Andaluz
Tajueco
Bayubas de Arriba
Bayubas de Abajo
Quintanas de G.
Gormaz
Vildé
Navapalos
Ines
Olmillos
Atauta
Peñalba
Aldea
Soto
Valdanzo
Miño de San Esteban
Fuentecambrón
Piquera
Morcuera
Torremocha de Ayllón
Torraño
Ayllón
Ligos
Cuevas
Francos
Estebanvela
Liceras
Noviales
Santibáñez de Ayllón
Montejo de Tiermes
Tiermes
Ruinas romanas
Pedro
Sotillos
Rebollosa de Pedro
Carrascosa de Arriba
Cañicera
Torresuso
Hoz de Arriba
Hoz de Abajo
Quintanas Rubias de Arriba
Quintanas Rubias de Abajo
Fresno de Caracena
Carrascosa de Abajo
Galapagares
Nograles
La Perera
Brias
Abanco
Caracena
Madruédano
Sauquillo de Paredes
Alaló
Paones
Berlanga de Duero
Ciruela
Casillas de Berlanga
Ermita de San Baudelio
Caltojar
Bordecorex
Lodares del Monte
Cobertelada
Covarrubias
Barca
Velamazán
Fuentetovar
Rebollo
Sta María del Prado
Hortezuela
Recuerda
Villanueva de G.
Morales
Bordejé
Balluncar
Frechilla
Centenera del Campo
Coscurita
Morón de Almazán
Sauquillo del Campo
Señuela
Taroda
Altos de Barahona
Fuentegelmes
Villasayas
Ontalvilla de Almazán
Adradas
La Riba de Escalote
Arenillas
Lumias
Rello
Marazovel
Jodra de Cardos
Pinilla del Olmo
Barahona
Barcones
Romanillos de Atienza
Romanillos de Medinaceli
Alto de la Vara
Torrevicente
Retortillo de Soria
Valvenedizo
Tarancueña
Peralejo
Bañuelos
Miedes de Atienza
Sierra de Pela
Grado del Pico
Madriguera
El Negredo
Villacadima
Campisábalos
Cantalojas
Somolinos
Albendiego
Condemios de Abajo
Condemios de Arriba
Galve de Sorbe
Hijes
Ujados
Alpedroches
Bochones
Casillas
Madrigal
Alpanseque
Paredes de Sigüenza
Valdelcubo
Torrecilla del Ducado
Mezquetillas
Puerto de Radona
Radona
Alcubilla de las Peñas
Blocona
Valladares
Beltejar
Yelo
Miño de Medinaceli
Lodares
Medinaceli
Ambrona
Conquezuela
Tobes
Olmedillas
Sienes
Rienda
Tordelrábano
Cincovillas
Alcolea de las Peñas
Riba de Santiuste
Atienza
Cañamares
Prádena de Atienza
La Miñosa
Naharros
Sierra de la Bodera
Sierra de Alto Rey
Aldeanueva de Atienza
Gascueña de Bornova
La Huerce
Umbralejo
Valverde de los Arroyos
Majaelrayo
Ocejón
Campillo de Ranas
Palancares
Campillejo
Almiruete
Tamajón
Sonsaz
Retiendas
Muriel
Veguillas
Bustares
El Ordial
Villares de Jadraque
Arroyo de las Fraguas
Las Navas de Jadraque
Zarzuela de Jadraque
La Nava de J.
Las Cabezadas
Semillas
Sierra Gorda
Hiendelaencina
Embalse de Pálmaces
Pálmaces de Jadraque
Robledo de Corpes
Rebollosa de Jadraque
Cardeñosa
La Bodera
Cercadillo
Riofrío del Llano
Santamera
La Barbolla
Imón
Villacorza
Riosalido
La Olmeda de Jadraque
Bujalcayado
Carabias
Pozancos
Ures
Alboreca
Mojares
Ventosa
Horna
Museo Paleontológico
Torralba
Sierra Ministra
Azcamellas
Esteras de M.
Benamira
Arbujuelo
Salinas de M.
Cubillas
Alcuneza
Guijosa
Bujarrabal
Puerto Esteras
Sigüenza
Barbatona
Palazuelos
Estriégana
Alcolea del Pinar
Aguilar de Anguita
Anguita
Sauca
Moratilla de Henares
Sierra de la Muela
Huérmeces del Cerro
Viana de Jadraque
Estación de Cutamilla
Pelegrina
La Cabrera
Baides
Santiuste
Angón
Negredo
Torremocha de Jadraque
Congostrina
La Toba
Pinilla de J.
Medranda
Cendejas de la Torre
Cendejas de Enmedio
Villaverde del Ducado
Iniéstola
La Torresaviñán
Torremocha del Campo
Aragosa
Algora
Mandayona
Luzaga
Ermita de la Virgen
Padilla
Tortonda
Cortes de Tajuña
La Hortezuela de Océn
La Fuensaviñán
Laranueva
Mirabueno
Castejón de Henares
Navalpotro
Renales
Sotodosos
Mocasilla
Abánades
Torrecuadrada de los Valles
El Sotillo
Torrecuadradilla
Embalse de la Tajera
Ermita de Nª Sª de Aranz
Sacecorbo
Almadrones
Las Inviernas
Alaminos
Hontanares
Cogollor
Masegoso de Tajuña
Moranchel
Sierra Megorrón
Pinoso
Val de San García
Cifuentes
Gárgoles de Arriba
Ermita de la Cueva del Beato
Canredondo
Canales del Ducado
Ocentejo
Oter
Huetos
Ruguilla
Sotoca de Tajo
Carrascosa de Tajo
Valtablado
Gárgoles de Abajo
Trillo
Río Tajo
Morillejo
Azañón
Ermita de la Virgen de la Vega
Arbeteta
Cerro
Tetas de Viana
Viana de Mondéjar
La Puerta
Cereceda
Mantiel
Villaescusa de Palositos
Peralveche
El Recuenco
Vindel
Castilforte
Escamilla
Pareja
Torronteras
Alique
Chillarón del Rey
Las Anclas
Alocén
Embalse de Entrepeñas
Berninches
El Olivar
Budia
Durón
San Andrés del Rey
Ermita de la Virgen del Poral
Yélamos de Arriba
Yélamos de Abajo
Balconete
Valfermoso de Tajuña
Tomellosa
Irueste
Romanones
Convento de la Salceda
Tendilla
Horche
Monasterio
Lupiana
Villaflores
Guadalajara
Taracena
Iriépal
Centenera
Atanzón
Valdeavellano
Valdenoches
Aldeanueva de G.
Caspueñas
Archilla
Romancos
Monte Redondo
Valdelagua
Picazo
Gualda
Ermita de San Bartolomé
Henche
Castilmimbre
Pajares
Malacuera
Olmeda del Extremo
Solanillos del Extremo
Barriopedro
Villaviciosa de Tajuña
Valderrebollo
Clvica
Yela
Brihuega
Fuentes de la Alcarria
Valdesaz
Valdegrudas
Torija
Trijueque
Rebollosa de Hita
Valdearenas
Muduex
Gajanejos
Ledanca
Batalla
Utande
Padilla de Hita
Hita
Argecilla
Valfermoso de las Monjas
Villanueva de A.
Jadraque
Miralrío
Silo
Casas de San Galindo
Bujalaro
Matillas
Membrillera
Carrascosa de Henares
Espinosa de Henares
Copernal
Alarilla
Taragudo
Torre del Burgo
Heras de Ayuso
Cañizar
Ciruelas
Yunquera de Henares
Tórtola de Henares
Fontanar
Usanos
Galápagos
Residencial Montelar
Marchamalo
Cabanillas del Campo
Alovera
Quer
Villanueva de la Torre
Azuqueca de Henares
Torrejón del Rey
Valbueno
El Clavín
Meco
Humanes
Mohernando
Málaga del Fresno
Robledillo de Mohernando
Razbona
Cerezo de Mohernando
Monte Hueco
Matarrubia
Puebla de Beleña
Beleña de Sorbe
Montarrón
Torrebeleña
Fuencemillán
Cogolludo
Arbancón
Monasterio
San Andrés del Congosto
Embalse de Beleña
Aleas
La Mierla
Puebla de Valles
Valdepeñas de la Sierra
Valdesotos
Embalse de El Vado
Roblelacasa
Robleluengo
Peñalba de la Sierra
Sierra del Robledal
Villaseca de Uceda
Malaguilla
Fuentelahiguera de Albatages
Valdenuño Fernández
A.V.E.
A 2 - E 90
N 111
N 110
N 122
N 204
N 320
R 2
CM 110
CM 1001
CM 1003
CM 2011
Pinares de Almazán
Duero
Río Henares
Río Sorbe
Río Tajuña
Badiel
20
21
22
H
I
J
K
37
50
51

Torralba
Villaseca de Arciel
Ledesma
Costanazo
Reznos
Pto Bigornia
Torrelapaja
Cucuta
Aranda de Moncayo
Embalse de Maidevera
Oseja
Tierga
Monegre
Nava Alta
Salillas de J.
Puyalón
Tejado
Almazul
Castil de Tierra
La Quiñonería
Berdejo
Malanquilla
Jarque
Gotor
La Lezna
Illueca
Mesones de Isuela
Nigüella
Lucena
Nomparedes
Zárabes
Carabantes
Bijuesca
Clarés de Ribota
Santuario de la Virgen de la Sierra
Sierra de la Virgen
Cabrera
Brea
Calatorao
Ricla
Bliecos
Mazaterón
Miñana
Sa de Miñana
La Alameda
Rambla
Arándiga
Chodes
Velilla de los Ajos
Serón de Nágima
Torrijo
Sestrica
Viver de la Sierra
Morés
Purroy
Morata de Jalón
Alto de La Perdiz
La Almunia de Doña Godina
Maján (1149)
Cañamaque
Torlengua
Deza
Villarroya de la Sierra
Saviñán
Aniñón
Embid de la Ribera
Pto del Frasno
Pto de Morata
Alpartir
Momblona
Villaluenga
Cervera de la Cañada
Paracuellos de la Ribera
El Frasno
Almonacid de la Sierra
Alentisque
Valtueña
Fuentelmonge
Bordalba
Varona
Torralba de Ribota
Pto de Alentisque
Embalse de Monteagudo
Cihuela
Moros
Antigua Bilbilis
Aluenda
Inogés
Sta Cruz de Grío
Embid de Ariza
Huérmeda
Monteagudo de las Vicarías
Pozuel de Ariza
Eta de Sta Quiteria
Ateca
Calatayud
Terrer
Sediles
Torres
Villalba de Perejiles
Tobed
Na Sa de las Viñas
Sierra de Vicort
Sierra de Algairén
Pto de Aguarón
A 2 - E 90
Ariza
Contamina
Bubierca
Castejón de las Armas
Paracuellos de Jiloca
Belmonte de Gracian
Almaluez
Monreal de Ariza
Cetina
Alhama de Aragón
Valtorres
La Vilueña
Maluenda
Mara
Orera
Codos
Utrilla
Sta María de Huerta
Godojos
Carenas
Velilla de Jiloca
Ruesca
Miedes
Embalse de la Tranquera
Munébrega
La Tranquera
Morata de Jiloca
Puerto de Mainar
Arcos de Jalón
Torrehermosa
A.V.E.
Montuenga de Soria
Ibdes
Olvés
Fuentes de Jiloca
Torralbilla
Aguilar de Montuenga
Cabolafuente
Nuévalos
Alarba
Montón
Langa del Castillo
Mainar
Somaén
Alconchel de Ariza
Jaraba
Monasterio de Piedra
Monterde
Castejón de Alarba
Villafeliche
Pto de Villafeliche
Villarreal de Huerva
Velilla de M.
Sisamón
Sierra de Solorio
Acered
Atea
Murero
Manchones
Chaorna
Calmarza
Llumes
Sa de Pardos
Sierra de Sta Cruz
Eta de San Mamés
Santuario San Cristóbal
Daroca
Retascón
Sagides
Jubes
Villel de Mesa
Algar de Mesa
Campillo de Aragón
Abanto
Ures de Medina
Orcajo
Nombrevilla
Iruecha
Cimballa
Cubel
Pto de Used
Balconchán
Villanueva de Jiloca
Layna
Mochales
Milmarcos
Codes
Aldehuela de Liestos
Used
Valdehorna
Anento
Amayas
Fuentelsaz
Maranchón
Labros
Hinojosa
Pto de Santed
Santed
Val de San Martín
S. Martín del Río
Balbacil
Anchuela del Campo
N 211
Luzón
Clares
Pto de Maranchón
Torralba de los Frailes
Valdelacasa
Baguena
Turmiel
Establés
Laguna de Zaida
Gallocanta
Castejón de Tornos
Sta María del Espino
Ciruelos del Pinar
Mazarete
Concha
Tartanedo
Ermita de la Concepción
Embid
Berrueco
Laguna de Gallocanta
Cueva de la Hoz
Tobillos
Anquela del Ducado
Tortuera
Eta de Sto Domingo
Las Cuerlas
Torros
Eta de la Virgen del Rosario
Villarejo Medina
La Saceda
Aragoncillo
Torrubia
Guijo
Selas
Blanca de Solanillos
Pardos
Cillas
Eta de San Roque
Bello
Cueva de los Casares
Eta de la Virgen del Buenlabrado
Ermita de San Gregorio
La Yunta
Eta de Sta Bárbara
Calamocha
Riba de Saelices
Mojón Alto
Rueda
Torralba de los Sisones
Valdellosa
Salinas
Ablanque
Canales de Molina
Cubillejo del Sitio
Eta de San Amancio
Campillo de Dueñas
Odón
El Poyo del Cid
La Loma
Torremocha del Pinar
Herrería
Rillo de Gallo
Cubillejo de la Sierra
Villalba de los Morales
Fuentes Claras
Eta de la Virgen de Montesinos
Cobeta
Olmeda de Cobeta
Torrecilla del Pinar
Eta de Na Sa de la Hoz
Corduente
Cañizares
Castº
Molina de Aragón
Anchuela del Pedregal
Castellar de la Muela
Sa de Caldereros
Eta de San Cristobal
Eta Na Sa de la Carrasca
Blancas
Torrijo del Campo
Monreal del Campo
Villar de Cobeta
Monasterio de Buenafuente
Torete
Ventosa
Terraza
Valsalobre
Tordelpalo
Castilnuevo
Aldehuela
Ermita de San Segundo
Hombrados
Eta del Carmen
Río Tajo
Cuevas Labradas
Cuevas Minadas
Teroleja
Valhermoso
Pradilla
Chera
Morenilla
El Pedregal
Huertapelayo
Lebrancón
Torremochuela
Prados Redondos
El Pobo de Dueñas
Pozuel del Campo
Las Casillas
Escalera
Tierzo
Anquela del Pedregal
Ojos Negros
Zaorejas
Parque natural del Alto Tajo
Fuembellida
Montes de Picaza
Torrecuadrada de Molina
Otilla
Setiles
Sierra de Menera
Venta del Ojo de Mierla
Armallones
Salinas
Almallá
Barrio del Hospital
Barrio del Centro
Baños de Tajo
Eta de Na Sa de la Cabeza
Tordellego
Villafranca del Campo
El Río
Mogorrita
Taravilla
Pinilla de Molina
Eta de San Marcos
Villar del Salz
Cueva de Alcorón
Terzaga
Adobes
Tordesilos
Peñalén
Traid
Piqueras
Ródenas
Peracense
Alto de Singra
Poveda de la Sierra
Megina
Ermita de Sta Quitería
Ermita de San Roque
Castº
El Pozuelo
E. de la Chorrera
Loma Pajar
Eta de Sta Ana
Alcoroches
Alustante
San Ginés
Almohaja
Alba
Valsalobre
Chequilla
Ermita de San Marcos
Motos
Carrascosa
Checa
Peralejos de las Truchas
Ermita de los Santos de la Piedra
Ermita de Na Sa de la Bienvenida
Beteta
Cueva del Hierro
Orihuela del Tremedal
Pto de Pozondón
Pozondón
Sta Eulalia
Sta Cristina
Eta de Riba
Orea
Ermita de la Virgen de los Ángeles
Alcantud
El Tobar
Masegosa
23
24
25
H
I
J
K
22
40
51
52

Épila
26
Meseta de la Muela
La Muela
Sierra de la Muela
13
Cuarte de H
27
La Cartuja Baja
Alfajarín
Nuez de Ebro
El Burgo de Ebro
Villafranca de Ebro
28
Salillas de J.
Alta
Puyalón
Lucena de Jalón
Cadrete
Virgen de la Columna
Imperial de Aragón
A.V.E.
Osera
Río Ebro
Fuentes de Ebro
Ricla
Calatorao
77
María de Huerva
Ciudad Celtibera
Botorrita
Valdejimeno
Llanos de la Plana
Torrecilla de Valmadrid
Pina de Ebro
Rodén
Las Torres
Mozota
Muel
Mediana de Aragón
Ciudad Celtibera
Alto de La Perdiz
La Almunia de Doña Godina
San Miguel
104
Jaulín
Bosque Alto
Valmadrid
H
Morata
Alfamén
Quinto
Gelsa
Alpartir
Mezalocha
Pinar
E. de Mezalocha
Almonacid de la Sierra
Ermita de la Virgen de Lagunas
Longares
Alto de las Borderas
Puebla de Albortón
Sta Cruz de Grío
Sierra de Algairén
Cosuenda
Villanueva de Huerva
98
Nª Sª de las Viñas
Tobed
Cariñena
Fuendetodos
Codo
Aguarón
Pto de Aguarón
Tosos
Nª Sª del Pueyo
Belchite
Pueblo
La Zaida
Vicort
Codos
Paniza
Aguilón
Embalse de las Torcas
Almonacid de la Cuba
R. Aguas Vivas
Acrópolis Ibérica
Azaila
Almochuel
Vinaceite
Encinacorba
Azuara
104
Letux
Estación de la Puebla de Hijar
Pto de Paniza
Aladrén
Samper del Salz
Lagata
I
Puerto de Mainar
Lécera
La Puebla de Hijar
Vistabella
Río Cámaras
Langa del Castillo
Torralbilla
Cerveruela
Río La Huerva
Herrera de los Navarros
Mainar
Hijar
Pto de Villafeliche
Villarreal de Huerva
Luesma
Herrera
Embalse de Moneva
Urrea de Gaén
Villar de los Navarros
Manchones
Villarroya del Campo
Fombuena
Villadoz
Nogueras
Ventas de Muniesa
R. Martín
Santuario Cristóbal
Retascón
Daroca
Badules
Sta Catalina
Moyuela
Moneva
Albalate del Arzobispo
Romanos
Villahermosa del Campo
Sta Cruz de Nogueras
Cucutas
Nombrevilla
Lanzuela
Plenas
Villanueva de Jiloca
Lechón
Bádenas
Loscos
Sierra de Arcos
Valdehorna
Casto
Cucalón
Modorra
Mezquita de Loscos
Monforte de Moyuela
Blesa
Río Aguas Vivas
S. Martín
Anento
Ferreruela de Huerva
El Colladico
Sa de Oriche
Coronas
Val de San Martín
Lagueruela
Bea
Piedrahita
Muniesa
Ariño
Eta de San Cristóbal
R. La Huerva
Alacón
Burbáguena
35
Pto de Rudilla
Huesa del Común
Puerto de Fonfría
Cuencabuena
Plou
Oliete
Andorra
Castejón de Tornos
Luco de Jiloca
Fonfría
Rudilla
Retuerta
Colladico
Valverde
Allueva
Anadón
Santuario de Pelarda
Embalse de Cueva Foradada
Maicas
Cortes de Aragón
Alloza
Eta de la Virgen del Rosario
Eta de San Bartolomé
Olalla
Salcedillo
Sierra de Cucalón
Sa Pedregosa
Josa
Alcaine
Montalbos
Torros
Lechago
Pto de Segura
Segura de los Baños
Mases de Crivillén
La Laguna
Navarrete del Río
Nueros
Torrecilla del Rebolar
La Hoz de la Vieja
Cutanda
Godos
Ermita de San Cristóbal
Eta de Sta Bárbara
Calamocha
Villanueva del Rebollar de la Sierra
Armillas
Obón
Convento del Olivar
Crivillén
Valdellosa
Barrachina
Ermita de San Cristóbal
Vivel del Río Martín
El Poyo del Cid
Pancrudo
Fuenferrada
Peñarroyas
Los Olmos
Villalba de los Morales
Fuentes Claras
Observatorio Meteorológico
El Villarejo
Torre los Negros
Martín del Río
Montalbán
Estercuel
La Mata de los Olmos
J
Eta de San Cristóbal
Caminreal
Bañón
45
El Cerro
Puerto Mínguez
La Rambla de Martín
Torre de las Arcas
Ermita de San Juan
Gargallo
Blancas
Pto de Bañón
Cosa
Lavaderos
Castel de Cabra
Cañizar del Olivar
Torrijo del Campo
Eta de San Lorenzo
Portalrubio
Cuevas de Portalrubio
Utrillas
Escucha
Pto de las Traviesas
Monreal del Campo
Lituelo
Alpeñes
Las Parras de Martín
Palomar de Arroyos
La Zoma
Ejulve
Puerto de San Just
Sierra de San Just
Rubielos de la Cérida
Eta de Sta Ana
Corbatón
Cervera del Rincón
Valdeconejos
Ermita de San Just
Pto de Majalinos
Las Cuevas de Cañart
Venta del Ojo de Mierla
San Cristóbal
Pancrudo
Son del Puerto
Collado de Cañizar
Cirugeda
Puerto de Aldehuela
La Cañadilla
Hospital
El Centro
Sierra de Lidón
Las Minas
Mezquita de Jarque
Campos
Bueña
Puerto de Argente
Lidón
Rillo
Eta de Nª Sª de la Rosa
Cuevas de Almudén
Montoro de Mezquita
Villafranca del Campo
Eta de la Virgen del Campo
Cañada Vellida
Puerto del Esquinazo
Jarque de la Val
Aldehuela
Masía de la Torre
Eta de Nª Sª del Campo
Fuentes Calientes
Hinojosa de Jarque
Organos de Montoro
Las Fábricas
del Salz
Argente
Visiedo
Aliaga
Pitarque
Pto de Villarluengo
Eta de Sta Bárbara
Cobatillas
Villarluengo
Aguatón
Eta del Puch
Eta de Sta Bárbara
Galve
Sierra de la Lastra
Singra
76
Peracense
Alto de Singra
Eta de la Virgen del Castillo
Camañas
Perales del Alfambra
Ermita de la Virgen del Campo
Camarillas
Eta de la Virgen de la Peña
K
Alba
Torre la Cárcel
Sierra Palomera
Villalba Alta
Casas
Imohaja
Eta
Eta de Sta Cruz
Aguilar del Alfambra
Miravete
Torremocha de Jiloca
Orrios
Cañada de Benatanduz
Los Santos
Eta de la Virgen del Molino
52
Eta de San Miguel
Rambla de Mal Burgo
25
Sta Eulalia
26
Eta de Sta Ana
27
Ababuj
Jorcas
28
Pozondón
Alfambra
Escorihuela
Villarroya de los Pinares
Pto de Pelado
Ermita de la Virgen de los Ángeles
Sierra del Pobo
Guadalope

Huegas
Miralsot de Abajo
Fraga
Alcarràs
Sudanell
Torres de Segre
Soses
Sunyer
Alfés
La Almolda
Valfarta
A.V.E.
AP 2 - E 90
Llano de las Menorcas
La Punta
Aitona
Bujaraloz
Peñalba
N II
Candasnos
Torrente de Cinca
Serós
Massalcoreig
Sarroca de Lleida
Monestir Convent
Serra Grossa
Torrebesses
Valdelosjugos
Puiburell
Laguna la Playa
Refugio de Pescadores
La Granja de Escarpe
Salinas
Sable
Embalse de Mequinenza
Montnegre
Monmeneu
Mequinenza
Maials
Llardecans
La Granada
El Pla
Tossal del Penjat
Bovera
Cinco Olivas
Alborge
Sástago
Monasterio de Rueda
Menuza
Escatrón
Sertusa
Embalse de Caspe
Playas de Chacón
Punta Plana
Almatret
Puntal dels Escambrons
Eta de San Jorge
R. EBRO
Panta de Riba-roja
Riba-roja d'Ebre
Flix
Chiprana
RÍO EBRO
El Dique
Laguna Salada
Caspe
Estación de Fabara
Fayón
Estación Fayón-Pobla de Massaluca
Eta de Sta Magdalena
Sa de la Fatarella
Ascó
Vinebre
Castelnou
Estación de Escatrón
Samper de Calanda
Mausoleo Romano
Sa de Caspe
Fabara
Nonaspe
La Pobla de Massaluca
Sa de Berrús
La Fatarella
Pas de l'Ase
Sa de Vizcuerno
Embalse de Caspe
Río Guadalope
Pantorrillas
Maella
Batea
Vilalba dels Arcs
Puig Moreno
Valmuel del Caudillo
Puigmoreno de Franco
Corbera d'Ebre
Móra d'Ebre
Cabeza Gorda
E. de la Estanca
Monumento al Tambor
Alcañiz
Mazaleón
Riu d'Algars
Coll del Moro
Gandesa
Sa de Cavalls
Miravet
Caseres
Salada Grande
Calaceite
Acrópolis Ibérica
Bot
Sa de Pàndols
El Pinell de Brai
Valdealgorfa
Valdeltormo
Arens de Lledó
Prat de Comte
Benifallet
Eta de Sta Bárbara
Castelserás
Torrecilla de Alcañiz
La Codoñera
Valjunquera
Lledó
Horta de Sant Joan
Cardó
Sa de Cardó
Calanda
La Fresneda
Torre del Compte
Cretas
Paüls
Xerta
Tivenys
Torre Castiel
Foz Calanda
Torrevelilla
Ermita de San José
Ermita de los Santos
Arnés
Roques de Benet
Alfara de Carles
Aldover
Ermita Virgen de Nieves Tara Mazas
Alcorisa
E. de Calanda
Fórnoles
La Portellada
La Ginebrosa
Valderrobres
L'Espina
Les Clotes
Ermita de Sta Magdalena
Bitem
E. de Gallipuén
Berge
La Cañada de Verich
Belmonte de Mezquín
Mas de las Altas
Beceite
Reserva Nacional de Ports
Els Reguers
Raval de Jesús
Roquetes
Tortosa
Raval de Crist
Mas de las Matas
La Cerollera
Ráfales
Fuentespalda
Caro
Los Puertos
Les Parellades
Seno
Aguaviva
Abenfigo
Castellote
Eta de la Magdalena
Ermita de la Consolación
Monroyo
Ermita de la Virgen de la Vega
Caseta del Frare
Vinallop
Camp-redó
Pantano
Jaganta
Dos Torres de Mercader
Las Parras de Castellote
Torre de Arcas
Sa de Peñarroya
Ermita de San Miguel
Puertos de Beseit
Peñarroya de Tastavins
La Balma
Santolea
Las Planas
Los Alagones
Palanques
Sorita
La Pobleta
Herbés
Encanadé
El Negrell
Mas de Barberáns
Sta Bàrbara
Masdenverge
La Carrova
La Algecira
Luco de Bordón
Fredes
Coratxà
Convent de Benifassà
Malagraner
El Carrascal
E. d'Ulldecona
La Galera
Freginals
Bordón
Sant Joaquim
Ortells
Port de Torre Miró
El boixar
El Molí de l'Abad
Godall
Villores
Castell de Cabres
Xiva de Morella
La Pobla de Benifassà
El Bellestar de la Tinença
La Sénia
Miliana
Les Ventalles
Montsià
La Todolella
Herbeset
Els Valentins
Olocau del Rey
Forcall
Morella La Vella
Morella
Bel
Rossell
El Castell
Sant Rafel del Riu
El Pas
Ulldecona
Tronchón
La Mata
Vallibona
Palomitas
Mirambel
La Cuba
Cinctorres
El Turmell
Sta Àgata
Platja d'A
Les Cases d
Alcanar
Canet lo Roig
Port de Querol
Ports del Turmell
Vallivana
Traiguera
Serra
Xert
Sant Jordi
Els Ametlers
Portell de Morella
Castellfort
Enroig
La Jana
Maestrat
T A R R
H
I
J
K
29
30
31
28
42
53

31
32
33
34
H
I
J
K
29
41
54
Montoliu
Artesa de L.
Juneda
Puigverd de L.
Les Borges Blanques
Arbeca
La Floresta
Els Omellons
Maldà
Llorenç de V.
Rocafort
Vallbona de les Monges
Rocallaura
Belltall
Segura
Savallà del Comtat
Conesa
Sta Coloma de Queralt
Torres de Segre
Sunyer
Alfés
Aspa
Alcanó
Castelldans
LES GARRIGUES
Els Bessons
L'Espluga Calba
Fulleda
Els Omells de Na Gaia
Senan
Montblanquet
Rocafort de Queralt
Forès
Les Piles
Pontils
Vallverd
Santuari de Sant Magí
Sta Perpètua
Solivella
Montbrió de la Marca
Sarral
Vallespinosa
Esblada
Sarroca de Lleida
El Cogul
Granyena de les Garrigues
L'Albagés
Serra Grossa
Torrebesses
El Soleràs
Cervià de les Garrigues
L'Albi
Vinaixa
Tarrés
Blancafort
Pira
La Guàrdia dels Prats
Barberà de la Conca
Cabra del Camp
El Cogulló
Querol
Montagut
Les Ordes
El Pont d'Armentera
El Pla de Manlleu
Els Torms
Juncosa
Divisa
La Pobla de Cérvoles
El Vilosell
Vallclara
Vimbodí i Poblet
L'Espluga de Francolí
Monestir de Poblet
Montblanc
Prenafeta
Figuerola del Camp
El Pla de Sta Maria
Les Pobles
Monestir Santes Creus
Maials
Llardecans
La Granadella
Tossal del Penjat
Serra de la Llena
Vilanova de Prades
Tossal de la Baltasana
Sa de Roquerola
Rojals
Vilaverd
La Riba
Lilla
Fontscaldes
Aiguamurcia
Can Ferrer
La Joncosa de Montmell
Bovera
Bellaguarda
Ulldemolins
Prades
Farena
Picamoixons
El Brugent
Alió
Vila-rodona
Margalef
P. de Margalef
Montsant
Albarca
La Febró
Capafonts
Mont-ral
Valls
Puigpelat
Bràfim
Rodonyà
Masllorenç
La Palma d'Ebre
La Bisbal de F.
La Morera de M.
Cornudella de M.
Siurana
Arbolí
Sa de la Mussara
L'Albiol
Alcover
El Milà
Nulles
Vallmoll
Montferri
Vilabella
Albinyana
Riba-roja d'Ebre
Escaladei
Poboleda
La Mussara
Autovia en obras
La Selva del Camp
El Rourell
Els Garidells
Salomó
Bonastre
El Vendrell
Flix
Cast.
Sa del Rovelló
Cabassers
La Vilella Baixa
La Vilella Alta
Torroja del Priorat
Vilaplana
Almoster
Vilallonga de C.
La Secuita
Vespella
Roda de Barà
Sa de la Fatarella
La Figuera
Porrera
Coll de la Teixeta
Alforja
L'Aleixar
Castellvell
El Morell
La Pobla de Mafumet
Perafort
El Catllar
La Nou de G.
La Pobla de Montornès
Creixell
Ascó
Vinebre
La Torre de l'Espanyol
Lloà
Gratallops
Riudecols
Les Borges del Camp
Reus
Mausoleu de Centcelles
Constantí
Els Pallaresos
Aqüeducte de les Ferreres
La Riera
Torredembarra
El Molar
Les Irles
Duesaigües
Bellmunt del Priorat
Pradell
L'Argentera
Riudoms
Botarell
S. Pere i S. Pau
Els Munts
La Mora
Altafulla
La Fatarella
Pas de l'Ase
Garcia
El Masroig
Falset
La Torre de Fontaubella
Riudecanyes
Vilanova d'Escornalbou
Montbrió del C.
Vinyols
Vila-seca
Platja Larga
TARRAGONA
Els Guiamets
Marçà
Colldejou
L'Arbocet
Port Aventura
Platja de la Pineda
Platja de Vila-seca
Móra d'Ebre
Móra la Nova
Capçanes
La Serra d'Almos
Llaberia
Mont-roig del Camp
Salou
Cap de Salou
Corbera d'Ebre
Sa de Cavalls
Gandesa
Pàndols
Benissanet
Miravet
Ginestar
Tivissa
Pratdip
Cambrils
Platja de Salou
Marina
Platja de Mont-roig
Platja de Rifa
El Pinell de Brai
Sa de Tivissa
Les Planes
Vandellòs
Mas-de-riudoms
Miami Platja
Rasquera
Sa de la Creu
L'HOSPITALET
L'Hospitalet de l'Infant
Benifallet
Cardó
Sa de Cardó
La Barra
L'Almadrava
Circuit de Calafat
Calafat
Pons
Sant Jordi d'Alfama
Xerta
Tivenys
L'Ametlla de Mar
Rocas Doradas
Aldover
El Perelló
Serra del Boix
Bítem
GOLF DE SANT JORDI
C O S T A
Punta de l'Àliga
Raval de Jesús
Roquetes
Tortosa
Raval de Crist
L'Ampolla
Punta del Cap-roig
Platja de l'Ampolla
Far del Fangar
Port del Fangar
BAIX EBRE
Vinallop
Camp-redó
Camarles
DELTA DE L'EBRE
Parc Natural del Delta de l'Ebre
L'Aldea
La Carrova
Riumar
Gola del Nord
Deltebre
Far de Buda
Jesús i Maria
Sta Bàrbara
Masdenverge
La Cava
Cap de Tortosa
Amposta
Sant Jaume d'Enveja
Illa de Buda
Gola de Migjorn
Galera
Freginals
Coto Nacional
Els Muntells
Godall
Les Ventalles
Platja dels Eucaliptus
St Carles de la Ràpita
El Poblenou del Delta
Montsià
Port dels Alfacs
El Trabucador
Ulldecona
Platja Miami
Les Salines de la Ràpita
Platja d'Alcanar
Alcanar
Les Cases d'Alcanar
Far de la Banya
Els Ametlers
AP 2 - E 90
AP 7 - E 15
N 240
N 420
N 340
C 12
C 14
C 37
C 44
C 42
A.V.E.

BARCELONA
Badalona
Sant Adrià de Besòs
L'Hospitalet
Montjuïc
El Prat de Llobregat
Sant Boi
Viladecans
Gavà
Castelldefels
Sitges
Vilanova i la Geltrú / Villanueva y Geltrú
Vilafranca del Penedès
Sant Sadurní d'Anoia
Martorell
Rubí
Cerdanyola
Sant Cugat del Vallès
Molins de Rei
Sant Feliu
Sant Vicenç dels Horts
El Masnou
Premià de Mar
Montgat
Calafell
Cubelles
Cunit
Segur
Coma-ruga
San Salvador
Calafell Platja
Garraf
Vallcarca
Costas de Garraf
Pta de les Coves
Platja de Cova Fumada
Parc Natural de Garraf
La Morella
Olesa de Bonesvalls
Begues
Tibidabo
EL PRAT-BARCELONA
COSTA DORADA / COSTA DAURADA
MAR MEDITERRÁNEO
H
I
J
K
34
35
36
37
30
55

2
3
4
K
L
M
N
32
56
57
OCEANO
ATLÂNTICO
Barra de Mira
Praia de Mira
Mira
Calvão
Ponte de Vagos
Bustos
Mamarrosa
Amoreira da Gândara
Covão de Lobo
Covões
S. Lourenço do Bairro
Curia
Anadia
Mogofores
Vilarinho do Bairro
Ventosa do Bairro
Mealhada
Luso
Febres
Ermida
Corujeira
Varziela
Pocariça
Sepins
Cantanhede
Ourentã
Murtede
Vacariça
Caniceira
Taboeira
Cordinhã
Dunas de Cantanhede
Dunas de Quiaios
Praia da Tocha
Tocha
Cadima
Lemede
Pampilhosa
Carquejo
Barcouço
Lagoa da Vela
Bebedouro
Arazede
Outil
Portunhos
Andorinha
Ançã
Souselas
Castanheiro
Amieiro
Liceia
Ferreira-a-Nova
S. João do Campo
Eiras
Seixo de Gatões
Tentúgal
Gatões
Carapinheira
Praia de Quiaios
Quiaios
Boa Viagem
Buarcos
Cabo Mondego
Santana
S. Silvestre
COIMBRA
S. Martinho de Árvore
Taveira
R. Mondego
Brenha
Alhadas
Montemor-o-Velho
Maiorca
Miradouro
Pereira
Arzila
S. Martinho do Bispo
Figueira da Foz
Vila Verde
Lares
Alfarelos
Granja do Ulmeiro
Antanhol
Anobra
Assafarge
Gala
Verride
Figueiró do Campo
Vila Nova da Barca
Abrunheira
Belide
Cernache
Loureiro
Alqueidão
Brunhós
Sebal
Condeixa-a-Nova
Condeixa-a-Velha
Costa de Lavos
Lavos
Paião
Samuel
Gesteira
Vila Nova de Anços
Ega
Conímbriga
Vila Seca
Carvalhais
Azenha
Praia de Leirosa
Leirosa
Rebolia
Telhada
Vinha da Rainha
Soure
Furadouro
Alfafar
Marinha das Ondas
Zambujal
Podentes
Tapéus
Rabaçal
Fontinha
Louriçal
Vieirinhos
Pinhal do Urso
Pingarelhos
Degracias
Penela
Carriço
Guarda do Norte
Moita do Boi
Almagreira
Castelhanas
Redinha
Pombalinho
S. Sebastião
Grau
Pelariga
Pousadas Vedras
Outeiro
Alvorge
Torre de Vale de Todos
Guia
Mata Mourisca
Verigo
Poço dos Cães
Pedrógão
Ervideira
Casas de Fonte Cova
Covão dos Mendes
Pombal
Lagoa Parada
Santiago da Guarda
Lagarteira
Sarzedela
Monte Redondo
Coimbrão
Ramalhais
Ansião
Praia da Vieira
Vieira de Leiria
Casal Novo
Carnide
Abiúl
Mogadouro
Serra do Mouro
Carvide
Bidoeira de Cima
Vila Chã
Monte Real
Souto da Carpalhosa
Vermoil
Barreiro
Almoster
Pousaflores
Pedras Negras
Ortigosa
Moita da Roda
Santiago de Litém
Maçãs de Caminho
Barquiero
Pilado
Regueira de Pontes
Barracão
São Simão de L.
Arneiro
Candal
Alvaiázere
Amor
Colmeias
Santiais
Praia Velha
Garcia
Barreiros
Milagres
Albergaria dos Doze
Pussos
Venda do Preto
São Pedro de Moel
Marinha Grande
Albergaria
Marrazes
Boa Vista
Memória
Aldeia da Serra
Loureira
Água de Madeiros
Gândara
Barosa
Sta Eufémia
Espite
Freixianda
Pelmá
Pedra do Ouro
Comeira
Pousos
Caranguejeira
Casal dos Bernardos
Pinhal
Parceiros
Leiria
Padrão
Urqueira
Polvoeira
Burinhosa
Moita
Cavalinhos
Azoia
Barrocaria
Olivais
Rio de Couros
Pereiro
Vale Furado
Martinganca
Cortes
Arrabal
Olival
Formigais
Légua
Maceira
Barreira
Gondemaria
Caxarias
Falca
Pataias
Batalha
Sta Catarina da Serra
Chãos
Pataias Gare
Pisões
Porto do Carro
Calvaria de Cima
Reguengo do Fetal
Seiça
Sabacheira
Agroal
Alviobeira
Nazaré
O Sítio
Fanhais
Alpedriz
Santuário
Pinheiro
Ourém
Andam
São Jorge
Alqueidão da Serra
Cova da Iria
Alburitel
Casais
Pintado
Praia Nova
Valado dos Frades
Coz
Juncal
Cruz da Légua
São Mamede
Caneiro
Vilar dos Prazeres
Carregueiros
Maiorga
Cumeira
Porto de Mós
FÁTIMA
Fungalvaz
Aljubarrota
Pedreiras
Parque
Bouceiros
Boleiros
Bezelga
Convto de Cristo
Tomar
Praia do Salgado
Fervença
Cela Velha
Serro Ventoso
Alcaria
Bairro
Assentiz
Gralha
Famalicão
Cela
Alcobaça
Natural
Alvados
Mira de Aire
Moinhos Velhos
Rexaldia
Paialvo
Beberriqueira
São Martinho do Porto
Pacho
Alto de S. Martinho
São Bento
Vale Alto
Chancelaria
Madalena
Salir do Porto
Alfeizerão
Molianos
Évora de Alcobaça
Alqueidão do Arrimal
Minde
Sa de Aire
Mata
Carrazede
Sta Cita
Ponta dos Covinhos
Cidade
Chão da Parada
Casal Velho
Vimeiro
das Serras
Mendiga
Cabeça das Pombas
Serra de Sto António
Pedrógão
Lamarosa
Asseiceira
Turquel
Covão do Feto
Moitas Venda
Lapas
Linhaceira
Foz do Arelho
Serra do Bouro
Tornada
Carvalhal Benfeito
Serra dos Candeeiros
de Aire e Candeeiros
Valverde
Vila Moreira
Zibreira
Torres Novas
Roda Grande
Nadadouro
Sta Catarina
Benedita
Monsanto
Amiães de Cima
Amiães de Baixo
Alcanena
Entroncamento
Atalaia
Tancos
Praia do Ribatejo
Caldas da Rainha
Xartinho
Alcobertas
Parceiros de São João
Riachos
Nova da Barquinha
Arripiado
Ferrarias
Arelho
Avenal
Matoeira
Alcanede
Abrã
Espinheiro
Malhou
Brogueira
Alcorochel

Boialvo
Tourigo
Corveira
Tondela
Tonda
Lobão da Beira
São Gemil
Nelas
S. João do Monte
Vila Ruiva
Cativelos
Arcozelo
Figueiró da Serra
Nabais
Linhares
Parque
Natural
Borralhal
Dardavaz
Beijós
Canas de Senhorim
Caldas da Felgueira
V. N. de Tazem
Rio Torto
Lagarinhos
S. Paio
Folgosinho
Vide
Trinta
Vale da Mó
Sernadas
Rio Milheiro
Mouraz
Ferreirós do Dão
Cabanas
Lapa do Lobo
Paranhos
Lajes
Moimenta da Serra
Gouveia
Sta Cristina
Vila Moinhos (Sobral)
S.Joaninho
Oliveira do Conde
Seixo da Beira
Pinhanços
Sta Marinha
Aldeias
Famalicão
Nova Mortágua
Couto de Mosteiro
Treixedo
Carregal do Sal
Sameice
Seia
Cabeça do Velho
Pousada de S. Lourenço
Espinho
Pala
Sta Comba Dão
Erveda
Sta Eulália
Santiago
Trezoi
Mortágua
Parada
Póvoa de Midões
Lagares
Cabeça da Velha
Sabugueiro
Sameiro
Gonçalo
Cortegaça
Freixo
Bgem da Aguieira
Rojão
S. João de Areias
Travanca de Lagos
Oliveira do Hospital
Torrozelo
S. Romão
Srª do Desterro
Caldas de Manteigas
Manteigas
Valhelhas
Buçaco
Marmeleira
Pinheiro
Tábua
Midões
Bobadela
Póvoa das Quartas
Verdelhos
Palheiros
Carvalho
Almaça
Azere
Candosa
Covas
Sandomil
Valezim
Poço do Inferno
Sarzedo
Centrum Cella
Oliveira do Mondego
Travanca do M.
S. João da Boa Vista
Nogueira do Cravo
Sazes da Beira
Vale glaciário do Zêzere
Belmonte
Gondelim
Figueira de Lorvão
Bgem de Raiva
S. Paio do Mondego
Lourosa
Penalva de Alva
Alvoco das Várzeas
Cabeça
Loriga
Torre
Penhas da Saúde
Teixoso
Orjais
Covelo
Pinheiro de Coja
Vila Pouca da Beira
Galizes
Avô
Aldeia das Dez
Serra
Alvoco da Serra
Aldeia do Carvalho
Penacova
S. Pedro de Alva
Friúmes
Gândara de Espariz
Vila Cova de Alva
Vide
Lorvão
S. Martinho da Cortiça
Mourōnho
Coja
Pomares
Monte Colcorinho
Teixeira
Unhais da Serra
Covilhã
Arrifana
Bgem de Fronhas
Sarzedo
Secarias
Cerdeira
Cortes
Tortosendo
Peraboa
Vila Nova de Poiares
S. Miguel de Poiares
Pombeiro da Beira
Arganil
Folques
Srª de Mte Alto
Benfeita
Piódão
Trigais
Erada
Ferro
Alagaça
Vale de Vaide
Vila Nova do Ceira
Celavisa
Torrozelas
S. Pedro de Açor
Bgem do Alto Ceira
Sobral de Casegas
Paúl
Dominguiso
Pêro Viseu
Capinha
Foz de Arouce
Caratão
Teixeira
Relvas
Porto da Balsa
São Jorge da Beira
Casegas
Peso
Alcaria
Gaiate
Serpins
Góis
Cabreira
Cepos
Barco
Pesinho
Rio Vide
Casal de Ermio
Cadafaz
Colmeal
Fajão
Meãs
Unhais-o-Velho
Ourondo
Telhado
Fatela
Ribeira
Vilarinho
Carvalhal
Aldeia de São Francisco de Assis
Fundão
Valverde
Lousã
Bgem da Ermida
Alto do Trevim
Vidual
Silvares
Lavacolhos
Aldeia de Joanes
Castelejo
Alcaide
Eira de Calva
Casal Novo
Candal
Coentral
Lousã
Dornelas do Zêzere
Bgem de Srª Luzia
Barroca
Souto da Casa
Sta Luzia
Alcongosta
Vale de Prazeres
Vila Nova
Carvalho
Moninho
Cabril
Esteiro
Bogas de Cima
Enxabarda
Serra da Gardunha
Alpedrinha
Catrão
Carcalhinho
Serra da Lousã
Pesqueiro
Armadouro
Sobral Valado
Janeiro de Cima
Boxinos
Castelo Novo
Touca
Loucainha
Pampilhosa da Serra
Fonte Limpa
Janeiro de Baixo
Bogas de Baixo
Maxial
Srª da Orada
Póvoa da Atalaia
Martiar
Castanheira de Pêra
Espinhal
Alvares
Partida
Louriçal do Campo
Atalaia do Campo
Orca
Campelo
Machio
Portela do Fojo
Orvalho
Cambas
São Vicente da Beira
Soalheira
Fontão Fundeiro
Derreada Cimeira
Foz Giraldo
Almaceda
Bgem do Pisco
Bgem da Marateca
Vale da Torre
Cercal
Moita
Zêzere
Amieira
Vilar Barroco
Sobral do Campo
Ninho do Açor
Lardosa
Vilas do Pedro
Escalos do Meio
Alvaro
Sobral
Srª do Muradal
Paiágua
Martim Branco
Mosteiro
Madeirã
Valbom
Aldeia de Ana de Avis
Vila Facaia
Estreito
Sarnadas de São Simão
Tinalhas
Póvoa de Rio de Moinhos
Escalos de Cima
Lousa
Barragem do Cabril
Pedrógão Grande
Cava
Oleiros
Cardosa
Freixial do Campo
Figueiró dos Vinhos
Bravo
Vidigal
Barbaído
Graça
Mosteiro
Alvelos
Grade
Juncal do Campo
Cafede
Alcains
Cabeças
Marvila
Pedrógão Pequeno
Chão da Vã
Carvalhal
Escalos de Baixo
Mata
Troviscal
Sardeiras de Baixo
Monte de Goula
Salgueiro do Campo
Arega
Vale do Rio
Castelo
Serra de Cabeço Rainha
Pomar
Palvarinho
Foz de Alge
Bgem da Bouça
Sambado
Cabeçudo
Figueiredo
Isna
Dáspera
Sarzedas
Fonte Santa
Cernache de Bonjardim
Esfrega
Alvito da Beira
Valbom
Nesperal
Sertã
Várzea dos Cavaleiros
Bgem de Corgas
Vale da Ursa
Conqueiros
Sobrainho dos Gaios
Sto André das Tojeiras
Taberna Seca
Castelo Branco
Srª de Mércules
S. Martinho
Dornes
Cumeada
Ermida
Corgas
Vales
Monte Gordo
Benquerenças
Palhais
Malhadal
Sobreira Formosa
Montes da Senhora
Maxiais
Marmeleiro
Cimadas Fundeiras
Proença-a-Nova
Vale do Coelheiro
Carapetosa
Retaxo
Vilar do Ruivo
Giesteiras
Gaviãozinho
Cebolais de Cima
Águas Belas
Fundada
São João do Peso
Figueira
Moitas
Bugios
Ferreira do Zêzere
Relva da Louça
Sobral Fernando
Chão das Servas
Sarnadas de Ródão
Cebolais de Baixo
Lentiscais
Farropa
Melriça
Cardigos
Esteves
Vale da Mua
Alvaiade
Vale do Homem
Alfrivida
Vila de Rei
Arganil
Perdigão
Atalaia
Tavila
Valadas
Amêndoa
Pergulho
Bairrada
Peral
Murteirinha
Vilar de Boi
Gavião
Monte Fidalgo
Montes
Milreu
Chão de Lopes
Capela
São Pedro do Esteval
Perais
Malpica do Tejo
Vila Velha de Ródão
Rio Tejo
Cedillo
Chão de Codes
Aldeia de Eiras
Maxieira
Carvoeiro
Vilas Ruivas
Fratel
Bgem de Cedillo
Fontes
S. Domingos
Castelo
Bando dos Santos
Arneiro
Herrera de Alcántara
Souto
Santos
Juncal
Salavessa
Carvalhal
Aboboreira
Pereiro
Venda Nova
Padrão
Pé da Serra
Montalvão
Castelo de Bode
Alcaravela
Fadagosa
Envendos
Bgem de Pracana
Chão da Velha
Velada
Aldeia do Mato
Andreus
Mação
Sardoal
Penhasco
Furtado
Gardete
Bgem de Fratel
Sentieiras
Casas Louras
Carrascal
Monte Claro
Amoreira
Paúl
Valhascos
Mouriscas
Domingos da Vinha
São José das Matas
Vila Flor
Abrantes
Ortiga
Areia
Belver
Amieira do Tejo
Nisa
Bgem do Poio
Póvoa e Meadas
Alferrarede
Rio de Moinhos
Bgem de Belver
Cadafaz
Alvega
Castro
Pego
Gavião
Atalaia
Arez
Bgem da Póvoa
Fadagosa
Tramagal
Rossio
ESTRELA
DA
SERRA
K
L
M
N
5
6
7
32
33
46
57
58

Guarda
Belmonte
Sabugal
Sortelha
Penamacor
Monsanto
Idanha-a-Nova
Castelo Branco
Moraleja
Coria
Alcántara
Brozas
Zebreira
Ladoeiro
Monfortinho
Termas de Monfortinho
Valverde del Fresno
Serra de Malcata
Embalse de Alcántara
Embalse de Cedillo
RÍO TAJO
Ceclavín
Zarza la Mayor
Piedras Albas
Garrovillas de Alconétar
Navas del Madroño
Membrío
Ciudad Rodrigo
Fuenteguinaldo
Gata
Hoyos
Perales del Puerto
Cilleros
Alpedrinha
Lardosa
Escalos de Cima
Alcains
Malpica do Tejo
Monforte da Beira
Rosmaninhal
Segura
Salvaterra do Extremo
Santiago de Alcántara
Herrera de Alcántara
Villa del Rey
Portezuelo
Acehúche
Pescueza
Cachorrilla
Portaje
Torrejoncillo
Calzadilla
Huélaga
Silos
Vegaviana
Casillas de Coria
A 23 - IP 2 - E 802
EX 117
EX 207
EX 108
EX 109
N 240
N 233
N 332
N 521
CC 113
K
L
M
N
7
8
9
10

Peña de Francia
Sierra de la Peña de Francia
La Alberca
Rª nal de las Batuecas
Las Batuecas
Sª de la Canchera
Sierra de Gata
Las Hurdes
Caminomorisco
Pinofranqueado
Nuñomoral
Casares de las Hurdes
Vegas de Coria
Riomalo de Abajo
Sotoserrano
Miranda del C.
Mogarraz
Monforte de la Sª
Cepeda
Herguijuela de la Sierra
Linares de Riofrío
Los Santos
Fuenterroble de Salvatierra
Guijuelo
Puebla de S. Medel
Valdelacasa
San Medel
Sorihuela
Navalmoral
Vallejera de Riofrío
La Calzada
Béjar
Candelario
Sierra de Candelario
Pto Tremedal
Puerto de B.
La Garganta
Baños de Montemayor
Hervás
Aldeanueva del C.
Abadía
Gargantilla
Segura de Toro
Casas del Monte
Jarilla
Puerto de Tornavacas
Tornavacas
Jerte
Cabezuela del Valle
Navaconcejo
Sª de Tormantos
Montes de Tras la Sierra
Rebollar
Cabezabellosa
El Torno
Valdastillas
Pto del Piornal
Piornal
Cabrero
Casas del Castañar
Garganta la Olla
Monasterio de Yuste
Cuacos de Yuste
Jarandilla de la Vera
Losar de la Vera
Viandar de la Vera
Jaraiz de la Vera
Pasarón de la Vera
Torremenga
Collado
Robledillo de la Vera
Barrado
Arroyomolinos de la Vera
Tejeda de Tiétar
Refugio de Nª Sª de las Nieves
Guijo de Sª Bárbara
Aldeanueva de la Vera
El Barco de Ávila
Puente del Congosto
Santibáñez de B.
Medinilla
Neila de S. Miguel
Becedas
Junciana
S. Lorenzo de T.
La Carrera
Tremedal
Navatejares
Solana de A.
Umbrías
Santiago de Aravalle
La Zarza
Tormellas
Nava del Barco
Navalonguilla
Navalguijo
Laguna del Barco
Covacha
Sierra de Gredos
Embalse de Gabriel y Galán
Lagunilla
Valdelageve
Montemayor del Río
Granadilla
Zarza de Granadilla
La Granja
Mohedas
Marchagaz
Casar de Palomero
Palomero
Cerezo
El Bronco
Santibáñez el Bajo
Guijo de Granadilla
Ahigal
Sta Cruz de Paniagua
Villanueva de la Sierra
Pozuelo de Zarzón
Aceituna
Ruinas de Caparra
Villar de Plasencia
Oliva de Plasencia
Embalse de Valdeobispo
Embalse de Plasencia
Montehermoso
Valdeobispo
Huerta de Cuarto Holgado
Santuario de Valdefuentes
Carcaboso
Aldehuela de Jerte
Valderrosas
Galisteo
Alagón del Caudillo
San Gil
Pradochano
Plasencia
Almendral
Ermita de Nª Sª del Puerto
Sierra de San Bernabé
Malpartida de Plasencia
Sta Bárbara
Gargüera
E. de Gargüera
Pantano de Navabuena
Valdeíñigos
Majadas
Mesillas
Talayuela
Baldío
Estación de Palazuelo-Empalme
Embalse de Torrejón-Tiétar
Estación de la Bazagona
Toril
Palacio de las Cabezas
Navalmoral de la Mata
Casatejada
Saucedilla
Millanes
Valdehúncar
Belvís de Monroy
Casas de Belvís
Almaraz
Embalse de Arrocampo Almaraz
Serrejón
Sierra de Serrejón
Parque Natural de Monfragüe
Puerto de la Serrana
Villarreal de San Carlos
Santuario de Monfragüe
Corchuela
Embalse de Torrejón-Tajo
Torrejón el Rubio
Berzalejo
Sierra de Piatones
Casas de Miravete
Puerto de Miravete
Romangordo
Higuera de Albalar
Valdecañas de Tajo
Mesas de Ibor
Bohonal de Ibor
Ruinas romanas
Campillo de Deleitosa
Fresnedoso de Ibor
Deleitosa
Jaraicejo
Robledollano
Retamosa
Roturas
Cabañas del Castillo
Torrecillas de la Tiesa
Aldea de trujillo
Cortijo de la Herrera
Mirabel
Navezuelas
Serradilla
Casas de Millán
Grimaldo
Pto de los Castaños
Cañaveral
Puente Romano de Alconétar
Riolobos
Holguera
Talaván
Embalse de Talaván
Embalse de Arroyo Bremudo
Hinojal
Santiago del Campo
Monroy
Aguijón
Casar de Cáceres
CÁCERES
TAJO
Río Tajo
Río Almonte
Río Alagón
Río Tiétar
A 66 - E 803
N 110
EX A1
A 5 - E 90
EX 108
EX 203
EX 370
EX 204
EX 208
N 630
10
11
12
13
34
35
59
60
48
K
L
M
N

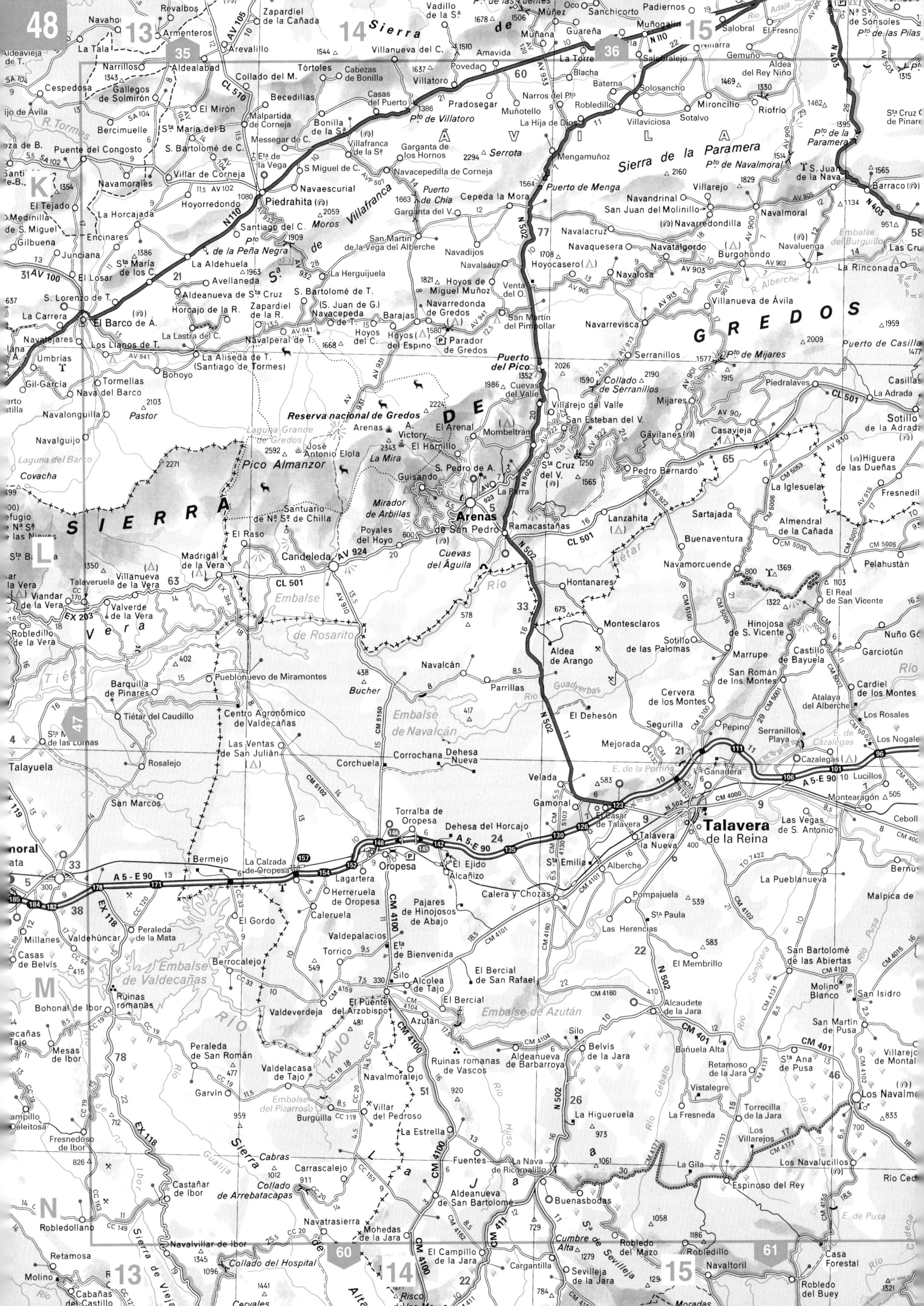
13
14
15
35
36
Sierra de
Revalbos
Zapardiel de la Cañada
Vadillo de la Sª
Múñez
Oco
Sanchicorto
Padiernos
Navahondilla
Armenteros
Arevalillo
La Tala
Villanueva del C.
Amavida
Muñana
Guareña
Muñogalindo
Salobral
El Fresno
Nª Sª de Sonsoles
Pto de las Pilas
Narrillos
Aldealabad
Tórtoles
Cabezas de Bonilla
Villatoro
Poveda
La Torre
Salobralejo
Niharra
Gemuño
Aldea del Rey Niño
Cespedosa
Gallegos de Solmirón
Collado del M.
Casas del Puerto
Blacha
Baterna
Solosancho
El Mirón
Becedillas
Pradosegar
Muñotello
Narros del Pto
Robledillo
Mironcillo
Riofrío
Pto de Villatoro
La Hija de Dios
Villaviciosa
Sotalvo
Malpartida de Corneja
Bercimuelle
Sta María del B.
Bonilla de la Sª
Villafranca de la Sª
Garganta de los Hornos
Á V I L A
Pto de la Paramera
Puente del Congosto
S. Bartolomé de C.
Messegar de C.
Eta de la Vega
Serrota
Mengamuñoz
Sierra de la Paramera
Villar de Corneja
S Miguel de C.
Navacepedilla de Corneja
Pto de Navalmoral
S. Juan de la Nava
Barraco
Navamorales
Navaescurial
Puerto de Chía
Puerto de Menga
Villarejo
El Tejado
Hoyorredondo
Piedrahita
Cepeda la Mora
Navandrinal
San Juan del Molinillo
Navalmoral
La Horcajada
Moros
Sierra de Villafranca
Garganta del V.
Navarredondilla
Medinilla
de S. Miguel
Encinares
Santiago del C.
Navalacruz
Embalse del Burguillo
Gilbuena
Pto de la Peña Negra
San Martín de la Vega del Alberche
Navaquesera
Navatalgordo
Burgohondo
Navaluenga
Las Cruces
Junciana
Sta María de los C.
Navadijos
Hoyocasero
La Aldehuela
Navalsáuz
La Rinconada
El Losar
Avellaneda
La Herguijuela
Navalosa
Hoyos de Miguel Muñoz
Venta del O.
R. Alberche
S. Lorenzo de T.
Aldeanueva de Sta Cruz
S. Bartolomé de T.
Villanueva de Ávila
La Carrera
Horcajo de la R.
Zapardiel de la R.
S. Juan de G.
Navarredonda de Gredos
San Martín del Pimpollar
Navarrevisca
G R E D O S
El Barco de Á.
Navacepeda de T.
Barajas
Hoyos del C.
Hoyos del Espino
Parador de Gredos
La Lastra del C.
Navatejares
Los Llanos de T.
Navalperal de T.
Serranillos
Puerto de Casillas
Umbrías
La Aliseda de T.
Santiago de Tormes
Puerto del Pico
Pto de Mijares
Gil-García
Tormellas
Bohoyo
Collado de Serranillos
Nava del Barco
Cuevas del Valle
Piedralaves
La Adrada
Casillas
Reserva nacional de Gredos
Villarejo del Valle
Mijares
Sotillo de la Adrada
Navalonguilla
Pastor
Arenas
A. Victory
El Arenal
San Esteban del V.
Navalguijo
Laguna Grande de Gredos
José Antonio Elola
El Hornillo
Mombeltrán
Gavilanes
Casavieja
Laguna del Barco
La Mira
Sta Cruz del V.
Higuera de las Dueñas
Covacha
Pico Almanzor
Guisando
S. Pedro de A.
Pedro Bernardo
La Iglesuela
S I E R R A   D E
Santuario de Nª Sª de Chilla
Mirador de Arbillas
Arenas de San Pedro
La Parra
Ramacastañas
Lanzahita
Sartajada
Fresnedillas
El Raso
Poyales del Hoyo
Almendral de la Cañada
Candeleda
Cuevas del Águila
Buenaventura
Madrigal de la Vera
Villanueva de la Vera
Talaveruela
Pelahustán
Navamorcuende
Viandar de la Vera
Valverde de la Vera
Embalse
Río Tiétar
Hontanares
El Real de San Vicente
Robledillo de la Vera
Vera
de Rosarito
Montesclaros
Hinojosa de S. Vicente
Nuño Gómez
Sotillo de las Palomas
Castillo de Bayuela
Garciotún
Aldea de Arango
Marrupe
Barquilla de Pinares
Pueblonuevo de Miramontes
Navalcán
Bucher
Parrillas
San Román de los Montes
Cardiel de los Montes
Tiétar del Caudillo
Centro Agronómico de Valdecañas
Embalse de Navalcán
Río Guadyerbas
Cervera de los Montes
Atalaya del Alberche
Sta María de las Lomas
El Dehesón
Los Rosales
Segurilla
Serranillos Playa
Las Ventas de San Julián
Corchuela
Corrochana
Dehesa Nueva
Mejorada
Pepino
E. de Cazalegas
Los Nogales
Talayuela
Rosalejo
E. de la Portiña
Cazalegas
Ganadera
Velada
Lucillos
San Marcos
Gamonal
Torralba de Oropesa
Dehesa del Horcajo
El Casar de Talavera
Talavera de la Reina
Talavera la Nueva
Montearagón
Las Vegas de S. Antonio
Cebolla
Navalmoral de la Mata
Bermejo
La Calzada de Oropesa
Oropesa
El Ejido
Alcañizo
Sta Emilia
Alberche
Lagartera
Herreruela de Oropesa
Calera y Chozas
La Pueblanueva
Malpica de Tajo
Peraleda de la Mata
El Gordo
Caleruela
Pajares de Hinojosos de Abajo
Pompajuela
Sta Paula
Millanes
Valdehúncar
Las Herencias
Casas de Belvís
Valdepalacios
Eta de Bienvenida
Torrico
El Membrillo
San Bartolomé de las Abiertas
Embalse de Valdecañas
Berrocalejo
Silo
El Bercial de San Rafael
Molino Blanco
San Isidro
Bohonal de Ibor
Ruinas romanas
Alcolea de Tajo
El Puente del Arzobispo
El Bercial
Embalse de Azután
Alcaudete de la Jara
Valdeverdeja
Azután
San Martín de Pusa
Río Tajo
Mesas de Ibor
Peraleda de San Román
Ruinas romanas de Vascos
Aldeanueva de Barbarroya
Belvís de la Jara
Bañuela Alta
Retamoso de la Jara
Sta Ana de Pusa
Villarejo de Montalbán
Valdelacasa de Tajo
Navalmoralejo
Garvín
Embalse del Pizarroso
Villar del Pedroso
Vistalegre
Los Navalmorales
Campillo de Deleitosa
Burguilla
La Higueruela
La Fresneda
Torrecilla de la Jara
Fresnedoso de Ibor
La Estrella
Los Villarejos
Sierra de las Cabras
Fuentes
La Nava de Ricomalillo
La Gila
Los Navalucillos
Río Cedena
Castañar de Ibor
Carrascalejo
Collado de Arrebatacapas
Aldeanueva de San Bartolomé
Buenasbodas
Espinoso del Rey
Robledollano
Navatrasierra
Mohedas de la Jara
Sª de Sevilleja
Robledo del Mazo
Robledillo
E. de Pusa
Navalvillar de Ibor
Cumbre de Sevilleja Alta
Navaltoril
Casa Forestal
Retamosa
Collado del Hospital
El Campillo de la Jara
Carrgantilla
Sevilleja de la Jara
Molino
Cabañas del Castillo
Sierra de Viejas
Cervales
Risco
Robledo del Buey
Moradas
K
L
M
N
47
60
61
A5-E90
N 110
N 502
N 403
CL 501
CL 510
CM 4100
CM 401
EX 118
EX 203
AV 924
AV 941
AV 931
AV 900
AV 902
AV 903
AV 905
AV 913
AV 922

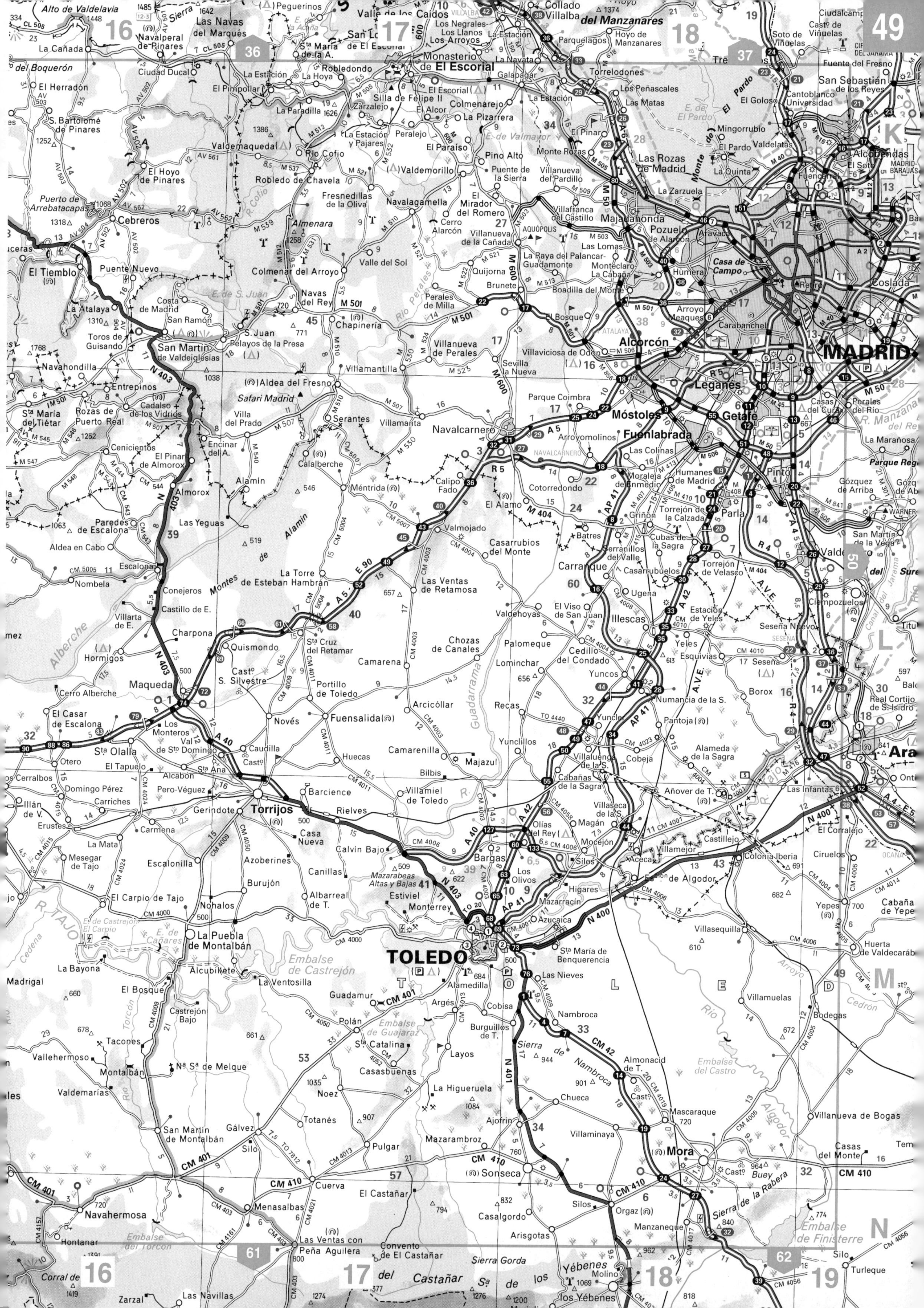
Alto de Valdelavia
La Cañada
Navalperal de Pinares
Las Navas del Marqués
Peguerinos
Valle de los Caídos
Collado Villalba
del Manzanares
Hoyo de Manzanares
Soto de Viñuelas
Ciudalcampo
Castº de Viñuelas
del Boquerón
Ciudad Ducal
Sta María de la A.
San Lorenzo de El Escorial
Los Negrales
Los Llanos
Los Arroyos
La Estación
Parquelagos
Monasterio de El Escorial
Galapagar
La Navata
Torrelodones
Fuente del Fresno
San Sebastián de los Reyes
El Herradón
El Pimpollar
La Estación
La Hoya
Robledondo
El Escorial
Los Peñascales
Las Matas
Cantoblanco Universidad
El Golosó
Silla de Felipe II
Zarzalejo
La Paradilla
El Alcor
Colmenarejo
La Estación
E. de El Pardo
S. Bartolomé de Pinares
La Pizarrera
E. de Valmayor
El Pinar
Mingorrubio
Valdelatas
Alcobendas
La Estación y Pajares
Peralejo
El Paraíso
Pino Alto
Monte Rozas
El Pardo
Valdemaqueda
Río Cofio
Las Rozas de Madrid
Monte de El Pardo
El Soto
La Quinta
El Hoyo de Pinares
Valdemorillo
Puente de la Sierra
Villanueva del Pardillo
Robledo de Chavela
Fuencarral
MADRID-BARAJAS
La Zarzuela
Puerto de Arrebatacapas
Fresnedillas de la Oliva
Navalagamella
El Mirador del Romero
Villafranca del Castillo
Majadahonda
Cebreros
Almenara
Cerro Alarcón
Villanueva de la Cañada
Aquópolis
Pozuelo de Alarcón
Aravaca
Las Lomas
El Tiemblo
Puente Nuevo
Valle del Sol
La Raya del Palancar-Guadamonte
Monteclaro-La Cabaña
Húmera
Casa de Campo
Colmenar del Arroyo
Quijorna
Brunete
Boadilla del Monte
Retiro
Coslada
E. de S. Juan
Navas del Rey
Perales de Milla
La Atalaya
Costa de Madrid
San Ramón
Chapinería
El Bosque
Arroyo Meaques
Carabanchel
Toros de Guisando
S. Juan
Pelayos de la Presa
San Martín de Valdeiglesias
Villanueva de Perales
Villaviciosa de Odón
Alcorcón
MADRID
Navahondilla
Villamantilla
Sevilla la Nueva
Leganés
Entrepinos
Aldea del Fresno
Safari Madrid
Parque Coimbra
Getafe
Casas del Cura
Perales del Río
Sta María del Tiétar
Rozas de Puerto Real
Cadalso de los Vidrios
Villa del Prado
Serantes
Villamanta
Navalcarnero
Móstoles
Fuenlabrada
Encinar del A.
Cenicientos
El Pinar de Almoroz
Arroyomolinos
Las Colinas
La Marañosa
Calalberche
Calipo Fado
Moraleja de Enmedio
Humanes de Madrid
Pinto
Parque Regu
Almorox
Alamín
Méntrida
Cotorredondo
Gózquez de Arriba
El Álamo
Torrejón de la Calzada
Parla
Paredes de Escalona
Las Yeguas
Valmojado
Griñón
Batres
Cubas de la Sagra
Warner
San Martín de la Vega
Aldea en Cabo
Montes de Alamín
Casarrubios del Monte
Serranillos del Valle
Torrejón de Velasco
Casarrubuelos
Escalona
Nombela
La Torre de Esteban Hambrán
Las Ventas de Retamosa
Carranque
Ugena
Ciempozuelos
Conejeros
Castillo de E.
El Viso de San Juan
Illescas
Estación de Yeles
Seseña Nuevo
Villarta de E.
Charpona
Valdehoyas
Yeles
Quismondo
Sta Cruz del Retamar
Chozas de Canales
Palomeque
Cedillo del Condado
Esquivias
Seseña
Hormigos
Castº S. Silvestre
Camarena
Lominchar
Yuncos
Borox
Real Cortijo de S. Isidro
Maqueda
Portillo de Toledo
Cerro Alberche
Arcicóllar
Recas
Numancia de la S.
El Casar de Escalona
Novés
Fuensalida
Yuncler
Pantoja
Los Monteros
Val de Sto Domingo
Caudilla
Huecas
Camarenilla
Majazul
Yunclillos
Alameda de la Sagra
Otero
El Tapuelo
Sta Ana
Villaluenga de la S.
Cobeja
Los Cerralbos
Alcabón
Bilbis
Cabañas de la Sagra
Domingo Pérez
Pero-Véguez
Barcience
Villamiel de Toledo
Añover de T.
Las Infantas
Carriches
Gerindote
Torrijos
Rielves
Villaseca de la S.
Magán
Illán de V.
Erustes
Carmena
Casa Nueva
Olías del Rey
Mocejón
Villamejor
Castillejo
El Corralejo
La Mata
Calvín Bajo
Bargas
Aceca
Colonia Iberia
Mesegar de Tajo
Escalonilla
Azoberines
Canillas
Mazarabeas Altas y Bajas
Los Olivos
Silos
Estación de Algodor
Ciruelos
Burujón
Albarreal de T.
Estiviel
Higares
El Carpio de Tajo
Nohalos
Monterrey
Mazarracín
Azucaica
Yepes
Cabaña de Yepe
R. Tajo
La Puebla de Montalbán
Villasequilla
Huerta de Valdecarábanos
TOLEDO
Sta María de Benquerencia
Embalse de Castrejón
La Bayona
Alcubillete
La Ventosilla
Las Nieves
Madrigal
El Bosque
Alamedilla
Guadamur
Argés
Cobisa
Nambroca
Villamuelas
Bodegas
Castrejón Bajo
Polán
Embalse de Guajaraz
Burguillos de T.
Tacones
Sta Catalina
Layos
Sierra de Nambroca
Almonacid de T.
Embalse del Castro
Vallehermoso
Nª Sª de Melque
Montalbán
Casasbuenas
Valdemarías
Noez
La Higueruela
Chueca
Castº
Mascaraque
Villanueva de Bogas
San Martín de Montalbán
Gálvez
Totanés
Ajofrín
Villaminaya
Silo
Pulgar
Mazarambroz
Mora
Casas del Monte
Cuerva
Sonseca
Castº Buey
Navahermosa
Menasalbas
El Castañar
Casalgordo
Silos
Orgaz
Sierra de la Rabera
Hontanar
Embalse del Torcón
Las Ventas con Peña Aguilera
Convento de El Castañar
Arisgotas
Manzaneque
Embalse de Finisterre
Sierra Gorda
Corral de
Yébenes
Silo
Turleque
del Castañar
Sª de los
Molino
Zarzal
Las Navillas
Los Yébenes

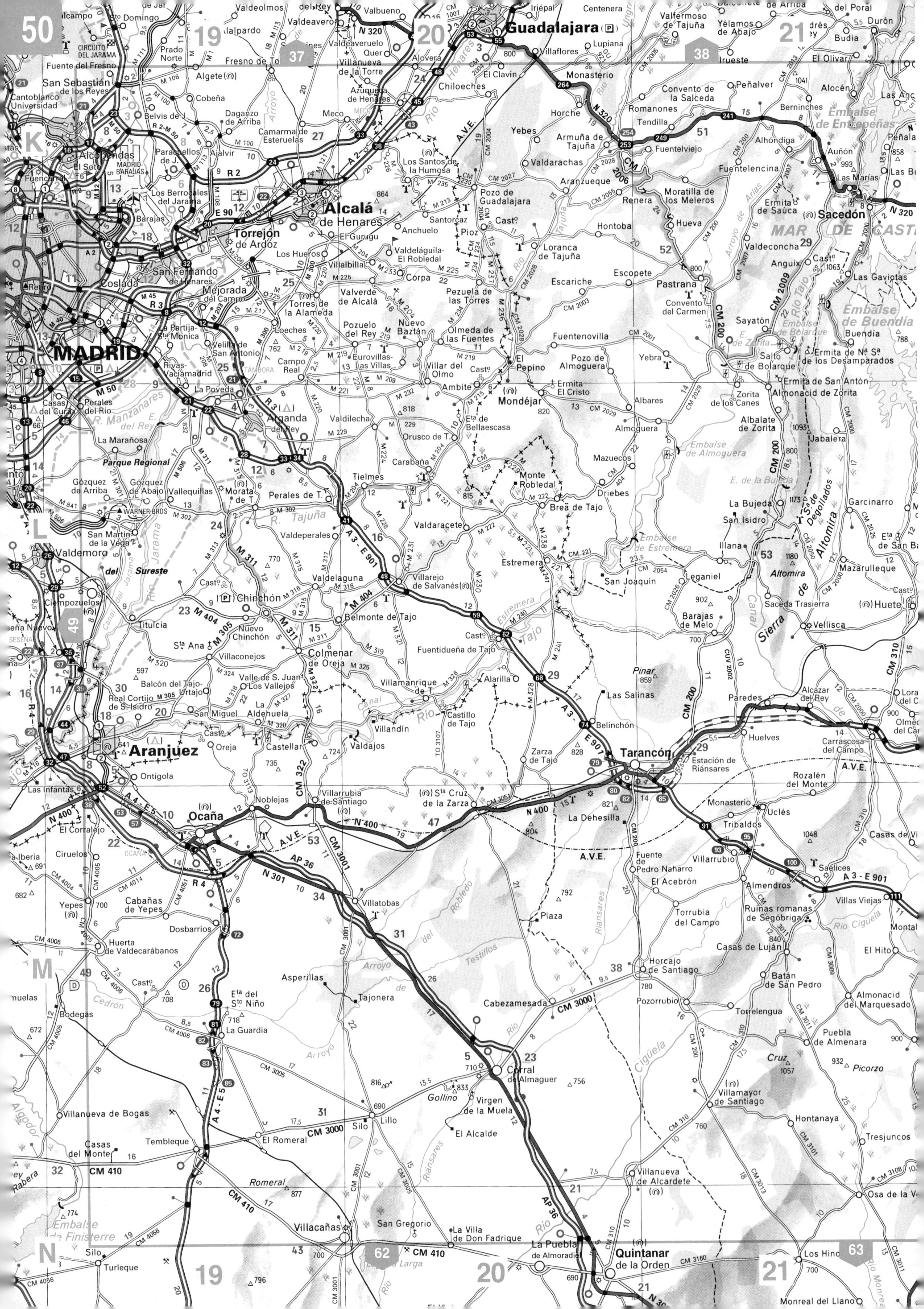

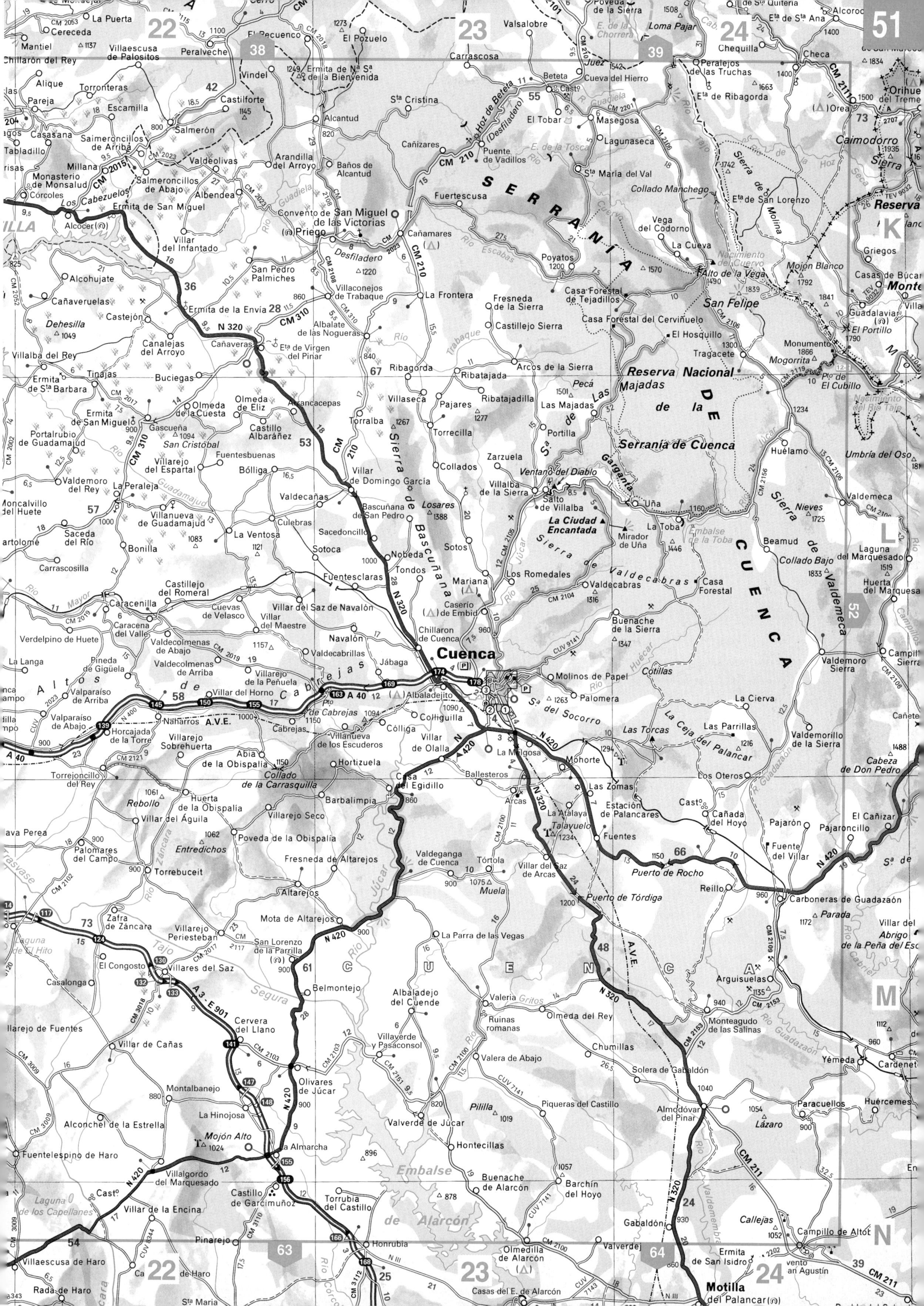
22
23
24
38
39
La Puerta
Cereceda
Mantiel
Chillarón del Rey
Villaescusa de Palositos
Peralveche
El Recuenco
El Pozuelo
Valsalobre
Carrascosa
Poveda de la Sierra
Loma Pajar
E. de la Chorrera
Chequilla
Eta de Sta Ana
Alcoroches
Checa
Peralejos de las Truchas
Eta de Ribagorda
Orihuela del Tremedal
Vindel
Ermita de Na Sa de la Bienvenida
Beteta
Cueva del Hierro
Alique
Torronteras
Pareja
Escamilla
Castilforte
Salmerón
Casasana
Saimeroncillos de Arriba
Tabladillo
Millana
Monasterio de Monsalud
Córcoles
Los Cabezuelos
Salmeroncillos de Abajo
Valdeolivas
Albendea
Alcantud
Cañizares
Baños de Alcantud
Arandilla del Arroyo
Sta Cristina
Hoz de Beteta
(Desfiladero)
Puente de Vadillos
El Tobar
Masegosa
Lagunaseca
Sta María del Val
Collado Manchego
Sierra de Molina
Eta de San Lorenzo
Orea
Caimodorro
Sierra
Reserva
SERRANÍA
Ermita de San Miguel
Alcocer
Villar del Infantado
Convento de San Miguel de las Victorias
Priego
Fuertescusa
Cañamares
Desfiladero
Vega del Codorno
La Cueva
Nacimiento del Cuervo
Alto de la Vega
Poyatos
Mojón Blanco
Griegos
Casas de Búcar
Monte
Alcohujate
Cañaveruelas
San Pedro Palmiches
Villaconejos de Trabaque
La Frontera
Casa Forestal de Tejadillos
San Felipe
Guadalaviar
El Portillo
Dehesilla
Castejón
Ermita de la Envía
Fresneda de la Sierra
Castillejo Sierra
Casa Forestal del Cerviñuelo
El Hosquillo
Tragacete
Monumento
Mogorrita
Pto de El Cubillo
Nacimiento del Río Tajo
Villalba del Rey
Canalejas del Arroyo
Cañaveras
Eta de Virgen del Pinar
Albalate de las Nogueras
Ermita de Sta Barbara
Tinajas
Buciegas
Ribagorda
Ribatajada
Arcos de la Sierra
Reserva Nacional de las Majadas de la Serranía de Cuenca
Pecá
Las Majadas
Ribatajadilla
Ermita de San Miguel
Olmeda de la Cuesta
Olmeda de Eliz
Arrancacepas
Villaseca
Pajares
Portalrubio de Guadamajud
Gascueña
San Cristóbal
Castillo Albaráñez
Torralba
Sierra de Bascuñana
Torrecilla
Portilla
Huélamo
Umbría del Oso
Villarejo del Espartal
Fuentesbuenas
Bólliga
Zarzuela
Collados
Sa de las Majadas
Garganta
Ventano del Diablo
Valdemoro del Rey
La Peraleja
Villar de Domingo García
Valdecañas
Villalba de la Sierra
Salto de Villalba
Uña
Valdemeca
Moncalvillo del Huete
Villanueva de Guadamajud
Culebras
Bascuñana de San Pedro
Losares
La Ciudad Encantada
Mirador de Uña
La Toba
Embalse de la Toba
Nieves
Sierra de Valdemeca
Saceda del Río
La Ventosa
Sacedoncillo
Sotoca
Nobeda
Sotos
Beamud
Collado Bajo
Laguna del Marquesado
Bonilla
Carrascosilla
Tondos
Fuentesclaras
Mariana
Los Romedales
Sierra de Valdecabras
Valdecabras
Casa Forestal
Huerta del Marquesa
Castillejo del Romeral
Caracenilla
Río Mayor
Cuevas de Velasco
Villar del Saz de Navalón
Caserío de Embid
Buenache de la Sierra
Caracena del Valle
Villar del Maestre
Verdelpino de Huete
Navalón
Chillaron de Cuenca
Valdecolmenas de Abajo
Valdecabrillas
Cuenca
Molinos de Papel
Cotillas
Valdemoro Sierra
Campillo Sierra
La Langa
Pineda de Gigüela
Valdecolmenas de Arriba
Villarejo de la Peñuela
Jábaga
Altos de Cabrejas
Valparaíso de Arriba
Villar del Horno
Albaladejito
Sa del Socorro
Palomera
La Cierva
Cañete
Valparaíso de Abajo
Naharros
A.V.E.
Pto de Cabrejas
Cabrejas
Villanueva de los Escuderos
Colliguilla
Cólliga
Villar de Olalla
La Ceja del Palancar
Las Torcas
Las Parrillas
Valdemorillo de la Sierra
Horcajada de la Torre
Villarejo Sobrehuerta
Abia de la Obispalía
La Melgosa
Mohorte
Cabeza de Don Pedro
Torrejoncillo del Rey
Collado de la Carrasquilla
Hortizuela
Casa del Egidillo
Ballesteros
Las Zomas
Los Oteros
Rebollo
Huerta de la Obispalía
Barbalimpia
Arcas
La Atalaya
Estación de Palancares
Cañada del Hoyo
Pajarón
Pajaroncillo
El Cañizar
Villar del Águila
Villarejo Seco
Talayuelo
Fuentes
Fuente del Villar
Palomares del Campo
Entredichos
Poveda de la Obispalía
Valdeganga de Cuenca
Tórtola
Villar del Saz de Arcas
Puerto de Rocho
Torrebuceit
Fresneda de Altarejos
Muela
Reillo
Carboneras de Guadazaón
Altarejos
Puerto de Tórdiga
Parada
Villar del Abrigo de la Peña del Escrito
Zafra de Záncara
Mota de Altarejos
Villarejo Periesteban
Laguna de El Hito
San Lorenzo de la Parrilla
La Parra de las Vegas
El Congosto
Villares del Saz
Casalonga
Belmontejo
Albaladejo del Cuende
Valeria
Ruinas romanas
Olmeda del Rey
Arguisuelas
Monteagudo de las Salinas
Cervera del Llano
Villar de Cañas
Villaverde y Pasaconsol
Chumillas
Yémeda
Cardenete
Valera de Abajo
Solera de Gabaldón
Montalbanejo
Olivares de Júcar
La Hinojosa
Piqueras del Castillo
Almodóvar del Pinar
Paracuellos
Huércemes
Alconchel de la Estrella
Pililla
Lázaro
Valverde de Júcar
Mojón Alto
La Almarcha
Hontecillas
Fuentelespino de Haro
Villalgordo del Marquesado
Embalse de Alarcón
Buenache de Alarcón
Barchín del Hoyo
Laguna de los Capellanes
Villar de la Encina
Castillo de Garcimuñoz
Torrubia del Castillo
Gabaldón
Callejas
Campillo de Altobuey
Pinarejo
Honrubia
Valverdejo
Olmedilla de Alarcón
Villaescusa de Haro
Ermita de San Isidro
Convento San Agustín
Rada de Haro
Casas del E. de Alarcón
Motilla del Palancar
Sta María
63
64
25
N 320
N 420
A 40
A 3 - E 901
N III
CM 210
CM 310
CM 2105
CM 211
K
L
M
N
52

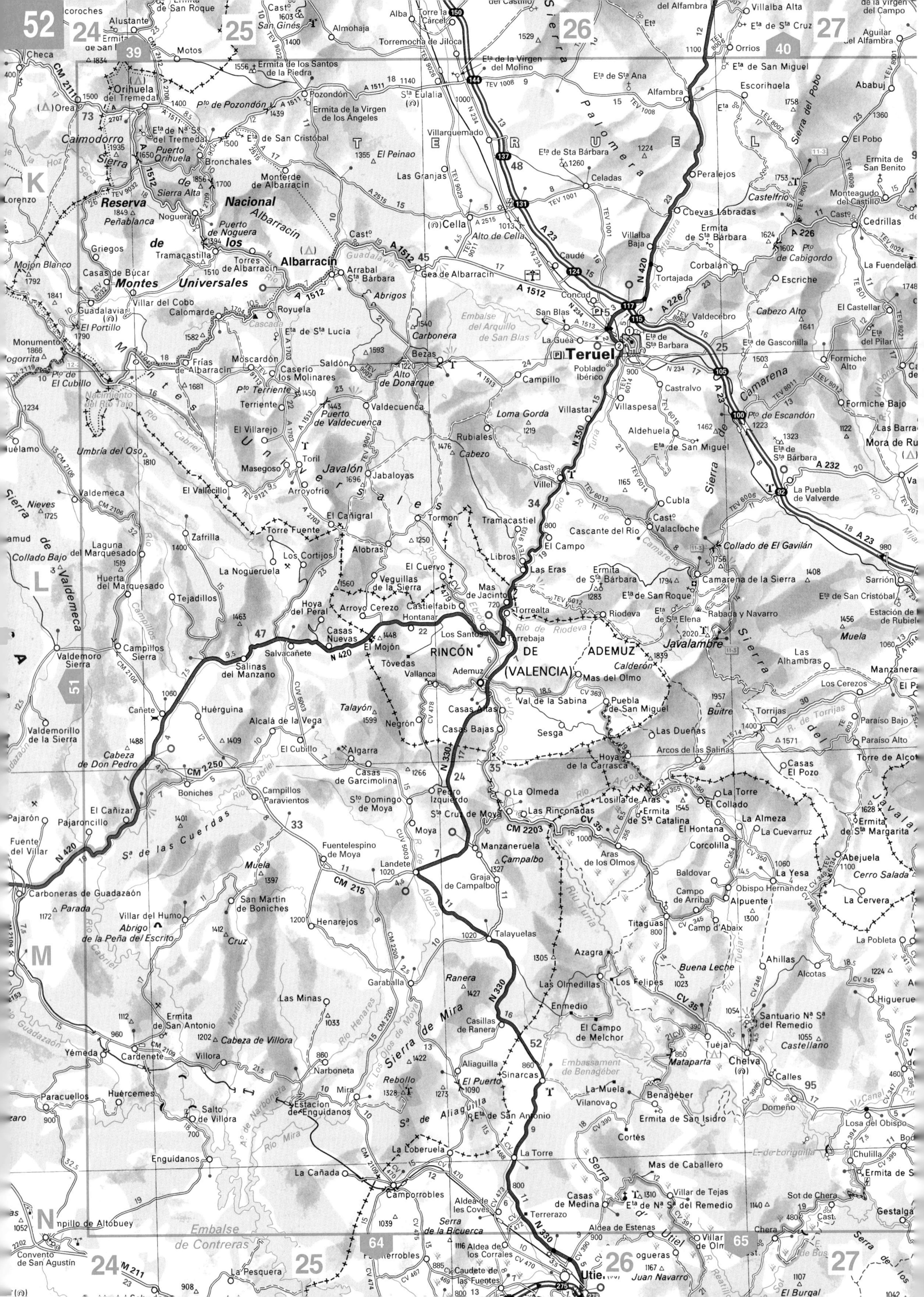

24
25
26
27
39
40
K
L
M
N
51
64
65
Checa
Alustante
Motos
Almohaja
Alba
Torre la Cárcel
Torremocha de Jiloca
Villalba Alta
Orrios
Aguilar del Alfambra
Orihuela del Tremedal
Orea
Caimodorro
Sierra Alta
Sierra de Albarracín
Reserva Nacional de los Montes Universales
Ermita de los Santos de la Piedra
Pozondón
Pto de Pozondón
Ermita de la Virgen de los Ángeles
Sta Eulalia
Eta de la Virgen del Molino
Eta de Sta Ana
Eta de San Miguel
Alfambra
Escorihuela
Ababuj
Sierra del Pobo
Eta de Na Sa del Tremedal
Puerto Orihuela
Bronchales
Eta de San Cristóbal
El Peinao
Villarquemado
T E R U E L
Eta de Sta Bárbara
Sierra Palomera
El Pobo
Ermita de San Benito
Monterde de Albarracín
Las Granjas
Celadas
Peralejos
Monteagudo del Castillo
Castelfrío
Cedrillas
Lorenzo
Peñablanca
Noguera
Puerto de Noguera
Albarracín
Cella
Alto de Cella
Cuevas Labradas
Villalba Baja
Ermita de Sta Bárbara
Pto de Cabigordo
La Fuendelada
Griegos
Tramacastilla
Torres de Albarracín
Arrabal Sta Bárbara
Gea de Albarracín
Caudé
Tortajada
Corbalán
Escriche
Mojón Blanco
Casas de Búcar
Montes Universales
Abrigos
Concud
San Blas
Valdecebro
Cabezo Alto
El Castellar
Guadalaviar
El Portillo
Villar del Cobo
Calomarde
Royuela
Cascada
Eta de Sta Lucía
Carbonera
Embalse del Arquillo de San Blas
La Guea
Teruel
Eta de Sta Bárbara
Eta de Gasconilla
Eta del Pilar
Monumento
Pto de El Cubillo
Frías de Albarracín
Moscardón
Caserío los Molinares
Saldón
Bezas
Alto de Donarque
Campillo
Poblado Ibérico
Castralvo
Formiche Alto
Sierra de Camarena
Nacimiento del Río Tajo
Pto Terriente
Terriente
Puerto de Valdecuenca
Valdecuenca
Loma Gorda
Villastar
Villaspesa
Pto de Escandón
Formiche Bajo
El Villarejo
Rubiales
Aldehuela
Eta de San Miguel
Las Barracas
Mora de Rubielos
Umbría del Oso
Masegoso
Toril
Javalón
Jabaloyas
Cabezo
Villel
Cubla
Eta de Sta Bárbara
La Puebla de Valverde
El Vallecillo
Arroyofrío
Valdemeca
Sierra de Valdemeca
Nieves
Zafrilla
Torre Fuente
El Cañigral
Tormón
Tramacastiel
Cascante del Río
Valacloche
Collado de El Gavilán
Laguna del Marquesado
Collado Bajo
Los Cortijos
Alobras
El Campo
Libros
Las Eras
Ermita de Sta Bárbara
Camarena de la Sierra
Sarrión
Eta de San Cristóbal
Huerta del Marquesado
La Nogueruela
El Cuervo
Veguillas de la Sierra
Mas de Jacinto
Eta de San Roque
Estación de Rubielos
Tejadillos
Hoya del Peral
Arroyo Cerezo
Castielfabib
Torrealta
Riodeva
Eta de Sta Elena
Rabada y Navarro
Hontanar
Los Santos
Torrebaja
Río de Riodeva
Javalambre
Sierra de Javalambre
Muela
Valdemoro Sierra
Campillos Sierra
Salinas del Manzano
Salvacañete
Casas Nuevas
El Mojón
Tóvedas
RINCÓN DE ADEMUZ (VALENCIA)
Calderón
Las Alhambras
Manzanera
Vallanca
Ademuz
Mas del Olmo
Los Cerezos
Cañete
Huérguina
Talayón
Casas Altas
Val de la Sabina
Puebla de San Miguel
Buitre
Torrijas
Paraíso Bajo
Valdemorillo de la Sierra
Alcalá de la Vega
Negrón
Casas Bajas
Sesga
Las Dueñas
Paraíso Alto
Cabeza de Don Pedro
El Cubillo
Algarra
Arcos de las Salinas
Hoya de la Carrasca
Torre de Alcotas
Casas de Garcimolina
Casas El Pozo
Boniches
Campillos Paravientos
Pedro Izquierdo
La Olmeda
La Torre
El Collado
Pajarón
El Cañizar
Pajaroncillo
Sto Domingo de Moya
Sta Cruz de Moya
Las Rinconadas
Losilla de Aras
Ermita de Sta Catalina
La Almeza
Sa de las Cuerdas
Moya
Manzaneruela
El Hontana
La Cuevarruz
Ermita de Sta Margarita
Fuente del Villar
Fuentelespino de Moya
Çampalbo
Aras de los Olmos
Corcolilla
Abejuela
Carboneras de Guadazaón
Parada
Landete
Graja de Campalbo
Baldovar
La Yesa
Cerro Salada
Muela
San Martín de Boniches
Campo de Arriba
Obispo Hernández
La Cervera
Alpuente
Villar del Humo
Abrigo de la Peña del Escrito
Cruz
Henarejos
Talayuelas
Titaguas
Camp d'Aباix
La Pobleta
Azagra
Buena Leche
Ahillas
Alcotas
Garaballa
Ranera
Las Olmedillas
Los Felipes
Higueruelas
Las Minas
Sierra de Mira
Enmedio
Santuario Na Sa del Remedio
Ermita de San Antonio
Cabeza de Villora
Casillas de Ranera
El Campo de Melchor
Castellano
Yémeda
Cardenete
Villora
Narboneta
Aliaguilla
Embassament de Benagéber
Mataparta
Tuéjar
Chelva
Rebollo
El Puerto
Sinarcas
Calles
Paracuellos
Huércemes
Mira
Estación de Enguídanos
Sa de Aliaguilla
Eta de San Antonio
La Muela
Benagéber
Vilanova
Ermita de San Isidro
Domeño
Salto de Villora
Losa del Obispo
Cortés
Enguídanos
La Loberuela
La Torre
Chulilla
La Cañada
Camporrobles
Serra d'Utiel
Mas de Caballero
Ermita de San
Casas de Medina
Eta de Na Sa del Remedio
Villar de Tejas
Sot de Chera
Gestalgar
Aldea de les Coves
Terrerazo
Aldea de Estenas
Chera
Villar de Olmos
Serra de la Bicuerca
Embalse de Contreras
Convento de San Agustín
Aldea de los Corrales
Caudete de las Fuentes
La Pesquera
Utiel
Juan Navarro
El Burgal
N 420
N 330
N 234
A 23
A 1512
A 226
A 232
CM 2203
CM 215
CV 35

53
28
29
30
40
41
54
65
27
K
L
M
N
Camarillas
Casas de Palomitas
Mirambel
La Cuba
Cinctorres
El Turmell
Sta Àgata
Turmell
Canet lo Roig
Miravete
Cañada de Benatanduz
Muela
Port de Querol
Vallivana
Xert
Jorcas
Villarroya de los Pinares
Pto de Cuarto Pelado
Cantavieja
Castº
Portell de Morella
Serra
Enroig
Rambla
Pto Cantavieja
Umbría
Pto de las Cabrillas
Castellfort
L'Avellà
Vallivana
Pto de Villaroya
Fortanete
Tarayuela
La Iglesuela del Cid
Mola d'Ares
Tossal de la Nevera
Catí
Sant Mateu
Allepuz
Puerto de Sollavientos
Matanzas
Rayo
Sant Miquel de la Pobla
Ares del Maestre
Ermita de NªSª dels Àngels
Zaragozana
Ermita de la Virgen del Buen Suceso
Ermita del Carmen
Coll. d'Ares
Sª del Molló
Tirig
La Salzadella
Sollavientos
Gúdar
Etª de Stª Quiteria
Sierra
Masía del Repollés
Rambla de las Truchas
Vilafranca
Barranc de la Gasulla
Mas de la Montalvana
Ermita de San Juan
Sierra de Gúdar
Pto Valdelinares
Valdelinares
Pto de Mosqueruela
Els Montllats
Sª Negra
Barranc de la Valltorta
Peñarroya
Bramadoras
Collado de la Torre
Santuario de la Virgen de la Estrella
Benasal
El Segarró
Albocàsser
Alcalá de la Selva
La Virgen de la Vega
Mosqueruela
Mas de Pessetes
Vilar de Canes
Culla
Sant Pau
Les Talaies
Etª de San Miguel
Pto de Alcalá
Pto de Linares
Río Monleó
La Torre d'en Besora
La Serratella
Alcalà de Xivert
Linares de Mora
C A S T E L L Ó
Esparreguera
Els Rosildos
La Bandereta
Les Coves de Vinromà
Ermita de Sant Miquel
E. de Mora de Rubielos
Sª de Nogueruelas
El Molí Azor
Vistabella del Maestrazgo
Benafigos
Sierra Engarcerán
La Torre d'en Doménec
Ermita de la Magdalena
Castelvispal
Sª de la Batalla
Sant Joan de Penyagolosa
Port del Vidre
Mas Blanc
Vilanova d'Alcolea
Rubielos
Cruces
Puertomingalvo
Xodos
Coll de la Bassa
Els Ivarsos
Torreblanca
Nogueruelas
Penyagolosa
Atzeneta del Maestrat
Bell-lloch
La Pelejaneta
Rubielos de Mora
Cortes de Arenoso
La Masada
Villahermosa del Río
Riu de Llucena
Vall d'Alba
Arc de Cabanes
Fuentes de Rubielos
Mas de Llorenc
Sª de la Creu
Les Useres
La Barona
Cabanes
Ribera de Cabanes
Torre de la Sal
Cedramán
Port del Remolcador
Autovía en obras
La Escaleruela
Rodeche
Zucaina
Castillo de Villamalefa
Llucena
Costur
Vilafamés
La Ribera
Los Villanuevas
Olba
Sant Vicent
El Chorrillo
Puebla de Arenoso
Figueroles
La Pobla Tornesa
Platja del Morro
Collado Royo y Poviles
Embassament de Arenós
Artejuela
Giraba
El Juncar
E. de l'Alcora
La Foia
Cast. La Penya
les Palmes
Orpesa / Oropesa
Albentosa
Los Pastores
Ludiente
Mas de Llosa
L'Alcora
Mas de Flors
Torre del Rei
Platja de la Concha
Arañuel
El Tormo
Argelita
Araia
Sant Joan de Moró
El Refugi
Les Platgetes
San Agustín
Los Calpes
Fuente la Reina
La Alquería
Cirat
Torrechiva
El Mas de Batxero
E. de María Cristina
Desert de les Palmes
Platja de les Villes
Les Villes de Benicàssim
Fuen del Cepo
Villanueva de Viver
Montanejos
Toga
Vallat
Mont Cristina
Borriol
La Coma
Benicàssim / Benicasim
La Punta
Senia Sevilla
Sol i Mar
Pina
Montán
Fanzara
Ribesalbes
E. de Sitjar
Barracas
Pina de Montalgrao
Fuentes de Ayódar
Espadilla
Cases de Sitjar
CASTELLÓ DE LA PLANA
CASTELLÓN DE LA PLANA
Alcotas
Ayódar
Higueras
Torralba del Pinar
Ermita El Salvador
Onda
Etª de Nª Sª de Gràcia
Platja del Pinar
El Grau de Castelló
El Toro
Cuesta de Ragudo
Pavías
Pinar
Villamalur
Artesa
Museu del Carme
Almassora
Estación de Torás Bejís
Masada del Sordo
Benafer
Caudiel
Matet
Suera
Tales
Betxí
Platja Ben Afeli
Vila-real
El Grau d'Almassora
Torás
Gaibiel
Serra
Alcúdia de Veo
Ríos de Abajo
Viver
Novaliches
Jérica
Algimia de Almonacid
Espadà
Veo
Borriana / Burriana
E. del Regajo
Vall de Almonacid
Artana
les Alqueries
El Grau de Borriana
Bejís
Teresa
Masía de los Pérez
Navajas
Almedíjar
Aín
Eslida
Peñalba
Castellnovo
Port d'Eslida
Espadà
La Vilavella
El Port
Nules
Sacañet
Altura
Chóvar
Alfondeguilla
La Cova Santa
Segorbe
Geldo
Azuébar
Platja de Nules
Soneja
Grutes de Sant Josep
La Vall d'Uixó
Moncofa
Oset
Sot de Ferrer
E. d'Algar de P.
Platja de Moncofa
Alcublas
Algar de Palància
Xilxes
Bodegas de Pardanchinos
Alfara d'Algímia
Almenara
Platja de Xilxes
Gátova
Algímia d'Alfara
Benavites
La Llosa
Quart de les Valls
Platja de Casa Blanca
Agustín
Marines
Torres Torres
Benifairó de les V.
Faura
Arzobispo
Les Bodegues del Camp
Estivella
Platja de Corint
Albalat dels Tarongers
La Malva-Rosa
Olocau
Rebalsadors
Casinos
La Pobleta
Barraix
Petrés
Sagunt / Sagunto
Monrabana
Segart
Gilet
Canet d'en Berenguer
El Romeral
Monestir de Portaceli
Marines
La Lloma
Monestir de Sant Esperit
Sant Gerard
Ermita de Sant Vicent
Sagunto
El Port de Sagunt
Mas del Carril
Nàquera
La Lloma
El Picaio
Llíria / Liria
Benissanó
La Rascanya
La Pobla de Vallbona
Les Mallades
Bétera
Puçol
El Puig
Platja de Puçol
Pedralba
Bugarra
Benaguasil
Rafelbunyol
La Pobla de Farnals
Platja de la Pobla de Farnals
Vilamarxant
Mont-i-sol
L'Eliana
Massamagrell
S. Isidre
Museros
Massalfassar
Teulada
Riba-roja de Túria
Montcada
VALÈNCIA
COSTA DELS TARONGERS
COSTA DEL AZAHAR
GOLF DE VALÈNCIA
Vanacloig
Jorge
Generalísimo
Río Guadalope
Lastra
Mal Burgo
Río Mora
Linares
Palomarejos
Cabanes
Millars
Palància
Carraixet
Túria

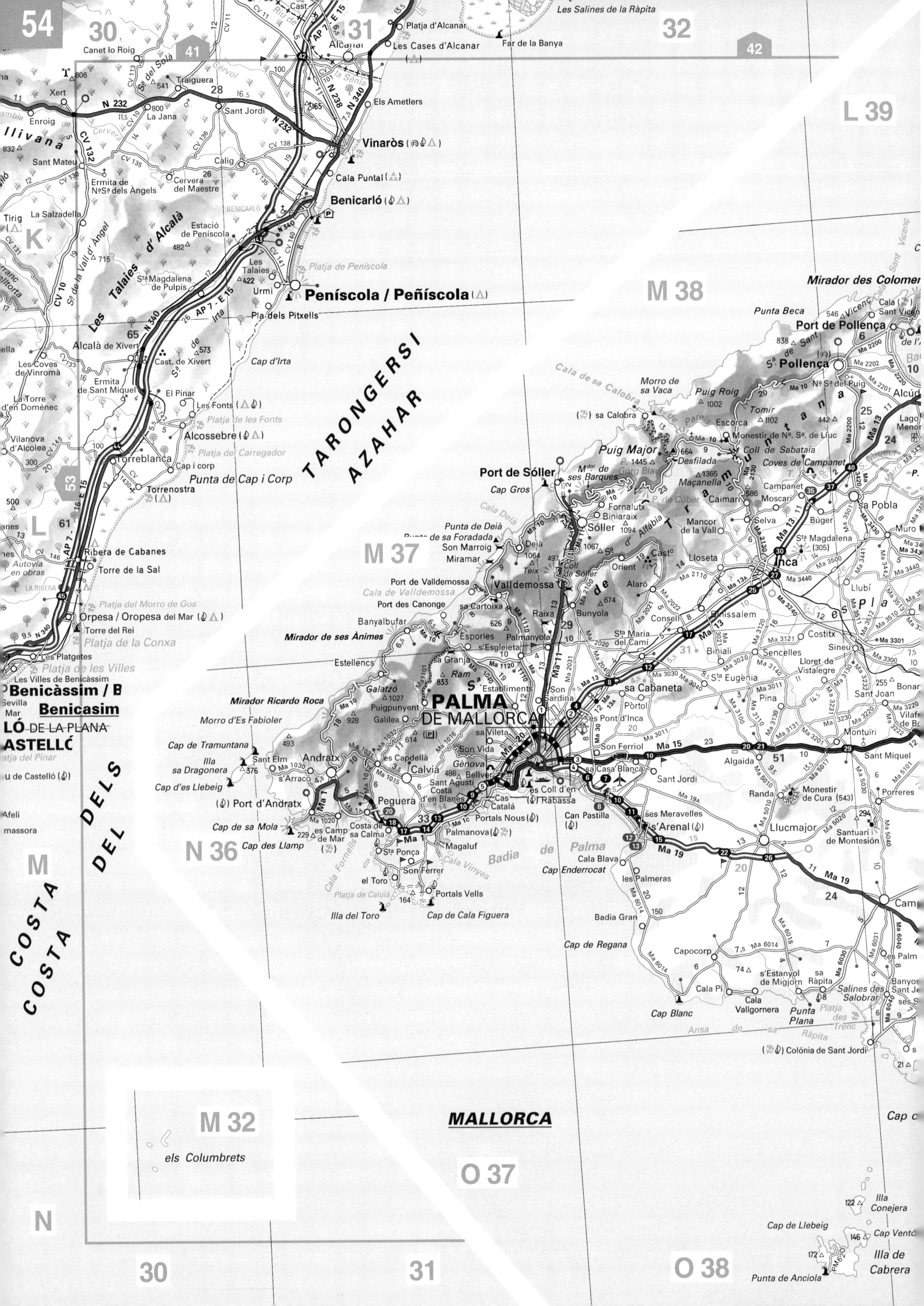
Les Salines de la Ràpita
Platja d'Alcanar
Alcanar
Les Cases d'Alcanar
Far de la Banya
Canet lo Roig
Traiguera
Xert
Enroig
La Jana
Sant Jordi
Els Ametlers
Vinaròs
Sant Mateu
Càlig
Ermita de NªSª dels Àngels
Cervera del Maestre
Cala Puntal
Benicarló
La Salzadella
Tirig
Estació de Peníscola
Les Talaies d'Alcalà
Sta Magdalena de Pulpis
Les Talaies
Urmi
Peníscola / Peñíscola
Platja de Peníscola
Pla dels Pitxells
Alcalà de Xivert
Cast. de Xivert
Cap d'Irta
Les Coves de Vinromà
Ermita de Sant Miquel
La Torre d'en Doménec
El Pinar
Les Fonts
Platja de les Fonts
Vilanova d'Alcolea
Alcossebre
Platja del Carregador
Torreblanca
Cap i corp
Punta de Cap i Corp
Torrenostra
TARONGERS I AZAHAR
Ribera de Cabanes
Torre de la Sal
Autovia en obras
Platja del Morro de Gos
Orpesa / Oropesa del Mar
Torre del Rei
Platja de la Conxa
Les Platgetes
Platja de les Villes
Les Villes de Benicàssim
Benicàssim / Benicasim
COSTA DELS / DEL
AZAHAR
M 38
L 39
Mirador des Colomer
Punta Beca
Cala Sant Vicenç
Port de Pollença
Pollença
Cala de sa Calobra
Morro de sa Vaca
Puig Roig
Tomir
Alcúdia
sa Calobra
Escorca
Monestir de Nª. Sª. de Lluc
Coll de Sabataia
Coves de Campanet
Puig Major
Desfilada
Port de Sóller
Mdor de ses Barques
Maçanella
Cap Gros
Fornalutx
Biniaraix
Sóller
Caimari
Campanet
Moscari
sa Pobla
Mancor de la Vall
Selva
Búger
Punta de Deià
Punta de sa Foradada
Son Marroig
Miramar
Deià
Teix
Coll de Sóller
Orient
Castº
Lloseta
Sta Magdalena
Inca
M 37
Port de Valldemossa
Cala de Valldemossa
Valldemossa
Alaró
Port des Canonge
sa Cartoixa
Raixa
Bunyola
Llubí
Banyalbufar
Mirador de ses Ànimes
Esporles
s'Esglaieta
Palmanyola
Consell
Binissalem
Sta Maria del Camí
Costitx
Sineu
Estellencs
sa Granja
Biniali
Sencelles
Lloret de Vistalegre
Ram
Galatzó
Establiments
sa Cabaneta
Sta Eugènia
Mirador Ricardo Roca
Puigpunyent
PALMA DE MALLORCA
Son Sardina
Pòrtol
Pina
Sant Joan
Morro d'Es Fabioler
Galilea
sa Vileta
es Pont d'Inca
Montuïri
Cap de Tramuntana
Son Vida
Son Ferriol
Illa sa Dragonera
Sant Elm
Andratx
es Capdellà
Gènova
Bellver
Algaida
Sant Miquel
s'Arracó
Calvià
Sant Agustí
sa Casa Blanca
Sant Jordi
Cap d'es Llebeig
Costa d'en Blanes
Cas Català
es Coll d'en Rabassa
Monestir de Cura
Porreres
Port d'Andratx
Peguera
Portals Nous
Can Pastilla
Randa
Cap de sa Mola
es Camp de Mar
Costa de sa Calma
Palmanova
ses Meravelles
s'Arenal
Llucmajor
Santuari de Montesión
Cap des Llamp
Magaluf
Badia de Palma
N 36
Sta Ponça
Cala Blava
Cap Enderrocat
Son Ferrer
Cala Vinyes
Cala Fornells
el Toro
les Palmeres
Portals Vells
Platja de Caluià
Illa del Toro
Cap de Cala Figuera
Badia Gran
Cap de Regana
Capocorp
s'Estanyol de Migjorn
sa Ràpita
Salines des Salobrar
Cala Pi
Cala Vallgornera
Punta Plana
Platja des Trenc
Cap Blanc
Ansa de sa Ràpita
Colònia de Sant Jordi
M 32
els Columbrets
MALLORCA
O 37
Illa Conejera
Cap de Llebeig
Cap Ventós
Illa de Cabrera
Punta de Anciola
O 38

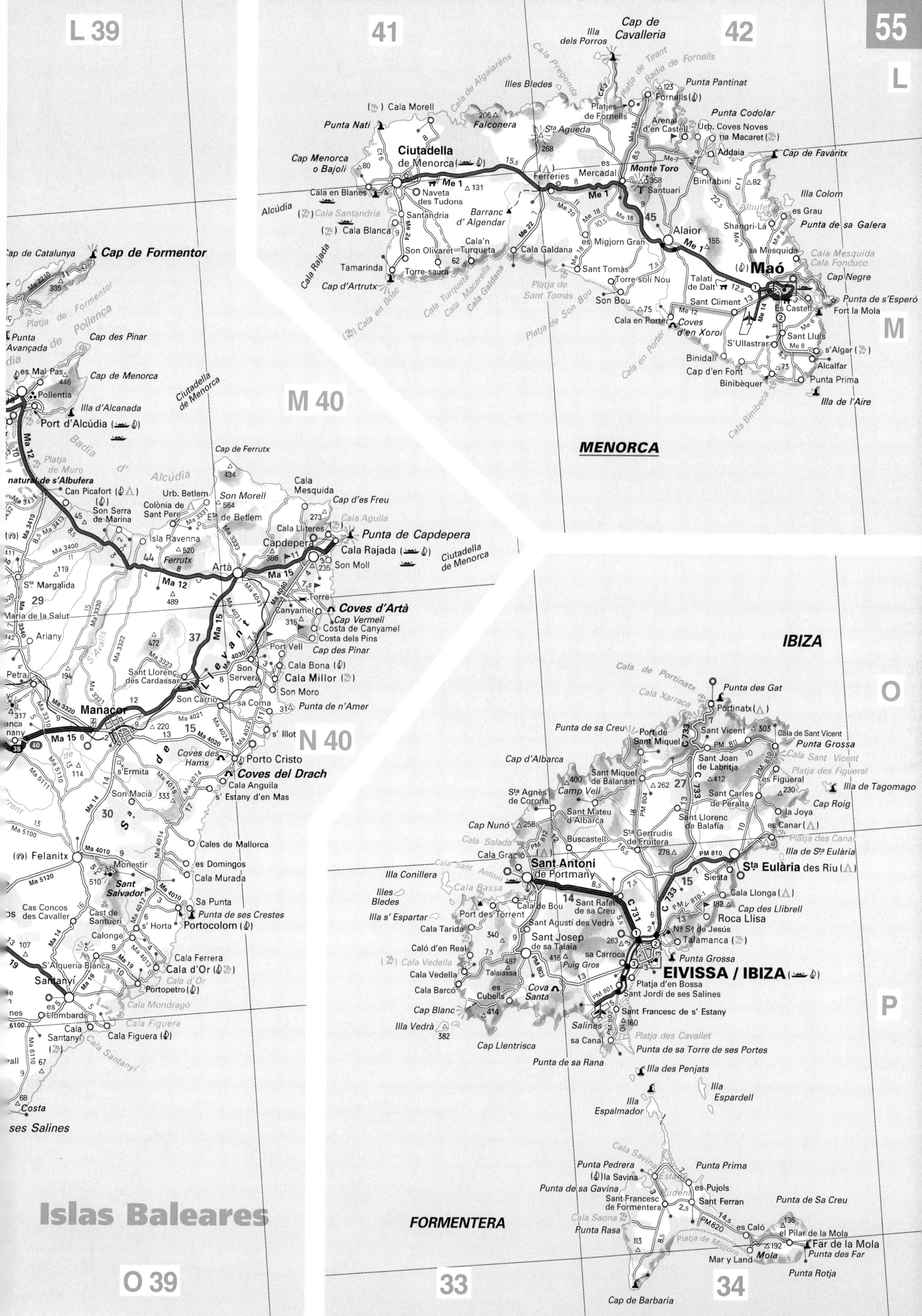
L 39
41
42
L
M 40
M
N 40
O
P
O 39
33
34
MENORCA
IBIZA
FORMENTERA
Islas Baleares
Cap de Cavalleria
Illa dels Porros
Illes Bledes
Punta Pantinat
Fornells
Platjes de Fornells
Punta Codolar
Cala Morell
Falconera
Punta Nati
Sta Agueda
Arenal d'en Castell
Urb. Coves Noves
na Macaret
Addaia
Cap de Favàritx
Ciutadella de Menorca
Cap Menorca o Bajoli
Ferreries
es Mercadal
Monte Toro
Santuari
Binifabini
Illa Colom
Cala en Blanes
Naveta des Tudons
Alcúdia
Cala Santandria
Santandria
Cala Blanca
Barranc d' Algendar
Migjorn Gran
Alaior
es Grau
Shangri-Lá
Punta de sa Galera
Cala Rajada
Son Olivaret
Cala'n Turqueta
Cala Galdana
sa Mesquida
Cala Mesquida
Cala Fonduco
Tamarinda
Torre-saura
Sant Tomàs
Maó
Cap Negre
Cap d'Artrutx
Platja de Sant Tomàs
Torre-solí Nou
Talatí de Dalt
Punta de s'Esperó
Son Bou
Sant Climent
Es Castell
Fort la Mola
Cala en Porter
Coves d'en Xoroi
Sant Lluís
S'Ullastrar
s'Algar
Binidalí
Alcalfar
Cap d'en Font
Punta Prima
Binibèquer
Illa de l'Aire
Cap de Catalunya
Cap de Formentor
Platja de Formentor
Pollença
Punta Avançada
Cap des Pinar
es Mal Pas
Cap de Menorca
Pollentia
Illa d'Alcanada
Port d'Alcúdia
Badia d'Alcúdia
Platja de Muro
Cap de Ferrutx
Parc natural de s'Albufera
Can Picafort
Son Serra de Marina
Urb. Betlem
Colònia de Sant Pere
Son Morell
Ermita de Betlem
Cala Mesquida
Cap d'es Freu
Cala Agulla
Cala Lliteres
Punta de Capdepera
Capdepera
Cala Rajada
Son Moll
Isla Ravenna
Ferrutx
Artà
Sta Margalida
Torre
Coves d'Artà
Canyamel
Cap Vermell
Costa de Canyamel
Costa dels Pins
Cap des Pinar
Maria de la Salut
Ariany
Port Vell
Son Servera
Cala Bona
Cala Millor
Son Moro
Punta de n'Amer
Petra
Sant Llorenç des Cardassar
Llevant
Manacor
Son Carrió
sa Coma
s' Illot
Coves des Hams
Porto Cristo
Coves del Drach
Cala Anguila
s' Estany d'en Mas
s'Ermita
Son Macià
Cales de Mallorca
Felanitx
Monestir
es Domingos
Cala Murada
Sant Salvador
Sa Punta
Punta de ses Crestes
Portocolom
Cas Concos des Cavaller
Cast de Santueri
s' Horta
Calonge
Cala Ferrera
S'Alqueria Blanca
Cala d'Or
Santanyí
Portopetro
Cala Mondragó
es Llombards
Cala Santanyí
Cala Figuera
Costa
ses Salines
Cala de Portinatx
Punta des Gat
Cala Xarraca
Portinatx
Punta de sa Creu
Port de Sant Miquel
Sant Vicent
Cala de Sant Vicent
Punta Grossa
Cap d'Albarca
Sant Joan de Labritja
Platja des Figueral
es Figueral
Illa de Tagomago
Sant Miquel de Balansat
Sta Agnès de Corona
Camp Vell
Sant Carles de Peralta
Cap Roig
Sant Mateu d'Albarca
Sant Llorenç de Balafia
la Joya
Cap Nunó
es Canar
Platja des Canar
Cala Salada
Buscastell
Sta Gertrudis de Fruitera
Illa de Sta Eulària
Cala Gració
Sant Antoni de Portmany
Sta Eulària des Riu
Illa Conillera
Siesta
Illes Bledes
Cala Bassa
Sant Rafel de sa Creu
Cala Llonga
Cala de Bou
Cap des Llibrell
Illa s' Espartar
Port des Torrent
Roca Llisa
Sant Agustí des Vedrà
Nª Sª de Jesús
Cala Tarida
Sant Josep de sa Talaia
Talamanca
Caló d'en Real
sa Carroca
Punta Grossa
Cala Vedella
Talaiassa
Puig Gros
EIVISSA / IBIZA
Platja d'en Bossa
Cala Barcó
es Cubells
Cova Santa
Sant Jordi de ses Salines
Cap Blanc
Sant Francesc de s' Estany
Illa Vedrà
Salines
sa Canal
Platja des Cavallet
Cap Llentrisca
Punta de sa Torre de ses Portes
Punta de sa Rana
Illa des Penjats
Illa Espardell
Illa Espalmador
Cala Savina
Punta Pedrera
Punta Prima
la Savina
Estany Pudent
Punta de sa Gavina
es Pujols
Sant Francesc de Formentera
Sant Ferran
Punta de Sa Creu
Cala Saona
Punta Rasa
es Caló
el Pilar de la Mola
Platja de Migjorn
Far de la Mola
Mola
Punta des Far
Mar y Land
Punta Rotja
Cap de Barbaria

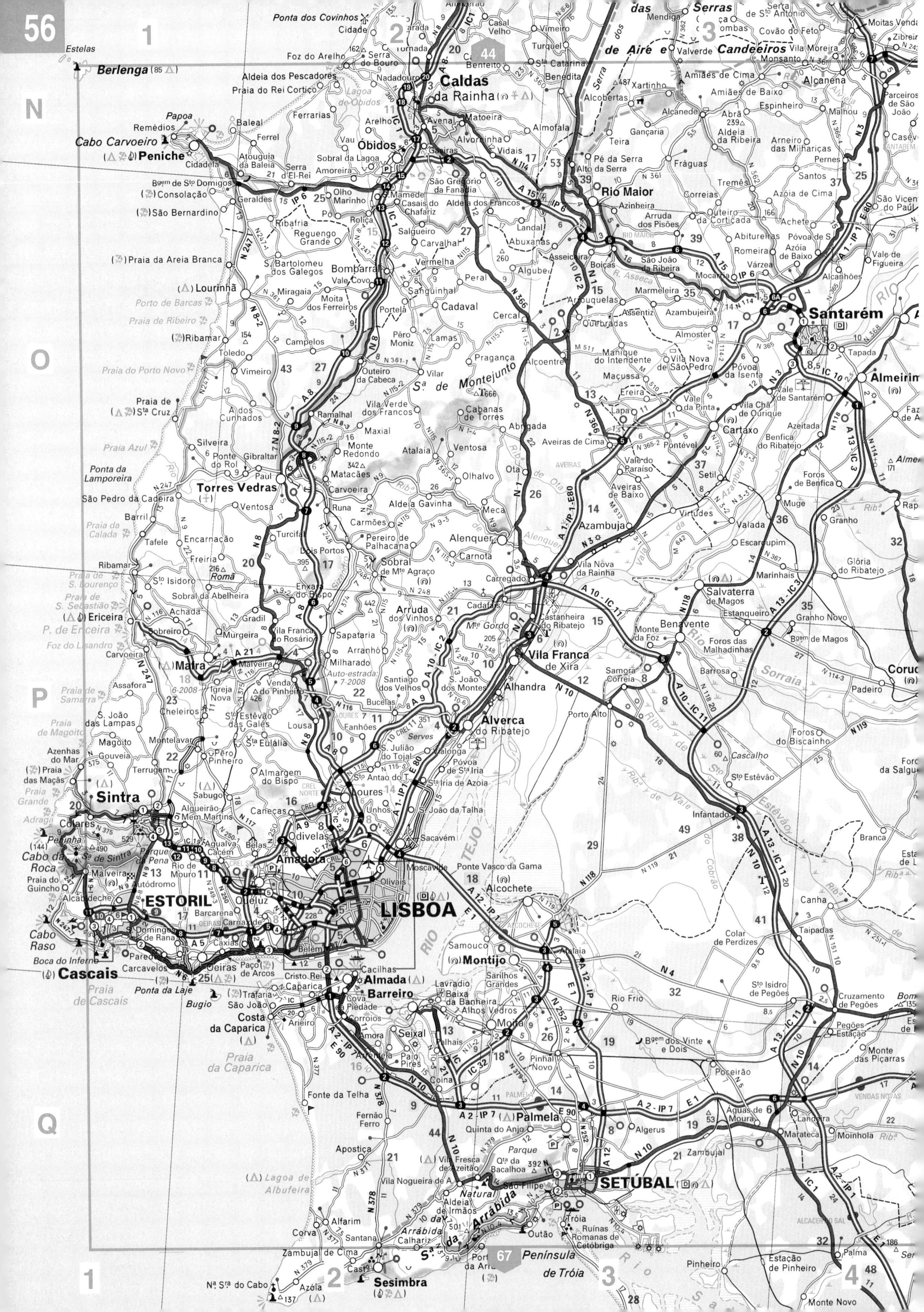

1 2 3 4

N O P Q

Estelas
Berlenga (85)
Ponta dos Covinhos
Cidade
Foz do Arelho
Serra do Bouro
Aldeia dos Pescadores
Praia do Rei Cortiço
Lagoa de Óbidos
Nadadouro
Caldas da Rainha
Casal Velho
Vimeiro
Turquel
Sta Catarina
Benedita
Benfeito
Mendiga
das Serras
Serra de Aire e Candeeiros
de St° António
Covão do Feto
Moitas Venda
Zibreira
Valverde
Vila Moreira
Monsanto
Alcanena
Amiães de Cima
Amiães de Baixo
Xartinho
Alcobertas
Alcanede
Abrã
Aldeia da Ribeira
Espinheiro
Malhou
Parceiros de São João
Casével
Papoa
Remédios
Cabo Carvoeiro
Peniche
Cidadela
Baleal
Ferrel
Atouguia da Baleia
Serra d'El-Rei
Ferrarias
Arelho
Vau
Óbidos
Sobral da Lagoa
Amoreira
Avenal
Matoeira
Almofala
Alvorninha
Vidais
Gaiiras
Gançaria
Teira
Pé da Serra
Alto da Serra
Rio Maior
Fráguas
Arneiro das Milhariças
Pernes
Santos
Bgem de Sto Domigos
Consolação
São Bernardino
Geraldes
Olho Marinho
S. Mamede
São Gregório da Fanadia
Casais do Chafariz
Aldeia dos Francos
Azinheira
Arruda dos Pisões
Correias
Outeiro da Cortiçada
Azóia de Cima
São Vicente do Paúl
Póvoa de S.
Achete
Abitureiras
Romeira
Azóia de Baixo
Vale de Figueira
Ribafria
Reguengo Grande
Pó
Roliça
Salgueiro
Carvalhal
Landal
Abuxanas
Asseiceira
Boiças
São João da Ribeira
Tremês
Várzea
Mocarria
Alcanhões
Praia da Areia Branca
S. Bartolomeu dos Galegos
Bombarral
Vale Covo
Vermelha
Sanguinhal
Peral
Algube
Lourinhã
Porto de Barcas
Praia de Ribeiro
Miragaia
Moita dos Ferreiros
Portela
Cadaval
Cercal
Arrouquelas
Assentiz
Marmeleira
Azambujeira
Santarém
Quebradas
Almoster
Ribamar
Campelos
Pêro Moniz
Lamas
Tapada
Toledo
Vimeiro
Praia do Porto Novo
Outeiro da Cabeça
Vilar
Pragança
Alcoentre
Manique do Intendente
Vila Nova de São Pedro
Póvoa da Isenta
Almeirim
Sa de Montejunto
Maçussa
Ereira
Praia de Sta Cruz
A dos Cunhados
Ramalhal
Vila Verde dos Francos
Maxial
Cabanas de Torres
Abrigada
Lapa
Vale da Pinta
Vila Chã de Ourique
Vale de Santarém
Praia Azul
Silveira
Ponte do Rol
Gibraltar
Monte Redondo
Matacães
Atalaia
Ventosa
Aveiras de Cima
Pontével
Cartaxo
Azeitada
Benfica do Ribatejo
Ponta da Lamporeira
Paul
Carvoeira
Olhalvo
Ota
Vale do Paraíso
Aveiras de Baixo
Setil
Foros de Benfica
São Pedro da Cadeira
Torres Vedras
Ventosa
Runa
Aldeia Gavinha
Meca
Azambuja
Virtudes
Muge
Granho
Praia da Calada
Barril
Tafele
Encarnação
Turcifal
Carmões
Pereiro de Palhacana
Alenquer
Valada
Escaroupim
Freiria
Dois Portos
Sobral de Mte Agraço
Carnota
Glória do Ribatejo
Ribamar
Praia de S. Lourenço
Praia de S. Sebastião
Ericeira
P. de Ericeira
Foz do Lisandro
Sto Isidoro
Sobral da Abelheira
Achada
Gradil
Sobreiro
Murgeira
Carvoeira
Mafra
Malveira
Enxara do Bispo
Vila Franca do Rosário
Sapataria
Arranhó
Milharado
Arruda dos Vinhos
Cadafais
Carregado
Vila Nova da Rainha
Castanheira do Ribatejo
Mte Gordo
Salvaterra de Magos
Marinhais
Estanqueiro
Granho Novo
Monte da Foz
Benavente
Foros das Malhadinhas
Bgem de Magos
Vila Franca de Xira
Alhandra
Samora Correia
Barrosa
Coruche
Padeiro
Praia de Samarra
Assafora
Igreja Nova
Venda do Pinheiro
Santiago dos Velhos
S. João dos Montes
Bucelas
Fanhões
Alverca do Ribatejo
Porto Alto
Praia de Magoito
S. João das Lampas
Cheleiros
Sto Estêvão das Galés
S. Eulália
Lousa
Serves
Foros do Biscainho
Azenhas do Mar
Magoito
Gouveia
Montelavar
Pêro Pinheiro
S. Julião do Tojal
Vialonga
Póvoa de Sta Iria
Sta Iria de Azoia
Cascalho
Foros da Salgueira
Praia das Maçãs
Terrugem
Almargem do Bispo
Sto Antão do T.
Sto Estêvão
Praia Grande
Sintra
Sabugo
Loures
Unhos
S. João da Talha
Infantado
Adraga
Colares
Algueirão-Mem Martins
Caneças
Pena
Cabo da Roca
Parque de Pena
Agualva-Cacém
Belas
Odivelas
Amadora
Sacavém
Branca
Praia do Guincho
Malveira
Autódromo
Rio de Mouro
Moscavide
Olivais
Ponte Vasco da Gama
Alcochete
Estoril
Queluz
Barcarena
Carnaxide
Lisboa
Rio Tejo
Canha
Cabo Raso
Boca do Inferno
Cascais
S. Domingos de Rana
Parede
Carcavelos
Oeiras
Caxias
Paço de Arcos
Belém
Samouco
Montijo
Atalaia
Colar de Perdizes
Taipadas
Praia de Cascais
Ponta da Laje
Bugio
Trafaria
São João
Cristo Rei
Caparica
Cacilhas
Almada
Barreiro
Lavradio
Baixa da Banheira
Sarilhos Grandes
Alhos Vedros
Rio Frio
Sto Isidro de Pegões
Cruzamento de Pegões
Costa da Caparica
Cova da Piedade
Corroios
Seixal
Amora
Arrentela
Moita
Pegões Estação
Praia da Caparica
Paio Pires
Palhais
Pinhal Novo
Bgem dos Vinte e Dois
Monte das Piçarras
Fonte da Telha
Coina
Poceirão
Fernão Ferro
Palmela
Quinta do Anjo
Algeruz
Águas de Moura
Landeira
Marateca
Moinhola
Apostiça
Parque
Qta da Bacalhoa
Zambujal
Lagoa de Albufeira
Vila Fresca de Azeitão
Vila Nogueira de A.
São Filipe
Setúbal
Natural
Aldeia de Irmãos
Alfarim
Corva
Santana
Arrábida
Calhariz
Sa da Arrábida
Outão
Tróia
Ruínas Romanas de Cetóbriga
Zambujal de Cima
Sesimbra
Castelo
Porto da Arrábida
Península de Tróia
Pinheiro
Estação de Pinheiro
Palma
Alcácer do Sal
Na Sra do Cabo
Azóia
Rio Sado

44
67

Torres Novas
Entroncamento
Vila Nova da Barquinha
Constância
Abrantes
Sardoal
Golegã
Chamusca
Alpiarça
Ponte de Sor
Montargil
Barragem de Montargil
Avis
Barragem do Maranhão
Mora
Couço
Pavia
Brotas
Alter do Chão
Crato
Nisa
Gavião
Fronteira
Sousel
Estremoz
Vimieiro
Arraiolos
Vendas Novas
Montemor-o-Novo
Évoramonte
ÉVORA
Redondo
Rio Tejo
Rio Sorraia
Ponte submersível
Galveias
Seda
Cabeço de Vide
Lavre
Ciborro
Santiago do Escoural
São Cristóvão
Monfurado
Serra de Ossa

Nisa
Póvoa e Meadas
Bgem do Poio
Bgem da Póvoa
Arez
Alpalhão
Gáfete
Castelo de Vide
Sto António das Areias
Valencia de Alcántara
Barrio de la Estación
Marvão
Portagem
La Fontañera
San Pedro
Las Casiñas
Las Huertas
Beirã
Fadagosa
Clavería
Membrío
Embalse de Zamores
Lapones
El Millarón
Salorino
Herreruela
Torrico de San Pedro
Estación de Herreruela
Alagoa
Vale do Peso
Carreiras
S. Salvador
Porto da Espada
Alvarrões
Reveladas
Vargem
Fortios
Monte Carvalho
Pino de Valencia
S. Julião
Serra de São Mamede
Parque Natural de São Mamede
Pico São Mamede
Reguengo
Penha
Flor da Rosa
Crato
Portalegre
Pisão
San Antón
San Vicente de Alcántara
Torrejón
Covacha
Chorlo
Tejarejo
Alcorneo
Jola
Sa del Naranjal
Castº
Mayorga
La Rabasa
Rabaça
Bacoco
Piedrabuena
El Tarro
Pto de los Brisos
Zajarrón Bajo
Liebres
Golilla
Santiago
Urra
Caia
Montinho
Alegrete
Vale de Cavalos
Lamparona
La Codosera
Eta de Chandovila
Parra
Barulho
Mosteiros
El Marco
Marco
Nave
Esperança
Benavente
Sa del Puerto
Alburquerque
Azagala
Sa de Santiago
Sa del Centinela
Eta de Carrión
Puerto de los Conejeros
Dos Hermanas
Embalse de Villar del Rey
Jabarriega
Villar del Rey
La Roca de la Sierra
Alter do Chão
Alter Pedroso
Estação de Portalegre
Cabeço de Vide
Assumar
Figueira
Arronches
Vaiamonte
Seda
Fronteira
Capela
Sra do Rosário
Monforte
São Saturnino
Vale de Maceiras
Bgem do Abrilongo
El Zangallón
Ouguela
Cevadais
Degolados
Contenda
Serrinha
Campo Maior
Bótoa
Ermita de Bótoa
Sta Eulália
Bgem do Caia
Vale de Albuquerque
Las Carboneras
Prazeres
Sto Amaro
Sousel
Caixeiro
Veiros
São Bento do Cortiço
Sto Estêvão
Sto Aleixo
Barbacena
Alentisca
São Vicente de Ventosa
Caia e São Pedro
Amoreirinha
Valdebótoa
Retiro
Gévora del Caudillo
Novelda del Guadiana
Alcazaba
Pueblonuevo del Guadiana
Sagrajas
Balboa
Talavera la Real
Freixial
Vila Fernando
Malhada
Forte da Graça
Elvas
Aqueduto da Amoreira
Forte de Sta Luzia
Pousada de Sta Luzia
Silveirona
São Lourenço de Mamporcão
São Domingos de Ana Loura
Orada
S. Lourenço
BADAJOZ
Villafranco del Guadiana
Tres Arroyos
Estremoz
Arcos
Alcaraviça
Mártires
Folgado
Vila Boim
Terrugem
Casas Novas
Rego
Torre de Bolsa
Sto Ildefonso
Corchuela
El Ronquillo
Glória
Nora
Borba
Ciladas
La Encomienda
El Molino
Malpica de España
Las Torrecillas
Alvarado
Los Limonetes de Villalobos
La Rosa
Reliquías
Rio de Moinhos
Barro Branco
Vila Viçosa
São Romão
Sra da Ajuda
Serra de Ossa
São Gens
Bencatel
Juromenha
San Francisco de Olivenza
Doña María
La Cocosa
Aldeia da Serra
Pardais
Villarreal
Alandroal
San Rafael de Olivenza
La Portuguesa
La Albuera
Entrín Bajo
Valduro Nuevo
Entrín Alto
Foros do Freixo
Malhada Alta
Mina do Bugalho
Olivenza
Picarrel
Redondo
Zambujeiro
Valverde de Leganés
Los Entrines
Foros da Fonte Seca
Hortinhas
Terena
Castº
Rosário
Monte do Outeiro
Silo
San Benito de la Contienda
San Jorge de Alor
Sto Domingo
Alor
Sta Susana
Almendral
Torre de Miguel Sesmero
Nogales
Santiago Maior
Capelins
Bgem da Vigia
Pias
Venda
Monte Juntos
Borrachina
Balancho
Montoito
Ramo Alto
Cabeça de Carneiro
Aldeias de Montoito
Cheles
Táliga
Dehesa Media
Barcarrota
Monsalud
Sa de María Andrés
E. de Nogales
GUADIANA
Río Xévora
Río Gévora
Río Zapatón
Río Caia
Río Guadiana
E. de Piedra Aguda
Lucefecit
IP 2 - E 802
IP 7 - E 90
A 6
A 5
N 521
N 246
N 119
N 243
N 371
N 372
N 369
N 4
N 254
N 255
N 432
N 435
EX 110
EX 303
EX 100
EX 107
EX 105
EX 209
IC 13
45
46
57
68
69
7
8
9
N
O
P
Q

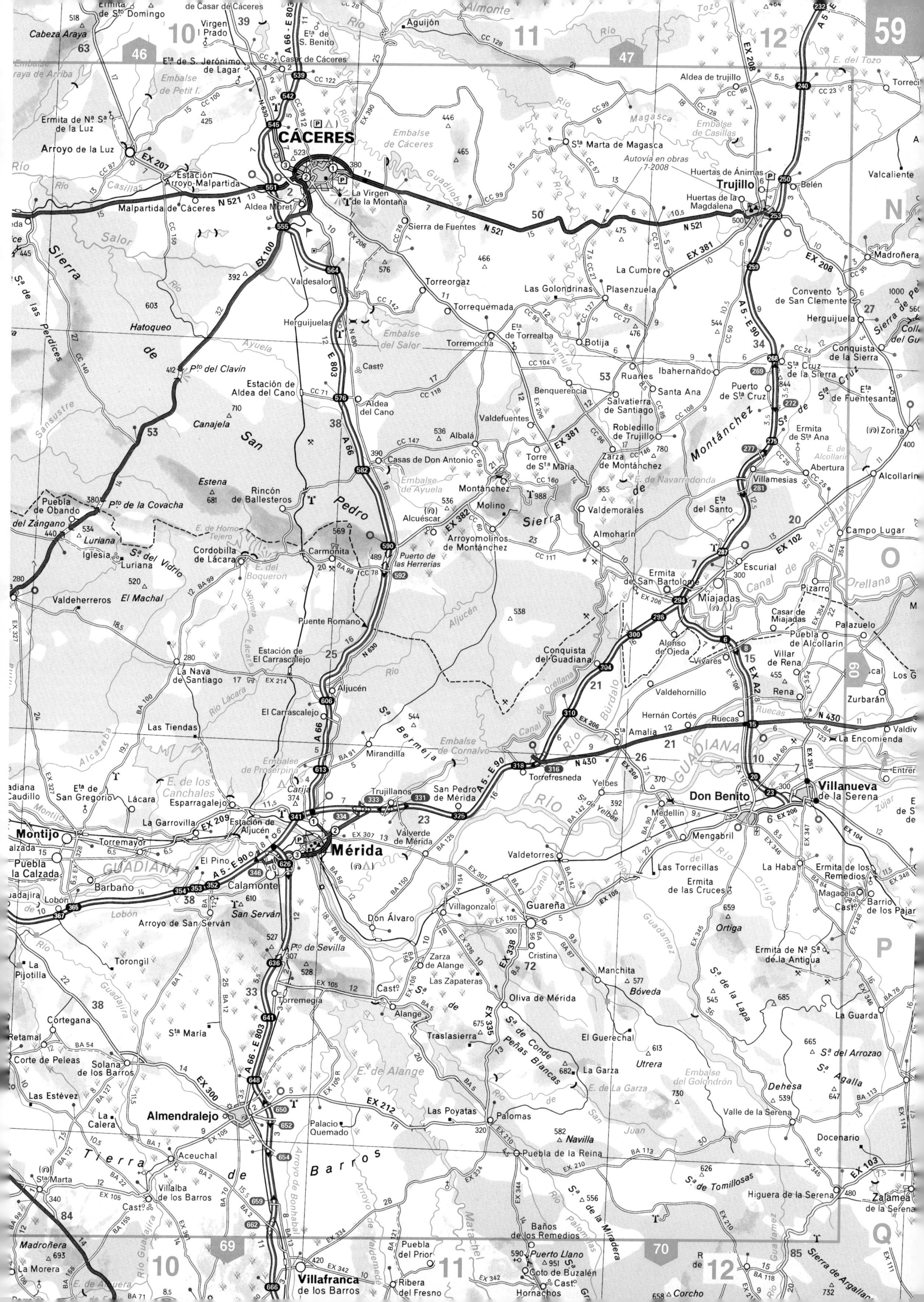

CÁCERES
Trujillo
Mérida
Montijo
Don Benito
Villanueva de la Serena
Almendralejo
Villafranca de los Barros
Miajadas
Arroyo de la Luz
Malpartida de Cáceres
Aldea Moret
La Virgen de la Montaña
Sierra de Fuentes
Torreorgaz
Torrequemada
Torremocha
Valdesalor
Herguijuelas
Estación de Aldea del Cano
Aldea del Cano
Casas de Don Antonio
Albalá
Montánchez
Alcuéscar
Arroyomolinos de Montánchez
Valdefuentes
Benquerencia
Salvatierra de Santiago
Ruanes
Santa Ana
Botija
Plasenzuela
La Cumbre
Las Golondrinas
Ibahernando
Robledillo de Trujillo
Zarza de Montánchez
Torre de Sta María
Valdemorales
Almoharín
Escurial
Villamesias
Abertura
Conquista de la Sierra
Herguijuela
Madroñera
Puerto de Sta Cruz
Sta Cruz de la Sierra
Campo Lugar
Alcollarín
Zorita
Pizarro
Casar de Miajadas
Palazuelo
Puebla de Alcollarín
Villar de Rena
Rena
Zurbarán
Conquista del Guadiana
Alonso de Ojeda
Vivares
Valdehornillo
Hernán Cortés
Ruecas
Sta Amalia
Torrefresneda
Yelbes
Medellín
Mengabril
La Encomienda
Valdetorres
Guareña
Cristina
Manchita
Oliva de Mérida
Villagonzalo
Don Álvaro
Zarza de Alange
Alange
Las Zapateras
Traslasierra
Palomas
Puebla de la Reina
La Haba
Magacela
La Guarda
Valle de la Serena
Docenario
Higuera de la Serena
Zalamea de la Serena
Puebla de Obando
Luriana
Cordobilla de Lácara
Carmonita
Rincón de Ballesteros
La Nava de Santiago
Aljucén
El Carrascalejo
Las Tiendas
Mirandilla
Lácara
Esparragalejo
La Garrovilla
Torremayor
Puebla de la Calzada
Barbaño
Calamonte
Lobón
Arroyo de San Serván
Torremegía
Trujillanos
San Pedro de Mérida
Valverde de Mérida
Cortegana
Solana de los Barros
Corte de Peleas
Aceuchal
Sta Marta
Villalba de los Barros
Puebla del Prior
Ribera del Fresno
Hornachos
Sierra de San Pedro
Sierra de Montánchez
Tierra de Barros
Río Guadiana
Embalse de Cáceres
Embalse del Salor
Embalse de Cornalvo
Embalse de Proserpina
E. de Alange
Embalse del Golondrón
Sa de Tomillosas
Sa de la Miradera
Sa de Conde Peñas Blancas
Sierra de Argallanes

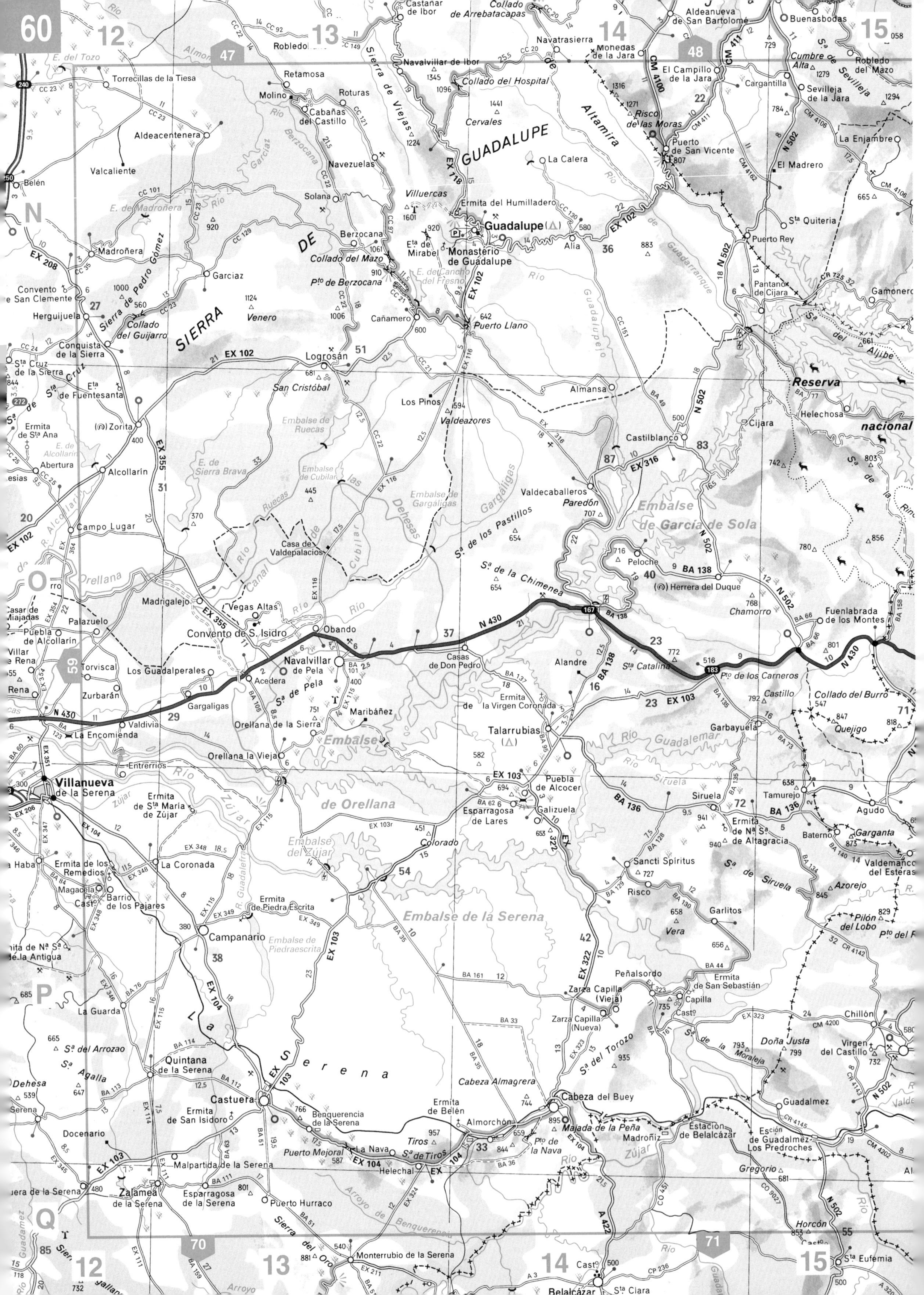
12
13
14
15
47
48
Castañar de Ibor
Collado de Arrebatacapas
Aldeanueva de San Bartolomé
Buenasbodas
Robledollano
Navatrasierra
Mohedas de la Jara
Robledo del Mazo
E. del Tozo
Torrecillas de la Tiesa
Retamosa
Navalvillar de Ibor
Collado del Hospital
El Campillo de la Jara
Cumbre de Sevilleja
Alta
Cargantilla
Sevilleja de la Jara
Molino
Roturas
Cabañas del Castillo
Cervales
Risco de las Moras
Aldeacentenera
Sierra de Viejas
GUADALUPE
Altamira
Puerto de San Vicente
La Enjambre
Valcaliente
Navezuelas
La Calera
El Madrero
Belén
Villuercas
N
E. de Madroñera
Solana
Ermita del Humilladero
Guadalupe
Sta Quiteria
Berzocana
Eta de Mirabel
Monasterio de Guadalupe
Alía
Puerto Rey
Madroñera
DE
Collado del Mazo
Pto de Berzocana
E. de Cancho del Fresno
Convento de San Clemente
Garciaz
Pantano de Cijara
Gamonero
Herguijuela
Sierra de Pedro Gómez
Venero
Cañamero
Puerto Llano
Collado del Guijarro
SIERRA
Conquista de la Sierra
Logrosán
Sa del Aljibe
Sta Cruz de la Sierra
San Cristóbal
Almansa
Reserva
Eta de Fuentesanta
Los Pinos
Valdeazores
Helechosa
nacional
Ermita de Sta Ana
(Zorita)
Embalse de Ruecas
Cíjara
Castilblanco
E. de Alcollarín
Abertura
Alcollarín
E. de Sierra Brava
Embalse de Cubilar
Embalse de Gargáligas
Valdecaballeros
Paredón
Embalse de García de Sola
Campo Lugar
Sa de los Pastillos
Casa de Valdepalacios
Peloche
Herrera del Duque
O
Orellana
Canal de las Dehesas
Sa de la Chimenea
Chamorro
Fuenlabrada de los Montes
Madrigalejo
Vegas Altas
Casar de Miajadas
Palazuelo
Convento de S. Isidro
Obando
Puebla de Alcollarín
Villar de Rena
Torviscal
Navalvillar de Pela
Casas de Don Pedro
Alandre
Sta Catalina
Pto de los Carneros
Los Guadalperales
Acedera
Castillo
Collado del Burro
Zurbarán
Sa de Pela
Ermita de la Virgen Coronada
Quejigo
Gargáligas
Maribáñez
Valdivia
Orellana de la Sierra
Talarrubias
Garbayuela
La Encomienda
Embalse
Río Guadalemar
Orellana la Vieja
Entrerríos
Villanueva de la Serena
Puebla de Alcocer
Siruela
Tamurejo
Agudo
Ermita de Sta María de Zújar
de Orellana
Esparragosa de Lares
Galizuela
Ermita de Nª Sª de Altagracia
Baterno
Garganta
Embalse del Zújar
Colorado
Valdemanco del Esteras
Ermita de los Remedios
La Coronada
Sancti Spíritus
Sa de Siruela
Magacela
Barrio de los Pajares
Risco
Azorejo
Ermita de Piedra Escrita
Garlitos
Embalse de la Serena
Pilón del Lobo
Vera
Campanario
Embalse de Piedraescrita
Ermita de Nª Sª de la Antigua
Peñalsordo
Ermita de San Sebastián
P
Zarza Capilla (Vieja)
Capilla
La Guarda
Zarza Capilla (Nueva)
Chillón
Doña Justa
Sa del Arrozao
Sa Agalla
La Serena
Sa del Torozo
Sa de la Moraleja
Virgen del Castillo
Quintana de la Serena
Dehesa
Cabeza Almagrera
Guadalmez
Castuera
Cabeza del Buey
Ermita de San Isidoro
Benquerencia de la Serena
Ermita de Belén
Almorchón
Majada de la Peña
Estación de Belalcázar
Madroñiz
Ción de Guadalmez-Los Predroches
Docenario
Tiros
Sa de Tiros
Pto de la Nava
Puerto Mejoral
La Nava
Malpartida de la Serena
Helechal
Gregorio
Zalamea de la Serena
Esparragosa de la Serena
Puerto Hurraco
Higuera de la Serena
Sierra del Oro
Arroyo de Benquerencia
Horcón
Q
70
71
Monterrubio de la Serena
Sta Eufemia
Belalcázar
Sta Clara
EX 102
EX 355
EX 116
EX 103
EX 104
EX 322
N 430
N 502
BA 138
BA 136

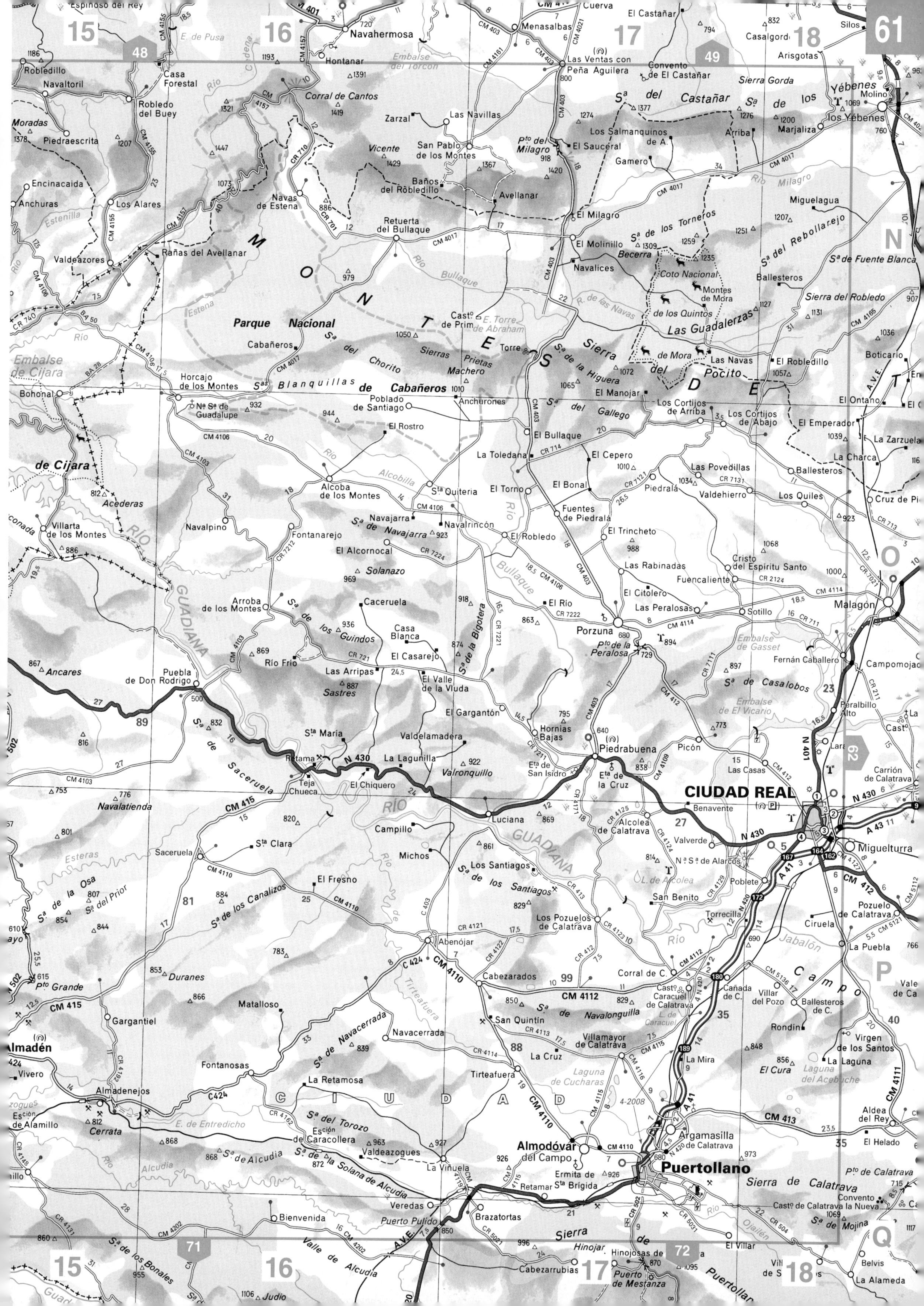
15
16
17
18
48
49
Espinoso del Rey
Navahermosa
Hontanar
Menasalbas
Cuerva
El Castañar
Convento de El Castañar
Casalgordo
Silos
Arisgotas
Las Ventas con Peña Aguilera
Embalse del Torcón
E. de Pusa
Robledillo
Navaltoril
Casa Forestal
Robledo del Buey
Moradas
Piedraescrita
Corral de Cantos
Zarzal
Las Navillas
San Pablo de los Montes
Vicente
Baños del Robledillo
Avellanar
Pto del Milagro
El Saucedal
Los Salmanquinos de A.
Sa del Castañar
Sierra Gorda
Sa de los Yébenes
Yébenes
Molino
Marjaliza
Arriba
Gamero
Río Milagro
El Milagro
Encinacaida
Anchuras
Los Alares
Navas de Estena
Retuerta del Bullaque
El Molinillo
Sa de los Torneros
Becerra
Navalices
Coto Nacional
Montes de Mora
de los Quintos
Miguelagua
Sa del Rebollarejo
Sa de Fuente Blanca
Ballesteros
Sierra del Robledo
N
Valdeazores
Rañas del Avellanar
M
O
N
T
E
S
Río Bullaque
R. de las Navas
Castº de Prim
E. Torre de Abraham
Parque Nacional
Cabañeros
Sa del Chorito
Sierras Prietas
Machero
Torre
Sa de la Higuera
Sierra
de Mora
Las Guadalerzas
Las Navas
del Pocito
El Robledillo
Boticario
Embalse de Cijara
Bohonal
Horcajo de los Montes
Sas Blanquillas de Cabañeros
Anchurones
Poblado de Santiago
El Manojar
Sa del Gallego
D
E
Los Cortijos de Arriba
Los Cortijos de Abajo
El Ontano
Nª Sª de Guadalupe
El Rostro
El Bullaque
El Emperador
La Zarzuela
La Charca
de Cijara
La Toledana
El Cepero
Ballesteros
Alcoba de los Montes
Sta Quiteria
El Torno
El Bonal
Piedralá
Las Povedillas
Valdehierro
Los Quiles
Cruz de Piedra
Acederas
Villarta de los Montes
Navalpino
Fontanarejo
Navajarra
Sa de Navajarra
Navalrincón
Fuentes de Piedralá
El Robledo
El Trincheto
El Alcornocal
Solanazo
Río Bullaque
Las Rabinadas
Cristo del Espíritu Santo
Fuencaliente
O
RÍO GUADIANA
Arroba de los Montes
Caceruela
Sa de los Guindos
El Río
El Citolero
Las Peralosas
Sotillo
Malagón
Porzuna
Pto de la Peralosa
Embalse de Gasset
Fernán Caballero
Campomojado
Casa Blanca
El Casarejo
Sa de la Bigotera
Río Frío
Las Arripas
Sastres
El Valle de la Viuda
Sa de Casalobos
Embalse de El Vicario
Ancares
Puebla de Don Rodrigo
El Gargantón
Hornias Bajas
Piedrabuena
Picón
Peralbillo Alto
Sta María
Valdelamadera
La Lagunilla
Valronquillo
Las Casas
Sa de Saceruela
Retama
N 430
Eta de San Isidro
Eta de la Cruz
Carrión de Calatrava
Teja Chueca
El Chiquero
CIUDAD REAL
Benavente
Navalatienda
CM 415
Luciana
Alcolea de Calatrava
Valverde
Miguelturra
Campillo
Sta Clara
Michos
GUADIANA
Saceruela
Esteras
Los Santiagos
Sa de los Santiagos
Nª Sª de Alarcos
L. de Alcolea
Poblete
El Fresno
Sa de la Osa
Sa del Prior
Sa de los Canalizos
San Benito
Torrecilla
Los Pozuelos de Calatrava
Pozuelo de Calatrava
Ciruela
Abenójar
Río Jabalón
La Puebla
Duranes
Cabezarados
Corral de C.
Castº Caracuel de Calatrava
Cañada de C.
Villar del Pozo
Ballesteros de C.
Campo
Pto Grande
Matalloso
Sa de Navalonguilla
L. de Caracuel
Gargantiel
San Quintín
Rondín
Almadén
Sa de Navacerrada
Navacerrada
Villamayor de Calatrava
Virgen de los Santos
La Laguna
Vivero
Fontanosas
La Cruz
La Mira
El Cura
Laguna del Acebuche
Tirteafuera
Laguna de Cucharas
Almadenejos
La Retamosa
C I U D A D
Aldea del Rey
Esción de Alamillo
Cerrata
E. de Entredicho
Sa del Torozo
Esción de Caracollera
Argamasilla de Calatrava
El Helado
Sa de Alcudia
Sa de la Solana de Alcudia
Valdeazogues
Almodóvar del Campo
Puertollano
La Viñuela
Ermita de Sta Brígida
Retamar
Sierra de Calatrava
Pto de Calatrava
Convento
Castº de Calatrava la Nueva
Veredas
Brazatortas
Sa de Mojina
Bienvenida
Puerto Pulido
Río Ojailén
El Villar
Sierra
Hinojar
Hinojosas de Calatrava
Q
Belvis
La Alameda
71
72
Sa de los Bonales
Valle de Alcudia
Cabezarrubias
Puerto de Mestanza
Puertollano
Judio
15
16
17
18

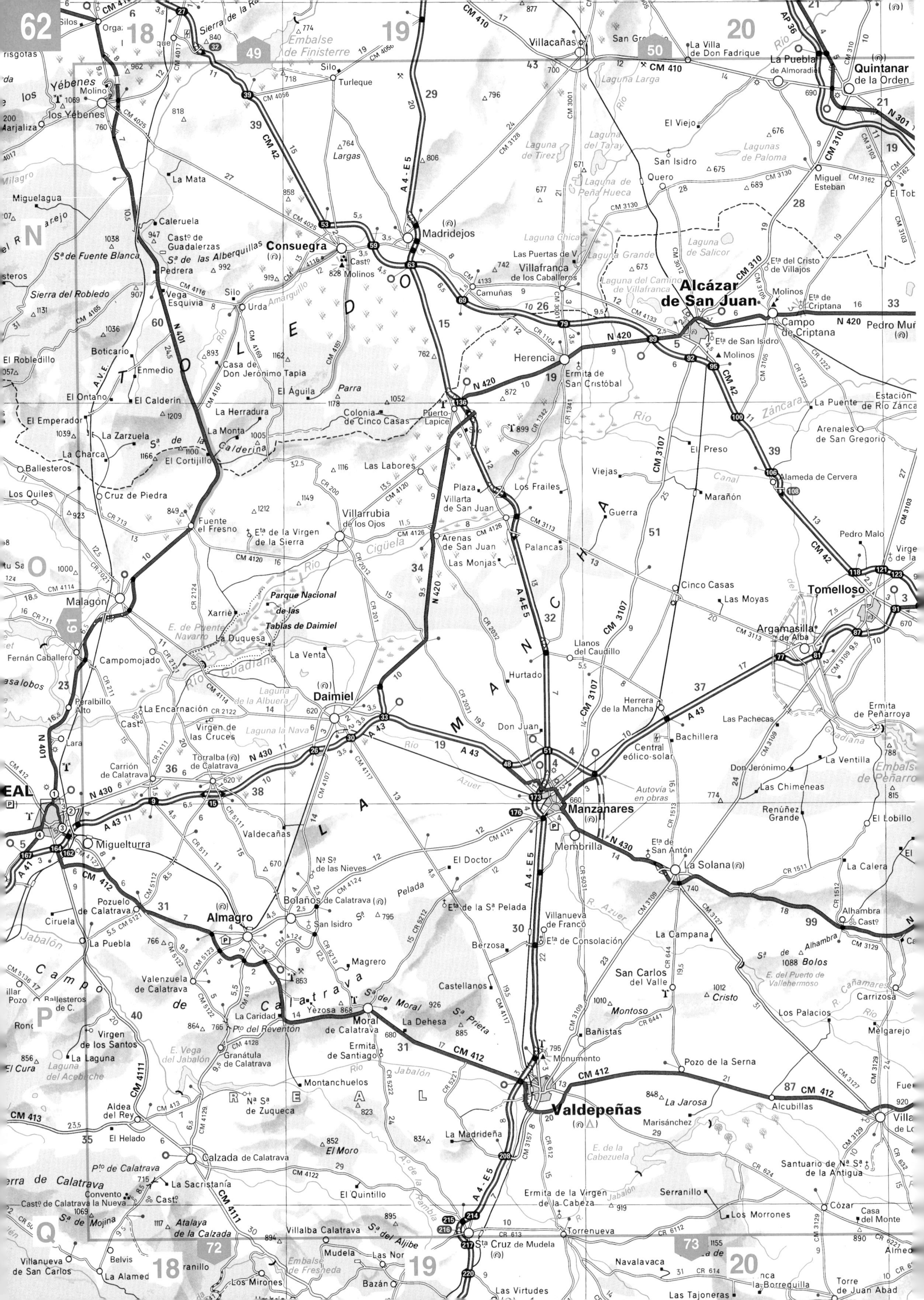

18
19
20
49
50
61
72
73
Silos
Orgaz
Sierra de la Rab
Embalse de Finisterre
Villacañas
Villa de Don Fadrique
La Puebla de Almoradiel
Quintanar de la Orden
Los Yébenes
Molino
Marjaliza
Turleque
Laguna Larga
El Viejo
Largas
La Mata
Laguna de Tirez
Laguna del Taray
Lagunas de Paloma
San Isidro
Quero
Miguel Esteban
El Toboso
Miguelagua
Laguna de Peña Hueca
Caleruela
Castº de Guadalerzas
Sª de las Alberquillas
Consuegra
Madridejos
Castº Molinos
Sª de Fuente Blanca
Pedrera
Laguna Chica
Las Puertas de V.
Laguna Grande
Laguna de Salicor
Villafranca de los Caballeros
Sierra del Robledo
Vega
Esquivia
Silo
Urda
Camuñas
Laguna del Camino de Villafranca
Alcázar de San Juan
Etª del Cristo de Villajos
Molinos
Etª de Criptana
Campo de Criptana
Pedro Muñoz
N 420
TOLEDO
Boticario
El Robledillo
Casa de Don Jerónimo Tapia
Enmedio
Herencia
Etª de San Isidro
Ermita de San Cristóbal
El Águila
Parra
El Ontano
El Calderín
Colonia de Cinco Casas
Puerto Lápice
La Herradura
Estación de Río Záncara
La Puente
Río Záncara
El Emperador
La Zarzuela
Sª de la Calderina
La Monta
Arenales de San Gregorio
La Charca
El Cortijillo
El Preso
Ballesteros
Las Labores
Viejas
Alameda de Cervera
Canal
Los Quiles
Cruz de Piedra
Plaza
Villarta de San Juan
Los Frailes
Marañón
Fuente el Fresno
Villarrubia de los Ojos
Etª de la Virgen de la Sierra
Guerra
Arenas de San Juan
Palancas
Pedro Malo
Río Cigüela
Las Monjas
MANCHA
Cinco Casas
Las Moyas
Tomelloso
Malagón
Parque Nacional de las Tablas de Daimiel
Xarrié
E. de Puente Navarro
La Duquesa
Argamasilla de Alba
Fernán Caballero
Campomojado
La Venta
Llanos del Caudillo
Río Guadiana
Hurtado
Laguna de la Albuera
Daimiel
Peralbillo Alto
La Encarnación
Herrera de la Mancha
Ermita de Peñarroya
Virgen de las Cruces
Laguna la Nava
Don Juan
Las Pachecas
Castº
Bachillera
Lara
Torralba de Calatrava
Central eólico-solar
Embalse de Peñarroya
Carrión de Calatrava
Don Jerónimo
La Ventilla
N 430
A 43
Autovía en obras
Las Chimeneas
Manzanares
Renúñez Grande
Valdecañas
El Lobillo
Miguelturra
Membrilla
Etª de San Antón
El Doctor
Nª Sª de las Nieves
La Solana
La Calera
CM 412
Pozuelo de Calatrava
Pelada
Bolaños de Calatrava
Etª de la Sª Pelada
Ciruela
Almagro
San Isidro
Villanueva de Franco
Alhambra Castº
Jabalón
La Puebla
Berzosa
Etª de Consolación
La Campana
Sª de Alhambra
Bolos
Magrero
E. del Puerto de Vallehermoso
Valenzuela de Calatrava
Campo de Calatrava
San Carlos del Valle
Castellanos
Carrizosa
Ballesteros de C.
La Caridad
Yezosa
Sª del Moral
Sª Prieta
Cristo
Montoso
Los Palacios
Pto del RevenTón
Moral de Calatrava
La Dehesa
Bañistas
Virgen de los Santos
E. Vega del Jabalón
Granátula de Calatrava
Ermita de Santiago
Monumento
Pozo de la Serna
Melgarejo
La Laguna
Laguna del Acebuche
Montanchuelos
Río Jabalón
REAL
Nª Sª de Zuqueca
La Jarosa
Alcubillas
Valdepeñas
Aldea del Rey
Marisánchez
El Helado
El Moro
La Madrideña
Calzada de Calatrava
E. de la Cabezuela
Santuario de Nª Sª de la Antigua
Pto de Calatrava
Sierra de Calatrava
La Sacristanía
El Quintillo
Ermita de la Virgen de la Cabeza
Serranillo
Cózar
Convento
Castº de Calatrava la Nueva
Castº
Sª de Mojina
Atalaya de la Calzada
Los Morrones
Casa del Monte
Villalba Calatrava
Sª del Aljibe
Torrenueva
Sta Cruz de Mudela
Villanueva de San Carlos
Belvis
La Alameda
Embalse de Fresneda
Mudela
Las Nor
Navalavaca
Los Mirones
Bazán
Las Virtudes
La Borreguilla
Torre de Juan Abad
Las Tajoneras
A 4 - E 5
CM 42
CM 410
CM 413
CM 4111
N 401
A 41
AP 36
N 301

21
22
23
50
51
Osa de la Vega
Laguna de los Capellanes
Castº
Villar de
del Marquesado
Castillo de Garcimuñoz
Torrubia del Castillo
Buenache de Alarcón
Barchín del Hoyo
Honrubia
Los Hinojosos
Villaescusa de Haro
Pinarejo
Olmedilla de Alarcón
Valverdejo
Carrascosa de Haro
Río Monreal
Río Záncara
Río Córcoles
Monreal del Llano
Rada de Haro
Sta María del Campo Rus
Casas del E. de Alarcón
Cañadajuncosa
Venta de Don Quijote
Belmonte
El Cañavate
Alarcón
Valdehermoso de la Fuente
N 420
AP 36
Molinos
Mota del Cuervo
La Alberca de Záncara
Atalaya de Cañavate
Parador Marqués de Villena
Embalse de E. Picazo
Tébar
A 3 - E 901
Canteras
Casa Blanca
El Pedernoso
Sta María de los Llanos
Virgen de Rus
Villar de Cantos
A 43
Rubielos Altos
N 301
Ermita de Manjavacas
Laguna de Sánchez Gómez
Las Pedroñeras
Meneses
El Picazo
Rubielos Bajos
Vara de Rey
Laguna de Manjavacas
Laguna Grande
CM 3112
San Clemente
Sisante
Río Júcar
Casasimarro
Las Mesas
Embalse de los Muleteros
El Provencio
Casas de Fernando Alonso
Virgen de la Cabeza
Pozoamargo
Casas de Benítez
El Simarro
N 310
Becejate
Río Záncara
Casas de los Pinos
Barrio de Abajo
Casas de Guijarro
Monte de las M
Casas de Haro
Villalgordo del Júcar
Finca Villalpardillo
Los Árboles
El Bernardo
Socuéllamos
Estación de Gangueras
Matas Verdes
Casas de Roldán
Minaya
Canal
Villarrobledo
Silo
Fuensanta
Casa la Carriza
Casas de la Peña
Estación de Minaya
CM 3106
Las Beatas
La Roda
Buenav
s Viñas
Casa de Eugenio
M
A
N
C
H
A
L
Moharras
Montalvos
N 320
Carro
Sta Marta
Autovía en obras
CM 400
El Capitán
Salobre
Casas del Matado
La Gineta
Lechina
Blancares Nuevos
Romera
Trasvase
Blancares Viejos
Buen Retiro
Munera
Marigutiérrez
Barrax
Casa Gran
La Miera
Casas de los Puercos
N 430
Sotuélamos
Labor de
Maripérez
Cañada de la Manga
Ermita de Nª Sª del Llano
La Magdalena
Ortigosa
Casa de Navamarín
Guijarral
Casas Viejas
Ruidera
Los Esteros
El Monte
Los Navazos
Los Villares
San José
Ossa de Montiel
Los Barreros
La Herrera
Lagunas de Ruidera
Allozo
El Bonillo
Lezuza
Valdelaras de Abajo
La Cortesa
N 322
Parque natural de las Lagunas de Ruidera
Gallardo
Valdelaras de Arriba
Sta Rita
La Yunquera
Los Partidores
El Ossero
Cantacucos
Sta Ana de Arriba
El Sabinar
Tiriez
El Cuartico
Balazote
Pradorredondo
as Blancas
L. Blanca
El Guijoso
Montiel
Segura
Eta de Nª Sª de la Carrasca
Argamasón
Pajar de Marta
El Ballestero
Salinas de Pinilla
Los Anguijes
San Pedro
Pinilla
El Jardín
Pozuelo
Azuer
Cañamares
El Cepillo
El Cubillo
Casas de Lázaro
Cañada Juncosa
Casica del Madroño
La Zarza
Los Chospes
Viveros
Batán
Milano
Cucharal
El Madroño
La Rambla
La Solana
Robledo
Villahermosa
Cañamares
Sta María
Cerroblanco
Pto de los Pocicos
Peñarrubia
La Rinconada
Berro
Roble
Peñas de San Pedro
Campo
El Horcajo
El Sahuco
Masegoso
Montemayor
Sª del Sahuco
Montiel
Povedilla
Canaleja
Santuario Nª Sª de Cortés
Cilleruelo
Navalengua
La Fuensanta
Roye
Villanueva de la Fuente
Solanilla
Majogazas
Sta Ana
La Hoz
Pesebre
Casas del Puerto
La Molata
Los Hoyuelos
CM 412
Alcaraz
Peñascosa
Burrueco
Alcadozo
Los Calares
Los Desamparados
Loma de Piqueras
Fuenlabrada
Casa Sola
El Palomar
Cañadas de Haches de Arriba
Cañadas de Haches de Abajo
Sta Cruz de los Cáñamos
Relumbrar
Vianos
Mesta
ALCARAZ
Q
La Herrería
Moriscote
Castellanos
Terrinches
Reolid
Paterna del Madera
Las Casas
El Griego
Villarejo
Pilas Verdes
Salobre
Las Mohedas
73
74
64
N
O
P

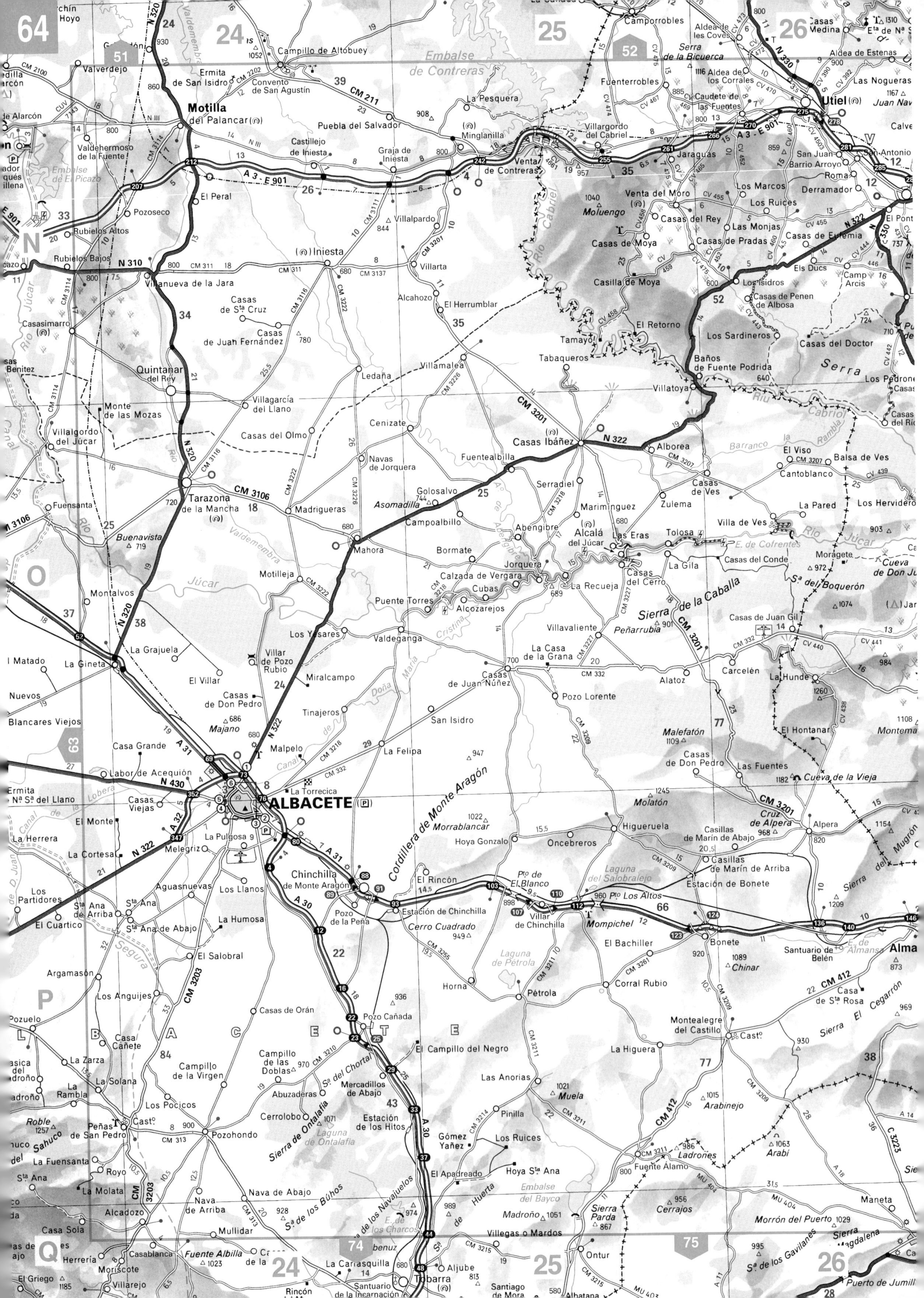
Campillo de Altobuey
Embalse de Contreras
Camporrobles
Aldea de los Coves
Serra de la Bicuerca
Casas Medina
Aldea de Estenas
Valverdejo
Ermita de San Isidro
Convento de San Agustín
Fuenterrobles
Aldea de los Corrales
Caudete de las Fuentes
Las Nogueras
Utiel
Juan Nav
Motilla del Palancar
La Pesquera
Puebla del Salvador
Villargordo del Cabriel
Minglanilla
Castillejo de Iniesta
Graja de Iniesta
Venta de Contreras
Jaraguas
San Juan
Barrio Arroyo
San Antonio
Valdehermoso de la Fuente
Embalse de El Picazo
El Peral
Pozoseco
Rubielos Altos
Rubielos Bajos
Los Marcos
Derramador
Roma
Venta del Moro
Moluengo
Los Ruices
Casas del Rey
Las Monjas
Casas de Moya
Casas de Pradas
Casas de Eufemia
Villalpardo
Iniesta
Villarta
Casilla de Moya
Els Ducs
Camp Arcis
Villanueva de la Jara
Alcahozo
El Herrumblar
Los Isidros
Casas de Penen de Albosa
Casas de Sta Cruz
Casas de Juan Fernández
Casasimarro
El Retorno
Tamayo
Los Sardineros
Casas del Doctor
Tabaqueros
Baños de Fuente Podrida
Serra
Ledaña
Villamalea
Quintanar del Rey
Villatoya
Los Pedrones
Monte de las Mozas
Villagarcía del Llano
Villagordo del Júcar
Casas del Olmo
Cenizate
Casas Ibáñez
Alborea
El Viso
Balsa de Ves
Navas de Jorquera
Fuentealbilla
Cantoblanco
Serradiel
Casas de Ves
Tarazona de la Mancha
Golosalvo
Asomadilla
Madrigueras
Marimínguez
Zulema
La Pared
Los Hervideros
Fuensanta
Campoalbillo
Abengibre
Alcalá del Júcar
Las Eras
Tolosa
Villa de Ves
Buenavista
Mahora
Bormate
E. de Cofrentes
Río Júcar
La Gila
Casas del Conde
Morágete
Cueva de Don Ju
Jorquera
Motilleja
Calzada de Vergara
Cubas
La Recueja
Casas del Cerro
Sa del Boquerón
Montalvos
Puente Torres
Alcozarejos
Sierra de la Caballa
Los Yesares
Valdeganga
Villavaliente
Peñarrubia
Casas de Juan Gil
La Grajuela
Villar de Pozo Rubio
La Casa de la Grana
I Matado
La Gineta
Casas de Juan Núñez
Carcelén
Alatoz
La Hunde
El Villar
Miralcampo
Pozo Lorente
Nuevos
Casas de Don Pedro
Blancares Viejos
Tinajeros
San Isidro
El Hontanar
Majano
Malefatón
Montema
Casa Grande
Malpelo
La Felipa
Casas de Don Pedro
Las Fuentes
Labor de Acequión
Cueva de la Vieja
Ermita Nª Sª del Llano
La Torrecica
Casas Viejas
ALBACETE
Cordillera de Monte Aragón
Molatón
El Monte
Morrablancar
Higueruela
Casillas de Marín de Abajo
Cruz de Alpera
Alpera
La Herrera
La Pulgosa
Hoya Gonzalo
Oncebreros
La Cortesa
Melegriz
Laguna del Salobralejo
Casillas de Marín de Arriba
Estación de Bonete
Chinchilla de Monte Aragón
El Rincón
Pto de El Blanco
Aguasnuevas
Los Llanos
Pto Los Altos
Los Partidores
Sta Ana de Arriba
Sta Ana
Sta Ana de Abajo
Pozo de la Peña
Estación de Chinchilla
Villar de Chinchilla
Mompichel
Bonete
El Cuartico
La Humosa
Cerro Cuadrado
El Bachiller
Santuario de Belén
Alma
El Salobral
Laguna de Pétrola
Chinar
Argamasón
Horna
Corral Rubio
Pétrola
Casa de Sta Rosa
Los Anguijes
Casas de Orán
Pozo Cañada
Pozuelo
Montealegre del Castillo
Sierra El Cegarrón
Casa Cañete
El Campillo del Negro
La Higuera
La Zarza
Campillo de las Doblas
Campillo de la Virgen
Sa del Chortal
Las Anorias
La Rambla
La Solana
Abuzaderas
Mercadillos de Abajo
Muela
Arabinejo
Los Pocicos
Cerrolobo
Estación de los Hitos
Pinilla
Roble
Peñas de San Pedro
Sahuco
Pozohondo
Sierra de Ontalafia
Laguna de Ontalafia
Gómez Yañez
Los Ruices
Arabí
La Fuensanta
Royo
Ladrones
Fuente Álamo
Sta Ana
La Molata
El Apadreado
Hoya Sta Ana
Nava de Abajo
Nava de Arriba
Sa de los Búhos
Sa de los Navajuelos
E. de los Charcos
Embalse del Bayco
Sierra Parda
Cerrajos
Maneta
Alcadozo
Madroño
Morrón del Puerto
Casa Sola
Mullidar
Villegas o Mardos
Sa de los Gavilanes
Sierra Magdalena
Herrería
Casablanca
Fuente Albilla
Moriscote
La Carrasquilla
Aljube
Ontur
El Griego
Villarejo
Rincón
Santuario de la Encarnación
Tobarra
Santiago de Mora
Albatana
Puerto de Jumill

51
52
63
74
75

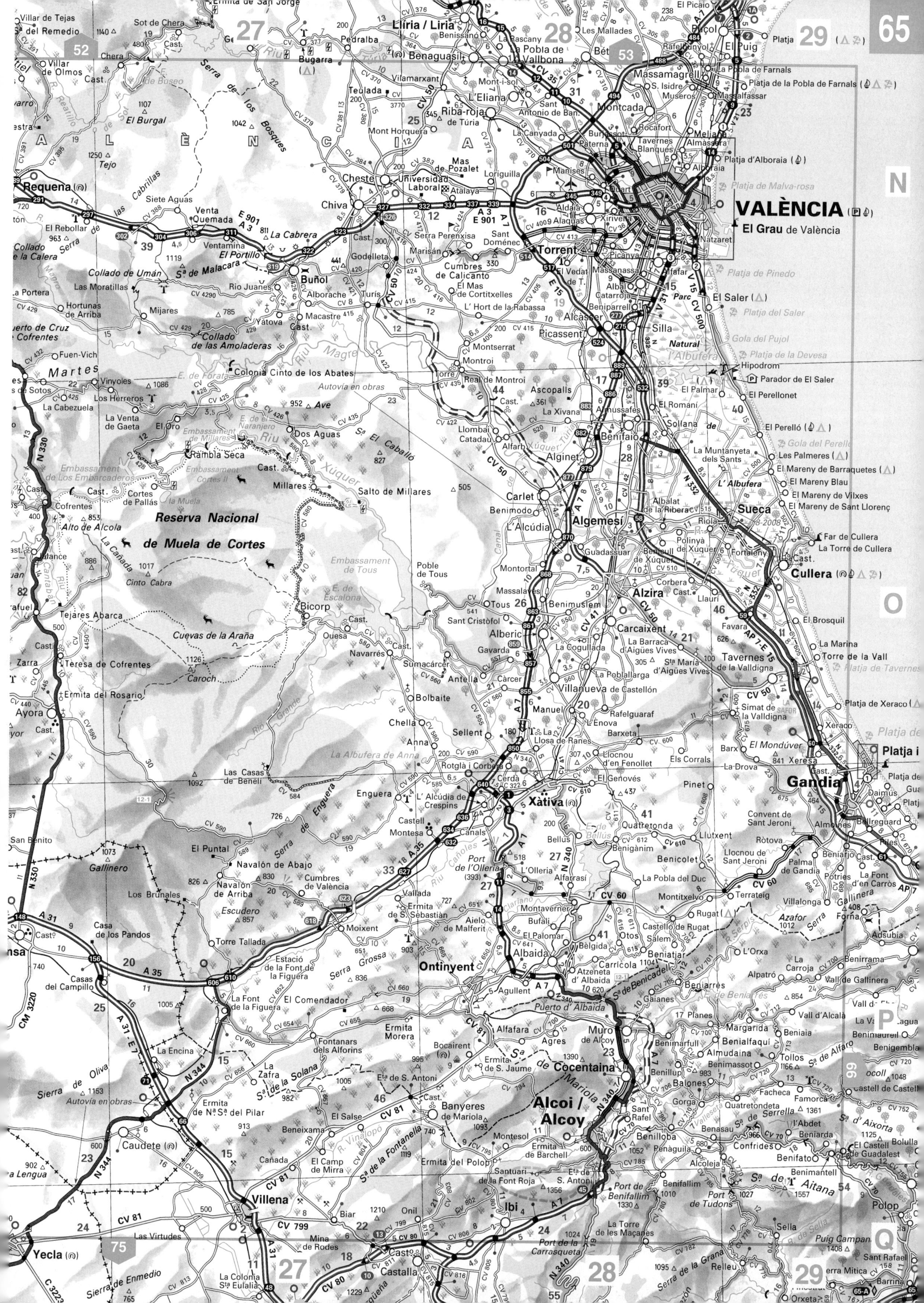
65
27
28
29
52
53
75
Llíria / Liria
Benaguasil
La Pobla de Vallbona
Bétera
Puçol
El Puig
Massamagrell
Montcada
Riba-roja de Túria
L'Eliana
Paterna
Burjassot
Manises
Requena
Cheste
Chiva
Buñol
VALÈNCIA
El Grau de València
Torrent
Alaquàs
Aldaia
Xirivella
Picanya
Catarroja
Alfafar
El Saler
Silla
Picassent
Alcàsser
Parc Natural l'Albufera
Almussafes
Benifaió
Alginet
Carlet
L'Alcúdia
Algemesí
Alzira
Sueca
Cullera
Carcaixent
Alberic
Tavernes de la Valldigna
Xàtiva
Gandia
Ontinyent
Albaida
Muro de Alcoy
Cocentaina
Alcoi / Alcoy
Banyeres de Mariola
Villena
Caudete
Yecla
Ibi
Castalla
Ayora
Cofrentes
Reserva Nacional de Muela de Cortes
Embassament de Tous
Bicorp
Enguera
Canals
Moixent
Mogente
Xeraco
Oliva
N

28
29
30
31
Sueca
El Mareny de Vilxes
El Mareny de Sant Llorenç
Far de Cullera
La Torre de Cullera
Cullera
Riola
Polinyà de Xúquer
Fortaleny
Albalat de la Ribera
Guadassuar
Benimuslem
Alzira
Corbera
Llaurí
Carcaixent
La Barraca d'Aigües Vives
Sta María d'Aigües Vives
Tavernes de la Valldigna
El Brosquil
La Marina
Torre de la Vall
Platja de Tavernes
Platja de Xeraco
Xeraco
Simat de la Valldigna
Platja de Gandia
Platja i Grau de Gandia
Platja de Daimús
Guardamar de la Safor
Platja de Bellreguard
Platja Miramar
Platja de Piles
Platja d'Oliva
Gandia
Daimús
Bellreguard
Almoines
Piles
Oliva
El Mondúver
Xeresa
Barx
La Drova
Els Corrals
Llocnou d'en Fenollet
Barxeta
Rafelguaraf
L'Ènova
Villanueva de Castellón
La Pobla Llarga
La Cogullada
Alberic
Massalavés
Montortal
Tous
Càrcer
Manuel
La Llosa de Ranes
Xàtiva
Cerdà
El Genovés
Pinet
Quatretonda
Benigànim
Llutxent
Bellús
Benicolet
Rótova
Convent de Sant Jeroni
Llocnou de Sant Jeroni
Palma de Gandia
Beniarjó
Potríes
La Font d'en Carròs
L'Olleria
Alfarrasí
La Pobla del Duc
Montitxelvo
Terrateig
Villalonga
Fornа
Serra Gallinera
Azafor
Rugat
Montaverner
Bufali
El Palomar
Bèlgida
Otos
Salem
Castelló de Rugat
Albaida
Atzeneta d'Albaida
Carrícola
Beniatjar
L'Orxa
Adsubia
Pego
Platjas Les Marines
Els Poblets
Les Marines
Dénia
Platja de Marianeta Cassiana
Les Rotes
Les Arenetes
Aduanas
Cap de Sant Antoni (167)
Xàbia / Jávea
Platja del Arenal
Parque Calablanca
Cap de Sant Martí
Ibiza, Formentera (Islas Baleares)
El Verger
Beniarbeig
Ondara
La Xara
El Montgó
Jesús Pobre
El Ràfol d'Almúnia
Sanet y Negrals
Sagra
Benidoleig
Pedreguer
Gata de Gorgos
Rafalet
Tosalet
El Poble Nou de Benitatxell
Cap de la Nau (122)
Platja de la Granadella
La Granadella
Cumbre del Sol
Cala de los Tiestos
El Portet de Moraira
Punta de Moraira
Platja de Moraira
Moraira
Teulada
La Sabatera
Benissa
Fanadix
Buenavista-Cala Abogat
Penyal d'Ifac
Penyal d'Ifac (326)
Calp
Benirrama
La Carroja
Vall de Gallinera
Alpatró
Vall de Ebo
Vall d'Alcalà
La Vall de Laguart
Orba
Llosa de Camacho
Alcalalí
Lliber
Xaló
Senija
Murla
Benigembla
Benimaurell
Parcent
Coll de Rates
Cocoll
Castell de Castells
Tàrbena
Bolulla
Pinos
Bernia
Barranc del Mascarat
Callosa d'en Sarrià
Altea la Vella
L'Olla
Altea
L'Alfàs del Pi
Albir
Punta Bombarda
Sa Helada
Racó de Loix
Punta de l'Escaleta
Platja de Llevant
Platja de Ponent
BENIDORM
La Vila Joiosa / Villajoyosa
Platja del Paraís
Polop
La Nucia
El Tossal
Puig Campana
Sant Rafael
Terra Mítica
Finestrat
Orxeta
Barrina
Sella
Relleu
Serra de la Grana
Embassament d'Amadòrio
Sant Jordi
Aigües
Busot
Coves dels Canelobres
Xixona
Sa de Cabezón del Oro
Peña Migjorn
Tibi
Maigmó
Montnegre
Ermita Don Jaume
Mutxamel
Tangel
Villafranqueza
El Campello
La Coveta Fumá
Font-Mezquitas
Sant Joan d'Alacant
Platja de Muchavista
la Platja de Sant Joan
Cap de l'Horta
Platja de l'Albufereta
Sant Vicent del Raspeig
L'Alcoraya
Verdegás
La Canyada
El Rebolledo
Bacarot
ALACANT / ALICANTE
Golf d'Alacant
Urbanova
L'Altet
Torrellano
Los Arenales del Sol
Platja los Arenales del Sol
Els Bassars
Gran Alacant
Valverde
Las Bayas
Cap de Sta Pola
Sta Pola
Platja Lissa
Illa de Tabarca
COSTA BLANCA
Beniarrés
Gaianes
Planes
Margarida
Beniaia
Benialfaquí
Almudaina
Tollos
Benimassot
Sa de Alfaro
Benimarfull
Benillup
Balones
Facheca
Famorca
Gorga
Quatretondeta
Sa de Serrella
L'Abdet
Sa d'Aixorta
Benasau
Confrides
Beniarda
Benifato
El Castell de Guadalest
Benimantell
Sa de Aitana
Port de Tudons
Alcoleja
Penàguila
Benilloba
Benifallim
Port de Benifallim
La Torre de les Maçanes
Port de la Carrasqueta
Muro de Alcoy
Cocentaina
Agres
Alfafara
Ermita de S. Jaume
Sa de Mariola
Alcoi / Alcoy
Sant Rafel
Montesol
Ermita de Barchell
Santuari de la Font Roja
Ibi
Puerto d'Albaida
Agullent
Sa de Benicadell
Port l'Olleria
Aielo
P
O
Q
R

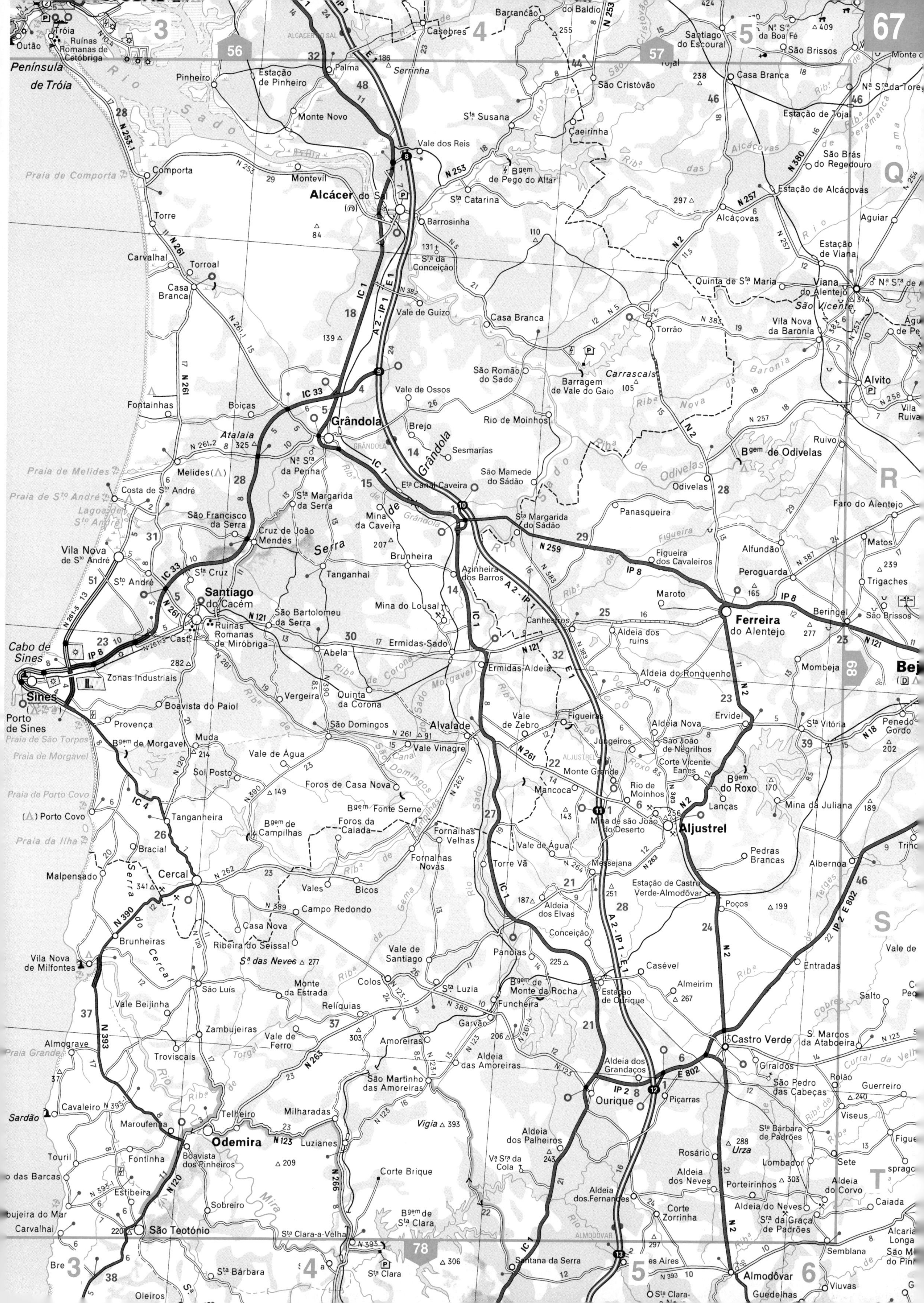
3
4
5
6
56
57
78
68
Q
R
S
T
Outão
Tróia
Ruínas Romanas de Cetóbriga
Península de Tróia
Rio Sado
Pinheiro
Estação de Pinheiro
Palma
Serrinha
Casebres
Barrancão
do Baldio
Santiago do Escoural
Nª Sª da Boa Fé
São Brissos
Monte Novo
São Cristóvão
Sta Susana
Caeirinha
Casa Branca
Nª Sª da Torega
Estação de Tojal
Vale dos Reis
Bgem de Pego do Altar
São Brás do Regedouro
Comporta
Praia de Comporta
Montevil
Alcácer do Sal
Sta Catarina
Estação de Alcáçovas
Alcáçovas
Torre
Barrosinha
Aguiar
Estação de Viana
Carvalhal
Sta da Conceição
Torroal
Casa Branca
Quinta de Sta Maria
Viana do Alentejo
Nª Sra de
São Vicente
Vale de Guizo
Casa Branca
Torrão
Vila Nova da Baronia
Barragem de Vale do Gaio
Carrascais
São Romão do Sado
Alvito
Fontainhas
Boiças
Vale de Ossos
Grândola
Brejo
Rio de Moinhos
Vila Ruiva
Atalaia
Sesmarias
Serra de Grândola
Ruivo
Bgem de Odivelas
Praia de Melides
Melides
Nª Sª da Penha
São Mamede do Sádão
Odivelas
Costa de Sto André
Praia de Sto André
Lagoa de Sto André
Eta Canal Caveira
Sta Margarida da Serra
Faro do Alentejo
Panasquiera
São Francisco da Serra
Mina da Caveira
Sta Margarida do Sádão
Cruz de João Mendes
Serra
Brunheira
Figueira dos Cavaleiros
Alfundão
Matos
Vila Nova de Sto André
Tanganhal
Azinheira dos Barros
Peroguarda
Trigaches
Sto André
Sta Cruz
Santiago do Cacém
Maroto
Mina do Lousal
Beringel
São Brissos
Ferreira do Alentejo
Canhestros
Aldeia dos ruins
São Bartolomeu da Serra
Ruínas Romanas de Miróbriga
Cabo de Sines
Abela
Ermidas-Sado
Ermidas-Aldeia
Mombeja
Beja
Sines
Zonas Industriais
Aldeia do Ronquenho
Porto de Sines
Vergeira
Quinta da Corona
Boavista do Paiol
Ervidel
Provença
São Domingos
Alvalade
Vale de Zebro
Figueiras
Aldeia Nova
Sta Vitória
Penedo Gordo
Praia de São Torpes
Bgem de Morgavel
Muda
Vale Vinagre
Junqueiros
São João de Negrilhos
Praia de Morgavel
Vale de Água
Sol Posto
Monte Grande
Corte Vicente Eanes
Foros de Casa Nova
Mancoca
Rio de Moinhos
Bgem do Roxo
Praia de Porto Covo
Mina da Juliana
Porto Covo
Tanganheira
Bgem de Campilhas
Bgem Fonte Serne
Foros da Caiada
Fornalhas Velhas
Mina de são João do Deserto
Lanças
Aljustrel
Praia da Ilha
Bracial
Fornalhas Novas
Vale de Água
Torre Vã
Messejana
Pedras Brancas
Albernoa
Malpensado
Serra do Cercal
Cercal
Vales
Bicos
Estação de Castro Verde-Almodôvar
Aldeia dos Elvas
Poços
Campo Redondo
Casa Nova
Conceição
Brunheiras
Ribeira do Seissal
Panóias
Vila Nova de Milfontes
Sa das Neves
Vale de Santiago
Entradas
Casével
Almeirim
São Luís
Colos
Monte da Estrada
Sta Luzia
Bgem de Monte da Rocha
Funcheira
Estação de Ourique
Vale Beijinha
Relíquias
Garvão
Salto
Zambujeiras
Vale de Ferro
Amoreiras
Aldeia das Amoreiras
Castro Verde
S. Marcos da Atalboeira
Almograve
Praia Grande
Troviscais
Aldeia dos Grandaços
Giraldos
Rolão
São Martinho das Amoreiras
Ourique
São Pedro das Cabeças
Guerreiro
Cavaleiro
Sardão
Telheiro
Milharadas
Piçarras
Viseus
Maroufenha
Vigia
Odemira
Luzianes
Aldeia dos Palheiros
Sta Bárbara de Padrões
Urza
Touril
Boavista dos Pinheiros
Fontinha
Rosário
Lombador
Sete
Vª Srª da Cola
Corte Brique
Aldeia das Neves
Porteirinhos
Aldeia do Corvo
das Barcas
Estibeira
Sobreiro
Aldeia dos Fernandes
Corte Zorrinha
Aldeia do Neves
Caiada
Sta da Graça de Padrões
Zambujeira do Mar
Carvalhal
São Teotónio
Bgem de Sta Clara
Sta Clara-a-Velha
Semblana
Alcaria Longa
Bre
Sta Bárbara
Sta Clara
Santana da Serra
Aires
Almodôvar
Oleiros
Sta Clara-
Guedelhas
Viuvas
IC 1
IC 4
IC 33
IP 1
IP 2
IP 8
A 2 - IP 1
E 1
E 802
N 2
N 5
N 120
N 121
N 123
N 253
N 253-1
N 257
N 258
N 259
N 261
N 262
N 263
N 264
N 266
N 380
N 383
N 387
N 389
N 390
N 393

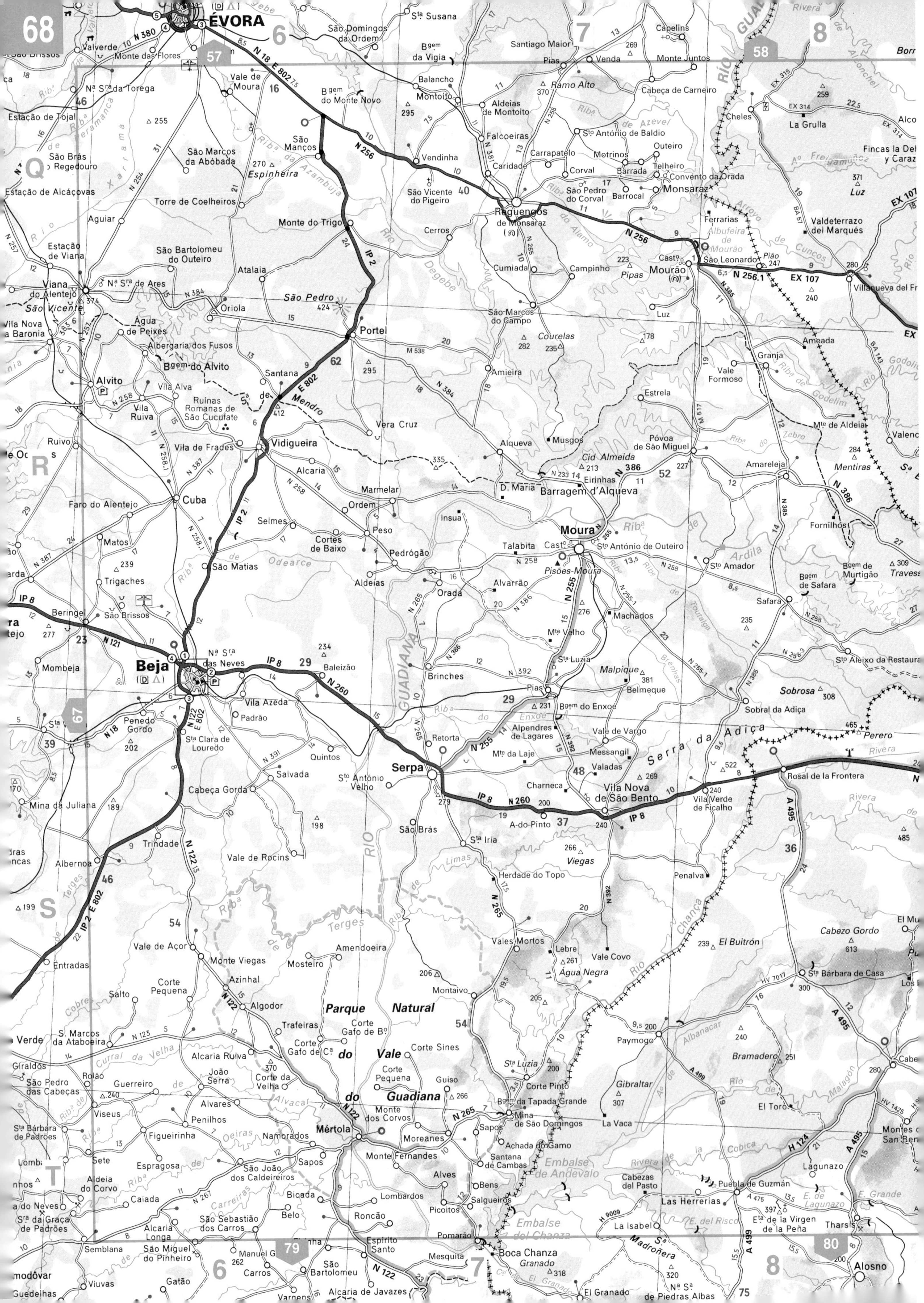
ÉVORA
Sta Susana
São Domingos da Ordem
Capelins
Bgem da Vigia
Santiago Maior
Valverde
Monte das Flores
Pias
Venda
Monte Juntos
Nª Sra da Torega
Vale de Moura
Balancho
Montoito
Ramo Alto
Cabeça de Carneiro
Bgem do Monte Novo
Aldeias de Montoito
Cheles
La Grulla
Estação de Tojal
São Manços
Sto António de Baldio
Falcoeiras
Vendinha
Carrapatelo
Motrinos
Outeiro
Fincas la Del y Caraz
São Brás
Regedouro
São Marcos da Abóbada
Espinheira
Caridade
Corval
Barrada
Telheiro
Convento da Orada
Estação de Alcáçovas
Torre de Coelheiros
São Vicente do Pigeiro
São Pedro do Corval
Barrocal
Monsaraz
Luz
Aguiar
Monte do Trigo
Reguengos de Monsaraz
Ferrarias
Valdeterrazo del Marqués
Estação de Viana
Cerros
Albufeira de Mourão
Castº
São Leonardo
São Bartolomeu do Outeiro
Cumiada
Campinho
Pipas
Mourão
Viana do Alentejo
Nª Sra de Ares
Atalaia
São Pedro
Villanueva del Fresno
São Vicente
Oriola
São Marcos do Campo
Vila Nova da Baronia
Água de Peixes
Portel
Courelas
Ameada
Albergaria dos Fusos
Granja
Bgem do Alvito
Amieira
Vale Formoso
Alvito
Santana
Vila Alva
Estrela
Ruínas Romanas de São Cucufate
Vila Ruiva
Mendro
Mte de Aldeia
Vera Cruz
Ruivo
Vila de Frades
Vidigueira
Alqueva
Musgos
Póvoa de São Miguel
Valencia
Mentiras
Alcaria
Cid Almeida
Amareleja
Cuba
Faro do Alentejo
Marmelar
Eirinhas
D. Maria
Barragem d'Alqueva
Ordem
Insua
Fornilhos
Selmes
Peso
Moura
Matos
Cortes de Baixo
Pedrógão
Talabita
Sto António de Outeiro
Trigaches
São Matias
Aldeias
Pisões-Moura
Sto Amador
Bgem de Safara
Bgem de Murtigão
Orada
Alvarrão
Safara
Beringel
São Brissos
Machados
Mte Velho
Mombeja
Beja
Nª Sra das Neves
Baleizão
Brinches
Sta Luzia
Malpique
Sto Aleixo da Restauração
Belmeque
Vila Azeda
Pias
Sobrosa
Padrão
Bgem do Enxoé
Sobral da Adiça
Penedo Gordo
Sta Clara de Louredo
Alpendres de Lagares
Vale de Vargo
Retorta
Perero
Mte da Laje
Messangil
Serra da Adiça
Quintos
Valadas
Salvada
Serpa
Sto António Velho
Rosal de la Frontera
Cabeça Gorda
Charneca
Vila Nova de São Bento
Vila Verde de Ficalho
Mina da Juliana
A-do-Pinto
São Brás
Sta Iria
Trindade
Viegas
Albernoa
Vale de Rocins
Penalva
Herdade do Topo
Vales Mortos
Lebre
Vale Covo
El Buitrón
Cabezo Gordo
Entradas
Vale de Açor
Monte Viegas
Amendoeira
Mosteiro
Água Negra
Montaivo
Sta Bárbara de Casa
Corte Pequena
Salto
Azinhal
Algodor
Parque Natural do Vale do Guadiana
Trafeiras
Corte Gafo de Bº
Corte Gafo de Cª
Paymogo
S. Marcos da Ataboeira
Corte Sines
Alcaria Ruiva
Bramadero
João Serra
Corte da Velha
Sta Luzia
Gibraltar
São Pedro das Cabeças
Rolão
Guerreiro
Guiso
Corte Pinto
Bgem da Tapada Grande
El Toro
Viseus
Alvares
Monte dos Corvos
Mina de São Domingos
La Vaca
Sta Bárbara de Padrões
Penilhos
Mértola
Sapos
Figueirinha
Namorados
Moreanes
Achada do Gamo
Santana de Cambas
Embalse de Andevalo
Lagunazo
Sete
Espragosa
Monte Fernandes
São João dos Caldeireiros
Sapos
Cabezas del Pasto
Puebla de Guzmán
Aldeia do Corvo
Alves
Bens
Las Herrerías
Caiada
Bicada
Lombardos
Salgueiros
Eta de la Virgen de la Peña
Tharsis
Sra da Graça de Padrões
Picoitos
La Isabel
Alcaria Longa
São Sebastião dos Carros
Belo
Roncão
Embalse del Chanza
Semblana
São Miguel do Pinheiro
Manuel G
Espírito Santo
Pomarão
Madroñera
Carros
São Bartolomeu
Mesquita
Boca Chanza
Granado
Almodôvar
Gatão
Viuvas
Alcaria de Javazes
El Granado
Nª Sª de Piedras Albas
Alosno
Guedelhas
Vargens
IP 2
IP 8
E 802
N 256
N 255
N 122
N 260
A 495
A 499
H 124

69
8
9
10
11
58
59
70
80
Almendral
Torre de Miguel Sesmero
Sta Marta
Villalba
Nogales
Monsalud
Sa de María Andrés
Madroñera
La Morera
Puebla del Prior
Villafranca de los Barros
Ribera del Fresno
Táliga
Barcarrota
Dehesa Media Matilla
Salvaleón
Los Baños
Salvatierra de los Barros
La Parra
Feria
Sa Vieja
Fuente del Maestre
San Jorge
Señora
Peña Utrera
Higuera de Vargas
Sa de Sta María
Los Santos de Maimona
Hinojosa del Valle
La Lapa
Zafra
Sa del Pendón
Sa del Zarzoso
Bujardo
La Chanca
San José
Valle de Matamoros
Valle de Sta Ana
Sa de Cañijal
Alconera
Burguillos del Cerro
Puebla de Sancho Pérez
Montnoso
Sa de los Santos
Calvo
Puerto de Sto Domingo
Balneario de Raposo
Brovales
E. de Brovales
Zahínos
Isidro
Jerez de los Caballeros
Nª Sª de Gracia
Nora
Valverde de Burguillos
Jacintos
Atalaya
Torres
Medina de las Torres
Usagre
Perdigón
Oliva de la Frontera
Valuengo
Embalse de Valuengo
Cabrera
Calzadilla de los Barros
Bienvenida
La Bazana
Puerto Beltrana
Valencia del Ventoso
Tocinillos
Puerto de Tablado
Cinco Lindes
Ermita de los Remedios
Puerto de la Granja
Fuente de Cantos
Cantalgallo
El Vescar
Puerto de la Loba
Ermita de San Isidro
Sa de San Salvador
Fregenal de la Sierra
San Cristóbal
Sa Aguda
Las Zorillas
Bgem das Mercês
Colorada
Barrancos
Encinasola
Higuera la Real
Bodonal de la Sierra
Valera
Gigonza
Montemolín
Parque natural
Segura de León
José Díez
Sa Quebrada
Calera de León
Cabeza la Vaca
Pallares
Bujo
El Bravo
Cumbres de San Bartolomé
Cumbres de Enmedio
Cumbres Mayores
Butrera
Monesterio
Pto Cañada
Cortes
La Contienda
Sa de las Contiendas
Aroche
Fuentes de León
Santuario de Sta María de Tentudía
Sierra Tentudía
Sierra de Tudia
Castillo Venta del Culebrín
Morena
Sa del Viento
Chanza
Estación de la Nava
Hinojales
Cañaveral de León
Arroyomolinos de León
Hoya de Sta María
El Puerto
Las Cefiñas
de la Sierra de Aracena
Sa Hinojales
Pto de las Marismas
La Corte
La Nava
Jabata
Minas de Cala
Cala
Valdelarco
SIERRA
El Repilado
Las Chinas
Navahermosa
Corterrangel
Castañuelo
Embalse de Aracena
El Real de la Jara
Prado y Eritas
Jabugo
Galaroza
Cortelazor
Carboneras
Cortegana
Los Romeros
Castaño del Robledo
Fuenteheridos
Los Marines
Aracena
Corteconcepción
Puerto Gil
y Picos de Aroche
Arroyo
Veredas
Nª Sª de los Angeles
Aguafria
Almonaster la Real
Molares
Puerto Moral
Sta Olalla del Cala
Sierra Pelada
Calabazares
Alájar
Linares de la Sierra
Gruta de las Maravillas
Valdezufre
Gil Márquez
Sta Ana la Real
Jabuguillo
Almadén de la Plata
Sierra de Aracena
La Umbría
Pto de la Zarza
El Carpio
Lomero
Serpos
Eta de Sta Eulalia
Higuera de la Sierra
Zufre
E. de Zufre
San Telmo
Valdelamusa
E. de Cueva de la Mora
Patrás
E. de Odiel
El Berrocal
La Joya
Cueva de la Mora
Concepción
San Miguel
Ventas de Arriba
Campofrío
Eta de Nª Sª del Prado
La Granada de Río-Tinto
Nª Sª del Puerto
Las Rubias
El Cerro de Andévalo
HUELVA
E. de Sotiel
Padre Caro
Presa del Jarrama
El Perrunal
Los Silos
E. de Gossan
Valdeflores
La Alcornocosa
Archidona
El Ronquillo
Embalse de Cala
Estación de El Cerro Andévalo
El Villar
Traslasierra
La Atalaya
La Dehesa
Minas de Riotinto
Nerva
El Peralejo
Minas del Castillo
El Castillo de las Guardas
Calañas
Zalamea la Real
El Campillo
La Naya
Juan-Gallego
La Aulaga
Embalse de la Minilla
Parladé
Morante
Las Delgadas
Villagordo
Arroyo de la Plata
Villanueva de las Cruces
El Buitrón
Membrillo Alto
Marigenta
El Madroño
Juan Antón
El Pedrosillo
El Cañuelo
El Alisar
Embalse de Guillena
Sotiel Coronada
El Álamo
Puerto Acebuche
La Torerera
El Pozuelo
Las Nieves
Las Chilladeras
Estación de los Mil
Berrocal
Las Criaderas
El Garrobo
Valverde del Camino
E. de Silillos
Las Cañadas
Fuente
Coto nacional
Embalse de Gergal
Las Pajanosas

11
12
13
14
59
60
69
81
Higuera de la Serena
Zalamea de la Serena
Esparragosa de la Serena
Sierra del Oro
Monterrubio de la Serena
Zújar
Baños de los Remedios
Puebla del Prior
Puerto Llano
Coto de Buzalén
Hornachos
Ribera del Fresno
Sierra Grande
Sª de la Mirádera
Retamal de Llerena
Sierra de Argallanes
Corcho
Puerto de Castuera
Sta Inés
Hinojosa del Valle
E. de los Molinos de Matachel
Campillo de Llerena
Ermita de Nª Sª de Fátima
Peraleda del Zaucejo
Llera
Calvo
Sª del Prado
Acebuche
Trapera
El Río
Sª del Cambrón
Valencia de las Torres
Los Blázquez
Las Patudas
Valsequillo
Rubiales
Usagre
Higuera de Llerena
Maguilla
La Granjuela
Cuenca
Sierra de la Grana
Casas de Pilas
Villagarcía de la Torre
Bienvenida
Granja de Torrehermosa
El Porvenir
Berlanga
Ahillones
Ermita de San Isidro
Azuaga
Fuente Obejuna
Sª de los Santos
Embalse de Sierra Boyera
Cantalgallo
Llerena
La Cardenchosa
La Coronada
El Hoyo
Calaveruela
Doña Rama
Ribera de Los Molinos
Casas de la Reina
Teatro Romano
Valverde de Llerena
Los Rubios
Argallón
Cañada del Gamo
Navalcuervo
Los Pánchez
Trasierra
Sª de San Bernardo
Reina
Ojuelos Bajos
Ojuelos Altos
El Alcornocal
Piconcillo
Montemolín
Fuente del Arco
Ermita Virgen de Ara
Sª de San Miguel
Los Morenos
La Cardenchosa
Pallares
Malcocinado
Peñita
Sª del Viento
Sierra Albarrana
Guadalcanal
Puebla del Maestre
Bujo
Pto Cañada
Torre
La Nava
El Cabril
Muela
Morena
Hamapega
Sª de Guadalcanal
Parque Natural
Alanís
Hoya de Sta María
Rivera de Benalija
Embalse del Pintado
Eta de San Diego
Parque Natural
Pto de las Marismas
La Bastiana
El Pintado
Estación de Alanís
Solona del Valle
San Nicolás del Puerto
La Viñuela
Tiesa
El Real de la Jara
Puerto Padrona
Chacón
M O R E N A
Estación de Cazalla y Constantina
Cerro del Hierro
Navalvillar
Castillo de la Armada
San Calixto
Las Navas de la Concepción
de la Sierra
Eta del Carmen
Cazalla de la Sierra
La Ganchoza
Faustino
Contraembalse del Pintado
Ermita del Monte
Observatorio
Eta de la Virgen del Robledo
Almadén de la Plata
de la Sierra Norte
Sª del Pedroso
Constantina
Gibarrayo
La Quintera
El Águila
de Horn
Embalse del Retortillo
Fabrica del Pedroso
El Berrocal
El Membrillo
El Pedroso
Alcornocal
de Sevilla
Hornachuelos
El Travieso
Costalinero
Navaholguín
Cañadas del Romero
E. de Huesna
La Parrilla
Las Jarillas
Embalse de Jose Toran
La Puebla de los Infantes
Bembézar del Caudillo
Mesas del Guadalora
Ermita de San Benito
Embalse de Cala
Las Francas
Atalaya
Eta de Nª Sª de Setefilla
San Cristóbal
Céspedes
E. de derivación del Retortillo
Ronquillo
Ermita de Nª Sª de Escardiel
Cast° de Mulva
Fuente del Pez
Sª Traviesa
Sardinero
Vegas de Almenara
Peñaflor
Parladé
Arenillas
Setefilla
Palma
La Cantera
Los Carrizos
Los Alamitos
Priorato
Castilblanco de los Arroyos
Embalse de Guillena
El Cañuelo
El Alí
Villanueva del Río y Minas
Cebrón
Lora del Río
El Acebuchal
El Calonge
Las Nieves
Alcornocalejo
Campamento Matallana
El Garrobo
Villanueva del Río
Ruinas romanas de Arva
El Álamo
Mochales
Los Pajares
El Gergal
Cantillana
Alcolea del Río
Azanaque
Algarín
El Zapillo
La Lapa
Burguillos
Los Rosales
La Trinidad
N 432
N 630
A 66 - E 803
N 433
A 432
A 433
A 436
A 447
A 455
A 431
EX 103
A.V.E.

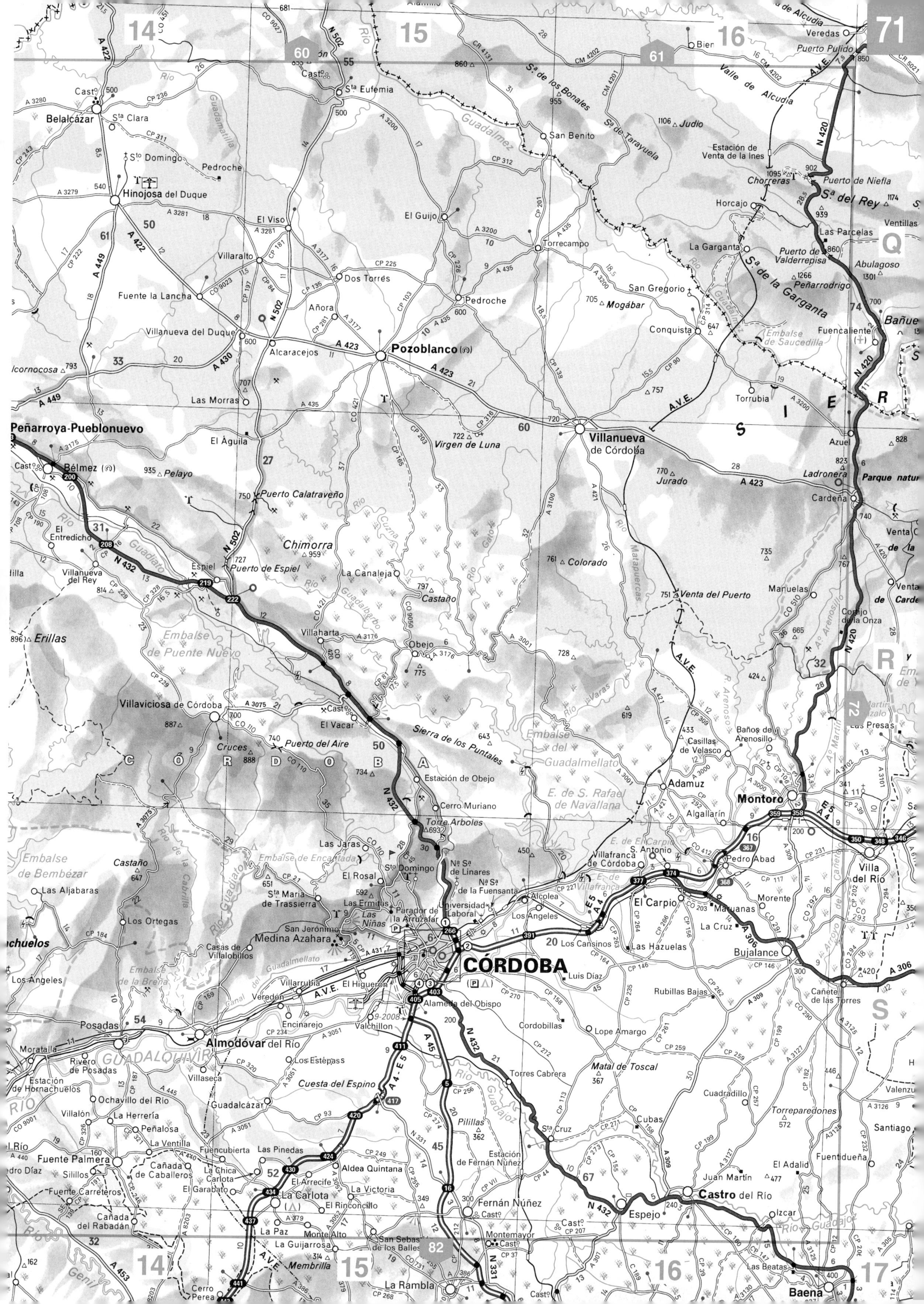

71
14
15
16
60
61
Belalcázar
Sta Clara
Sto Domingo
Pedroche
Hinojosa del Duque
Sta Eufemia
Santa Eufemia
Guadalmez
San Benito
Sa de los Bonales
Sa de Tarayuela
Judio
Valle de Alcudia
Veredas
Puerto Pulido
Estación de Venta de la Ines
Chorreras
Puerto de Niefla
Sa del Rey
Ventillas
Horcajo
Las Parcelas
La Garganta
Puerto de Valderrepisa
Abulagoso
Peñarrodrigo
Sa de la Garganta
El Guijo
El Viso
Torrecampo
Villaralto
Dos Torres
Pedroche
San Gregorio
Mogábar
Fuente la Lancha
Añora
Conquista
Embalse de Saucedilla
Fuencaliente
Villanueva del Duque
Alcaracejos
Pozoblanco
Icornocosa
Las Morras
Torrubia
Peñarroya-Pueblonuevo
El Águila
Virgen de Luna
Villanueva de Córdoba
Azuel
Bélmez
Pelayo
Jurado
Ladronera
Cardeña
Parque natur
Puerto Calatraveño
El Entredicho
Villanueva del Rey
Chimorra
Colorado
Espiel
Puerto de Espiel
La Canaleja
Castaño
Venta del Puerto
Manuelas
Cortijo de la Onza
Erillas
Embalse de Puente Nuevo
Villaharta
Obejo
Villaviciosa de Córdoba
El Vacar
Sierra de los Puntales
Cruces
Puerto del Aire
Embalse del Guadalmellato
Baños de Arenosillo
Casillas de Velasco
Las Presas
C Ó R D O B A
Estación de Obejo
E. de S. Rafael de Navallana
Adamuz
Montoro
Cerro Muriano
Torre Árboles
Algallarín
Embalse de Bembézar
Castaño
Las Jaras
Embalse de Encantada
E. de El Carpio
S. Antonio
Pedro Abad
Villa del Río
Las Aljabaras
Sto Domingo
El Rosal
Nª Sª de Linares
Nª Sª de la Fuensanta
Villafranca de Córdoba
Sta María de Trassierra
Las Ermitas
Parador de la Arruzafar
Universidad Laboral
Alcolea
El Carpio
Maruanas
Morente
Los Ortegas
Los Ángeles
La Cruz
Bujalance
chuelos
San Jerónimo
Medina Azahara
Casas de Villalobillos
CÓRDOBA
Los Cansinos
Las Hazuelas
Luis Díaz
Los Ángeles
Embalse de la Breña
Villarrubia
El Higuerón
Veredón
Rubillas Bajas
Cañete de las Torres
Alameda del Obispo
Encinarejo
Valchillon
Cordobillas
Lope Amargo
Posadas
Almodóvar del Río
Moratalla
Rivero de Posadas
GUADALQUIVIR
Los Estépass
Villaseca
Torres Cabrera
Matal de Toscal
Estación de Hornachuelos
Ochavillo del Río
Cuesta del Espino
Cuadradillo
Guadalcázar
Villalón
La Herrería
Peñalosa
La Ventilla
Pililas
Sta Cruz
Cubas
Torreparedones
Valenzu
Santiago
Fuente Palmera
Fuencubierta
Las Pinedas
Estación de Fernán Núñez
El Adalid
Fuentidueña
Sililios
Cañada de Caballeros
La Chica Carlota
Aldea Quintana
Juan Martín
Fuente Carreteros
El Garabato
El Arrecife
La Victoria
Castro del Río
Cañada del Rabadán
La Carlota
El Rinconcillo
Fernán Núñez
Espejo
Izcar
La Paz
Monte Alto
San Sebas de los Balles
Montemayor
La Guijarrosa
Membrilla
Las Beatas
Genil
Cerro Perea
La Rambla
Baena
82
72
14
15
16
17
Q
R
S

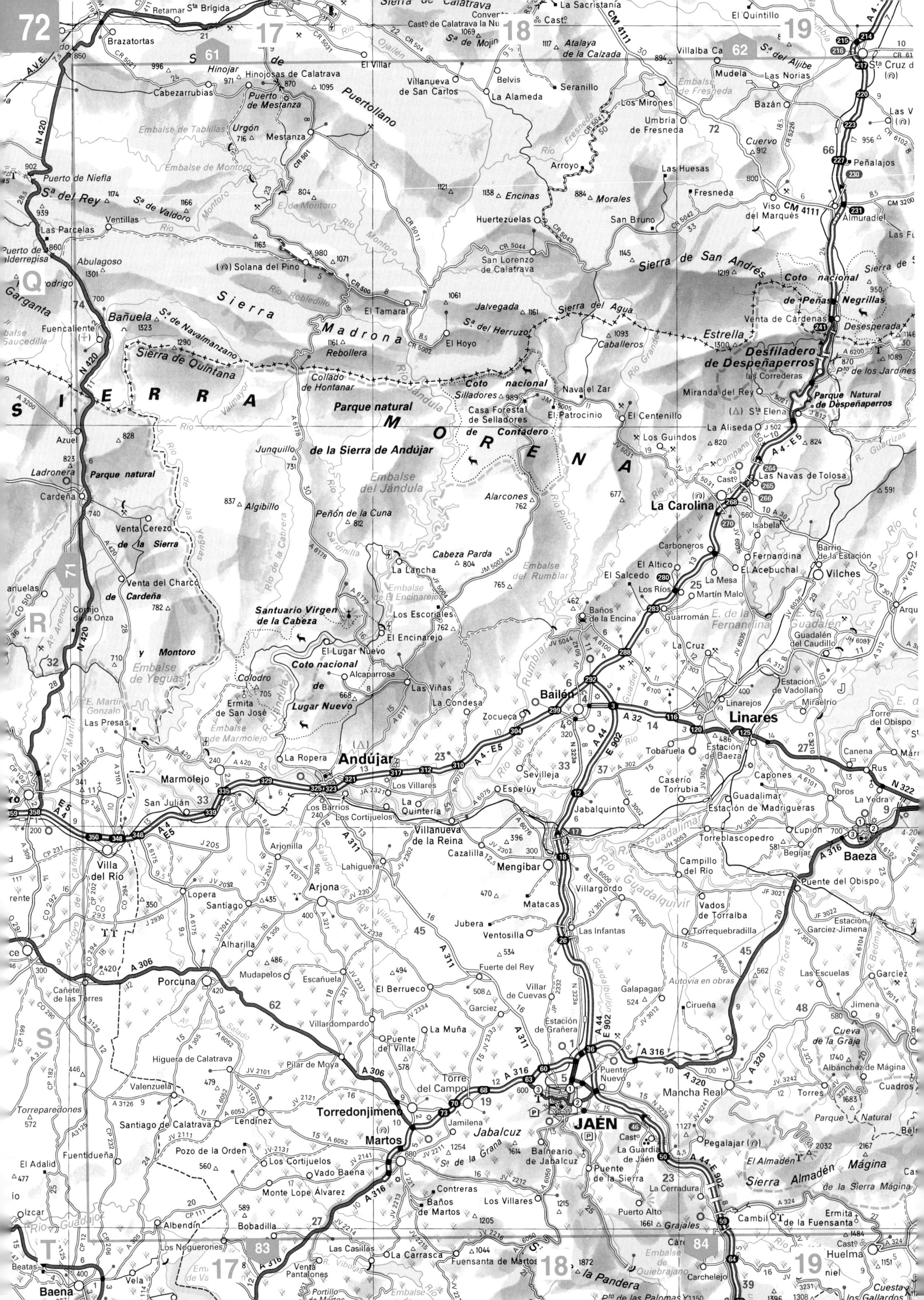
Brazatortas
Retamar
Sta Brígida
Hinojosas de Calatrava
Cabezarrubias
Puerto de Mestanza
Mestanza
Puertollano
El Villar
Villanueva de San Carlos
Belvis
La Alameda
Seranillo
Atalaya de la Calzada
La Sacristanía
Villalba Ca
Mudela
Las Norias
Sta Cruz de
Los Mirones
Umbría de Fresneda
Bazán
Cuervo
Peñalajos
Las Huesas
Fresneda
Viso del Marqués
Almuradiel
San Bruno
Arroyo
Encinas
Morales
Huertezuelas
San Lorenzo de Calatrava
Sierra de San Andrés
Coto nacional de Peñas Negrillas
Venta de Cárdenas
Desesperada
Estrella
Desfiladero de Despeñaperros
Parque Natural de Despeñaperros
Puerto de Niefla
Sa del Rey
Sa de Valdoro
Ventillas
Las Parcelas
Abulagoso
Solana del Pino
Sierra Madrona
El Tamaral
Jalvegada
El Hoyo
Sierra del Agua
Caballeros
Bañuela
Fuencaliente
Sierra de Quintana
Rebollera
Collado de Hontanar
SIERRA MORENA
Parque natural de la Sierra de Andújar
Coto nacional de Contadero
Silladores
Casa Forestal de Selladores
El Patrocinio
Navas el Zar
El Centenillo
Miranda del Rey
Sta Elena
La Aliseda
Los Guindos
Las Navas de Tolosa
La Carolina
Carboneros
Isabela
Fernandina
El Acebuchal
Vilches
El Altico
El Salcedo
La Mesa
Los Ríos
Martín Malo
Guarromán
Azuel
Ladronera
Parque natural
Cardeña
Venta Cerezo
de la Sierra
Venta del Charco
de Cardeña
y Montoro
Cortijo de la Onza
Embalse del Jándula
Peñón de la Cuna
Alarcones
Cabeza Parda
La Lancha
Santuario Virgen de la Cabeza
Los Escoriales
El Encinarejo
El Lugar Nuevo
Coto nacional de Lugar Nuevo
Alcaparrosa
Las Viñas
La Condesa
Embalse de Yeguas
Colodro
Ermita de San José
Las Presas
Baños de la Encina
Bailén
Zocueca
Linarejos
Linares
La Cruz
Tobaruela
Estación de Baeza
Caserío de Torrubia
La Ropera
Andújar
Marmolejo
San Julián
Los Villares
La Quintería
Espelúy
Sevilleja
Jabalquinto
Canena
Rus
Ibros
Capones
Guadalimar
Estación de Madrigueras
La Yedra
Lupión
Begíjar
Baeza
Torreblascopedro
Campillo del Río
Villa del Río
Lopera
Santiago
Arjonilla
Los Barrios
Los Cortijuelos
Villanueva de la Reina
Cazalilla
Mengíbar
Lahiguera
Arjona
Matacas
Villargordo
Vados de Torralba
Puente del Obispo
Torrequebradilla
Jubera
Ventosilla
Las Infantas
Alharilla
Porcuna
Mudapelos
Escañuela
Fuerte del Rey
El Berrueco
Villar de Cuevas
Garcíez
Galapagar
Cirueña
Las Escuelas
Jimena
Cueva de la Graja
Albánchez de Mágina
Cañete de las Torres
Villardompardo
La Muña
Puente del Villar
Higuera de Calatrava
Pilar de Moya
Torre del Campo
Estación de Grañera
Puente Nuevo
Mancha Real
Torres
Valenzuela
Torredonjimeno
Santiago de Calatrava
Lendínez
Martos
Jamilena
Jabalcuz
JAÉN
La Guardia de Jaén
Pegalajar
Parque Natural
Sierra Mágina
El Almadén
Torreparedones
Fuentidueña
Pozo de la Orden
Los Cortijuelos
Vado Baena
Sa de la Grana
Balneario de Jabalcuz
Puente de la Sierra
El Adalid
Monte Lope Álvarez
Contreras
Baños de Martos
Los Villares
La Cerradura
Puerto Alto
Grajales
Cambil
Ermita de la Fuensanta
Huelma
Albendín
Bobadilla
Los Noguerones
Las Casillas
La Carrasca
Fuensanta de Martos
Venta Pantalones
la Pandera
Carchelejo
Baena
Vela
Izcar
N 420
A 306
A 316
A 4 - E 5
A 44 E 902
A 32
N 322
CM 4111
17
18
19
Q
R
S
T

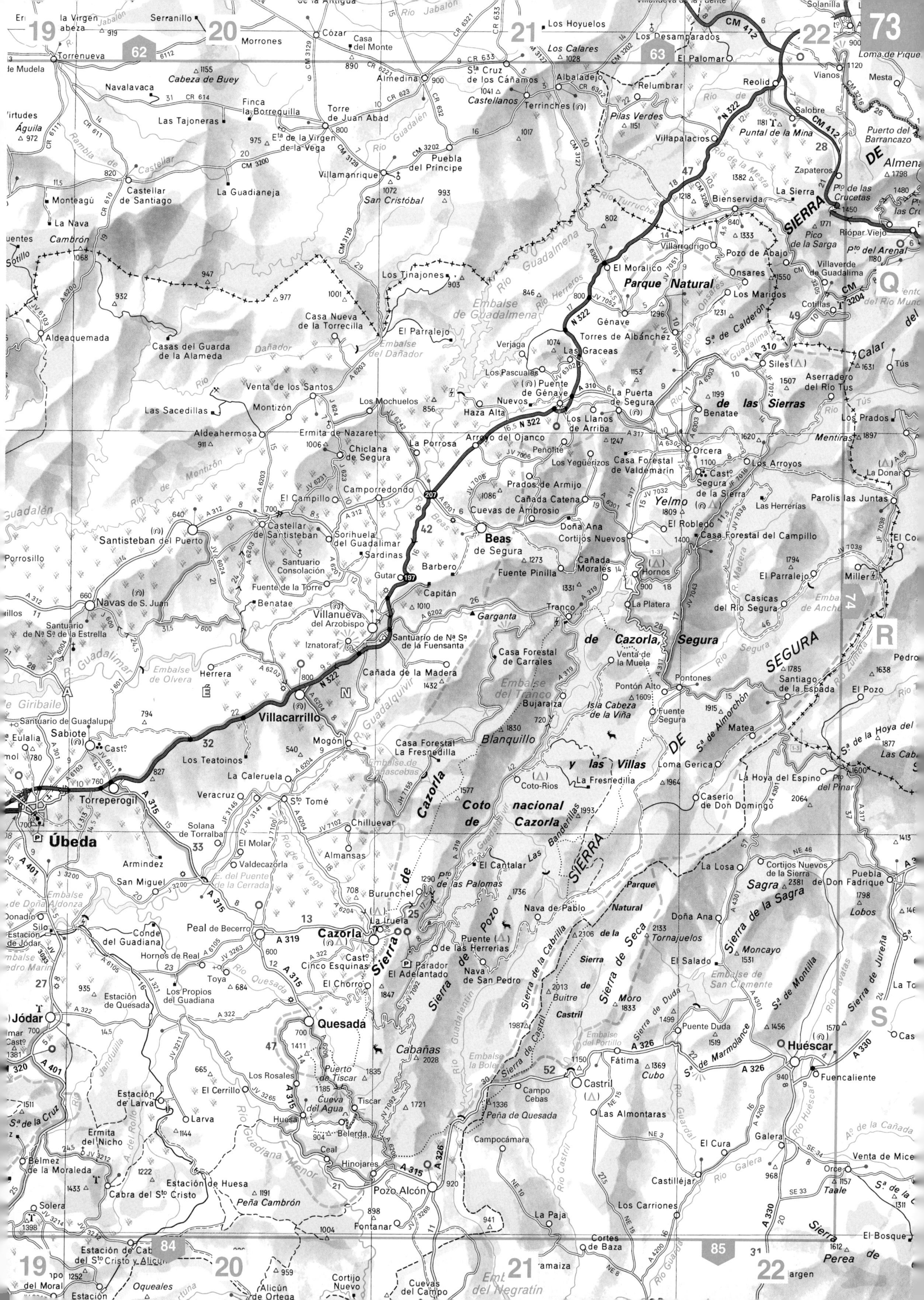
73
19
20
21
22
62
63
84
85
Q
R
S
Torrenueva
Serranillo
Cózar
Casa del Monte
Morrones
Los Hoyuelos
Los Calares
Los Desamparados
El Palomar
Solanilla
Loma de Pique
Vianos
Mesta
Cabeza de Buey
Navalavaca
Almedina
Sta Cruz de los Cañamos
Castellanos
Albaladejo
Relumbrar
Terrinches
Reolid
Salobre
Puntal de la Mina
Puerto del Barrancazo
Finca la Borreguilla
Las Tajoneras
Torre de Juan Abad
Ea de la Virgen de la Vega
Pilas Verdes
Villapalacios
Puebla del Príncipe
Villamanrique
San Cristóbal
Castellar de Santiago
La Guadianeja
Monteagú
La Nava
Cambrón
Águila
Rambla de Castellar
Río Guadalén
Río Turruchel
Bienservida
La Sierra
Zapateros
SIERRA DE Almenara
Pto de las Crucetas
Pico de la Sarga
Ríopar Viejo
Pto del Arenal
Villarrodrigo
Pozo de Abajo
El Moralico
Villaverde de Guadalimar
Onsares
Los Maridos
Parque Natural
Los Tinajones
Embalse de Guadalmena
Río Guadalmena
Río Herreros
Génave
Torres de Albánchez
Sa de Calderón
Cotillas
Siles
Calar del
Aserradero del Río Tus
Casa Nueva de la Torrecilla
El Parralejo
Embalse del Dañador
Río Dañador
Aldeaquemada
Casas del Guarda de la Alameda
Verjaga
Las Graceas
Los Pascualas
Puente de Génave
Nuevos
Haza Alta
La Puerta de Segura
Los Llanos de Arriba
Benatae
de las Sierras
Los Prados
Mentiras
Venta de los Santos
Montizón
Las Sacedillas
Los Mochuelos
Aldeahermosa
Ermita de Nazaret
La Porrosa
Arroyo del Ojanco
Penolite
Orcera
Los Arroyos
La Donar
Chiclana de Segura
Los Yegüerizos
Casa Forestal de Valdemarín
Casto Segura de la Sierra
Río de Montizón
Camporredondo
El Campillo
Prados de Armijo
Cañada Catena
Yelmo
Las Herrerías
Parolis
las Juntas
Guadalén
Santisteban del Puerto
Castellar de Santisteban
Sorihuela del Guadalimar
Sardinas
Santuario Consolación
Cuevas de Ambrosio
Beas de Segura
Doña Ana
Cortijos Nuevos
El Robledo
Casa Forestal del Campillo
Barbero
Fuente Pinilla
Cañada Morales
Hornos
El Parralejo
Miller
Porrosillo
Navas de S. Juan
Fuente de la Torre
Gutar
Capitán
Benatae
La Platera
Casicas del Río Segura
Santuario de Na Sa de la Estrella
Villanueva del Arzobispo
Garganta
Tranco
Iznatoraf
Santuario de Na Sa de la Fuensanta
de Cazorla, Segura
R. Guadalimar
Embalse de Olvera
Herrera
Casa Forestal de Carrales
Venta de la Muela
Cañada de la Madera
Embalse del Tranco
Pontones
SEGURA
Santiago de la Espada
El Pozo
Pedro
Giribaile
Santuario de Guadalupe
Villacarrillo
Bujaraiza
Pontón Alto
Isla Cabeza de la Viña
Fuente Segura
Sabiote
Casto
Eulalia
Blanquillo
R. Guadalquivir
Casa Forestal La Fresnedilla
Sa de Almorchón
Matea
Sa de la Hoya del
Las Cabr
Los Teatoinos
Mogón
Embalse de Aguascebas
La Caleruela
Cazorla
y las Villas
Coto-Ríos
La Fresnedilla
Loma Gerica
La Hoya del Espino
Pto del Pinar
Torreperogil
Veracruz
Sto Tomé
Coto nacional de Cazorla
Caserío de Don Domingo
Úbeda
Solana de Torralba
Chilluevar
Las Banderillas
SIERRA
El Molar
Valdecazorla
Almansas
Armíndez
Río de la Vega
El Cantalar
La Losa
Cortijos Nuevos de la Sierra
Puebla de Don Fadrique
San Miguel
E. del Puente de la Cerrada
Embalse de Doña Aldonza
Donadío
Pto de las Palomas
Burunchel
Parque Natural
Sagra
Sierra de la Sagra
Lobos
Silo
Estación de Jódar
Conde del Guadiana
Peal de Becerro
La Iruela
Nava de Pablo
Doña Ana
Tornajuelos
Puente de las Herrerías
Sierra de Pozo
Sierra de Seca
Hornos de Real
Toya
Cinco Esquinas
Parador El Adelantado
Nava de San Pedro
Sierra de la Cabrilla
Sierra de Buitre
Moncayo
El Salado
Embalse de San Clemente
Sierra de Jureña
Sa de Montilla
La To
Estación de Quesada
Los Propios del Guadiana
Río Quesada
El Chorro
Sierra de Moro
Castril
Jódar
Quesada
Cabañas
Sierra de Duda
Puente Duda
Huéscar
Cas
Fátima
Cubo
Embalse del Portillo
Sa de Marmolance
Fuencaliente
Los Rosales
Puerto de Tiscar
El Cerrillo
Embalse la Bolera
Sierra de Castril
Castril
Campo Cebas
Las Almontaras
Estación de Larva
Larva
Cueva del Agua
Tíscar
Huesa
Belerda
Peña de Quesada
Sa de la Cruz
Ermita del Nicho
Ceal
Campocámara
Río Castril
Río Guardal
El Cura
Galera
Ao de la Cañada
Venta de Mice
Belmez de la Moraleda
Hinojares
Estación de Huesa
Río Guadiana Menor
Pozo Alcón
Castilléjar
Río Galera
Orce
Taale
Sa de la
Solera
Cabra del Sto Cristo
Peña Cambrón
La Paja
Los Carriones
Sierra de Perea
El Bosque
Fontanar
Cortes de Baza
Estación de Cabra del Sto Cristo y Alicún
Oqueales
Alicún de Ortega
Cortijo Nuevo
Cuevas del Campo
Embalse del Negratín
Ramaiza
del Moral
Estación
argen

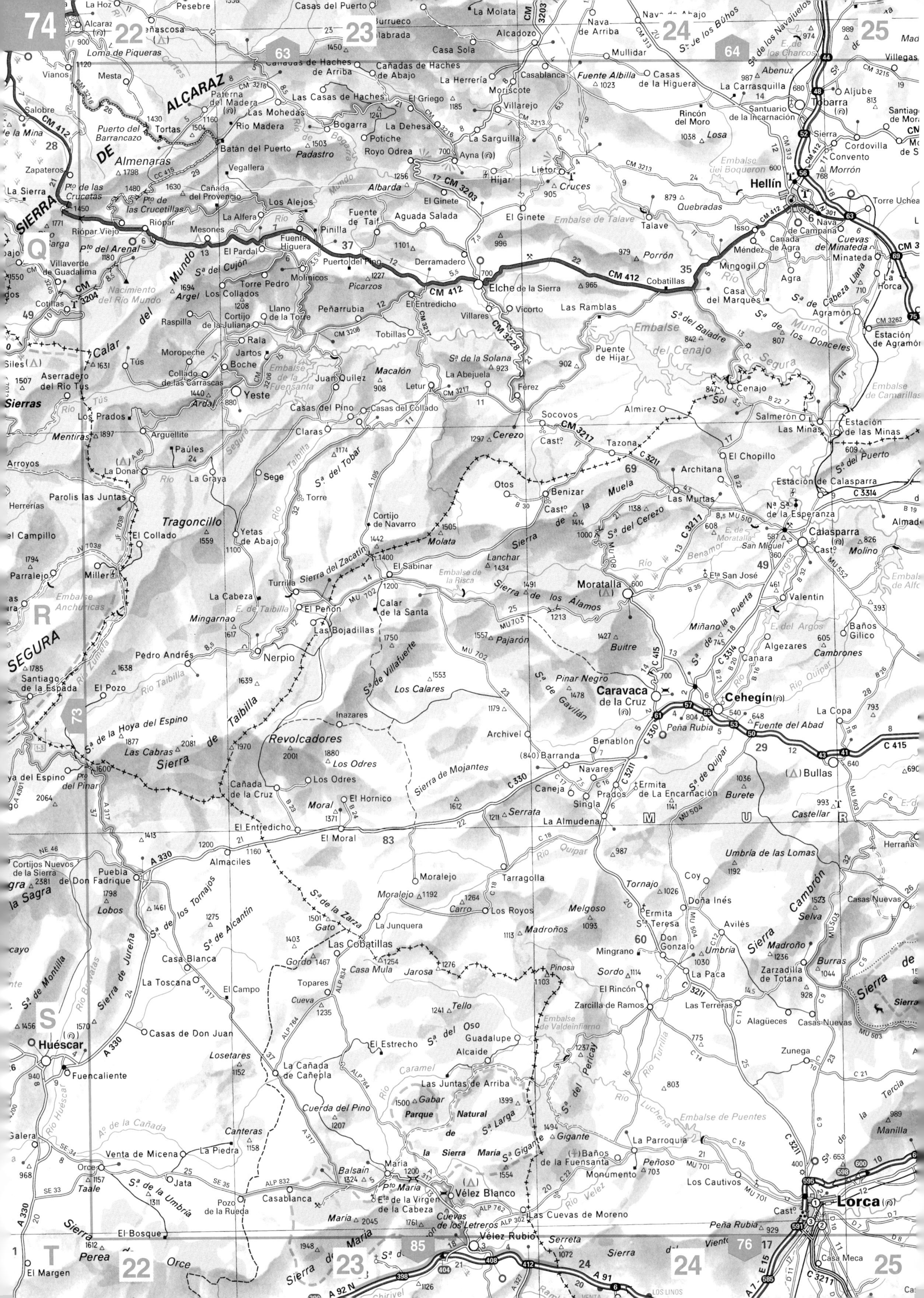

22
23
24
25
63
64
Alcaraz
Peñascosa
Loma de Piqueras
Burrueco
Alabrada
Casas del Puerto
La Molata
Alcadozo
Casa Sola
Nava de Arriba
Mullidar
Cañadas de Haches de Arriba
Cañadas de Haches de Abajo
La Herrería
Casablanca
Fuente Albilla
Casas de la Higuera
Abenuz
Aljube
Tobarra
Villegas
Vianos
Mesta
SIERRA DE ALCARAZ
Paterna del Madera
Las Mohedas
Las Casas de Haches
El Griego
Moriscote
Villarejo
La Carrasquilla
Santuario de la Incarnación
Rincón del Moro
Salobre
Puerto del Barrancazo
Tortas
Rio Madera
Bogarra
La Dehesa
Potiche
La Sarguilla
Losa
Sierra
Cordovilla
Convento
Morrón
Almenaras
Batán del Puerto
Padastro
Royo Odrea
Ayna
Lietor
Embalse del Boquerón
Hellín
Zapateros
Vegallera
Cañada del Provencio
Albarda
Hijar
Cruces
Quebradas
Torre Uchea
Pto de las Crucetas
Pto de las Crucetillas
Los Alejos
El Ginete
La Alfera
Riópar
Riópar Viejo
Mesones
Fuente de Taif
Aguada Salada
El Ginete
Embalse de Talave
Talave
Isso
Nava de Campana
Cuevas de Minateda
Minateda
Pinilla
El Pardal
Fuente Higuera
Pto del Arenal
Villaverde de Guadalima
Puerto del Pino
Derramadero
Porrón
Méndez
Cañada de Agra
Mingogil
Agra
La Horca
Sa del Cujón
Molinicos
Picarzos
Elche de la Sierra
Cobatillas
Torre Pedro
Los Collados
Argel
Nacimiento del Río Mundo
Cotillas
Peñarrubia
El Entredicho
Villares
Vicorto
Las Ramblas
Casa del Marqués
Sa de Cabeza Llana
Agramón
Estación de Agramón
Raspilla
Cortijo de la Juliana
Llano de la Torre
Tobillas
Embalse del Cenajo
Sa del Baladre
Sa de los Donceles
Calar del Mundo
Moropeche
Rala
Jartos
Boche
Sa de la Solana
Puente de Hijar
Cenajo
Tús
Collado de las Carrascas
Embalse de la Fuensanta
Juan Quílez
Macalón
La Abejuela
Letur
Férez
Embalse de Camarillas
Aserradero del Río Tus
Yeste
Ardal
Casas del Pino
Casas del Collado
Socovos
Almirez
Salmerón
Las Minas
Estación de las Minas
Sierras
Los Prados
Mentiras
Arguellite
Claras
Cerezo
Tazona
El Chopillo
Sa del Puerto
Arroyos
Paúles
La Donar
La Graya
Sege
Sa del Tobar
Torre
Otos
Benizar
Archivel
Architana
Las Murtas
Estación de Calasparra
Nª Sª de la Esperanza
Herrerías
Parolis las Juntas
Tragoncillo
Cortijo de Navarro
Sierra de la Muela
Sa del Cerezo
El Campillo
El Collado
Yetas de Abajo
Molata
Lanchar
Calasparra
Molino
San Miguel
Benamor
Parralejo
Miller
Sierra del Zacatín
El Sabinar
Embalse de la Risca
Moratalla
Eta San José
Embalse Anchuricas
Turrilla
La Cabeza
E. de Taibilla
El Peñón
Calar de la Santa
Sierra de los Álamos
Valentín
Mingarnao
Las Bojadillas
Pajarón
Buitre
Miñano
Sa de la Puerta
E. del Argos
Baños Gilico
Algezares
Cambrones
SEGURA
Pedro Andrés
Nerpio
Sa de Villafuerte
Canara
Santiago de la Espada
El Pozo
Río Taibilla
Los Calares
Pinar Negro
Sa de Gavilán
Caravaca de la Cruz
Cehegín
Río Quipar
Sa de la Hoya del Espino
Sierra de Taibilla
Inazares
Peña Rubia
Fuente del Abad
La Copa
Las Cabras
Revolcadores
Archivel
Benablón
Barranda
Bullas
Hoya del Espino
Pto del Pinar
Los Odres
Sierra de Mojantes
Cañada de la Cruz
Navares
Caneja
Singla
Prados
Ermita de La Encarnación
Sa de Quipar
Burete
Moral
El Hornico
Serrata
La Almudena
Castellar
El Entredicho
El Moral
Almaciles
Cortijos Nuevos de la Sierra
Puebla de Don Fadrique
la Sagra
Herraña
Tarragolla
Moralejo
Umbría de las Lomas
Coy
Tornajo
Lobos
Sa de los Tornajos
Sa de Alcantín
Sa de la Zarza
Gato
La Junquera
Los Royos
Carro
Melgoso
Madroños
Doña Inés
Ermita Sta Teresa
Avilés
Sierra Cambrón
Selva
Casas Nuevas
Cayo
Las Cobatillas
Gordo
Casa Mula
Jarosa
Pinosa
Mingrano
Don Gonzalo
Umbría
Madroño
Zarzadilla de Totana
Burras
Sierra de Espuña
Sa de Montilla
Sierra de Jureña
Casa Blanca
La Toscana
El Campo
Topares
Cueva
Sordo
El Rincón
La Paca
Zarcilla de Ramos
Las Terreras
Alagüeces
Casas Nuevas
Huéscar
Casas de Don Juan
Tello
Sa del Oso
Guadalupe
Embalse de Valdeinfierno
El Estrecho
Alcaide
Losetares
Fuencaliente
La Cañada de Cañepla
Caramel
Las Juntas de Arriba
Sa del Pericay
Río Turrilla
Zunega
Gabar
Parque Natural de la Sierra María
Sa Larga
Cuerda del Pino
Río Luchena
Embalse de Puentes
Tercia
Manilla
Galera
Aº de la Cañada
Canteras
Sa Gigante
Gigante
La Parroquia
Venta de Micena
La Piedra
Baños de la Fuensanta
Peñoso
Monumento
Los Cautivos
Orce
Taale
Jata
Sa de la Umbría
Balsain
María
Pto María
Eta de la Virgen de la Cabeza
Vélez Blanco
Las Cuevas de Moreno
Lorca
Pozo de la Rueda
Casablanca
Cuevas de los Letreros
Río Vélez
María
Vélez Rubio
Serreta
Peña Rubia
El Bosque
Sierra de María
Sierra de Orce
Perea
Sierra
Casa Meca
El Margen
Chirivel
Los Linos
Q
R
S
T
M U R

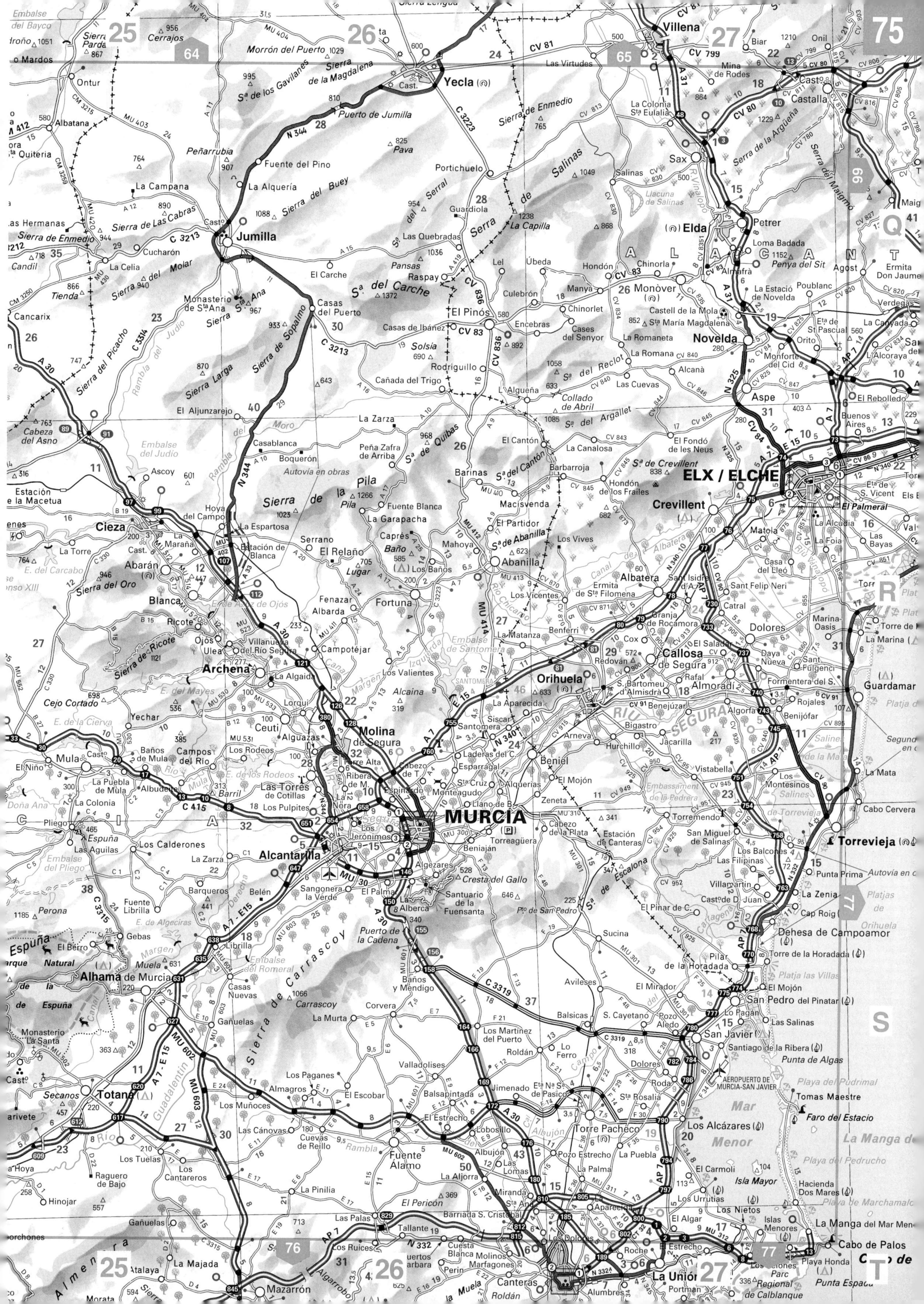

Villena
Yecla
Jumilla
Elda
Petrer
Monòver
Novelda
Aspe
ELX / ELCHE
Crevillent
Cieza
Abarán
Blanca
Archena
Ceutí
Molina de Segura
Fortuna
Abanilla
Albatera
Orihuela
Callosa de Segura
Almoradí
Dolores
Guardamar
Torrevieja
Beniel
MURCIA
Alcantarilla
Mula
Alhama de Murcia
Totana
Sierra de Carrascoy
San Javier
San Pedro del Pinatar
Los Alcázares
Torre Pacheco
Fuente Álamo
Mar Menor
La Manga del Mar Menor
Cabo de Palos
La Unión
Mazarrón
Sax
Castalla
Sierra de Salinas
Sierra del Carche
Sierra de la Pila
Sierra Espuña
Sierra de Ricote
AEROPUERTO DE MURCIA-SAN JAVIER
25
26
27
64
65
76
77

24
25
26
27
75
74
85
Estación de las Minas
Minas
S.a del Puerto
El Chopillo
Architana
Estación de Calasparra
Estación de la Macetua
C 3314
N.a S.a de la Esperanza
Calasparra
Molino
San Miguel
Almadenes
La Torre
Cieza
Ascoy
El Aljunzarejo
Embalse del Judío
Casablanca
Boquerón
Autovía en obras
Peña Zafra de Arriba
S.a de Quibas
El Cantón
La Canalosa
S.a del Cantón
Barbarroja
Hondón de los Frailes
Barinas
Sierra de la Pila
Fuente Blanca
La Garapacha
Macisvenda
El Partidor
S.a de Abanilla
Los Vives
Abanilla
Capres
Baño
Los Baños
Mahoya
Serrano
El Relaño
Lugar
Hoya del Campo
La Espartosa
Estación de Blanca
La Maraña
Abarán
Embalse de Alfonso XIII
E. del Carcabo
Sierra del Oro
Blanca
Ricote
Ojós
Ulea
Villanueva del Río Segura
Sierra de Ricote
Archena
La Algaida
E. del Mayes
Campotéjar
Fenazar
Albarda
Fortuna
Los Valientes
Alcaina
Embalse de Santomera
Santomera
Orihuela
Redován
Cox
Benferri
Ermita de S.ta Filomena
Albatera
Los Vicentes
La Matanza
S. Bartomeu d'Almisdrà
La Aparecida
Siscar
Bigastro
Hurchillo
Arneva
Beniel
El Mojón
Zeneta
Cehegín
Canara
Algezares
Cambrones
Baños Gilico
Valentín
E.ta San José
E. del Argos
Fuente del Abad
La Copa
Cejo Cortado
Yechar
E. de la Cierva
Mula
Baños de Mula
Campos del Río
Ceuti
Lorquí
Alguazas
Molina de Segura
Torre Alta
Cabezo de T.
Espinardo
Monteagudo
Laderas del C.
Esparragal
S.ta Cruz
Alquerías
Llano de B.
Los Rodeos
E. de los Rodeos
Las Torres de Cotillas
Ribera de M.
La Ñora
Los Pulpites
Barril
Albudeite
La Puebla de Mula
El Niño
Bullas
Burete
Castellar
La Colonia
E. de Doña Ana
C 415
MURCIA
Torreagüera
Beniaján
Cabezo de la Plata
Estación de Canteras
Los Jerónimos
Alcantarilla
Algezares
Cresta del Gallo
Santuario de la Fuensanta
La Alberca
El Palmar
Sangonera la Verde
Belén
Pliego
Espuña
Las Aguilas
Embalse del Pliego
Los Calderones
La Zarza
Barqueros
Herrana
Umbría de las Lomas
Coy
Doña Inés
Avilés
Sierra Cambrón
Selva
Casas Nuevas
Perona
Fuente Librilla
E. de Algeciras
Gebas
El Berro
Sierra de Espuña
Parque Natural
Sierra de Espuña
Madroño
Burras
Zarzadilla de Totana
Umbría
Las Terreras
Alagüeces
Casas-Nuevas
Alhama de Murcia
Muela
Librilla
Embalse del Romeral
Casas Nuevas
Puerto de la Cadena
Sierra de Carrascoy
Carrascoy
Baños y Mendigo
Sucina
Avileses
El Mirador
Corvera
La Murta
Gañuelas
Monasterio La Santa
Aledo
Zunega
Los Martínez del Puerto
Roldán
Lo Ferro
Balsicas
S. Cayetano
Dolores
Valladolises
Los Paganes
Almagros
El Escobar
Balsapintada
Jimenado
E.ta N.a S.a de Pasico
S.ta Rosalía
Torre Pacheco
El Estrecho
Lobosillo
Los Muñoces
Las Cánovas
Cuevas de Reillo
Fuente Álamo
Rambla
Albujón
Las Lomas
Pozo Estrecho
La Puebla
La Palma
La Aljorra
Secanos
Totana
Carivete
Manilla
Tercia
Embalse de Puentes
Los Cautivos
La Hoya
Lorca
Los Tuelas
Raguero de Bajo
Los Cantareros
La Pinilia
El Pericón
Miranda
S.ta Ana
Aparecida
Hinojar
Peña Rubia
Viento
Alporchones
Gañuelas
Las Palas
Tallante
Barriada S. Cristóbal
Los Dolores
Roche
La Atalaya
La Majada
Sierra de Almenara
S.a de Algarrobo
Los Ruices
Cuesta Blanca
Los Puertos de S.ta Bárbara
Molinos Marfagones
Perin
Casa Meca
Campico de los López
Morata
Los Cucos
Sierra de las Moreras
Mazarrón
Puerto de Mazarrón
Isla Plana
Sierra de la Muela
Canteras
Roldán
Alumbres
Escombreras
Cimbre
Estación Lumbreras
Altobordo
Purias
P.to Purias
Talayón
Pastrana
Bolnuevo
Bahía
Playa Grande
Playa de la Reva
Playa de la Isla
La Azohía
El Portús
San Julián
CARTAGENA
Cabo de Agua
Cabo Tiñoso
Ermita del Ramonete
Miñarros
Umbrías
Calnegre
Punta de Calnegre
El Aljibe
Sierra de la Carrasquilla
Sierra del Contar
El Cantal
Garrobillo
Almendricos
Los Arejos
Colorado
Pozo Higuera
Calabardina
Cope
Cabo Cope
Playa de calabardina
Águilas
El Hornillo
Golfo de Mazarrón
Pulpí
El Convoy
La Fuente
Pilar de Jaravía
El Cocón
San Juan de los Terreros
Guazamara
El Largo
El Pozo del Esparto
Los Lobos
La Mulería
Portilla
AP 7
A 7 - E 15
A 30
N 332
N 340
N 344
MU 30
C 3319
C 3211
C 3315
N 332-2
R
U
S
T
M
C
I
A

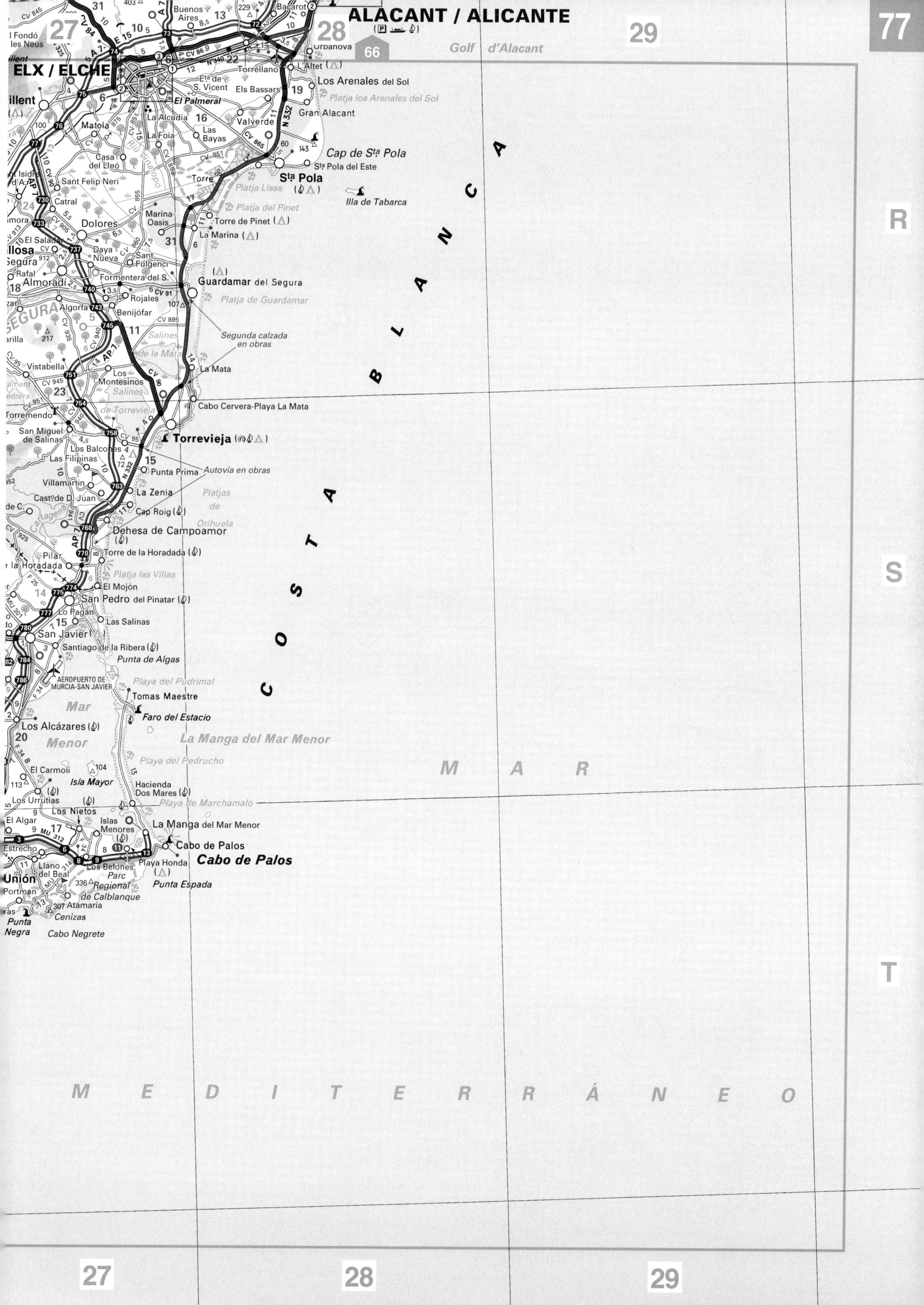
ALACANT / ALICANTE
ELX / ELCHE
Golf d'Alacant
Urbanova
L'Altet
Torrellano
Los Arenales del Sol
Platja los Arenales del Sol
Gran Alacant
Els Bassars
Valverde
El Palmeral
La Alcudia
La Foia
Las Bayas
Matola
Casa del Lleó
Sant Felip Neri
Catral
Dolores
Daya Nueva
Cap de Sta Pola
Sta Pola del Este
Sta Pola
Illa de Tabarca
Platja Lissa
Torre
Platja del Pinet
Torre de Pinet
La Marina
Marina-Oasis
Sant Fulgenci
Formentera del S.
Guardamar del Segura
Platja de Guardamar
Rojales
Benijófar
Almoradí
Algorfa
Segunda calzada en obras
La Mata
Los Montesinos
Vistabella
Cabo Cervera-Playa La Mata
Torremendo
San Miguel de Salinas
Torrevieja
Los Balcones
Las Filipinas
Punta Prima
Autovía en obras
Villamartín
La Zenia
Platjas de Orihuela
Cast. de D. Juan
Cap Roig
Dehesa de Campoamor
Torre de la Horadada
Pilar de la Horadada
Platja las Villas
El Mojón
San Pedro del Pinatar
Lo Pagán
Las Salinas
San Javier
Santiago de la Ribera
Punta de Algas
AEROPUERTO DE MURCIA-SAN JAVIER
Playa del Pudrimal
Tomas Maestre
Faro del Estacio
Mar Menor
Los Alcázares
La Manga del Mar Menor
Playa del Pedrucho
El Carmolí
Isla Mayor
Los Urrutias
Hacienda Dos Mares
Los Nietos
Playa de Marchamalo
El Algar
Islas Menores
La Manga del Mar Menor
Cabo de Palos
Estrecho
Llano del Beal
Los Belones
Playa Honda
Unión
Portman
Parc Regional de Calblanque
Punta Espada
Atamaria
Cenizas
Punta Negra
Cabo Negrete
COSTA BLANCA
MAR
MEDITERRÁNEO
R
S
T
27
28
29
66

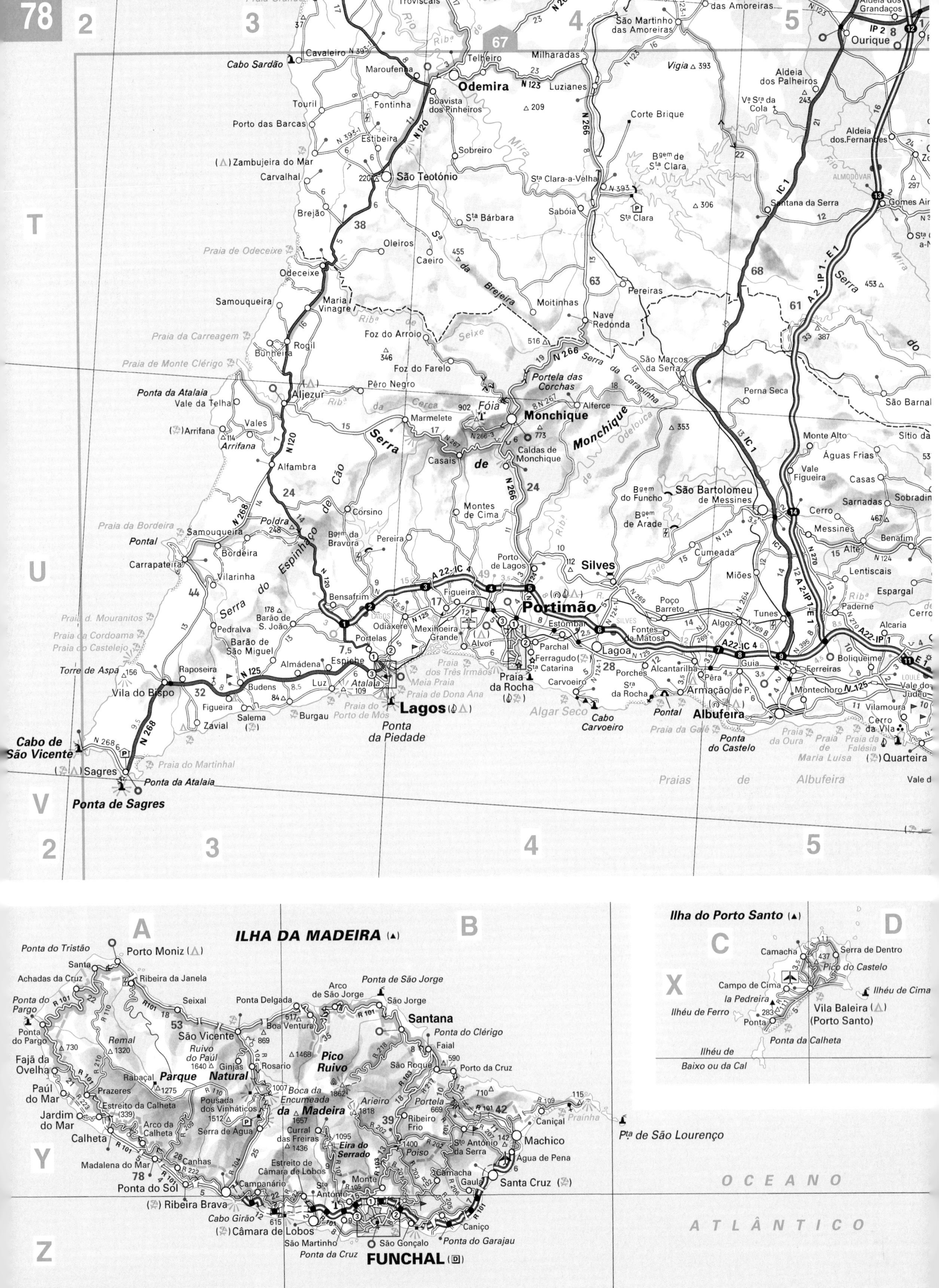

2
3
4
5
67
T
U
V
Cabo Sardão
Cavaleiro
Maroufenha
Telheiro
Odemira
Milharadas
São Martinho das Amoreiras
Aldeia das Amoreiras
Aldeia dos Grandaços
Ourique
Troviscais
Praia Grande
Touril
Fontinha
Boavista dos Pinheiros
Luzianes
Vigia
Aldeia dos Palheiros
Porto das Barcas
Estibeira
Sobreiro
Corte Brique
Cola
Zambujeira do Mar
Carvalhal
São Teotónio
Sta Clara-a-Velha
Bgem de Sta Clara
Aldeia dos Fernandes
Brejão
Sta Bárbara
Sabóia
Sta Clara
Santana da Serra
Gomes Aires
Praia de Odeceixe
Oleiros
Caeiro
Serra da Brejeira
Odeceixe
Samouqueira
Maria Vinagre
Moitinhas
Pereiras
Nave Redonda
Serra do Caldeirão
Praia da Carreagem
Foz do Arroio
Rogil
Bunheira
Praia de Monte Clérigo
Foz do Farelo
São Marcos da Serra
Serra da Carapinha
Portela das Corchas
Ponta da Atalaia
Vale da Telha
Aljezur
Pêro Negro
Alferce
Perna Seca
São Barnabé
Marmelete
Fóia
Monchique
Serra de Monchique
Arrifana
Vales
Caldas de Monchique
Casais
Monte Alto
Sítio das Éguas
Águas Frias
Alfambra
Serra de Cão
Vale Figueira
Casas
Bgem do Funcho
São Bartolomeu de Messines
Sarnadas
Sobradinho
Praia da Bordeira
Poldra
Corsino
Montes de Cima
Bgem de Arade
Cerro
Messines
Pontal
Samouqueira
Bordeira
Bgem da Bravura
Pereira
Cumeada
Benafim
Alte
Carrapateira
Vilarinha
Serra do Espinhaço de Cão
Porto de Lagos
Silves
Lentiscais
Miões
Bensafrim
Figueira
Portimão
Espargal
Praia d. Mouranitos
Barão de S. João
Odiáxere
Mexilhoeira Grande
Estômbar
Poço Barreto
Paderne
Praia da Cordoama
Praia do Castelejo
Pedralva
Barão de São Miguel
Portelas
Alvor
Parchal
Ferragudo
Fontes da Matosa
Algoz
Tunes
Alcaria
Lagoa
Torre de Aspa
Raposeira
Almádena
Espiche
Praia dos Três Irmãos
Sta Catarina
Porches
Guia
Ferreiras
Boliqueime
Vila do Bispo
Budens
Luz
Atalaia
Meia Praia
Praia da Rocha
Carvoeiro
Sta da Rocha
Alcantarilha
Pêra
Armação de P.
Montechoro
Vale do Judeu
Figueira
Salema
Burgau
Praia do Porto de Mós
Praia de Dona Ana
Lagos
Algar Seco
Cabo Carvoeiro
Albufeira
Vilamoura
Zavial
Ponta da Piedade
Pontal
Praia da Galé
Cerro da Vila
Cabo de São Vicente
Ponta do Castelo
Praia da Oura
Praia de Maria Luísa
Praia da Falésia
Quarteira
Praia do Martinhal
Sagres
Ponta da Atalaia
Ponta de Sagres
Praias de Albufeira
A 22 - IC 4
A 2 - IP 1 - E 1
IC 1
N 120
N 125
N 266
N 268
A
B
C
D
X
Y
Z
ILHA DA MADEIRA
Ponta do Tristão
Porto Moniz
Santa
Achadas da Cruz
Ribeira da Janela
Seixal
Ponta Delgada
Arco de São Jorge
Ponta de São Jorge
São Jorge
Santana
Ponta do Pargo
São Vicente
Boa Ventura
Ponta do Clérigo
Remal
Ruivo do Paúl
Faial
Fajã da Ovelha
Ginjas
Rosario
Pico Ruivo
São Roque
Porto da Cruz
Rabaçal
Parque Natural da Madeira
Paúl do Mar
Prazeres
Boca da Encumeada
Arieiro
Portela
Estreito da Calheta
Pousada dos Vinháticos
Jardim do Mar
Arco da Calheta
Serra de Agua
Curral das Freiras
Ribeiro Frio
Caniçal
Prainha
Machico
Calheta
Eira do Serrado
Poiso
Sto António da Serra
Pta de São Lourenço
Água de Pena
Madalena do Mar
Canhas
Estreito de Câmara de Lobos
Camacha
Gaula
Santa Cruz
Ponta do Sol
Campanário
Monte
Ribeira Brava
Sto António
Cabo Girão
Câmara de Lobos
Caniço
São Martinho
São Gonçalo
Ponta do Garajau
Ponta da Cruz
FUNCHAL
Ilha do Porto Santo
Camacha
Serra de Dentro
Pico do Castelo
Campo de Cima
Ilhéu de Cima
la Pedreira
Ilhéu de Ferro
Vila Baleira
(Porto Santo)
Ponta
Ponta da Calheta
Ilhéu de Baixo ou da Cal
OCEANO ATLÂNTICO

Giraldos
São Pedro das Cabeças
Rolão
Guerreiro
João Serra
Alcaria Ruiva
Corte da Velha
do Vale
Corte Pequena
Guiso
Sta Luzia
Corte Pinto
Gibraltar
Bramadero
Piçarras
67
68
do Guadiana
Mina de São Domingos
La Vaca
El Toro
Alvares
Viseus
Penilhos
Sta Bárbara de Padrões
Urza
Figueirinha
Namorados
Mértola
Monte dos Corvos
Moreanes
Sapos
Achada do Gamo
Rosário
Lombador
Sete
Espragosa
São João dos Caldeireiros
Monte Fernandes
Santana de Cambas
Embalse de Andévalo
Aldeia dos Neves
Porteirinhos
Aldeia do Corvo
Alves
Bens
Cabezas del Pasto
Puebla de Guzmán
Aldeia do Neves
Caiada
Bicada
Lombardos
Salgueiros
Las Herrerias
Corte Zorrinha
Sra da Graça de Padrões
Alcaria Longa
São Sebastião dos Carros
Belo
Roncão
Picoitos
La Isabel
Embalse del Chanza
Sa Madroñera
Eta de la Virgen de la Peña
Semblana
São Miguel do Pinheiro
Manuel Galo
Eirinha
Espírito Santo
Pomarão
Boca Chanza
Granado
Almodôvar
Carros
São Bartolomeu
Mesquita
N 122
Viuvas
Gatão
Guedelhas
Clara-Nova
Morgadinho
São Pedro de Solis
Quintã
Vargens
Alcaria de Javazes
Sta Marta
Cortes Pereiras
El Granado
Na Sa de Piedras Albas
Mestras
Clarines
Fialho
Castelhanos
Lotão
Giões
Coito
IC 27
Sanlúcar de Guadiana
El Almendro
Villanueva de los Castillejos
Dogueno
Barranco
Sta Cruz
Martim Longo
Laboratό
Corte Tabelião
Alcoutim
Azud de Matacavas
Serra
Pesqueiro
Alcaria Alta
Pereiro
Los Millares
Corte Figueira
Barrada
Sta Justa
Balurcos
Foupana
Vaqueiros
Guerreiros do Rio
El Romerano
Ameixial
Corte João Marques
Corte Serranos
Soudes
Corte de São Tomé
Zambujal
Tenencia
San Silvestre de Guzmán
Embalse del Piedras
Caldeirão
Vermelhos
Malhão
Lagoa
Amoreira
Furnazinhas
Foz de Odeleite
Besteiros
Cachopo
Fortes
Pelados
Figueirinha
Garcia
Fernandilho
Monte de Baixo Grande
Choça Queimada
Odeleite
Monte Gordo
Vales
Portela
Corujos
Alcaria
Vale da Rosa
Feiteira
Corte do Gago
Almada de Ouro
Montes Novos
Peralva
Cintados
Sentinela
Villablanca
Pena
Cortelha
Águas dos Fusos
Umbrias de Camacho
Alcarias
Beliche
Azinhal
Salir
Barranco Velho
Parizes
Lajes
Alcaria do Cume
Alto Fica
Javali
Vale de Ebros
Junqueira
Lepe
Aldeia da Tôr
Querença
Estorninhos
Castro Marim
Algibre
Monte Grande
Rio Seco
Las Palmeritas
Gilvrazino
Amendoeira
Alportel
Almargens
Pousada de São Brás
Palheirinhos
Pozo del Camino
Ayamonte
El Terrón
Loulé
Malhão
Sta Catarina da Fonte do Bispo
São Marcos
Vila Nova de Cacela
Altura
Aldeia Nova
Vila Real de Sto António
Isla Cristina
La Redondela
La Antilla
Franqueada
Gorjoës
Vilharinhos
São Brás de Alportel
Machados
Conceição
Cacela Velha
Hortas
Monte Gordo
Playa de Isla Cristina
Playa de la Antilla
Quartos
Peral
A 22 - IP 1
Cabanas
Praia da Manta Rota
Praia da Alagôa
Isla Canela
Playa Canela
Sta Bárbara de Nexe
Ruinas de Milreu
Azinheiro
Sto Estêvão
Tavira
Praia de Cabanas
Almancil
São Miguel
Estiramantens
São Pedro Sta Luzia
Escanxinas
São Lourenço
São Joao da Venda
Estói
Moncarapacho
Pedras d'el Rei
Conceição
Luz de Tavira
Livramento
Praia da Ilha de Tavira
Quinta do Lago
Patacão
Pechão
Ilha de Tavira
Lobo
Ludo
Marchil
FARO
Quelfes
N 125
Quatrim do Sul
Fuzeta
Formosa
Ilha da Armona
Olhão
Ria
Praia de Faro
Armona
Praia de Fuseta
da
Praia da Ilha de Faro
Ria Formosa
Ilha da Culatra
Natural
Ilha de Faro
Parque
Ilha da Barreta
Cabo de Sta Maria
COSTA
GUADIANA
T
U
V
5
6
7
8

68
69
79
8
9
10
T
U
V
COSTA DE LA LUZ
GOLFO DE CÁDIZ
HUELVA
Sanlúcar de Barrameda
PARQUE NACIONAL DE DOÑANA
Coto nacional de la Pata del Caballo
Valverde del Camino
Alosno
Tharsis
Villanueva de las Cruces
La Torrerera
Las Chilladeras
Estación de los Milanos
Coronada
Membrillo Alto
Marigenta
El Pozuelo
Juan Antón
El Álamo
El Pedrosillo
Berrocal
Las Cañadas
Charcofrío
Cejo
Villanueva de los Castillejos
Embalse de Sancho
El Cobujón
Los Cristales
Fuente de la Corcha
Estación de Belmonte
Alcornocosa
La Florida
Navahermosa
Gatos
Caballón
El Tumbalejo
Tujena
Mazarrón
Alpízar
Paterna del Campo
Tejada
Escacena del Campo
Villalba del Alcor
San Bartolomé de la Torre
El Campillo
Embalse del Piedras
Tariquejo
Cebollar
Gibraleón
Trigueros
Beas
La Peñuela
Candón
Niebla
Villarrasa
La Palma del Condado
Manzanilla
Chucena
Purchena
Estación de la Mezquita
Pequerillas
Cueva del Zancarrón de Soto
Santuario de la Consolación
Cartaya
Lepe
Bellavista
Aljaraque
Cardeñas
Corrales
San Juan del Puerto
Moguer
Lucena del Puerto
Bonares
Rociana del Condado
Bollullos Par del Condado
Almonte
Torrecuadros
El Sordo
Hinojos
Pilas
Las Palmeritas
La Redondela
La Antilla
El Terrón
El Rompido
El Portil
Punta del Sebo
Monumento a Colón
Monasterio de la Rábida
Palos de la Frontera
Pinos de Mar
Punta Umbría
Isla de Saltes
Playa de la Antilla
Barra de El Rompido
Playa de Punta Umbría
El Villar
El Corchuelo
Los Bodegones
Los Cabezudos
Mazagón
Faro El Picacho de la Barre
Alcor
Playa de Mazagón
La Mediana
El Abalario
El Acebrón
El Rocío
El Rocina
Marismas
La Calera
Villamanrique de la Condesa
Torre del Oro
Las Casillas
El Alamillo
Asperillo
Acebuches
El Acebuche
Torre de la Higuera
Matalascañas
Playa de Matalascañas
Playa de Castilla
Guadalquivir
Marisma
Marismas del Rocío
Lucio del Membrillo
Salinas
La Algaida
Punta de Malandar
Bonanza
la Jara
Punta del Perro
Chipiona
Nª Sª de Regla
Playa de Regla
Costa Ballena
Playa de la Ballena
Peña del Águila
Punta Candor
La Almadraba
Playa de Costilla
Rota
Fuentebravía
El Manantial
Playa de Fuentebravía
El Ancla
A 49
E 1
N 431
N 435
A 497
A 494
A 483
A 472
A 493
A 495
A 496
A 480
A 491
A 2001
N 442
H 49
A 5000

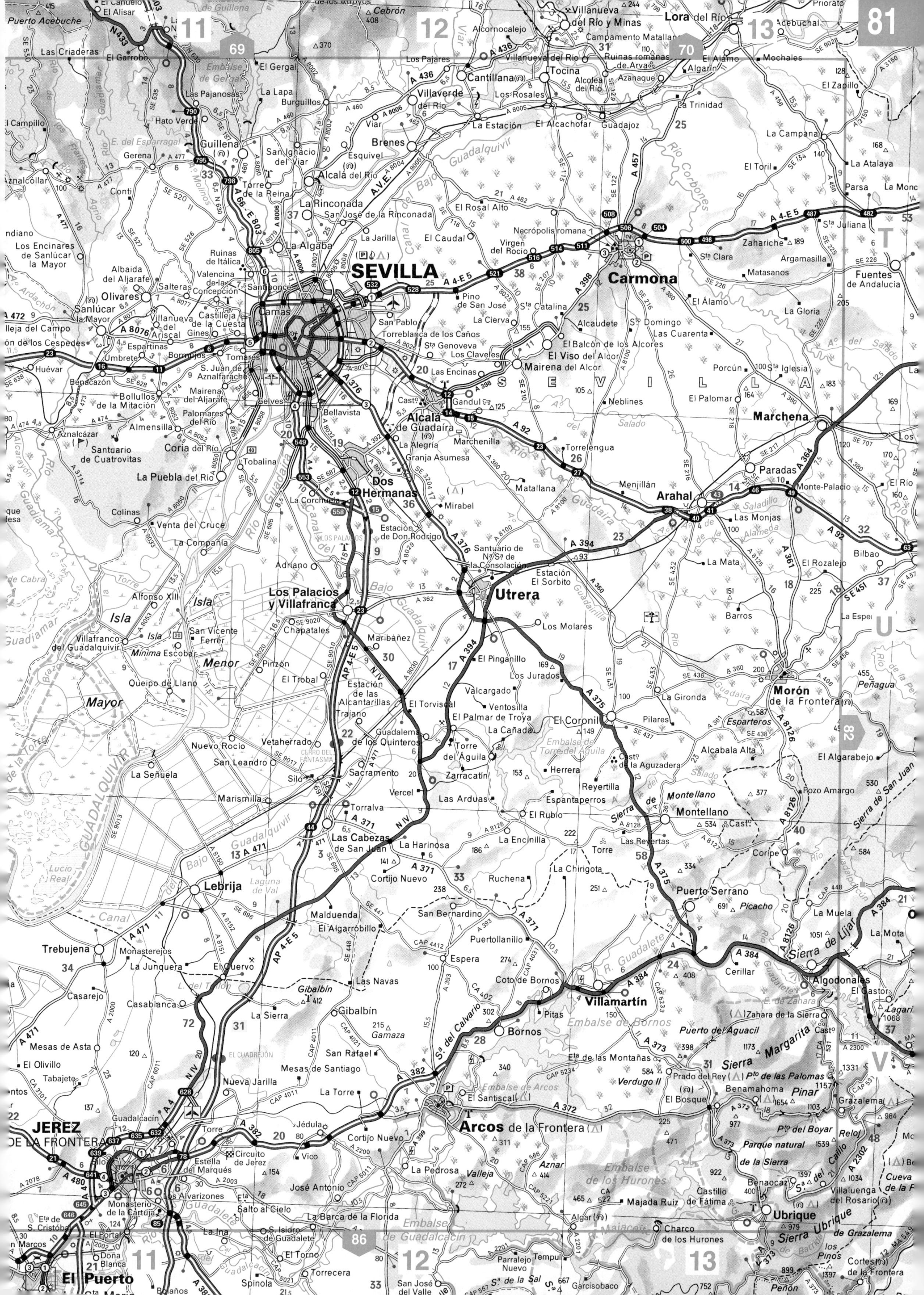

81
11
12
13
69
70
86
SEVILLA
Carmona
Utrera
Dos Hermanas
Alcalá de Guadaíra
Los Palacios y Villafranca
Lebrija
Arahal
Marchena
Morón de la Frontera
Paradas
Mairena del Alcor
El Viso del Alcor
Camas
La Algaba
La Rinconada
San José de la Rinconada
Alcalá del Río
Brenes
Cantillana
Villaverde del Río
Tocina
Villanueva del Río y Minas
Lora del Río
Guillena
Gerena
Olivares
Sanlúcar la Mayor
Salteras
Valencina de la Concepción
Santiponce
Castilleja de la Cuesta
Gines
Espartinas
Umbrete
Bormujos
Tomares
S. Juan de Aznalfarache
Mairena del Aljarafe
Palomares del Río
Gelves
Bollullos de la Mitación
Almensilla
Coria del Río
La Puebla del Río
Aznalcázar
Benacazón
Huévar
Villafranco del Guadalquivir
Las Cabezas de San Juan
El Coronil
Montellano
Puerto Serrano
Villamartín
Bornos
Espera
Arcos de la Frontera
Algodonales
Ubrique
Trebujena
JEREZ DE LA FRONTERA
El Puerto
El Cuervo
Gibalbín
Torre del Águila
Pruna
Coripe
Sierra de Líjar
Sierra Margarita
Grazalema
Benamahoma
El Bosque
Prado del Rey
Zahara de la Sierra
Embalse de Bornos
Embalse de Arcos
Embalse de los Hurones
Embalse de Guadalcacín
Guadalquivir
Guadaíra
Guadalete
Guadiamar
Río Corbones
Isla Mayor
Isla Menor
A 4-E 5
A 92
A 376
A 394
A 375
A 382
A 384
A 66-E 803
AP 4-E 5
N IV
S E V I L L A

13
14
15
16
70
71
La Graja
Cañada del Rabadán
El Garabato
La Carlota
La Victoria
Fernán Núñez
Espejo
El Zapillo
Cañada Rosal
Madre de Fuentes
Genil
Isla del Vicario
La Paz
Monte Alto
La Guijarrosa
Membrilla
San Sebastián de los Ballesteros
La Rambla
Montalbán de Córdoba
Montilla
Cerro Perea
Mochales
Santaella
Fontanar
Los Leones
La Campana
La Atalaya
El Campillo
La Luisiana
Écija
Villanueva del Rey
Parsa
La Monclova
San Antón
Pernía
La Montiela
Huertas Bocas del Salado
Aguilar de la Frontera
Sta Juliana
Laguna de Zóñar
Fuentes de Andalucía
La Venta del Palmar
Casablanca
Isla Redonda
Pata de Mulo
Torrecillas
Lagar de San Antonio
Monturque
Moriles
Autovía en obras
Salto del Ciervo
Los Arenales
La Gloria
Puerto Alegre
El Remolino
Puente-Genil
Navas del Selpillar
Tejada
Mata
Estación de Campo Real
La Platosa
El Término
Matarredonda
La Carrizosa
Palomar
Temerón
Los Piedros
Las Turquillas
Lantejuela
Marinaleda
El Rubio
Herrera
Cordobilla
Barragana Baja
Archena
Laguna de los Ojuelos
Los Ojuelos
El Gallo
Isla de Luna
Los Veneros
Casablanca
Sta Cruz
La Beata
Cañaveralejo
E. de Cordobilla
Badolatosa
Monte-Palacio
El Río
La Romera
La Salada
Estepa
Casariche
Jauja
E. de Malpasillo
Eta de la Fuensanta
La Coronela
Maestre
Gilena
Lora de Estepa
Sa de Becerrero
Rigüelo
Corcoya
Benamejí
La Dueña Baja
Osuna
Aguadulce
Los Perenos
Palenciana
El Rozalejo
Bilbao
La Puebla de Cazalla
Rosso
Salado
Pedrera
El Tejar
El Acebuche
La Roda de Andalucía
Los Pérez
Alameda
La Esperanza
Corbones
San Antonio del Fontanar
Laguna de la Ratosa
Mollina
Los Carvajales
Sa de los Caballos
Navahermosa
Fuente de Piedra
San Juan
Morón de la Frontera
Peñagua
E. de la Puebla de Cazalla
Puerto de la Encina
Pto de los Barrancos Blancos
El Rejano
La Herriza
Sierra de Yeguas
Laguna de la Fuente de Piedra
Humilladero
Mollina
Martín de la Jara
La Mezquita
Puntal
Sa del Humilladero
Los Barrancos
Blancos
Los Corrales
El Saucejo
La Romera
Navarredonda
La Mezquitilla
La Cuesta
Rábita
Los Llanos de Antequera
El Algarabejo
Villanueva de San Juan
Laguna Dulce
Colonia de Sta Ana
Campillos
Bobadilla
Bobadilla Estación
Cueva del Romeral
Antequera
Pozo Amargo
Sierra de San Juan
Puerto del Zamorano
Algámitas
Terril
Almargen
Arquillos
Cuevas de Menga y Viera
Embalse del Guadalteba-Guadalhorce
Sa de las Harinas
Sa del Tablón
Pruna
Lora
Teba
Castillo de la Estrella
Estación de Gobantes
Sierra de Chimenea
Camorro Alto
El Torcal de Antequera
(P. Natural)
Nogales
La Muela
Padrastro
Cañete la Real
Estación de Atalaya
Embalse de Gaitanejo
Valle de Abdalajís
La Hoya
Olvera
Torre-Alháquime
Mojón Gordo
E. del Conde de Guadalhorce
Desfiladero de los Gaitanes
(Garganta del Chorro)
Villanueva de la Concepción
La Mota
Alcalá del Valle
Bobastro
El Chorro
Sierra de Líjar
Puerto Cabañas
Serrato
Ortegicar
Ardales
E. Tajo de la Encantada
Estación de Las Mellizas
Algodonales
El Gastor
Villalones
Setenil de las Bodegas
Estación de Setenil
Cuevas del Becerro
Carratraca
Vado del Álamo
E. de Zahara
Lagarín
Las Mesas
Colorado
Grajo
Sierra de Alcaparaín
Hacho
Álora
Santi-Petri
Almogía
Montecorto
Ronda la Vieja
La Cimada
Sa de las Salinas
Estación de Parchite
Sa de los Merinos
Pinar
La Quinta
Estación de la Indiana
Arriate
El Burgo
Casarabonela
Sierra del Hacho
Grazalema
Puerto del Viento
Prieta
Zalea
Pizarra
Mures
Acueducto
Mirador del Guarda Forestal
Puerto de las Abejas
Gibralgalia
El Sexmo
La Fresneda
Pto del Boyar
Reloj
Montejaque
Ronda
Serranía de Ronda
Yunquera
Prieto
Estación Cártama
Sta Rosalía
Pilar del Prado
Benaoján
Cueva de la Pileta
Sa del Caillo
Alozaina
Cerralba
Campanillas
Parque natural
Villaluenga del Rosario
Tolox
Hoya de Málaga
Cártama
Doña Ana
Ubrique
Jarastepar
Torrecilla
Sa de la Sierra de las Nieves
Villafranco del Guadalhorce
El Romeral
Churriana
de Grazalema
Jimera de Líbar
Parauta
Coín
Cartajima
Igualeja
Atajate
Alpandeire
Faraján
Júzcar
Cascajares
Aranda
Armas
Monda
Alhaurín el Grande
Pto de los Pescadores
Peñón
87
T
U
V
W
A
M
Á
L

83
16
17
18
19
71
72
84
Castro del Río
Izcar
Albendín
Bobadilla
Monte Lope Álvarez
Contreras
Baños de Martos
Los Villares
Puerto Alto
La Cerradura
Grajales
Baena
Vela
Las Beatas
Los Negueruelos
Embalse de Vadomojón
Las Casillas
La Carrasca
Fuensanta de Martos
Sierra de la Pandera
Embalse de Quiebrajano
Cárchel
Carchelejo
Venta Pantalones
Portillo de Martos
Embalse de Víboras
Pto de las Palomas
Caldera
Las Peñuelas
Nueva Carteya
Doña Mencía
Marbella
Alcázar
Alcaudete
Vizcalmón
Sa Ahillos
Jaca
Valdepeñas de Jaén
Sierra de Alta Coloma
Campillo de Arenas
Noalejo
Pto del Carretero
Zuheros
Luque
Cueva de los Murciélagos
Morellana
Zamoranos
Todosaires
Venta de Carrizal
Sabariego
Castillo de Locubín
Pto del Castillo
Sierra de Alta
Montillana
Parque natural
Fuente Alhama
Fuente Tojar
La Rábita
San José de la Rábita
Charilla
Frailes
Ribera Alta
Ribera Baja
Lobatejo
Ermita Virgen de la Sierra
Navazuelo
Sa Alcaide
Zagrilla
Las Angosturas (desfiladero)
El Cañuelo
Solvito
Castil de Campos
Las Higueras
Fuente Álamo
Alcalá la Real
Sta Ana
Cabra
Mojón Alto
El Mojón
El Martinete
Palojo de la Sierra
Carcabuey
La Concepción
Sileras
Fortaleza de la Mota
Gaena
Priego de Córdoba
Almedinilla
La Hortichuela
Los Montes
Los Morales
Peñuela
Benalúa de las Villas
Puerto del Zegrí
Oscuro
Iznalloz
Lucena
Llanos de Don Juan
Nacimiento
Zambra
Los Villares
El Castellar
Brácana
La Fuente Grande
La Venta
Venta Valero
La Cañada
Cantera Blanca
Villalobos
Cauro
E. de Colomera
Sa del Campanario
El Frage
Nª Sª de Araceli
Sa de la Horconera
Los Prados
Las Navas
Sa Albayate
Lojilla
Los Agramaderos
Ermita Nueva
El Menchón de Abril
Valeriano
Limones
Tózar
Colomera
Serval
La Cruz
Pelada
Moclín
Los Olivares
Pozuelo
Las Piedras
Las Lagunillas
Subbética
Cañadillas
Rute
La Hoz
El Higueral
Algarinejo
Montefrío
Puerto López
Berbe Bajo
Deifontes
Parapanda
Illora
Tiena
Sa de Chanzas
E. de Iznajar
Vadofresno
La Celada
Fuentes de Cesna
Sa de Ojete
La Viña
Búcor
Embalse de Cubillas
Parque de Cubillas
Calicasas
Sierra de Cogollos Vega
Cuevas de S. Marcos
Iznájar
Zagra
Ventorros de San José
Alomartes
Casanueva
Zujaira
Pinos Puente
Caparacena
El Chaparral
Ventorros de Balerma
Milanos
Tocón
La Loma
Escóznar
Sa Elvira
Albolote
Peligros
Alfacar
Fuente Grande
Víznar
Casas de la Alcudilla
La Parrilla
Villanueva de Mesía
Brácana
Valderrubio
Fuente Vaqueros
Atarfe
Maracena
La Laguna
Huétor Tajar
R. Genil
Vega de Granada
Trasmulas
Láchar
Cijuela
Chauchina
Villanueva de Tapia
Sa del Pedroso
Venta Sta Barbara
Loja
Los Infiernos
Loreto
Moraleda de Zafayona
Fuensanta
Peñuelas
Sta Fé
La Alhambra
GRANADA
El Albaicín
Cuesta Blanca
Riofrío
Salar
Canal del Cacín
Belicena
Purchil
Armilla
Cúllar Vega
Churriana de la Vega
Gabia Grande
Cenes de la Vega
Estación Archidona
La Toba
Estación de Salinas
Laguna Grande
Sierra de Loja
Buenavista
El Turro
Chimeneas
Castillo de Tajarja
El Temple
Gabia Chica
Alhendín
Ogíjares
Huétor Vega
La Zubia
Monachil
Cumbres Verdes
Santuario
Sa de Archidona
Archidona
Fuente Camacho
Sierra Gorda
Cabras
Cerro de la Gallina
La Zahora
Ácula
La Malahá
Otura
Gójar
Dílar
Pico de la Carne
Sa de Gibalto
Ventas de Huelma
Escúzar
Cacín
Ochíchar
Sta Cruz del Comercio
Puerto del Suspiro del Moro
Valle del Puntal
Villanueva del Trabuco
Puerto de Los Alazores
Almendral
Agrón
Sierra de Pera
Padul
Sa del Manar
Villanueva del Rosario
Alfarnate
Alfarnatejo
Alhama de Granada
Tierras de Alhama
Embalse de los Bermejales
Cristiano
Cozvíjar
Dúrcal
Nigüelas
Cerro de la Cruz
Puerto de las Pedrizas
Villanueva de Cauche
Sa de Alhama
El Almendral
Zafarraya
Ventas de Zafarraya
Arenas del Rey
Venta del Fraile
Cónchar
Acequia
Mondújar
Sabar
Mondrón
Periana
Fornes
Jayena
Sa de Herrero
Albuñuelas
Valle
Murchas
Melegís
Saleres
Lecrín
Chite
Béznar
Colmenar
Riogordo
Alcaucín
Sierra de Tejeda
Maroma
Sierra de Almijara
Puerto
Játar
La Resinera
Restábal
E. de Béznar
Pinos del Valle
Parque natural Montes
Los Romanes
Canillas de Aceituno
Reserva nacional de Sierra de Tejeda
Sedella
Lopera
Sierra de las Guajaras
Ízbor
La Zubia
Comares
E. de la Viñuela
Viñuela
Salares
Canillas de Albaida
Cómpeta
Navachica
Guájar Alto
Guájar Faragüit
Viento
Salto del Negro
Benamargosa
Archez
Río Rubite
Lentejí
Guájar Fondón
Pto del León
Cútar
Triana
Daimalos
Corumbela
Cielo
Sierra del Chaparral
La Bernardilla
de Málaga
Santopitar
El Borge
Almáchar
Trapiche
Arenas
Sayalonga
Frigiliana
Otívar
Benamocarra
Vélez Málaga
La Caleta de Vélez
Algarrobo
Cueva de Nerja
Moscaril
Jete
Itrabo
Molvízar
Moclinejo
Benaque
Iznate
Cajiz
Macharaviaya
Mezquitilla
Torrox
Albita
Cerro de Itrabo
Lobres
Autovía en obras
Olías
Totalán
Cerrado de Calderón
Cueva del Tesoro
Valdés
Benagalbón
Chilches
El Capitán
Almayate Bajo
Lagos
El Morche
Torrox Costa
Pta de Torrox
Maro
Nerja
Playa de Burriana
La Herradura
Taramay
La Caleta Guardia
El Capricho
Salobreña
Playa de Velilla
El Palo
El Candado
La Cala del Moral
Rincón de la Victoria
Benajarafe
Torre de Benagalbón
Torre del Mar
Punta de Vélez Málaga
Playa de Torre del Mar
Algarrobo Costa
Las Terrazas
Almuñécar
Peñón del Santo
Playa de San Cristóbal
Punta de la Mona
Playa Granada
Torrenueva
MÁLAGA
Guadalmar-San Julián
Parador del Golf
COSTA DEL SOL
Cabo Sacratif

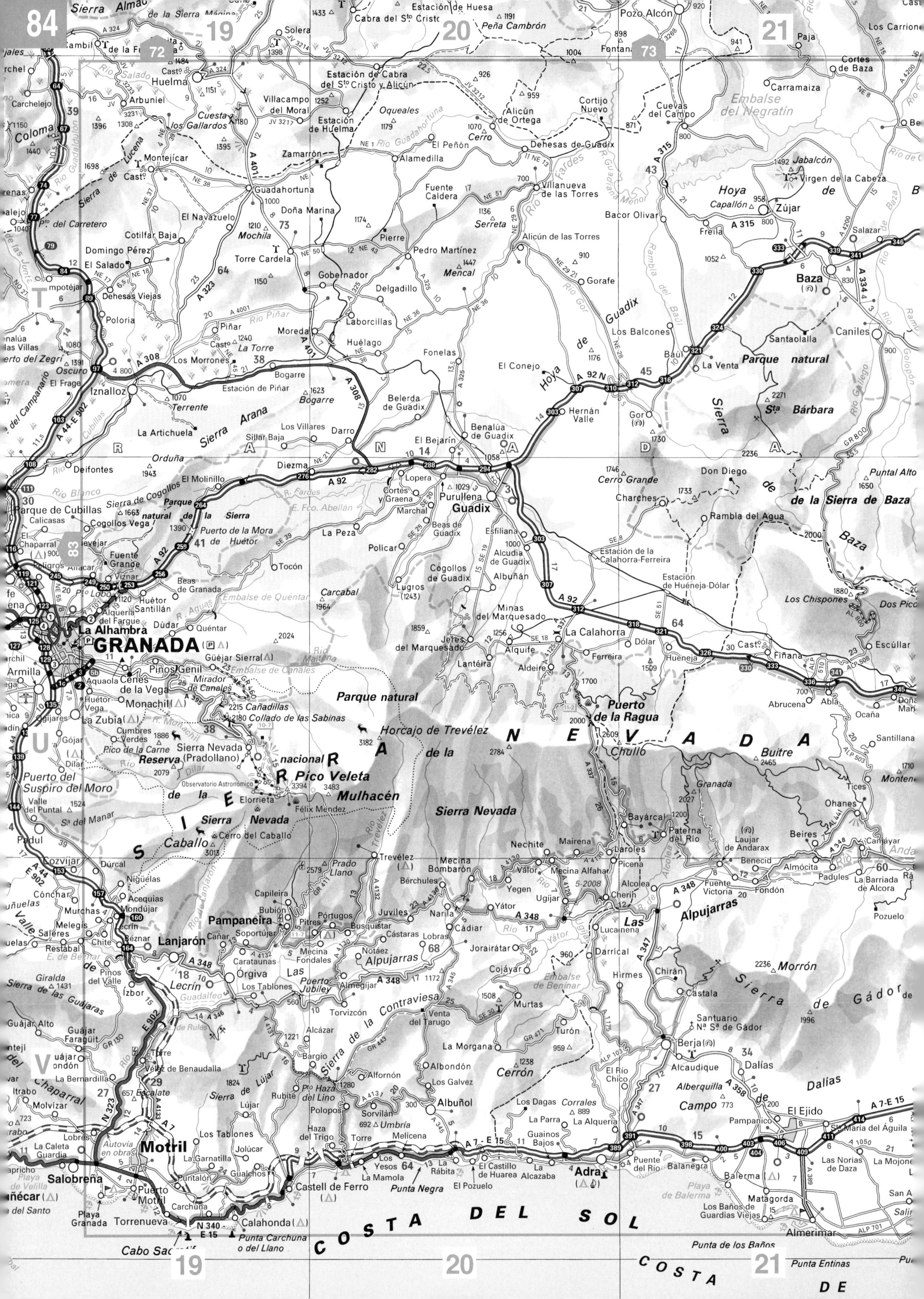
19
20
21
72
73
83
Pozo Alcón
Estación de Huesa
Cabra del Sto Cristo
Peña Cambrón
Solera
Huelma
Arbuniel
Carchelejo
Coloma
Estación de Cabra del Sto Cristo y Alicún
Villacampo del Moral
Oqueales
Estación de Huelma
Alicún de Ortega
Cortijo Nuevo
Cuevas del Campo
Embalse del Negratín
Cortes de Baza
Carramaiza
Los Carrione
Paja
Cuesta de los Gallardos
Montejícar
Zamarrón
El Peñón
Alamedilla
Cerro
Dehesas de Guadix
Jabalcón
Virgen de la Cabeza
Hoya de
Capallón
Zújar
Sierra de Lucena
P.to del Carretero
Guadahortuna
Fuente Caldera
Villanueva de las Torres
Bacor Olivar
Freila
Salazar
El Navazuelo
Doña Marina
Serreta
Cotilfar Baja
Mochila
Domingo Pérez
El Salado
Torre Cardela
Pierre
Pedro Martínez
Mencal
Alicún de las Torres
Gorafe
Baza
Dehesas Viejas
Gobernador
Delgadillo
Poloria
Moreda
Laborcillas
Guadix
Los Balcones
Caniles
Santaolalla
Piñar
La Torre
Los Morrones
Huélago
Fonelas
El Conejo
Hoya de
Baúl
La Venta
Parque natural
Oscuro
El Frage
Iznalloz
Bogarre
Estación de Piñar
Terrente
Belerda de Guadix
Hernán Valle
Gor
Sierra
Sta Bárbara
La Artichuela
Sierra Arana
Los Villares
Darro
Sillar Baja
El Bejarín
Benalúa de Guadix
Orduña
Deifontes
Diezma
Lopera
Cortes y Graena
Purullena
Don Diego
Cerro Grande
Charches
Puntal Alto
de la Sierra de Baza
Sierra de Cogollos
El Molinillo
Parque natural de la Sierra
Parque de Cubillas
Calicasas
Cogollos Vega
E. Fco. Abellán
Marchal
Rambla del Agua
Puerto de la Mora de Huétor
La Peza
Beas de Guadix
Esfiliana
Polícar
Alcudia de Guadix
Estación de la Calahorra-Ferreira
Baza
Fuente Grande
Tocón
Cogollos de Guadix
Albuñán
Estación de Huéneja-Dólar
Los Chispones
Dos Pico
Víznar
Beas de Granada
Carcabal
Lugros
Huétor Santillán
Alquería del Fargue
Embalse de Quéntar
Minas del Marquesado
La Alhambra
GRANADA
Dúdar
Quéntar
Jeres del Marquesado
La Calahorra
Alquife
Dólar
Ferreira
Huéneja
Fiñana
Escúllar
Lanteira
Aldeire
Güéjar Sierra
Pinos Genil
Embalse de Canales
Armilla
Aquaola
Cenes de la Vega
Mirador de Canales
Monachil
Huétor Vega
Parque natural
Puerto de la Ragua
Abrucena
Abla
Ocaña
Cañadillas
Collado de las Sabinas
Horcajo de Trevélez
Ogíjares
La Zubia
Gójar
Cumbres Verdes
Pico de la Carne
Sierra Nevada (Pradollano)
Reserva nacional
Pico Veleta
Chulló
Buitre
Santillana
SIERRA NEVADA
Dílar
Puerto del Suspiro del Moro
Observatorio Astronómico
Mulhacén
Granada
Tices
Valle del Puntal
Sa del Manar
Elorrieta
Félix Méndez
Sierra Nevada
Ohanes
Padul
Cerro del Caballo
Caballo
Bayárcal
Paterna del Río
Laujar de Andarax
Beires
Nechite
Mairena
Cozvíjar
Dúrcal
Trevélez
Prado Llano
Mecina Bombarón
Válor
Mecina Alfahar
Laroles
Picena
Benecid
Almócita
Padules
La Barriada de Alcora
Nigüelas
Bérchules
Yegen
Alcolea
Fuente Victoria
Fondón
Cónchar
Acequias
Capileira
Bubión
Pórtugos
Juviles
Ugíjar
Cherín
Alpujarras
Murchas
Mondújar
Lecrín
Pampaneira
Pitres
Busquístar
Narila
Yátor
Lucainena
Las
Pozuelo
Melegís
Saleres
Restábal
Chite
Béznar
Lanjarón
Cañar
Soportújar
Cástaras
Lobras
Cádiar
Jorairátar
Darrical
Carataunas
Mecina Fondales
Notáez
Alpujarras
Cojáyar
Hirmes
Chirán
Morrón
Pinos del Valle
Órgiva
Puerto Jubiley
Almegíjar
Embalse de Benínar
Castala
Sierra de Gádor
Ízbor
Lecrín
Los Tablones
Torvizcón
Murtas
Sierra de las Guájaras
Guájar Alto
Guájar Faragüit
Alcázar
Sierra de la Contraviesa
Venta del Tarugo
Turón
Santuario Nª Sª de Gádor
Berja
Alcaudique
Dalías
La Morgana
Albondón
Cerrón
El Río Chico
Vélez de Benaudalla
Bargio
Alfornón
Los Galvez
La Bernardilla
Escalate
Sierra de Lújar
Rubite
P.to Haza del Lino
Polopos
Albuñol
Los Dagas
Corrales
Alberquilla
Campo de Dalías
El Ejido
Itrabo
Molvízar
Lújar
Sorvilán
Umbría
La Parra
La Alquería
Pampanico
Sta María del Águila
Lobres
Autovía en obras
Motril
Los Tablones
Jolúcar
Haza del Trigo
Torre
Melicena
Guainos Bajos
La Caleta Guardia
Salobreña
La Garnatilla
Gualchos
Puntalón
Los Yesos
La Mamola
La Rábita
El Castillo de Huarea
La Alcazaba
Adra
Puente del Río
Balanegra
Balerma
Las Norias de Daza
La Mojone
Puerto Motril
Castell de Ferro
Punta Negra
El Pozuelo
Playa de Balerma
Los Baños de Guardias Viejas
Matagorda
Almerimar
Playa Granada
Torrenueva
Carchuna
Calahonda
Punta Carchuna o del Llano
Cabo Sacratif
COSTA DEL SOL
Punta de los Baños
Punta Entinas
COSTA DE
A 92
A 92 N
A 7-E 15
A 44-E 902
N 323
N 340
A 308
A 401
A 323
A 348
A 315
A 325
A 337
A 347
A 358

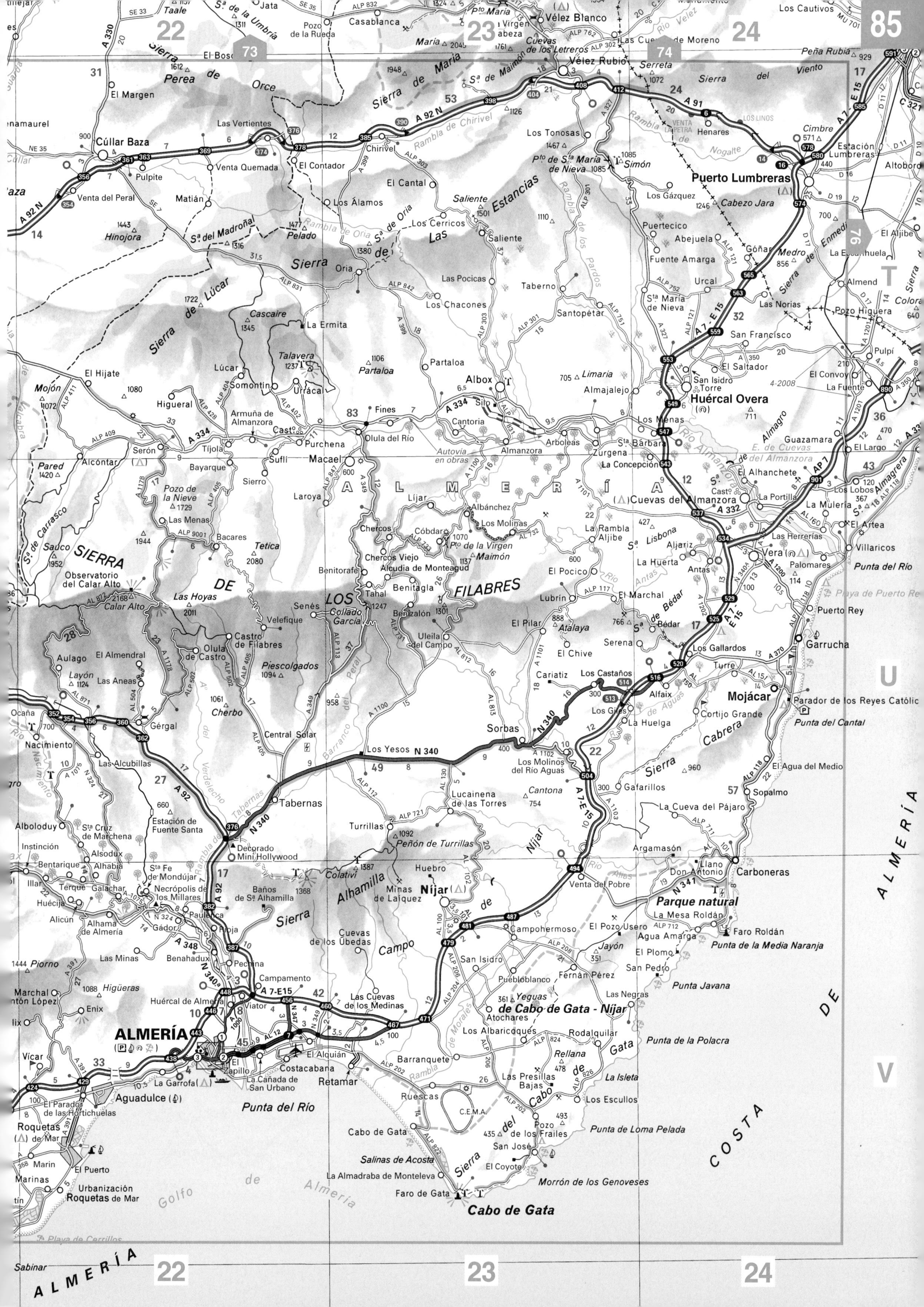
22
23
24
73
74
76
Vélez Blanco
Vélez Rubio
Los Cautivos
Casablanca
Pozo de la Rueda
Jata
Taale
Sierra Perea
de Orce
El Margen
Sierra de María
Cuevas de los Letreros
Las Cuevas de Moreno
Peña Rubia
Serreta
Sierra del Viento
Cúllar Baza
Las Vertientes
Venta Quemada
Pulpite
Venta del Peral
Matián
El Contador
Chirivel
Rambla de Chirivel
Los Tonosas
Henares
Cimbre
Estación Lumbreras
Altobordo
Puerto Lumbreras
Pto de Sta María de Nieva
Simón
Los Gázquez
Cabezo Jara
Puertecico
Abejuela
Fuente Amarga
Góñar
Medro
Sierra de Enmedio
El Aljibe
Almendricos
Urcal
Sta María de Nieva
Las Norias
Pozo Higuera
Hinojora
Sa del Madroñal
Pelado
El Cantal
Los Álamos
Los Cerricos
Saliente
Sierra de Las Estancias
Oria
Las Pocicas
Los Chacones
Taberno
Santopétar
Sierra de Lúcar
Cascaire
La Ermita
Talavera
Partaloa
Albox
Limaria
Almajalejo
San Francisco
El Saltador
San Isidro Torre
Huércal Overa
El Convoy
La Fuente
Pulpí
El Hijate
Mojón
Lúcar
Somontín
Urrácal
Higueral
Armuña de Almanzora
Fines
Cantoria
Silo
Los Menas
Almagro
Guazamara
El Largo
Pared
Alcóntar
Serón
Tíjola
Purchena
Olula del Río
Autovía en obras
Almanzora
Arboleas
Zurgena
Sta Bárbara
La Concepción
Río Almanzora
E. de Cuevas del Almanzora
Bayarque
Sufli
Macael
Sierro
Laroya
Pozo de la Nieve
Las Menas
Líjar
Albánchez
Los Molinas
A L M E R Í A
Cuevas del Almanzora
El Alhanchete
La Portilla
Los Lobos
Almagrera
La Muleria
El Artea
Sa de Carrasco
Sauco
SIERRA DE LOS FILABRES
Bacares
Tetica
Chercos
Cóbdar
Pto de la Virgen
Maimón
Chercos Viejo
Alcudia de Monteagud
Benitorafe
Benitagla
Tahal
La Rambla
Aljibe
Sa Lisbona
Aljariz
La Huerta
Antas
Las Herrerías
Vera
Villaricos
Palomares
Punta del Río
Observatorio del Calar Alto
Calar Alto
Las Hoyas
Senés
Collado García
Benizalón
Velefique
El Pocico
Lubrín
El Marchal
Sa de Bédar
Bédar
Playa de Puerto Rey
Puerto Rey
Aulago
El Almendral
Layón
Las Aneas
Castro de Filabres
Olula de Castro
Piescolgados
Uleila del Campo
El Pilar
Atalaya
El Chive
Serena
Los Gallardos
Garrucha
Cariatiz
Los Castaños
Turre
Alfaix
Mojácar
Parador de los Reyes Católicos
Cortijo Grande
Punta del Cantal
Ocaña
Nacimiento
Gérgal
Cherbo
Central Solar
Los Yesos
Sorbas
Los Giles
La Huelga
Sierra Cabrera
Las Alcubillas
Los Molinos del Río Aguas
El Agua del Medio
Alboloduy
Sta Cruz de Marchena
Estación de Fuente Santa
Tabernas
Lucainena de las Torres
Cantona
Gafarillos
Sopalmo
La Cueva del Pájaro
Instinción
Bentarique
Alsodux
Alhabia
Decorado Mini Hollywood
Turrillas
Peñón de Turrillas
Argamasón
Llano Don Antonio
Carboneras
Illar
Terque
Sta Fe de Mondújar
Necrópolis de los Millares
Galachar
Colativí
Huebro
Níjar
Venta del Pobre
Huécija
Alicún
Alhama de Almería
Gádor
Baños de Sa Alhamilla
Sierra Alhamilla
Minas de Lalquez
Sierra de Campo de Níjar
Parque natural de Cabo de Gata - Níjar
La Mesa Roldán
Faro Roldán
Punta de la Media Naranja
Rioja
Pechina
Benahadux
Las Minas
Piorno
Higüeras
Cuevas de los Úbedas
Campohermoso
El Pozo Usero
Agua Amarga
Jayón
El Plomo
San Pedro
San Isidro
Fernán Pérez
Puebloblanco
Punta Javana
Marchal
Antón López
Huércal de Almería
Campamento
Viator
Las Cuevas de los Medinas
Yeguas
Atochares
Las Negras
Enix
ALMERÍA
Los Albaricoques
Rodalquilar
Punta de la Polacra
Vícar
El Alquián
Costacabana
Barranquete
Rellana
La Isleta
El Zapillo
La Garrofa
La Cañada de San Urbano
Retamar
Las Presillas Bajas
Aguadulce
El Parador de las Hortichuelas
Punta del Río
Ruescas
C.E.M.A.
Sierra del Cabo de Gata
Los Escullos
Roquetas de Mar
Cabo de Gata
Pozo de los Frailes
San José
Punta de Loma Pelada
Marin
El Puerto
Salinas de Acosta
La Almadraba de Monteleva
El Coyote
Morrón de los Genoveses
Marinas
Urbanización Roquetas de Mar
Golfo de Almería
Faro de Gata
Cabo de Gata
COSTA DE ALMERÍA
Playa de Cerrillos
Sabinar
ALMERÍA
T
U
V
A 92 N
A 91
A 7-E 15
A 334
N 340
A 92
A 332
A 370
N 341
AP 7

86
11
12
13
81
80
V
W
X
Lebrija
Las Cabezas de San Juan
Trebujena
Bonanza
La Algaida
Mesas de Asta
El Cuervo
Gibalbín
Villamartín
Bornos
Puerto Serrano
Espera
Arcos de la Frontera
JEREZ DE LA FRONTERA
El Puerto de Sta María
CÁDIZ
Puerto Real
San Fernando
Chiclana de la Frontera
Medina Sidonia
Alcalá de los Gazules
Ubrique
Benaocaz
El Bosque
Prado del Rey
Zahara de la Sierra
Algodonales
Jimena de la Frontera
Los Barrios
ALGECIRAS
Tarifa
Punta Marroquí o de Tarifa
ESTRECHO DE GIBRALTAR
Vejer de la Frontera
Barbate
Conil de la Frontera
Los Caños de Meca
Cabo de Trafalgar
Zahara de los Atunes
Cabo de Gracia
Punta Camarinal
Punta Paloma
Punta Acebuche
Facinas
Benalup-Casas Viejas
Paterna de Rivera
Embalse de Bornos
Embalse de Arcos
Embalse de Guadalcacín
Embalse de los Hurones
Embalse de Barbate
Embalse del Celemín
Embalse de Almodóvar
Embalse de Charco Redondo o Palmones
Embalse del Guadarranque
Parque natural de los Alcornocales
Parque natural de la Sierra
Reserva nacional de Cortes de la Frontera
Sierra de Grazalema
Sierra Margarita
Sierra Blanquilla
Sierra Ubrique
Aljibe
Bahía de Algeciras
Ensenada de Barbate
Ensenada de Bolonia
Ensenada de Valdevaqueros
Parque natural La Breña y Marismas de Barbate
Parque Natural de la Bahía de Cádiz
Isla Sancti Petri
Playa de la Barrosa
Sanlúcar
Circuito de Jerez
A 4
AP 4 · E 5
A 48 · E 5
A 381
A 382
A 384
A 372
A 373
A 396
A 405
A 7
N 340
A 471
A 480

Olvera
Ronda
Serranía de Ronda
Parque natural de la Sierra de las Nieves
Sierra Bermeja
Teba
Castillo de la Estrella
Ardales
Desfiladero de los Gaitanes
El Chorro
Carratraca
Álora
Pizarra
Cártama
Hoya de Málaga
Almogía
El Torcal de Antequera (P. Natural)
Villanueva de la Concepción
Casabermeja
Zambra
Alhaurín de la Torre
Alhaurín el Grande
Coín
Mijas
Sierra de Mijas
Torremolinos
Benalmádena
Arroyo de la Miel
Benalmádena Costa
Fuengirola
Playas de Fuengirola
Marbella
Playas de Marbella
Ensenada de Marbella
Puerto Banús
San Pedro de Alcántara
Estepona
Playas de Estepona
Manilva
Sotogrande
Punta Mala
La Línea de la Concepción
GIBRALTAR
Punta de Europa
COSTA DEL SOL
Yunquera
Tolox
Istán
Ojén
Alozaina
El Burgo
Setenil de las Bodegas
Gaucín
Casares
Benahavís
Punta de Calaburra
Punta Ladrones
Punta de la Chullera

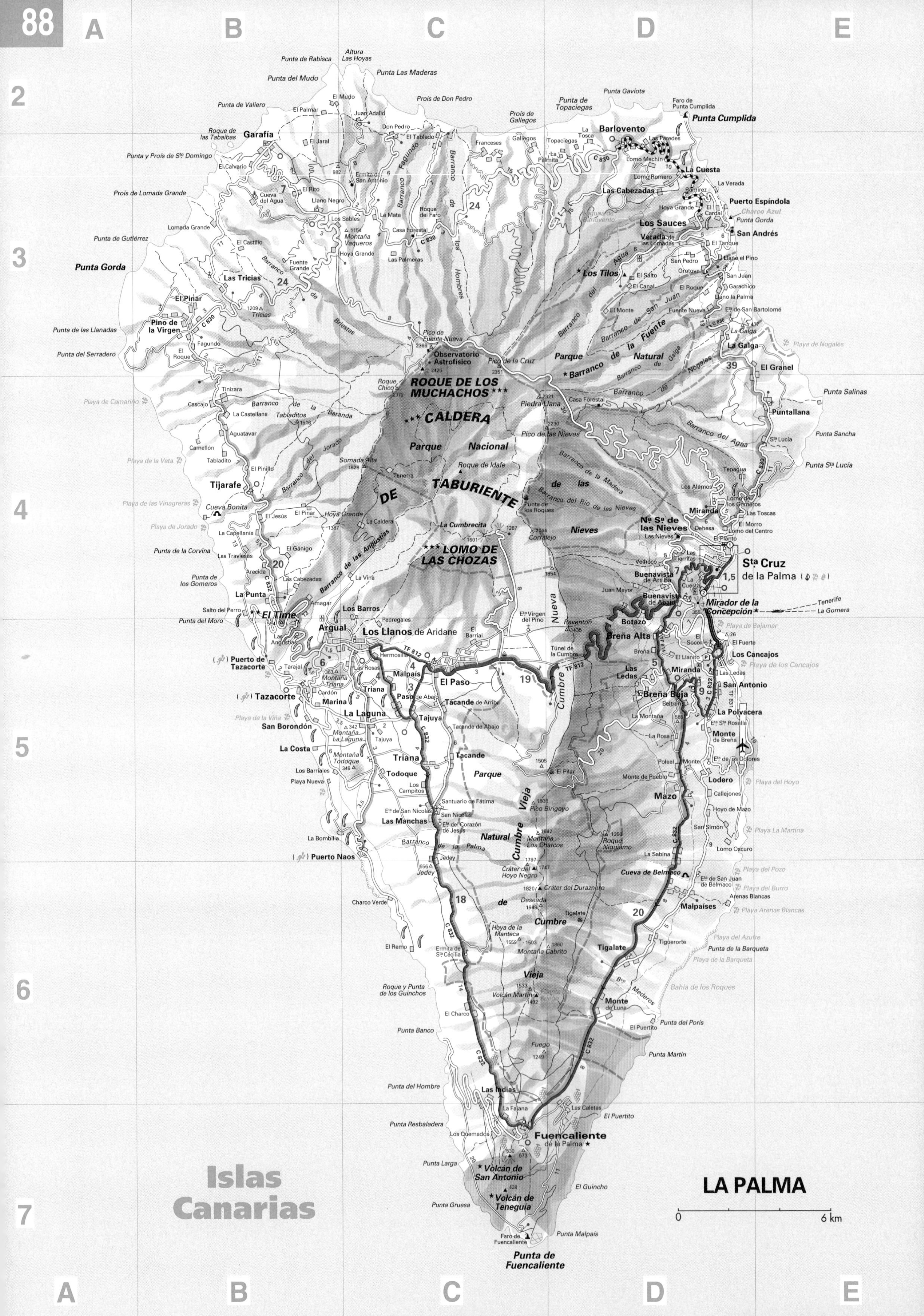
A
B
C
D
E
2
3
4
5
6
7
Punta de Rabisca
Altura Las Hoyas
Punta Las Maderas
Punta del Mudo
El Mudo
Prois de Don Pedro
Punta Gaviota
Faro de Punta Cumplida
Punta Cumplida
Punta de Valiero
El Palmar
Juan Adalid
Don Pedro
El Tablado
Prois de Gallegos
Punta de Topaciegas
Roque de las Tabaibas
Garafía
El Jaral
Franceses
Gallegos
Topaciegas
La Tosca
Barlovento
Las Paredes
Punta y Prois de Sto Domingo
El Calvario
Ermita de San Antonio
La Palmita
Lomo Machín
La Cuesta
Lomo Romero
La Verada
Prois de Lomada Grande
El Rito
Cueva del Agua
Llano Negro
Barranco Fagundo
Barranco de los Hombres
Las Cabezadas
Ramírez
Puerto Espíndola
Los Sables
La Mata
Roque del Faro
Hoya Grande
El Cardal
Charco Azul
Punta Gorda
Los Sauces
San Andrés
Lomada Grande
Montaña Vagueros
Casa Forestal
Verada de las Lomadas
El Tanque
Punta de Gutiérrez
El Castillo
Las Palmeras
Llano el Pino
Punta Gorda
Fuente Grande
Los Tilos
San Pedro
Orotova
San Juan
El Salto
El Canal
El Roque
Garachico
Las Tricias
Barranco de Tricias
El Monte
Llano la Palma
El Pinar
Fuente Nueva
Ea de San Bartolomé
Pino de la Virgen
La Galga
Punta de las Llanadas
Barranco de Briestas
Pico de Fuente Nueva
Playa de Nogales
Punta del Serradero
El Roque
Fagundo
Observatorio Astrofísico
Pico de la Cruz
Parque Natural
Barranco de la Fuente
Barranco de Nogales
El Granel
Roque Chico
ROQUE DE LOS MUCHACHOS
Tinizara
Piedra Llana
Casa Forestal
Barranco de Galga
Punta Salinas
Playa de Camarino
Cascajo
Barranco de Tabladitos
Barranco de la Baranda
CALDERA
Puntallana
La Castellana
Aguatavar
Pico de las Nieves
Barranco del Agua
Punta Sancha
Camellón
Parque Nacional
Sta Lucía
Playa de la Veta
Tabladito
Barranco del Jorado
Somada Alta
Roque de Idafe
Barranco de la Madera
Punta Sta Lucía
El Pinillo
Tenerra
Tenagua
Tijarafe
DE
TABURIENTE
de las
Barranco del Río de las Nieves
Los Alamos
Playa de las Vinagreras
Cueva Bonita
El Jesús
El Pinar
Hoya Grande
La Caldera
Punta de los Roques
Miranda
Lomo de los Gomeros
Las Toscas
Playa de Jorado
La Cumbrecita
Nieves
Ns Sa de las Nieves
El Morro
Lomo del Centro
La Capellanía
Barranco de las Angustias
Corralejo
Dehesa
Las Nieves
El Planto
Punta de la Corvina
El Gánigo
Las Travesías
LOMO DE LAS CHOZAS
Velhoco
Las Tierritas
Sta Cruz de la Palma
Arecida
Buenavista de Arriba
Punta de los Gomeros
Las Cabezadas
La Viña
Juan Mayor
La Cuesta
La Punta
Amagar
Buenavista de Abajo
Mirador de la Concepción
Tenerife
La Gomera
Salto del Perro
El Time
Los Barros
Ea Virgen del Pino
Nueva
Botazo
Playa de Bajamar
Punta del Moro
Pedregales
Reventón
Breña Alta
El Fuerte
Las Angustias
Argual
Los Llanos de Aridane
El Barrial
Túnel de la Cumbre
El Socorro
Los Cancajos
Puerto de Tazacorte
Hermosilla
Breña
El Llanito
Tarajal
Las Rosas
Malpaís
Las Ledas
Playa de los Cancajos
Montaña Triana
Cardón
Triana
El Paso
Miranda
San Antonio
Tazacorte
Marina
Paso de Abajo
Tacande de Arriba
Cumbre
Breña Baja
Beltrán
Playa de la Viña
La Laguna
Tajuya
La Polvacera
San Borondón
Montaña La Laguna
Tacande de Abajo
La Montaña
Ea Sta Rosalía
Monte de Breña
La Rosa
La Costa
Triana
Tacande
Montaña Todoque
Los Barriales
Todoque
Parque
El Pilar
Poleal
Monte
Ea de los Dolores
Playa Nueva
Los Campitos
Monte de Pueblo
Lodero
Playa del Hoyo
Santuario de Fátima
Mazo
Callejones
Ea de San Nicolás
San Nicolás
Pico Birigoyo
Hoyo de Mazo
Las Manchas
Ea del Corazón de Jesús
Vieja
Montaña Los Charcos
Roque Niquiomo
San Simón
Playa La Martina
Natural
Barranco de la Palma
La Bombilla
Lomo Oscuro
Puerto Naos
Jedey
Cráter del Hoyo Negro
La Sabina
Cueva de Belmaco
Playa del Pozo
Ea de San Juan de Belmaco
Cráter del Duraznero
Playa del Burro
Charco Verde
de
Deseada
Arenas Blancas
Malpaíses
Playa Arenas Blancas
Tigalate
Cumbre
Hoya de la Manteca
Playa del Azufre
El Remo
Ermita de Sta Cecilia
Montaña Cabrito
Tigalate
Tiguerorte
Punta de la Barqueta
Playa de la Barqueta
Vieja
Roque y Punta de los Guinchos
Volcán Martín
Fuente del Fuego
Bahía de los Roques
Mederos
El Charco
Monte de Luna
Punta Banco
El Puertito
Punta del Poris
Fuego
Punta Martín
Punta del Hombre
Las Indias
Las Caletas
La Fajana
El Puertito
Punta Resbaladera
Los Quemados
Fuencaliente de la Palma
Punta Larga
Volcán de San Antonio
El Guincho
Islas Canarias
LA PALMA
Punta Gruesa
Volcán de Teneguía
0
6 km
Faro de Fuencaliente
Punta Malpaís
Punta de Fuencaliente

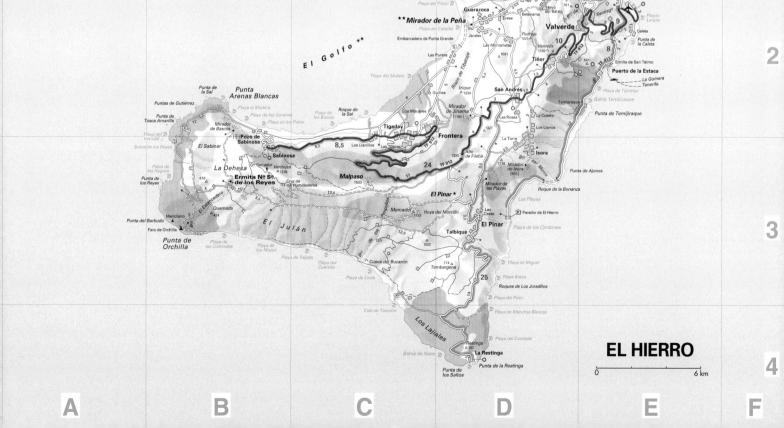

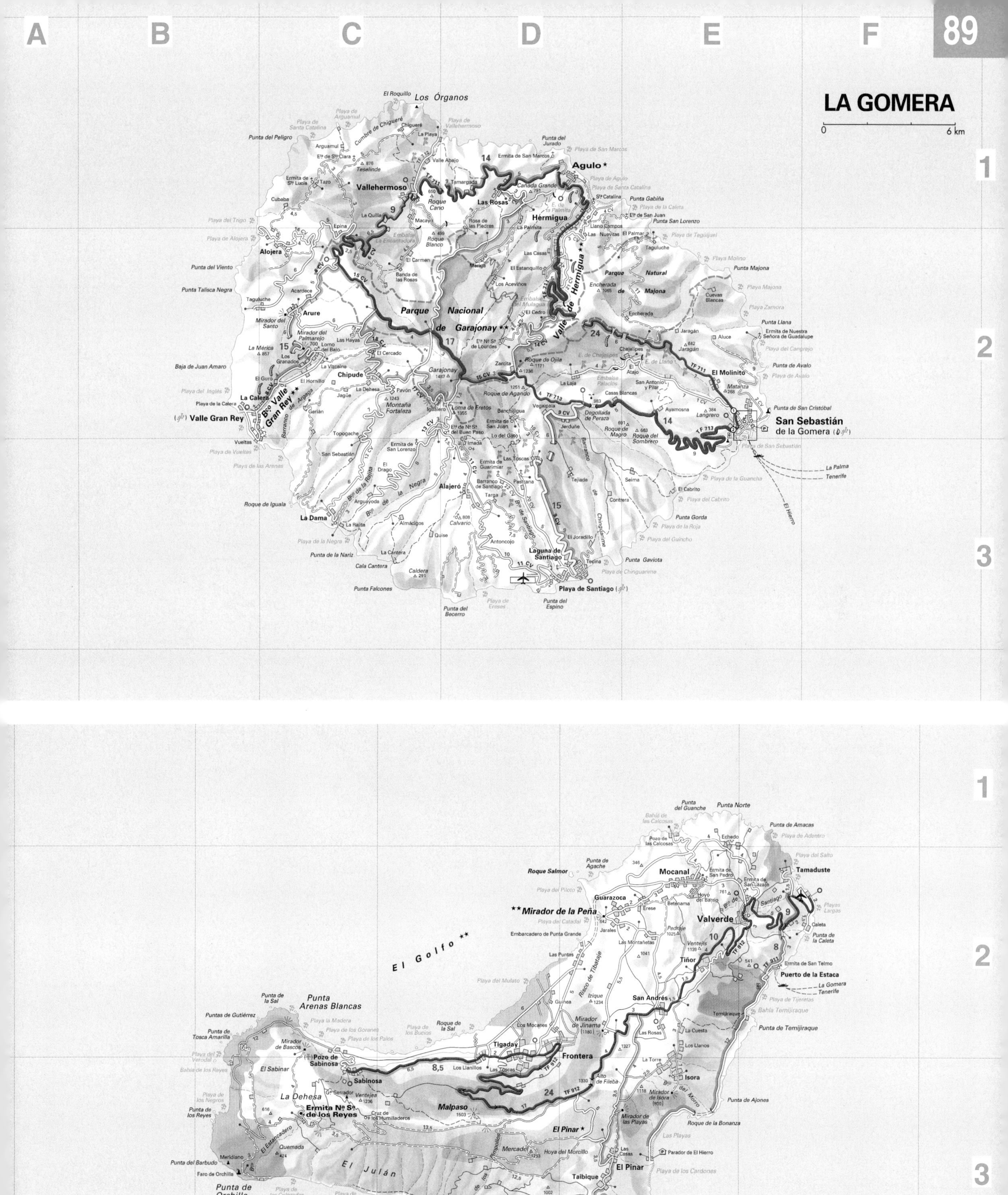
LA GOMERA
0
6 km
A
B
C
D
E
F
1
2
3
Los Órganos
El Roquillo
Punta del Peligro
Vallehermoso
Agulo
Las Rosas
Hermigua
Alojera
Arure
Parque Nacional de Garajonay
Valle de Hermigua
Parque Natural de Majona
Chipude
Valle Gran Rey
Bco Valle Gran Rey
La Calera
Garajonay
Roque de Agando
El Molinito
San Sebastián de la Gomera
Punta de San Cristóbal
La Palma
Tenerife
El Hierro
Alajeró
La Dama
Laguna de Santiago
Playa de Santiago
Punta del Espino
Punta Falcones
Punta Gaviota
Punta Gorda
Punta Majona
Punta Llana
Jaragán
Enchereda
La Laja
Imada
Tejiade
Chipude
El Cercado
Agulo
Punta Gabiña
Playa de San Marcos
EL HIERRO
0
6 km
A
B
C
D
E
F
1
2
3
4
Punta del Guanche
Punta Norte
Punta de Amacas
Tamaduste
Mocanal
Roque Salmor
Mirador de la Peña
Guarazoca
Valverde
Tiñor
Puerto de la Estaca
La Gomera
Tenerife
San Andrés
El Golfo
Punta Arenas Blancas
Punta de la Sal
Punta de Gutiérrez
Punta de Tosca Amarilla
Pozo de Sabinosa
Sabinosa
Tigaday
Frontera
Malpaso
El Sabinar
La Dehesa
Ermita Nª Sª de los Reyes
El Julán
El Pinar
Isora
Punta de Ajones
Roque de la Bonanza
Parador de El Hierro
Taibique
Punta de Orchilla
Faro de Orchilla
Meridiano
Punta del Barbudo
Los Lajiales
La Restinga
Punta de la Restinga
Punta de los Saltos
Bahía de Naos
Cala de Tacorón
Roques de Los Joraditos
Punta de Temijiraque
Bahía Temijiraque

TENERIFE
0
6 km
Punta de Teno
Buenavista del Norte
Los Silos
Garachico
Icod de los Vinos
San Juan de la Rambla
Puerto de la Cruz
Jardín de Aclimatación
Los Realejos
La Orotava
Mirador de Humboldt
Santa Úrsula
La Victoria de Acentejo
La Matanza de Acentejo
El Sauzal
Tacoronte
Valle de Guerra
Casa de Carta
Agua García
Bosque de La Esperanza
Valle de La Orotava
Aguamansa
Margarita de Piedra
Pico del Teide
Pico Viejo
Parque Nacional del Teide
Las Cañadas
El Portillo de la Villa
Los Roques
Los Azulejos
Boca de Tauce
Parque Natural de Corona Forestal
Güimar
Mirador de Don Martín
Arafo
Araya
Las Cuevecitas
Fasnia
El Escobonal
Icor
Arico Viejo
Arico
Porís de Abona
Punta de Abona
El Río
Chimiche
Granadilla de Abona
San Isidro
El Médano
Aeropuerto Tenerife Sur
Los Abrigos
San Miguel de Tajao
Charco del Pino
San Miguel
Vilaflor
Arona
Valle de S. Lorenzo
Mirador de la Centinela
Cabo Blanco
Buzanada
Jardines del Atlántico
Cactus & Animal Park
Parque ecológico Las Águilas del Teide
Guaza
Los Cristianos
Playa de las Américas
Adeje
Fañabé
Armeñime
Los Menores
Tijoco Bajo
Guía de Isora
Playa de San Juan
Tejina
Alcalá
Chío
Tamaimo
Arguayo
Puerto de Santiago
Los Gigantes
Acantilado de Los Gigantes
Santiago del Teide
Masca
Valle de El Palmar
El Palmar
Las Portelas
Ruigómez
El Tanque
Cueva del Viento
Fuente de la Vega
La Guancha
Guargacho
Las Galletas
El Fraile
Ten Bel
Costa del Silencio
Punta de la Rasca
Punta Roja
La Gomera
El Hierro

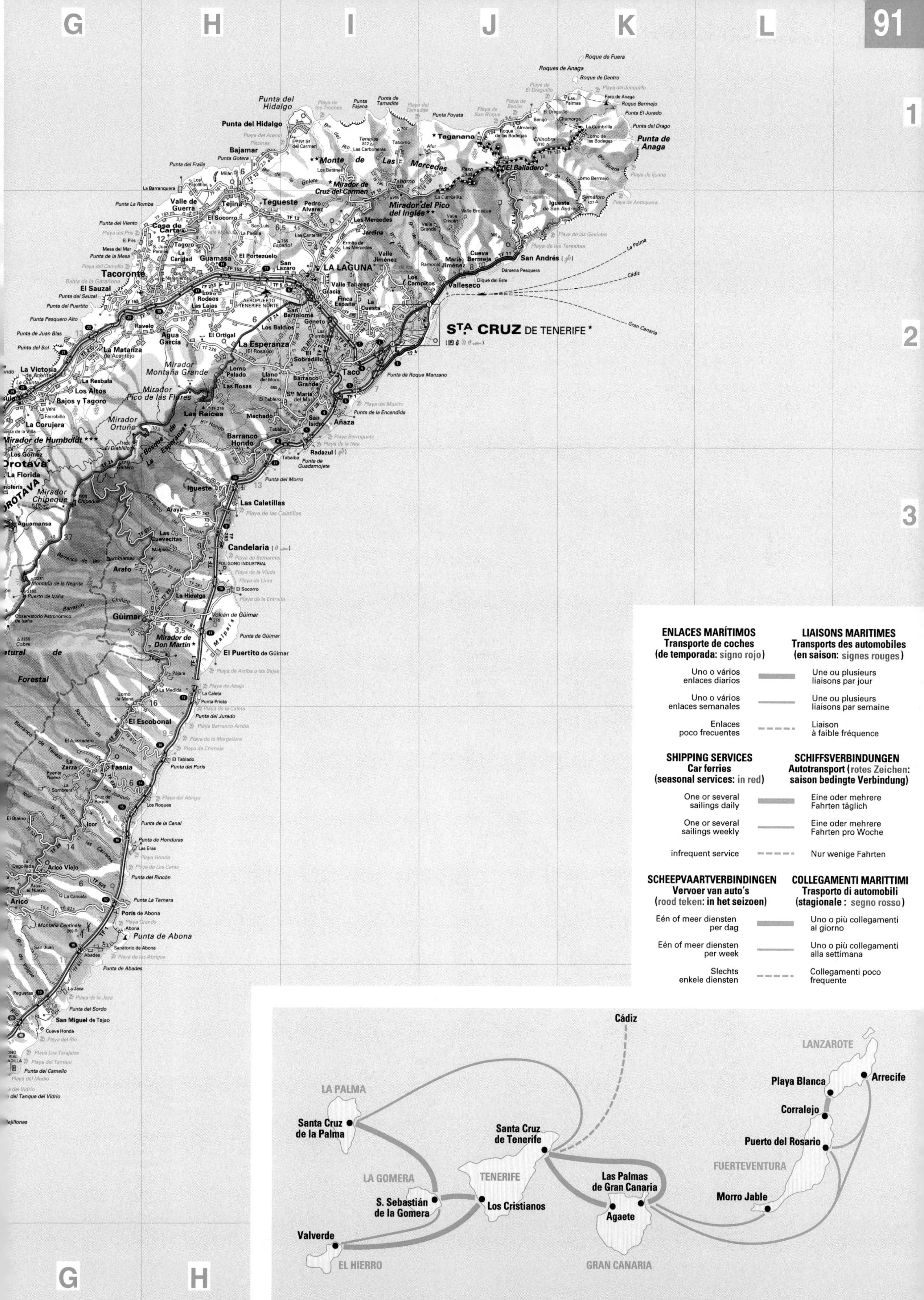
G
H
I
J
K
L
1
2
3
Roque de Fuera
Roques de Anaga
Roque de Dentro
Punta del Hidalgo
Punta de Anaga
Taganana
Monte de Las Mercedes
Mirador de Cruz del Carmen
Mirador del Pico del Inglés
El Bailadero
Bajamar
Tejina
Tegueste
Valle de Guerra
Tacoronte
El Sauzal
La Matanza de Acentejo
La Victoria de Acentejo
LA LAGUNA
San Andrés
Valleseco
Sta CRUZ DE TENERIFE
La Palma
Cádiz
Gran Canaria
La Esperanza
El Ortigal
Mirador Montaña Grande
Mirador Pico de las Flores
Las Raíces
Mirador Ortuño
Mirador de Humboldt
Bosque de La Esperanza
Taco
Añaza
Radazul
Barranco Hondo
Igueste
Las Caletillas
Candelaria
Arafo
Güímar
Mirador de Don Martín
El Puertito de Güímar
El Escobonal
Fasnia
Icor
Arico Viejo
Arico
Porís de Abona
Punta de Abona
San Miguel de Tajao
Mirador Chipeque
Aguamansa
Montaña de la Negrita
Puerto de Izaña
Observatorio Astronómico de Izaña
Forestal
ENLACES MARÍTIMOS
Transporte de coches
(de temporada: signo rojo)
Uno o vários enlaces diarios
Uno o vários enlaces semanales
Enlaces poco frecuentes
LIAISONS MARITIMES
Transports des automobiles
(en saison: signes rouges)
Une ou plusieurs liaisons par jour
Une ou plusieurs liaisons par semaine
Liaison à faible fréquence
SHIPPING SERVICES
Car ferries
(seasonal services: in red)
One or several sailings daily
One or several sailings weekly
infrequent service
SCHIFFSVERBINDUNGEN
Autotransport (rotes Zeichen: saison bedingte Verbindung)
Eine oder mehrere Fahrten täglich
Eine oder mehrere Fahrten pro Woche
Nur wenige Fahrten
SCHEEPVAARTVERBINDINGEN
Vervoer van auto's
(rood teken: in het seizoen)
Eén of meer diensten per dag
Eén of meer diensten per week
Slechts enkele diensten
COLLEGAMENTI MARITTIMI
Trasporto di automobili
(stagionale: segno rosso)
Uno o più collegamenti al giorno
Uno o più collegamenti alla settimana
Collegamenti poco frequente
Cádiz
LANZAROTE
Playa Blanca
Arrecife
Corralejo
Puerto del Rosario
FUERTEVENTURA
Morro Jable
LA PALMA
Santa Cruz de la Palma
Santa Cruz de Tenerife
TENERIFE
LA GOMERA
S. Sebastián de la Gomera
Los Cristianos
Las Palmas de Gran Canaria
Agaete
Valverde
EL HIERRO
GRAN CANARIA
G
H

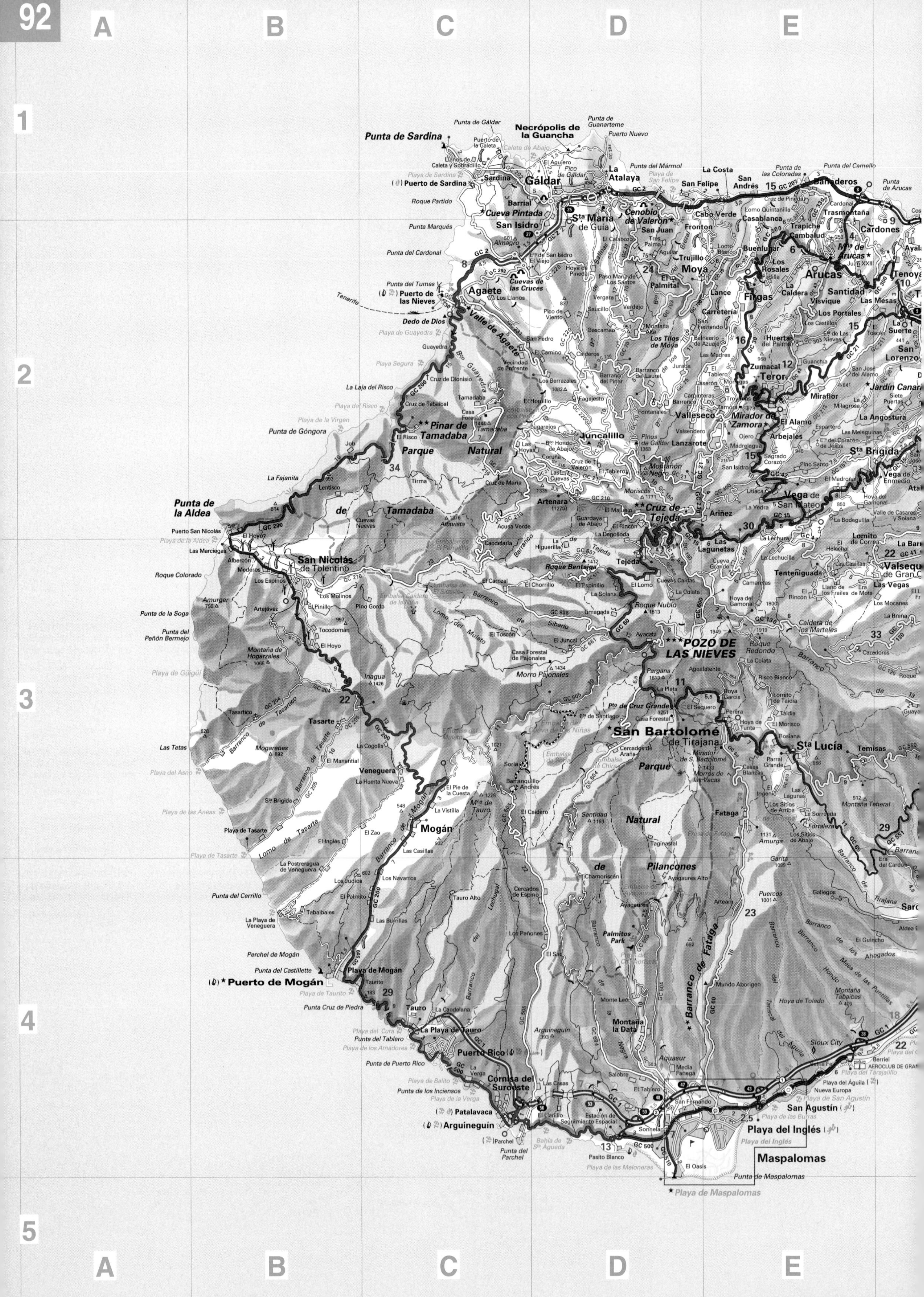

A
B
C
D
E
1
2
3
4
5
Punta de Sardina
Punta de Gáldar
Necrópolis de la Guancha
Punta de Guanarteme
Puerto Nuevo
Puerto de Sardina
Roque Partido
Sardina
Gáldar
Barrial
Cueva Pintada
San Isidro
Almagro
Punta Marqués
Punta del Cardonal
La Atalaya
Punta del Mármol
San Felipe
La Costa
San Andrés
Punta de las Coloradas
Punta del Camello
Bañaderos
Punta de Arucas
Sta María de Guía
Cenobio de Valerón
San Juan
Fronton
Cabo Verde
Casablanca
Trasmontaña
Cardones
Trapiche
Cambalud
Mña de Arucas
Arucas
Trujillo
Moya
El Palmital
Los Rosales
Firgas
Santidad
Visvique
Los Portales
Las Mesas
Tenoya
Punta del Tumas
Puerto de las Nieves
Tenerife
Agaete
Cuevas de las Cruces
Dedo de Dios
Valle de Agaete
Playa de Guayedra
Guayedra
Playa Segura
La Laja del Risco
Playa del Risco
Playa de la Virgen
Punta de Góngora
Pinar de Tamadaba
Tamadaba
El Risco
Parque Natural de Tamadaba
Los Tilos de Moya
Teror
Zumacal
Huertas del Palmar
San Lorenzo
Jardín Canario
Miraflor
El Alamo
Mirador de Zamora
Valleseco
Lanzarote
Juncalillo
Arbejales
La Angostura
Sta Brígida
Pinos de Gáldar
Montañón Negro
Artenara
Cruz de Tejeda
Vega de San Mateo
Ariñez
Las Lagunetas
La Fajanita
Punta de la Aldea
Puerto San Nicolás
Playa de la Aldea
Las Marciegas
San Nicolás de Tolentino
Roque Colorado
Amurgar
Punta de la Soga
Punta del Peñón Bermejo
Montaña de Hogarzales
Playa de Güigüí
Acusa Verde
Altavista
Embalse de El Parralillo
Embalse Caidero de la Niña
Roque Bentayga
Tejeda
Cuevas Caídas
Roque Nublo
Ayacata
POZO DE LAS NIEVES
Roque Redondo
Caldera de los Marteles
Valsequillo
Lomito de Correa
Morro Pajonales
Inagua
Tasarte
Tasartico
Barranco de Tasartico
Mogarenes
Las Tetas
Playa del Asno
Veneguera
Playa de las Aneas
Playa de Tasarte
Lomo de Tasarte
Mogán
Pta de Cruz Grande
San Bartolomé de Tirajana
Sta Lucía
Temisas
Parque Natural de Pilancones
Fataga
Barranco de Fataga
Punta del Cerrillo
La Playa de Veneguera
Perchel de Mogán
Punta del Castillette
Puerto de Mogán
Playa de Mogán
Playa de Taurito
Punta Cruz de Piedra
Tauro
La Playa de Tauro
Playa del Cura
Punta del Tablero
Playa de los Amadores
Puerto Rico
Punta de Puerto Rico
Playa de Balito
Punta de los Incienso
Cornisa del Suroeste
Patalavaca
Arguineguín
Parchel
Punta del Parchel
Bahía de Sta Águeda
Pasito Blanco
Playa de las Meloneras
Palmitos Park
Montaña la Data
Mundo Aborigen
Aquasur
Sioux City
San Agustín
Playa del Inglés
Maspalomas
Punta de Maspalomas
El Oasis
Playa de Maspalomas

E
F
G
H
I
1
2
3
4
5
Los Albarderos
Roque Negro
Las Coloradas
Montaña del Vigía
Punta del Confital
La Isleta
Punta de las Coloradas
Punta del Camello
La Costa
San Andrés
Bañaderos
Punta de Arucas
Playa de las Canteras
Isleta
Puerto de la Luz
Tenerife
Fuerteventura
Lanzarote
Cardones
Costa Ayala
Bahía del Confital
Arucas
Ayala
Los Giles
Tenoya
Triana
Firgas
Tamaraceite
LAS PALMAS
DE GRAN CANARIA
Vegueta
Lomo Blanco
Almatriche
San Cristóbal
Punta Casa Blanca
Teror
San Lorenzo
Tafira Baja
Jardín Canario
Dragonal
El Fondillo
Playa de la Laja
Mirador de Zamora
Miraflor
Tafira Alta
Punta del Palo
La Angostura
Los Hoyos
Pico de Bandama
Sta Brígida
Monte Lentiscal
Jinamar
Caldera de Bandama
Punta de Jinámar
Playa de Malpaso
Vega de San Mateo
Atalaya
Los Caserones
La Estrella
San Antonio
La Garita
Marpequeña
Lomito de Correa
La Barrera
S. José de las Longueras
Playa del Hombre
Valsequillo de Gran Canaria
TELDE
Melenara
El Calero
Punta de la Cueva
Playa de Melenara
Tenteniguada
Las Vegas
Lomo Magullo
El Caracol
Las Huesas
Playa de Salinetas
Playa de la Hullera
Caldera de los Marteles
Las Medianías
El Goro
Playa de Tufia
Roque Redondo
Cuatro Puertas
Playa Ojo de Garza
Punta de Ámbar
Ojos de Garza
Lazareto de Gando
Roque de Gando
Punta de Gando
Aguatona
Ingenio
Guayadeque
AEROPUERTO DE GRAN CANARIA
Playa de San Agustín
Sta Lucía
Temisas
Carrizal
Mondragón
Agüimes
Las Rosas
Playa del Burrero
Vargas
Montaña de Agüimes
Playa de Vargas
Playa de las Cruces
Cruce de Arinaga
Fataga
El Roque
Punta de la Sal
Playa del Carbón
Roque de Arinaga
Arinaga
Risco Verde
Playa de Arinaga
Cruce de Sardina
Sardina
Vecindario
Bahía de Formas
Punta Gaviota
El Doctoral
Pozo Izquierdo
Punta de Tenefé
Juan Grande
El Matorral
Castillo del Romeral
Playa de los Tártagos
Sioux City
AEROCLUB DE GRAN CANARIA
Playa del Águila
Nueva Europa
San Agustín
Playa de las Burras
Playa del Inglés
Maspalomas
Punta de Maspalomas
GRAN CANARIA
0
6 km

LANZAROTE
0
6 km
A
B
C
D
E
F
G
1
2
3
4
5
OCÉANO
ATLÁNTICO
Isla Alegranza
Isla Graciosa
Parque Natural del Archipiélago Chinijo
PARQUE NACIONAL DE TIMANFAYA
Parque Natural de Los Volcanes
CUEVA DE LOS VERDES
Jameos del Agua
Mirador del Río
Mirador de Haría
Jardín de Cactus
Museo Agrícola El Patio
Fundación César Manrique
Museo El Grifo
Al Campesino
Haría
Teguise
Costa Teguise
Arrecife
San Bartolomé
Tinajo
Yaiza
Tías
Puerto del Carmen
Playa Blanca
Playa Honda
Arrieta
Orzola
Caleta de Famara
Salinas de Janubio
El Golfo
Los Hervideros
Punta del Papagayo
Punta Pechiguera
La Geria
San José
San Gabriel
Península de Jandía
Morro Jable
Punta de Jandía
Fuerteventura
Gran Canaria

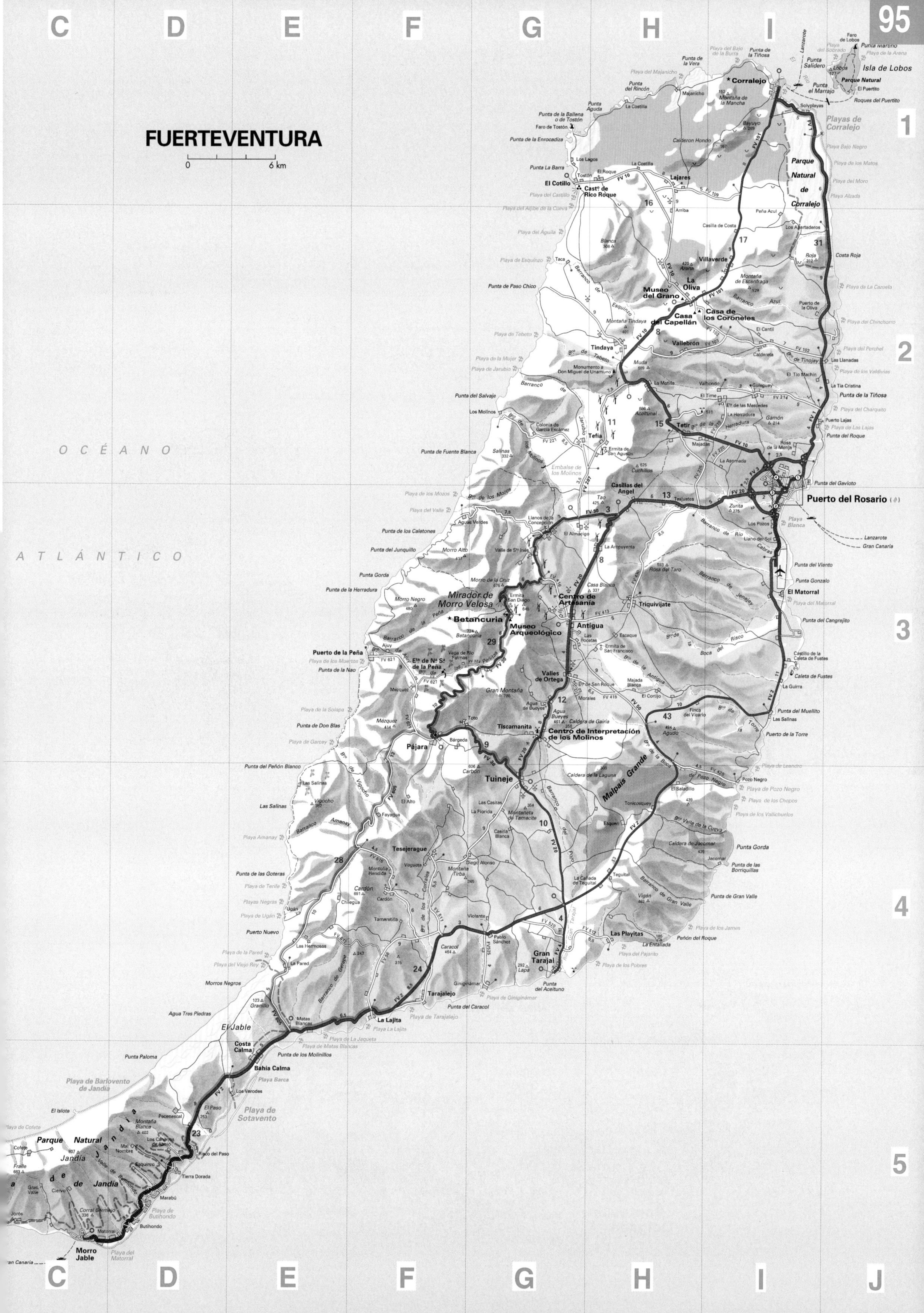
FUERTEVENTURA
0 6 km
OCÉANO
ATLÁNTICO
Isla de Lobos
Corralejo
Parque Natural de Corralejo
El Cotillo
Lajares
La Oliva
Villaverde
Tindaya
Tefía
Casillas del Angel
Puerto del Rosario
El Matorral
Betancuria
Mirador de Morro Velosa
Antigua
Valles de Ortega
Pájara
Tuineje
Gran Tarajal
Las Playitas
Malpaís Grande
Caleta de Fustes
Tarajalejo
La Lajita
Costa Calma
Bahía Calma
Playa de Sotavento
Parque Natural Jandía
Morro Jable
Lanzarote
Gran Canaria
C D E F G H I J
1 2 3 4 5

Ilhas Açores

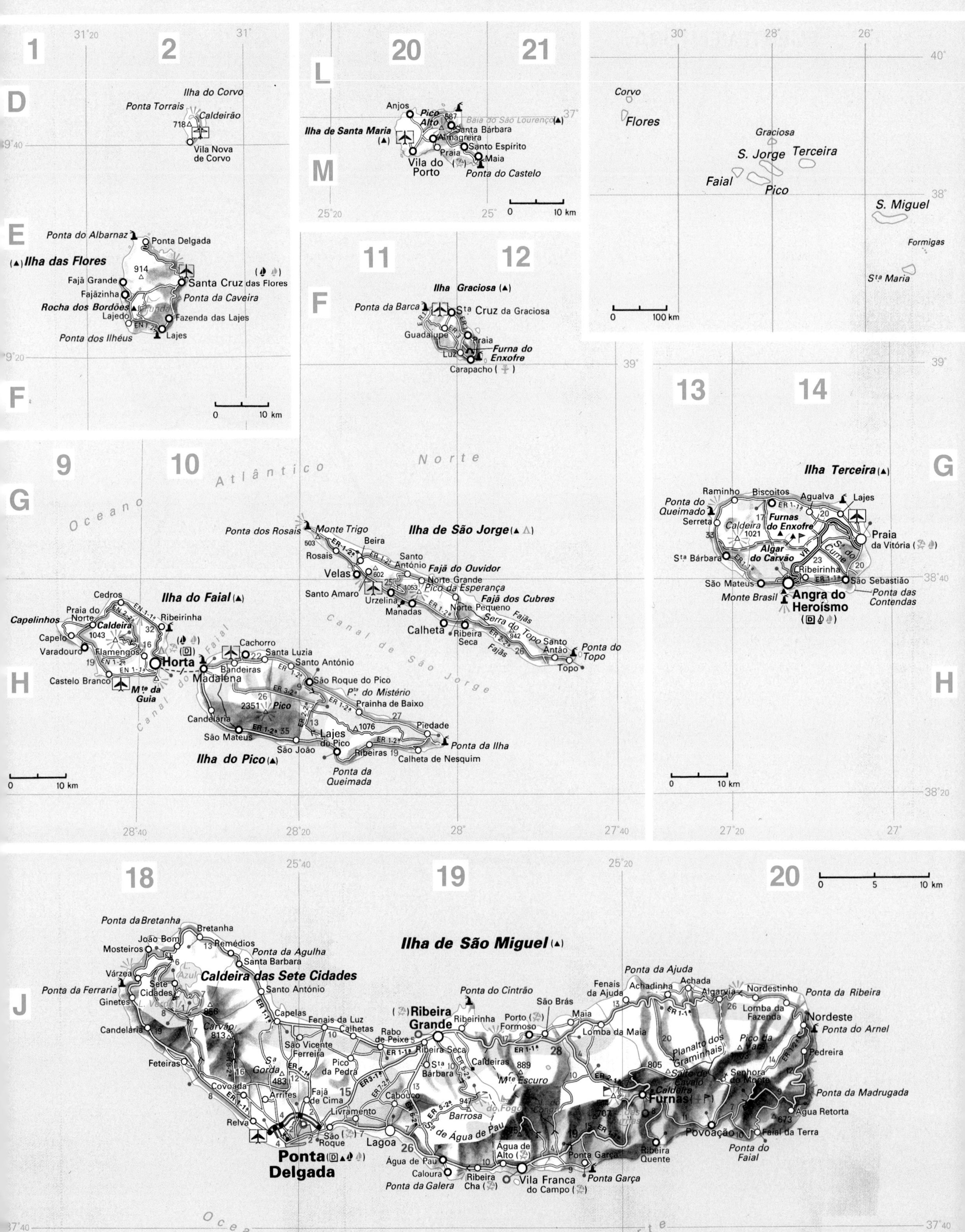

Andorra

España

A

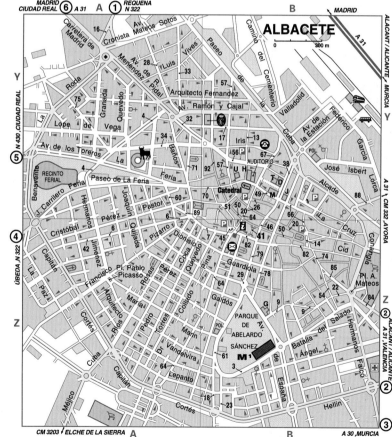

ALBACETE

Arcángel San Gabriel ... BZ 3	Isabel la Católica (Av.) ... ABY 32	Rosario ... ABYZ 64
Arquitecto Julio Carrilero (Av. del) ... AY 4	Juan de Toledo ... AY 33	Santa Quiteria ... BZ 74
Blasco Ibáñez ... AYZ 6	Juan Sebastián Elcano ... AY 34	Santisima Virgen (Camino de la) ... AY 75
La Caba ... BZ 7	Libertad (Pas. de la) ... BY 38	San Agustín ... BYZ 66
Calderón de la Barca ... BZ 9	Lodares (Pje de) ... BZ 41	San Antonio ... BY 67
Carmen ... BY 13	Luis Herreros ... AZ 42	San Julián ... BY 70
Carretas (Pl. de las) ... BZ 14	Mancha (Pl. de la) ... BZ 45	San Sebastián ... AY 71
Casas Ibañez ... AY 16	Marqués de Molins ... BYZ 46	Teodoro Camino ... BZ 78
Comandante Molina ... ABY 17	Martínez Villena ... BY 49	Tesifonte Gallego ... BZ 79
Comandante Padilla ... BZ 18	Mayor ... BYZ 50	Tinte ... BZ 82
La Concepción ... BYZ 20	Mayor (Pl.) ... BY 51	Valencia (Carretera de) ... BZ 84
Diego de Velázquez ... BZ 22	Murcia (Puerta de) ... BZ 54	Valencia (Puerta de) ... BZ 85
Doctor García Reyes ... BZ 23	Pablo Medina ... BY 56	Vasco Núñez de Balboa ... BY 88
Francisco Fontecha ... BY 26	Padre Romano ... BY 57	Virgen de las Maravillas ... AY 89
Gabriel Ciscar ... AY 28	Pedro Martínez Gutiérrez ... AY 60	Zapateros ... BY 92
Gabriel Lodares (Pl. de) ... BZ 29	Pedro Simón Abril (Pas. de) ... BZ 61	

Museo (Muñecas romanas articuladas) ... BZ M[1]

ALACANT/ ALICANTE

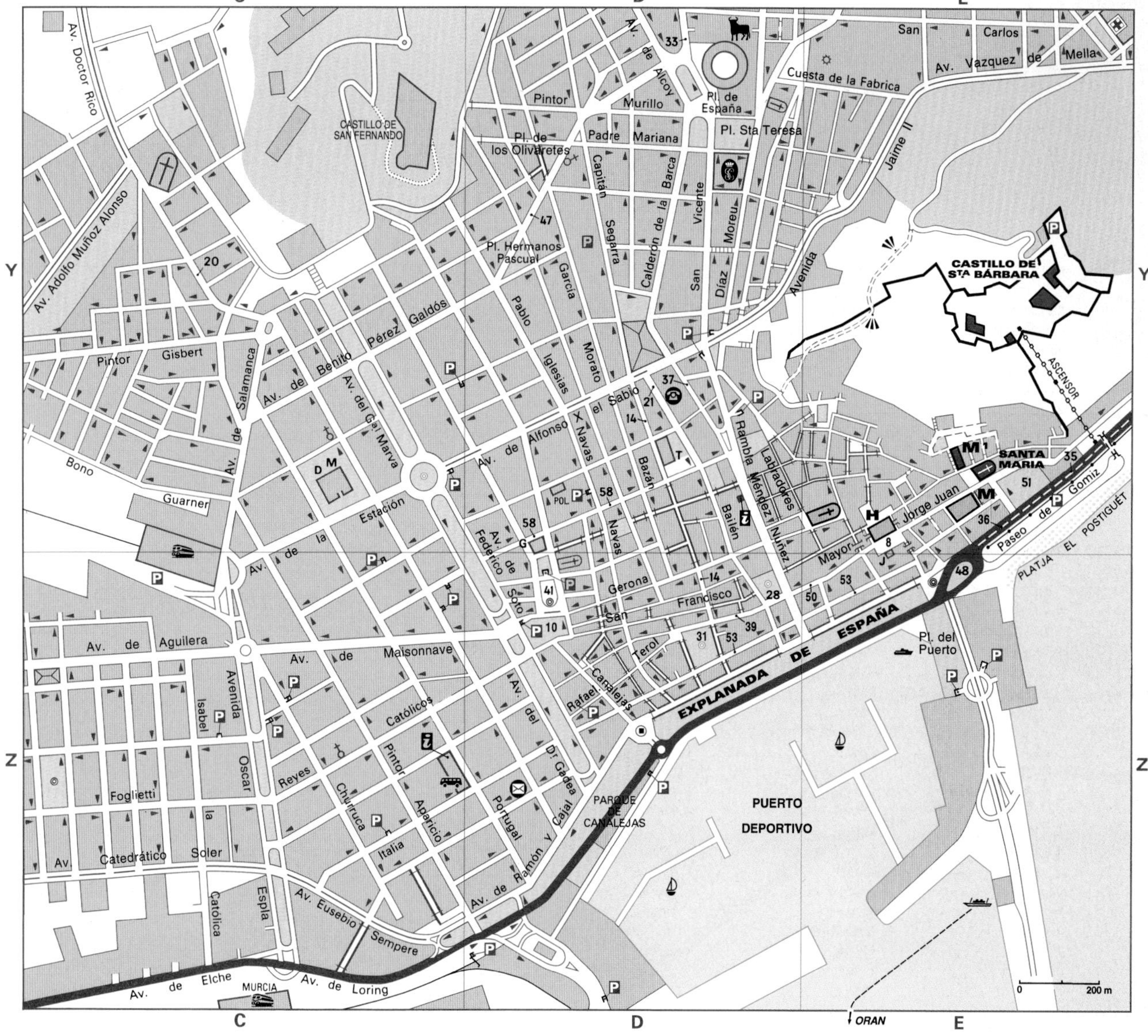

Colección de Arte del s. XX. Museo de La Asegurada M1

ALMERÍA

ALMERÍA

ÁVILA

Alemania . . . . B 2
Caballeros . . . . B 6
Calvo Sotelo (Pl.) . . . . B 8
Cardenal Pla y Deniel . . . . B 10
Cortal de las Campanas (Pl. del). A 12
Don Geronimo. . . . . B 13
Esteban Domingo . . . . B 14
Jimena Blásquez. . . . . A 15
López Núñez . . . . B 16
Marqués de Benavites. . . . . . . AB 18
Peregrino (Bajada del) . . . . B 19
Ramón y Cajal . . . . A 20
Reyes Católicos. . . . . B 21
Santa (Pl. de la) . . . . A 25
Santo Tomas (Pas. de) . . . . B 26
San Segundo . . . . B 22
San Vicente . . . . B 24
Sonsoles (Bajada del). . . . . B 27
Los Telares. . . . . A 28
Tomás luis de Victoria . . . . B 30
Tostado. B 31

Arrecife......................94 E4
Arrecife (El)..............71 S15
Arredondo................11 C19
Arrés (Huesca)........14 E27
Arres (Lérida)..........25 D32
Arriano 12 D21
Arriate 82 V14
Arriba 61 N17
Arriba (Riomalo de) .47 K11
Arribe-Atallu 13 C24
Arrieta (Lanzarote) ..94 F3
Arrieta (Navarra) 14 D25
Arrieta (Vizcaya) 12 B21
Arrigorriaga 12 C21
Arriondas 10 B14
Arripas (Las) 61 O16
Arro 24 E30
Arroba
de los Montes 61 O16
Arrobuey 47 K11
Arrocampo-Almaraz
(Embalse de) 47 M12
Arrojo 5 C12
Arrolobos..................47 K11
Arróniz......................13 E23
Arròs..........................25 D32
Arroyal 11 D17
Arroyo (Cantabria) ..11 D17
Arroyo
(Ciudad Real) 72 Q18
Arroyo (Huelva) 69 S9
Arroyo (Palencia) 19 F15
Arroyo (València) 64 N26
Arroyo (Valladolid)...19 H15
Arroyo Bremudo
(Embalse de) 47 M11
Arroyo Cerezo 52 L25
Arroyo de Cuéllar.....36 H16
Arroyo de la Luz.......59 N10
Arroyo de la Miel.....87 W16
Arroyo de la Plata....69 S11
Arroyo
de las Fraguas......38 I20
Arroyo de Salas 20 F20
Arroyo
de San Serván......59 P10
Arroyo de Torote......50 K19
Arroyo del Ojanco....73 R21
Arroyo-Malpartida
(Estación) 59 N10
Arroyo Meaques 49 K18
Arroyofrío 52 L25
Arroyomolinos
(Madrid) 49 L18
Arroyomolinos
de la Vera.............47 L12
Arroyomolinos
de Léon 69 R10
Arroyomolinos de
Montánchez..........59 O11
Arroyomuerto...........47 K11
Arroyos (Los)
(Jaén)...................73 R22
Arroyos (Los)
(Madrid) 37 K17
Arroyuelo..................12 D19
Arrozao
(Sierra del)............60 P12
Arruazu......................13 D24
Arrúbal 22 E23
Arruchua 13 C22
Ars 26 E34
Arsèguel.....................26 E34
Artà............................55 M40
Artà (Coves d') 54 N40
Artaiz 14 D25
Artaj...........................53 M27
Artajo/Artaxo 14 D25
Artajona 13 E24
Artana........................53 M29
Artariáin 14 E25
Artasona (cerca
de Almudévar)....23 F28
Artasona (cerca
de El Grado) 28 F30
Artavia........................13 D23
Artaza (cerca
de Subijana)........12 D21
Artaza de F. (cerca de
Vitoria-Gasteiz)....12 D21
Artazu 13 D24
Artea...........................12 C21
Artea (El) 85 U24
Artedo..........................5 B11
Artedosa (Asturias) ...5 C13
Arteixo.........................2 C4
Artejuela....................53 L28
Artekona....................12 C20
Artenara 92 D2
Artés...........................30 G35
Artesa 53 M29
Artesa de Lleida 29 H32
Artesa de Segre 29 G33
Artesiaga
(Puerto de)...........13 C25
Arteta..........................13 D24
Artibay........................13 C22
Artichuela (La)..........84 T19
Artieda (Navarra).....14 D26
Artieda (Zaragoza)...14 E27
Arties..........................25 D32
Artikutza 13 C24
Arto............................24 E28
Artómaña 12 D21
Artrutx (Cap d') 55 M41
Artze 11 B18
Artziniega /
Arceniega.............12 C20
Arucas 93 E2
Arucas
(Montaña de)........93 E2
Arure 89 C2
Arvas (Ruinas
romanas de) 81 T13
Arzádigos..................16 G8
Arzón 6 D3
Arzoz..........................13 D24
Arzúa 6 D5
Ascara 24 E28
Ascarza......................12 D21
Ascaso.......................24 E30
Ascó...........................42 I31
Ascopalls...................65 O28
Ascoy.........................75 R25
Ascoy (Sierra de) 75 R25
Ase (Pas de l') 42 I31
Aserradero
del Río Tús 73 Q22
Asiáin 13 D24
Asiego 10 C15
Asientos (Los)...........80 V11
Asín 23 F26
Asín de Broto 24 E29
Asma (cerca
del Río Miño)........7 E6
Asma
(Santa Eugenia) 7 E6
Asneiro 7 E5
Asno (Boca del)........37 J17
Asno (Boca del)........83 V16
Asno (Cabeza del)....75 R25
Aso
de Sobremonte 24 E28
Asomada (La) 94 V4
Asomadilla................64 O25
Ason 12 C19
Asón 11 C19
Asón (Puerto del).....11 C19
Aspa 29 H32
Aspai............................3 C6
Aspariegos................18 G13
Aspárrena 13 D22
Aspe 75 Q27

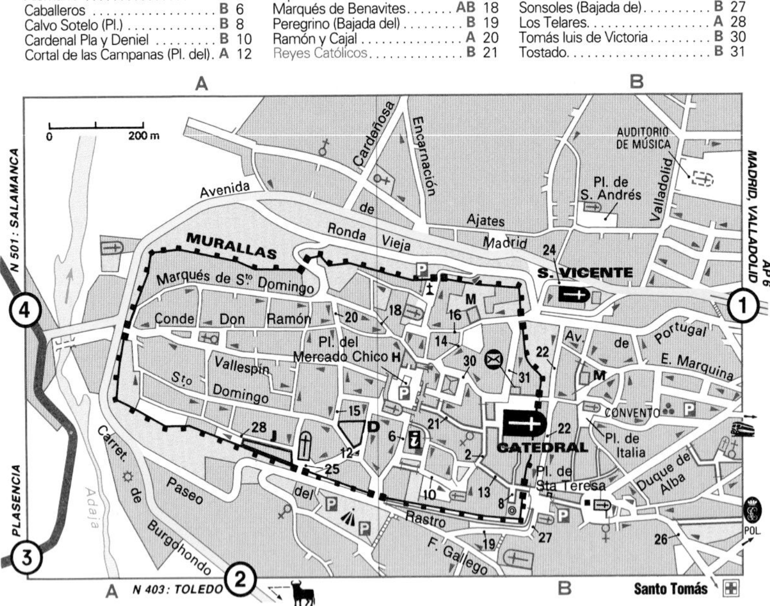

BADAJOZ

Adelardo Covarsí. . . . . AZ 2
Afligidos . . . . CY 3
Agustina de Aragón . . . . BZ 4
Alféreces (Pl. de los). . . . . AZ 5
Alonso Cárdenas Cano. . . . . . CZ 6
Antonio Cortes Lavado (Pl.) . . BZ 7
Antonio Juez. . . . . AZ 9
Arco Agüero . . . . BYZ 12
Bomba (La) . . . . BZ 14
Bravo Murillo . . . . BCY 15
Calamón (Camino) . . . . CZ 16
Campillo (El) . . . . CY 17
Canteras Calamón . . . . CZ 18
Cardenal Fonseca . . . . CZ 19
Carolina Coronado (Av. de). . . AY 20
Cervantes (Pl.). . . . . CY 21
Ciudad de Evora . . . . BZ 22
Concepción . . . . BCY 23
Corte de Peleas (Carret. de). . CY 25
Costanilla. . . . . CY 26
Cristóbal Oudrid . . . . BYZ 27
Damián Téllez Lafuente (Av.) . BZ 30
Doroteo M. Benítez . . . . AZ 28
Dosma. . . . . BY 29
Enrique Segura Otaño . . . . . . BZ 32
Felipe Checa . . . . BY 35
Fernández de la Puente . . . . . BZ 36
Francisco Morales Bermúdez CZ 41
Francisco Pizarro. . . . . BY 38
Fray Antonio Gómez. . . . . CZ 42
Gabino Tejado. . . . . CY 43
García de Paredes. . . . . AY 44
Hernán Cortés . . . . BY 46
Joaquín Costa (Av.). . . . . BY 48
Juan Carlos I de España. . . . . BY 49
Juan de Badajoz. . . . . BCZ 51
Juan Nogre . . . . AZ 52
Manuel García Matos . . . . BZ 54
María Auxiliadora (Av.) . . . . . . AZ 55
Nuestra Señora de Guadalupe BZ 57
Obispo San Juan de Ribera . . BY 58
Pedro de Valdivia. . . . . BZ 61
Pilar (Pl. de) . . . . BZ 62
Pimienta (La) . . . . CZ 64
Ramón Albarrán . . . . BYZ 65
Regino de Miguel . . . . ABZ 67
Regulares Marroquíes . . . . . . BY 68
República Argentina . . . . AZ 69
República del Ecuador . . . . . . AZ 71
Revellín (Puente). . . . . CY 72
Reyes Católicos (Pl.). . . . . BY 74
Ricardo Carapeto (Av.) . . . . . . CY 75
San Lorenzo . . . . CY 76
San Roque (Puente) . . . . CY 78
Sevilla (Carret.) . . . . CZ 79
Soto Mancera . . . . BY 80
Suárez de Figueroa. . . . . BY 82

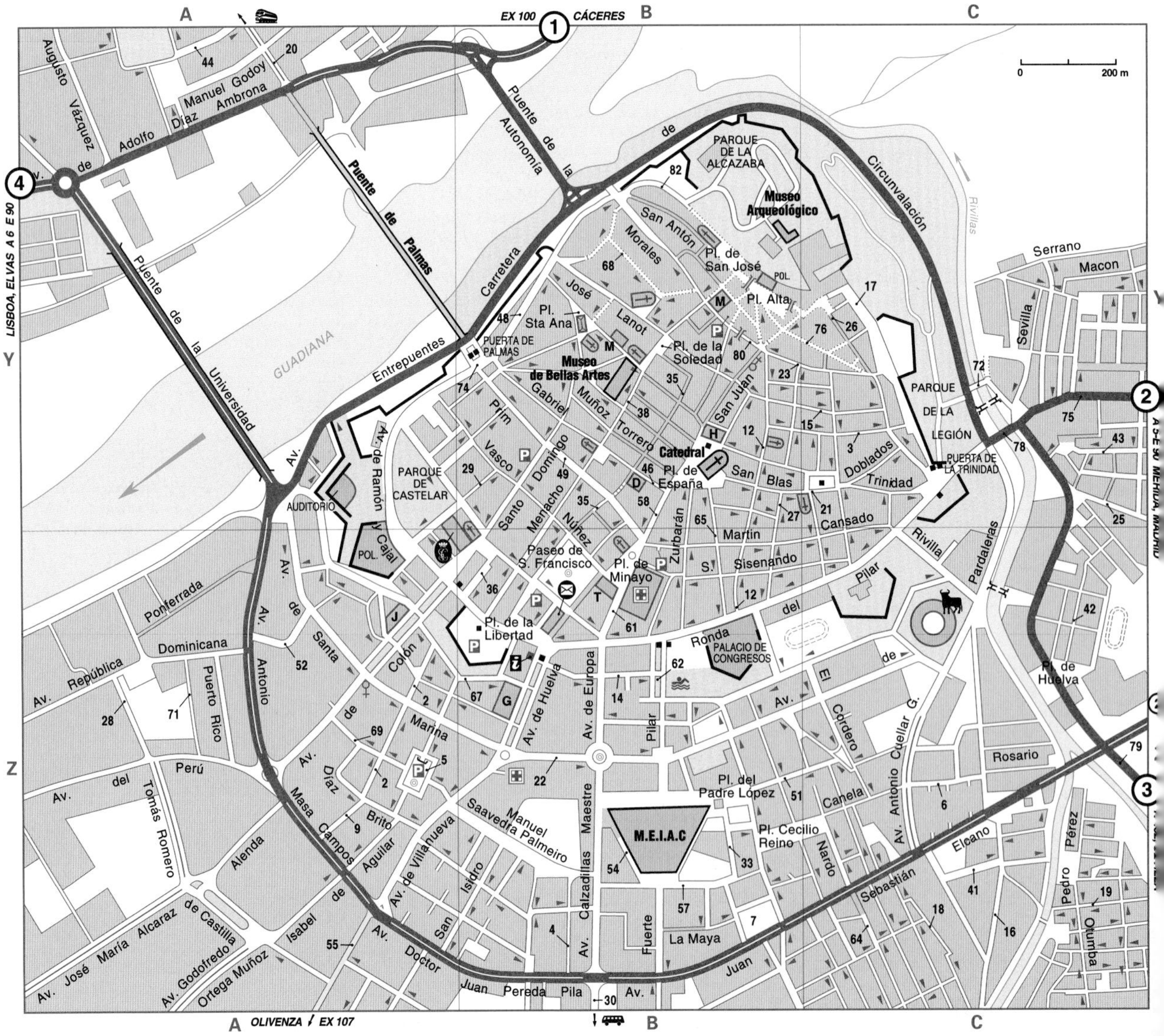

BARCELONA

E POBLE ESPANYOL
M⁴ MUSEU D'ART DE CATALUNYA
M⁵ MUSEU ARQUEOLÒGIC
P¹ PALAU SANT JORDI
T¹ TEATRE GREC
W FUNDACIÓ JOAN MIRÓ
Z PAVELLÓ MIES VAN DER ROHE

BARCELONA

Capella Santa Agata F
Casa de l'Ardiaca A
Castell dels Tres Dragons (Museu de Zoologia)
Museu d'Història de la Ciutat M1
Museu Frederic Marès M2

BILBAO

BURGOS

Almirante Bonifaz B 2
Alonso Martínez (Pl. de) B 3
Aparicio y Ruiz A 5
Arlanzón (Av. del) B 6
Cid Campeador (Av. del) B 8
Conde de Guadalhorce (Av.) A 9
Eduardo Martínez del Campo A 10
España (Pl.) B 12
Gen. Santocildes B 15
Libertad (Pl. de la) B 16
Mayor (Pl.) AB 18
Miranda B 20
Monasterio de las Huelgas (Av. del) A 21
Nuño Rasura A 23
Paloma (La) A 24
Reyes Católicos (Av. de los) B 26
Rey San Fernando (Pl. del) A 27
Santo Domingo de Guzmán (Pl. de) B 28
Vitoria B

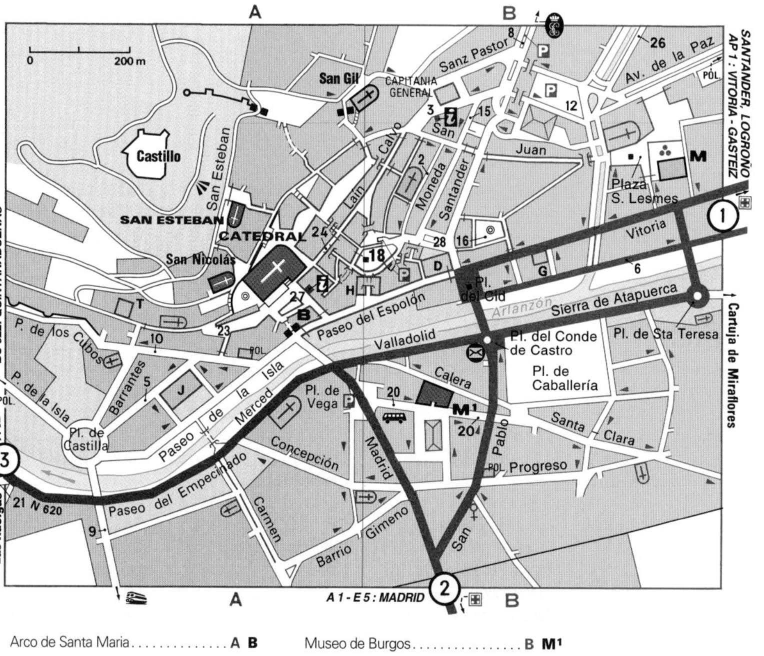

Arco de Santa Maria A B
Museo de Burgos B M1

CÁCERES

C

Ancha ... BY 2
Antonio López ... BCY
Apodaca (Alameda de) ... BY
Argüelles (Pl.) ... CY
Benito Pérez Galdós ... AY
Benjumeda ... BY
Calderón de la Barca ... BY 3
Calesas ... CZ
Campo del Sur ... ABZ
Candelaria (Pl.) ... BZ 4
Cardoso ... BZ
Carlos III (Paseo) ... ABY
Ceballos ... ABY
Cervantes ... BY
Columela ... BYZ
Compañía ... BZ 5
Concepción Arenal ... CZ
Constitución (Pl. de la) ... CZ
Cristóbal Colón ... CZ 6
Diego Arias ... AY
Doctor G. Ulla (Av.) ... AY
Doctor Marañón ... AY 7
Duque de Najera (Av.) ... AYZ
España (Pl. de) ... CY
Falla (Pl.) ... AY
Fernando el Católico ... CY 8
Fray Félix (Pl.) ... BZ 9
Honduras ... CY
Marqués de Comillas (Alameda) ... BY
Mentidero (Pl. del) ... BY 10
Mesón Nueva ... CZ 12
Mina (Pl. de) ... BY
Montañés ... BZ 13
Moreno de Mora ... AYZ
Novena ... BY 15
Nueva ... CZ 16
Pelota ... CZ 17
Piratas (Callejón de los) ... BZ 18
Plocia ... CZ
Puerto (Av. del) ... CYZ
Ramón de Carranza (Av.) ... CZ 19
Rep. Argentina ... CY
Rosario ... BY
Sacramento ... BY
Sagasta ... ABYZ
Santa María ... CZ 28
Santo Cristo ... BCZ 29
San Agustín (Pl.) ... CY 20
San Antonio (Pl.) ... BY 21
San Francisco ... BCY 22
San Francisco (Pl. de) ... BY 23
San José ... ABYZ
San Juan ... BZ
San Juan de Dios ... CZ 24
San Juan de Dios (Pl.) ... CZ 25
San Martín (Pl.) ... CZ 26
San Roque (Pl.) ... CZ 27
Sopranis ... CZ 30
Topete (Pl. de) ... BZ 31
Vea Murguia ... BY
Virgen de la Palma ... AZ
Viudas (Pl. de las) ... BY

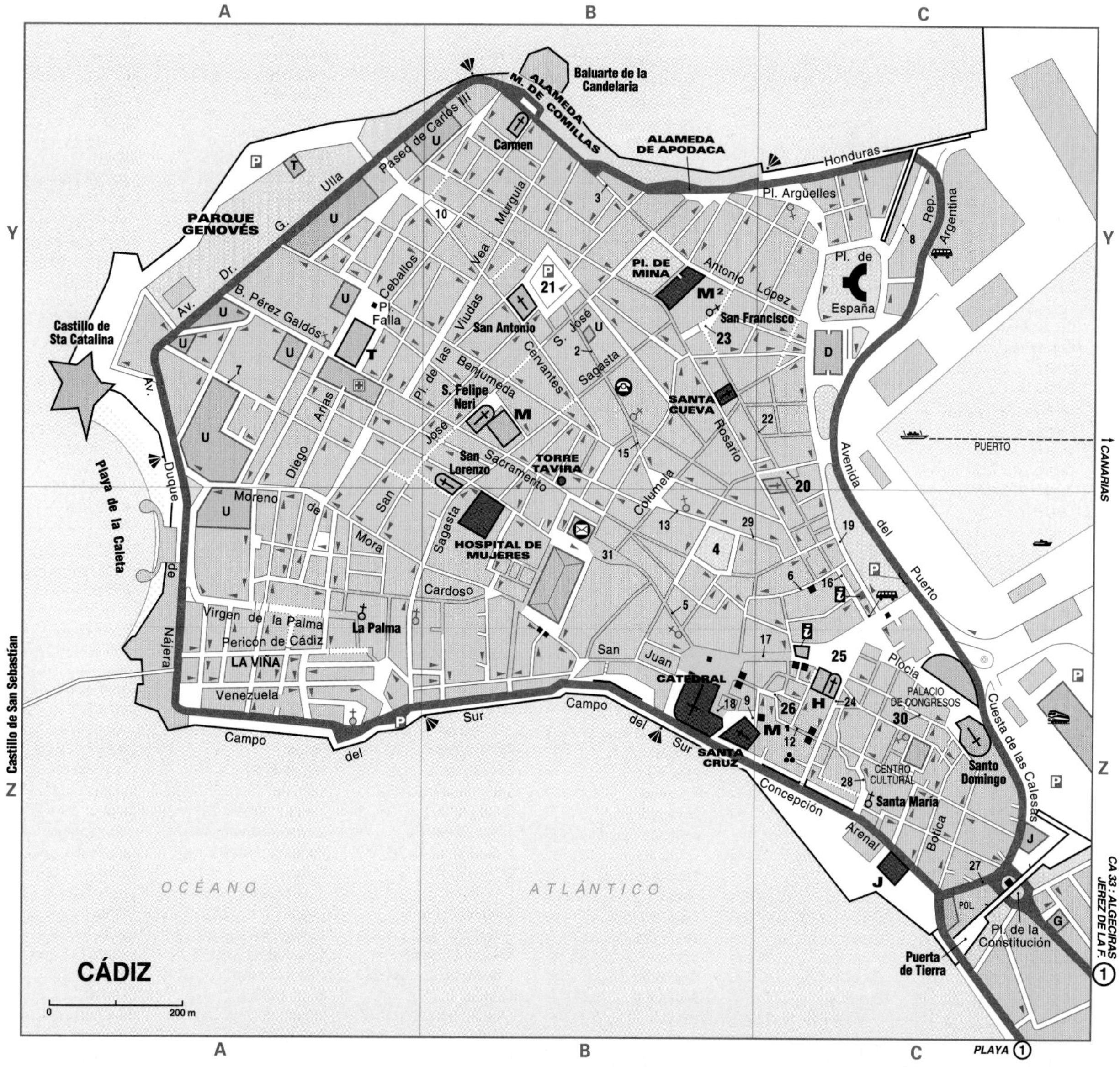

CÁDIZ

Ayuntamiento ... CZ H
Cárcel Real (Palacio de Justicia) ... CZ J
Casa de la Contaduría (Museo Catedralicio) ... BZ M1
Museo de Cádiz ... BY M2
Museo Iconográfico e Histórico de las Cortes y Sitio de Cádiz ... BY M3

CARTAGENA

América (Av. de)	B	3
Bastarreche (Pl.)	B	4
Cuatro Santos	A	
Duque	B	6
Isaac Peral	A	7
Jacinto Benavente	B	9
Juan Fernández	A	10
Juan Muñoz Delgado	B	12
Mayor	A	
Menéndez y Pelayo	A	13
Parque	A	15
Puertas de Murcia	A	16
Ronda	A	18
Santa Florentina	A	21
San Fernando	A	
San Francisco (Pl.)	A	19
Serreta	A	22
Universidad (Pl. de la)	B	24

CASTELLÓ DE LA PLANA/CASTELLÓN DE LA PLANA

Arrufat Alonso ..... A 2
Barrachina ..... A 3
Benasal ..... A 4
Buenavista (Pas. de) ..... B 7
Burriana (Av.) ..... A 8
Cardenal Costa (Av.) ..... A 13
Carmen (Pl. del) ..... B 14
Churruca ..... B 18
Doctor Clará (Av.) ..... A 23
Enmedio ..... A
Espronceda (Av.) ..... A 24
Guitarrista Tárrega ..... A 28
Joaquín Costa ..... A 29
Maestro Ripollés ..... A 30
María Agustina (Pl.) ..... A 32
Mar (Av. del) ..... A 31
Morella (Pas.) ..... A 33
Oeste (Parque del) ..... A 34
Orfebres Santalínea ..... A 35
País Valencià (Pl.) ..... A 36
Rafalafena ..... A 37
Sanahuja ..... A 39
San Pedro ..... B 38
Sebastián El Cano ..... B 40
Tarragona ..... A 42
Teodoro Llorens ..... A 44
Trevalladors del Mar ..... B 45
Vinatea (Ronda) ..... A 48
Zaragoza ..... A 49

CIUDAD REAL

Alarcos ..... Z
Alcántara ..... Z 2
Antonio Blázquez ..... Z 3
Azucena ..... YZ 5
Bernardo Mulleras ..... Z 6
Caballeros ..... YZ 8
Calatrava ..... YZ
Camarín ..... YZ 10
Cañas ..... YZ 12
Cardenal Monescillo ..... Z 13
Corazón de María ..... YZ 15
Cruz ..... Z 16
Elisa Cendreros ..... Y 18
General Aguilera ..... Z 21
General Rey ..... Z 23
Infantes ..... Y 24
Inmaculada Concepción ..... Y 26
Lanza ..... Z 27
Lirio ..... YZ 29
Mayor (Pl.) ..... Z
Norte ..... Y 31
Olivo ..... Y 32
Ramón y Cajal ..... Z 34
Refugio ..... YZ 35
Reyes ..... YZ 37
Rosa ..... Y 38
Sancho Rey (Camino) ..... Y 39
Tinte ..... Z 41
Vásquez ..... Z 42

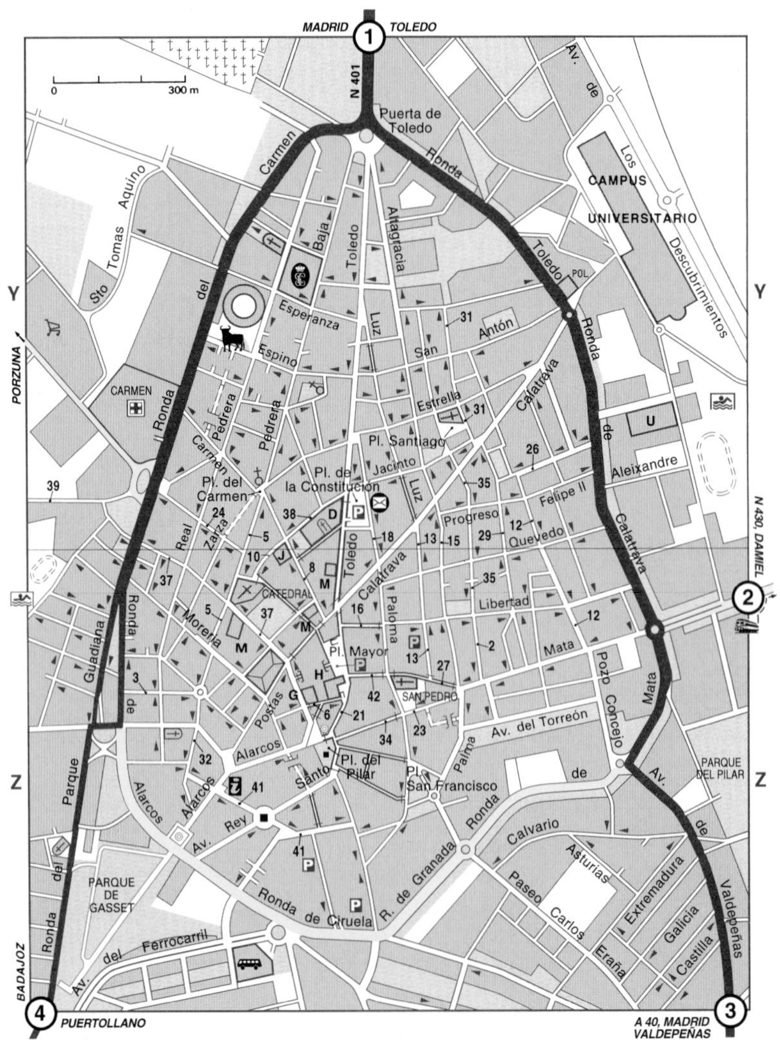

Castillejo de Martín Viejo 34 J10
Castillejo de Mesleón...........37 I19
Castillejo de Robledo 37 H19
Castillejo de San Pedro........22 G23
Castillejo del Romeral..........51 L22
Castillejo Sierra........51 K23
Castillejos..................87 W15
Castillo (Cáceres)....47 K10
Castillo (cerca de Garbayuela) ...60 O15
Castillo (cerca de Monesterio)...69 R11
Castillo (Cueva del)..11 C18
Castillo (Puerto del)..........83 T18
Castillo Albaráñez....51 L22
Castillo de Alba (El).35 H11
Castillo de Bayuela ..48 L15
Castillo de Calatrava la Nueva (Convento)...........62 P18
Castillo de Don Juan.........77 S27
Castillo de Escalona..........49 L16
Castillo de Garcimuñoz.....51 N22
Castillo de Huarea (El) 84 V20
Castillo de la Mezquita......23 F28
Castillo de la Zuda (Parador) (Tortosa)..............41 J31
Castillo de Laguarrés (Sierra del)...........25 F31
Castillo de las Guardas (El) 69 S11
Castillo de Leres.......24 E28
Castillo de Locubín ..83 T18
Castillo de Tajarja.....83 U18
Castillo de Tajo.........50 L20
Castillo de Villamalefa 53 L28
Castillo del Plá..........25 F31
Castillo del Romeral..........93 F4
Castillo-Nuevo..........14 D26
Castillo-Pedroso.......11 C18
Castillón 7 E7
Castillonroy...............28 G31
Castilmimbre............38 J21
Castilnuevo..............39 J24
Castilruiz..................22 G23
Castilsabás................24 F29
Castilseco..................12 E21
Castiltierra.................37 H19
Castiñeira..................16 F8
Castiñeiras..................6 E3
Castiñeiros..................3 B6
Castralvo..................52 L26
Castraz......................34 J10
Castrecias.................11 D17
Castrejón (Toledo) ...49 M16
Castrejón (Valladolid) 36 I14
Castrejón (Embalse de) 49 M17
Castrejón de la Peña............10 D16
Castrelo (Estación de).........16 F8
Castrelo de Abajo 16 G8
Castrelo de Miño......15 F5
Castrelo do Val..........16 G7
Castrelos (Pontevedra) 6 F3
Castrelos (Zamora)..17 G9
Castril 73 S21
Castril (Sierra de)......73 S21
Castrillo (Burgos) 20 G19
Castrillo (Cantabria) 11 D17
Castrillo de Cabrera ...8 E10
Castrillo de Cepeda....9 E11
Castrillo de Don Juan.........20 G17
Castrillo de Duero.....37 H17
Castrillo de la Guareña.......35 I14
Castrillo de la Reina.21 G20
Castrillo de la Ribera .9 E13
Castrillo de la Valduerna....18 F11
Castrillo de la Vega..20 H18
Castrillo de los Polvazares ...9 E11
Castrillo de Matajudíos 20 F17
Castrillo de Murcia...20 E17
Castrillo de Onielo ...19 G17
Castrillo de Porma ...10 E13
Castrillo de Riopisuerga.....19 E17
Castrillo de Rucios...20 E18
Castrillo de Sepúlveda 37 H18
Castrillo de Villavega..........19 E16
Castrillo del Haya.....11 D17
Castrillo del Val 20 F19
Castrillo-Tejeriego 19 G16
Castrillón 5 B12
Castrillón 4 B9
Castriz..........................2 C3
Castro 4 C9
Castro (A Coruña) 3 B5
Castro (Carballedo) ...7 E6
Castro (cerca de Lugo) 3 C7
Castro (Dozón) 7 E5
Castro (Ourense) 16 F5
Castro (Pantón) 7 E7
Castro (El) 8 D8
Castro (Embalse de) 35 H11
Castro (Embalse de El) ...49 M18
Castro (Río) 2 C2
Castro Caldelas...........7 E7
Castro de Alcañices 35 H11
Castro de Amarante...7 D6
Castro de Filabres....85 U22
Castro de Fuentidueña 37 H18
Castro de Ouro...........3 B7
Castro de Rei 3 C7
Castro del Río..........71 S16
Castro-Urdiales..........12 B20
Castrobarto...............12 C19
Castrobol..................18 F14
Castrocalbón............18 F12
Castrocontrigo..........17 F11
Castrodeza 19 H15
Castrofuerte 18 F13
Castrogonzalo...........18 G13
Castrojeriz 20 F17
Castrojimeno 37 H18
Castromaior 3 B7
Castromao 17 F8
Castromembibre 18 G14
Castromil...................17 F9
Castromocho 19 F15
Castromonte..............19 G14
Castromudarra 10 E14
Castrón......................18 G11
Castroncán..................7 D7
Castronuevo 18 G13
Castronuevo de Esgueva 19 G16
Castronuño 35 H14
Castropepe................18 G13
Castropodame 8 E10
Castropol.....................4 B8
Castroponce..............19 F14
Castroquilame 8 E9
Castroserna de Abajo 37 I18
Castroserracín 37 H18
Castrotierra (cerca de la Bañeza)......18 F12
Castrotierra (cerca de Sahagún) 18 E14
Castrove 6 E3
Castrovega de Valmadrigal.....18 F14
Castroverde.................4 C8
Castroverde de Campos 18 G14
Castroverde de Cerrato.............19 G17
Castrovido.................20 F20
Castroviejo................21 F22
Castuera....................60 P13
Castuera (Puerto de)...........70 Q13
Catadau.....................65 O28
Catalunya (Cap de) ..55 M39
Catarroja 65 N28
Cataveral (Embalse de) 69 S11
Catí 53 K30
Catlar (El) 42 I33
Catoira 6 E3
Catoute 9 D11
Catral.........................75 R27
Cauche (Río de).......82 V16
Caudal (El) 81 T12
Caudé 52 K26
Caudete.....................65 P27
Caudete de las Fuentes......64 N26
Caudiel 53 M28
Caudilla 49 L17
Caunedo 5 C11
Cauro.........................83 T18
Cautivos (Los).........74 S24
Cava...........................26 F34
Cava (La)...................42 J32
Cavada (La)..............11 B18
Cavallera (Serra) 26 F36
Cavalleria (Cap de)...55 L42
Cavalls (Serra de).....41 I31
Cavia..........................20 F18
Caxado.........................3 B6
Cayes...........................5 B12
Cayuela 20 F18
Caza de Sonsaz (Reserva nacional de).........37 I19
Cazadores 93 E3
Cazalegas..................48 L15
Cazalegas (Embalse de) 48 L15
Cazalilla.....................72 S18
Cazalla de la Sierra..70 S12
Cazalla y Constantina (Estación de).........70 S12
Cazanuecos...............18 F12
Cazás 3 C6
Cazo...........................10 C14
Cazorla 73 S21
Cazorla (Coto nacional de).........73 R21
Cazorla (Sierra de) ...73 R21
Cazurra......................35 H12
Cea (León) 19 E14
Cea (Ourense) 7 E6
Cea (Pontevedra) 6 E3
Cea (Río) 18 F13
Ceadea 17 G11
Ceal...........................73 S20
Cebanico 10 D14
Cebes (Cabo) 4 B9
Cebolla......................49 M16
Cebollar.....................80 T8
Cebollera (Sierra).....21 G21
Cebolleros..................12 D19
Cebrecos...................20 G19
Cebreiro (Ourense) .16 G6
Cebreiro (O) (Lugo) ...8 D8
Cebreros...................49 K16
Cebrón.......................70 T12
Cebrones del Río......18 F12
Cecebre 3 C5
Ceceda.........................5 B13
Ceclavín.....................46 M9
Cecos...........................4 C9
Cedeira (A Coruña) ...3 B5
Cedeira (Monte) (cerca de Laracha)..........2 C4
Cedeira (Ría de) 3 B5
Cedemonio..................4 B9
Cedena (Río).............49 M16
Cedillo 58 N7
Cedillo (Embalse de) 46 N8
Cedillo de la Torre....37 H19
Cedillo del Condado.........49 L18
Cedofeita.....................4 B8
Cedramán 53 L28

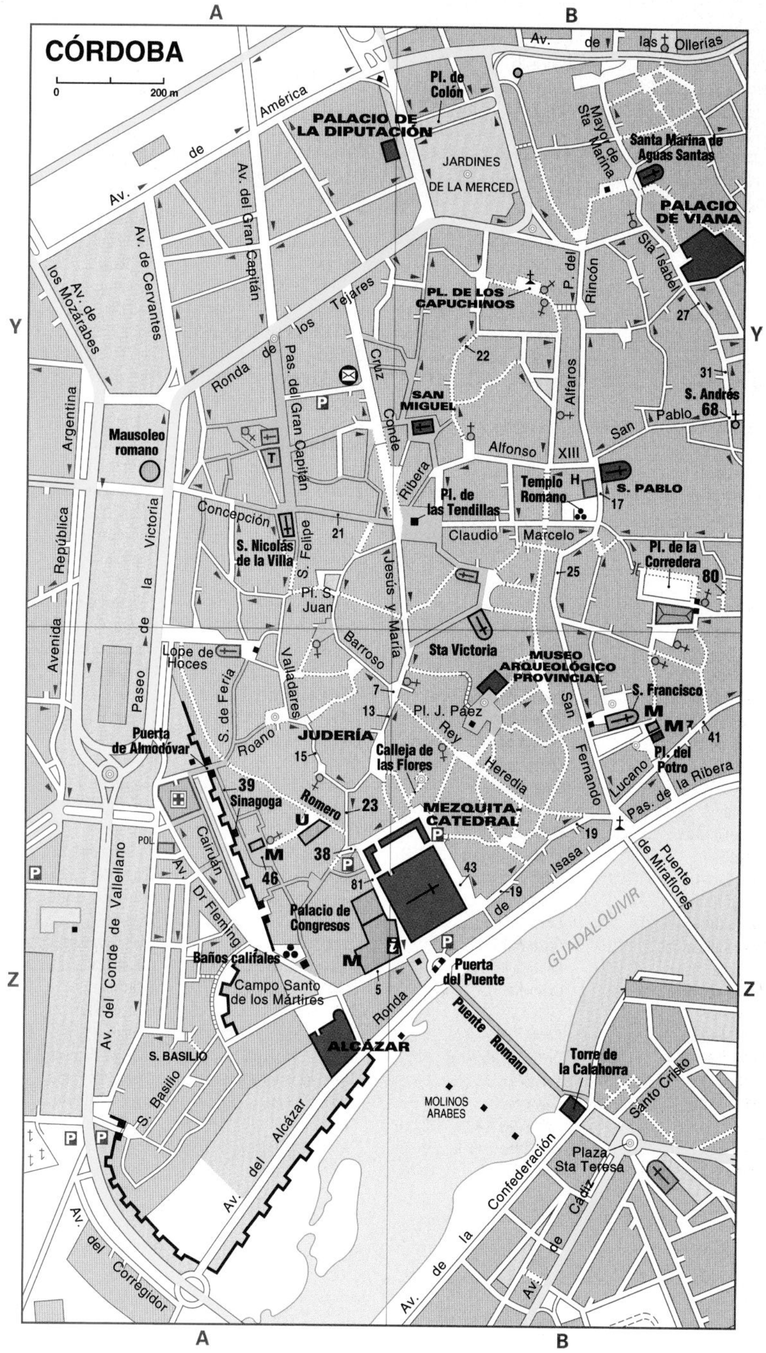

Amador de los Ríos .... AZ 5
Ángel Saavedra .... ABZ 7
Blanco Belmonte .... AZ 13
Buen Pastor .... AZ 15
Capitulares .... BY 17
Cardenal González .... BZ 19
Conde de Gondomar .... AY 21
Conde de Torres .... BY 22
Cruz Conde .... ABY
Deanes .... AZ 23
Diario de Córdoba .... BY 25
Enrique Redel .... BY 27
Hermanos López Dieguez .... BY 31
Judería .... AZ 38
Judíos .... AZ 39
Lineros .... BZ 41
Maimónides (Pl. del) ...... AZ 46
M. González Francés .... BZ 43
San Andrés (Pl. de) .... BY 68
Toril (Calleja del) .... BY 80
Torrijos .... AZ 81

Cedrillas 52 K27
Cedro (Degollada del).....91 I8
Cedro (Montaña del).......91 H8
Cedrón.........................8 D8
Cedrón (Arroyo) 50 M19
Cée..............................6 D2
Cefiñas (Las)............69 S9
Cega 37 I18
Cegarrón (Sierra El).............64 P26
Cegoñal 10 D15
Ceguilla 37 I18
Cehegín.....................74 R24
Ceinos 19 F14
Ceja del Palancar (La) 51 L24
Cejancas....................11 D18
Cejo 80 T10
Cejo Cortado............75 R25
Cela (cerca de Becerreá).........8 D9
Cela (cerca de Sarria) 7 D7
Cela (León) 8 D9
Cela (Ourense)........16 G5
Celada (Cantabria)...11 D17
Celada (León)..........9 E11
Celada (La)..............83 U17
Celada de Cea 19 E15
Celada de la Torre....20 E19
Celada de Roblecedo 11 D16
Celada del Camino...20 F18
Celadas.....................52 K26
Celadas (Las) 20 E18
Celadilla.....................9 E12
Celadilla del Río.......10 E15
Celanova 16 F6
Celas...........................2 C4
Celemín (Embalse del) 86 X12
Celia (La)..................75 Q25
Celis..........................10 C16
Cella..........................52 K26
Cella (Puerto de) 52 K26
Celladilla-Sotobrín ...20 E18
Cellera de Ter (La)....31 G37
Cellers.......................25 F32
Cellórigo...................12 E20
Celorio......................10 B15
Celrà 27 F38
Celtigos 7 D7
Cembranos.................9 E13
Cenajo 74 Q24
Cenajo (Embalse del) 74 Q24
Cenegro....................37 H19
Cenes de la Vega 84 U19
Cenicero 21 E22
Cenicientos...............49 L16
Cenizas.....................77 T27
Cenizate....................64 O25
Cenlle..........................7 E5
Cenobio de Valerón.92 D1
Centcelles (Mausoleu de) 42 I33
Centelles 30 G36
Centenales 4 C9
Centenera (Guadalajara).......38 K20
Centenera (Huesca).25 F31
Centenera de Andaluz...........38 H21
Centenera del Campo 38 H22
Centenero 23 E28
Centenillo (El) 72 Q18
Centinela (Mirador de la) 90 E5
Cepeda (Pontevedra) 15 F4
Cepeda (Salamanca) 47 K11
Cepeda la Mora........48 K14
Cepero (El)...............61 O17
Cepillo (El) 63 P22
Cequeril 6 E4
Cera 4 C10
Cerbi 25 E33
Cerbón.......................22 G23
Cerca (La) (Monte) ..20 F19
Cerca (La).................12 D19
Cercadillo..................38 I21
Cerceda (A Coruña)...7 D5
Cerceda (Antemil) 2 C4
Cerceda (Madrid) 37 J18
Cerceda (Estación de).........2 C4

A CORUÑA

Cantón Grande AZ 7
Cantón Pequeño AZ 8
Compostela AZ 13
Damas BY 14
Ferrol AZ 18
Finisterre (Av. de) AZ 19
Gómez Zamalloa AZ 20
Herrerías BY 23
Juana de Vega (Av.) AZ 26
Juan Canalejo AY 25
Maestranza BY 27
María Pita (Pl. de) BY 28
Padre Feijóo AZ 32
Payo Gómez AZ 36
Picavia AZ 37
Pontevedra (Pl. de) AZ 40
Real AY
Riego del Agua BY 42
Rubine (Av. de) AZ 45
Sánchez Bregua AZ 50
Santa Catalina AZ 52
Santa María BY 51
San Agustín BY 46
San Agustín (Cuesta de) BY 47
San Andrés AYZ
Teresa Herrera AZ 55

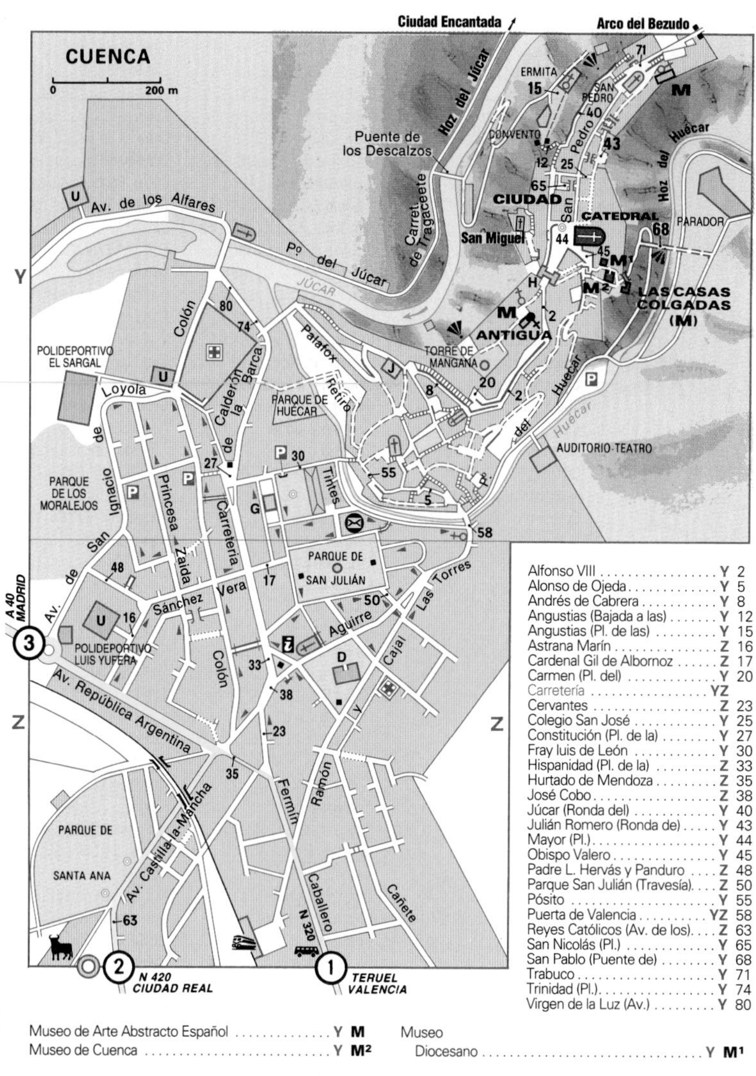
CUENCA
0
200 m
Ciudad Encantada
Arco del Bezudo
Puente de los Descalzos
Hoz del Júcar
Av. de los Alfares
Pº del Júcar
JÚCAR
ERMITA
SAN PEDRO
CONVENTO
CIUDAD
San Miguel
CATEDRAL
PARADOR
Hoz del Huécar
LAS CASAS COLGADAS (M)
ANTIGUA
TORRE DE MANGANA
POLIDEPORTIVO EL SARGAL
Loyola
Colón
Calderón de la Barca
PARQUE DE HUÉCAR
Palafox
Retiro
Huécar
AUDITORIO TEATRO
PARQUE DE LOS MORALEJOS
Ignacio de
Princesa Zaida
Carretería
Tintes
PARQUE DE SAN JULIÁN
Sánchez Vera
Aguirre
Las Torres
Av. de San
A 40 MADRID
POLIDEPORTIVO LUIS YUFERA
Av. República Argentina
Fermín
Ramón
Cajal
Caballero
Cañete
PARQUE DE SANTA ANA
Av. Castilla-la-Mancha
N 420 CIUDAD REAL
N 320
TERUEL VALENCIA
Alfonso VIII . . . Y 2
Alonso de Ojeda . . . Y 5
Andrés de Cabrera . . . Y 8
Angustias (Bajada a las) . . . Y 12
Angustias (Pl. de las) . . . Y 15
Astrana Marín . . . Z 16
Cardenal Gil de Albornoz . . . Z 17
Carmen (Pl. del) . . . Y 20
Carretería . . . YZ
Cervantes . . . Z 23
Colegio San José . . . Y 25
Constitución (Pl. de la) . . . Y 27
Fray luis de León . . . Y 30
Hispanidad (Pl. de la) . . . Z 33
Hurtado de Mendoza . . . Z 35
José Cobo . . . Z 38
Júcar (Ronda del) . . . Y 40
Julián Romero (Ronda del) . . . Y 43
Mayor (Pl.) . . . Y 44
Obispo Valero . . . Y 45
Padre L. Hervás y Panduro . . . Z 48
Parque San Julián (Travesía) . . . Z 50
Pósito . . . Y 55
Puerta de Valencia . . . YZ 58
Reyes Católicos (Av. de los) . . . Z 63
San Nicolás (Pl.) . . . Y 65
San Pablo (Puente de) . . . Y 68
Trabuco . . . Y 71
Trinidad (Pl.) . . . Y 74
Virgen de la Luz (Av.) . . . Y 80
Museo de Arte Abstracto Español . . . Y M
Museo de Cuenca . . . Y M²
Museo Diocesano . . . Y M¹

DONOSTIA-SAN SEBASTIÁN

Andia .... DZ 2
Argentinako Errepublikaren (Pas.) .... EY 6
Askatasunaren (Hiribidea) .. DEZY
Bulebar Zumardia .... DY 14
Erregina Erregentearen .... EY 17
Euskadi (Pl.) .... EY 18
Fermin Calbetón .... DY 19
Garibai .... DY
Hernani .... DY
Konstituzio (Pl.) .... DY 28
Maria Kristina (Zubia) .... EZ 31
Miramar .... DZ 32
Portu .... DY 36
Ramón Maria Lili (Pas.) .... EY 38
Santa Katalina (Zubia) .... EY 45
San Jerónimo .... DY 42
San Juan .... DEY 43
Urbieta .... DEZ
Urdaneta .... EZ 49
Zabaleta .... EY 53
Zurriola (Zubia) .... EY 58

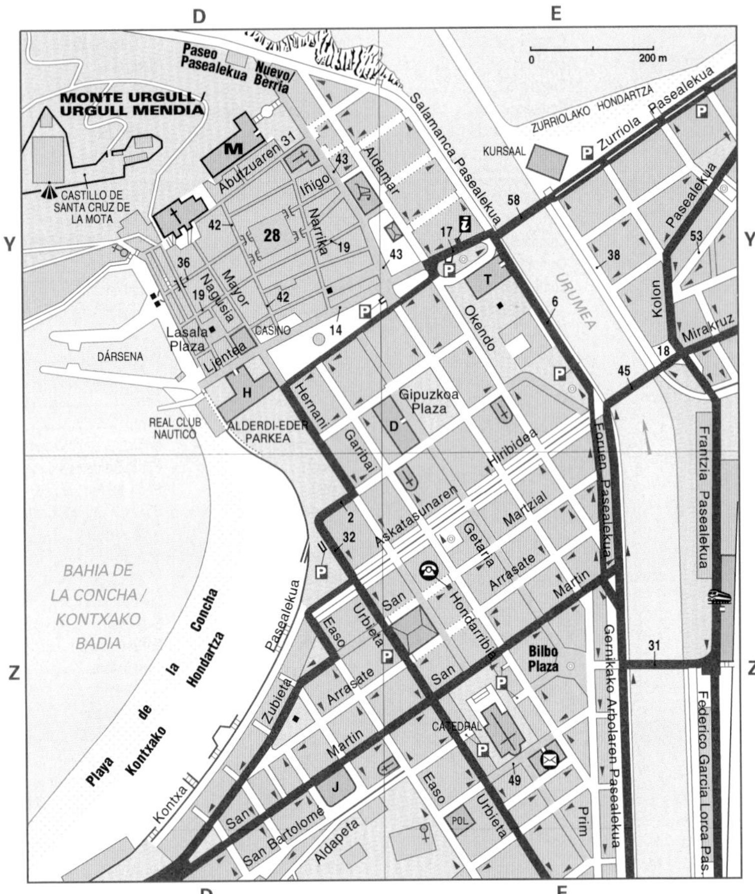

D

E

ELCHE

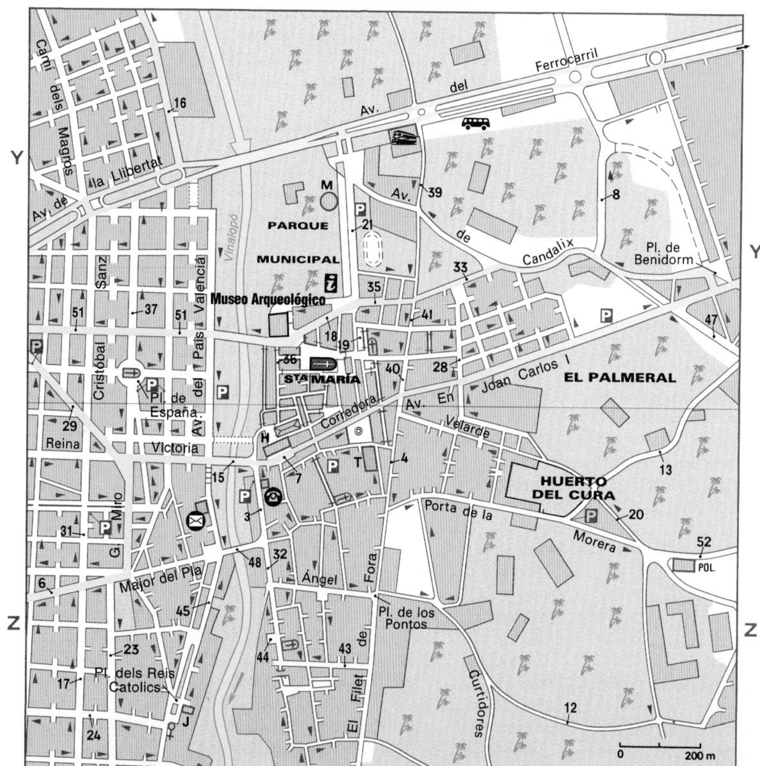

Av. del Ferrocarril
Camí dels Magros
Av. de la Llibertat
PARQUE MUNICIPAL
Museo Arqueológico
Av. de Candalix
Pl. de Benidorm
EL PALMERAL
Av. Juan Carlos I
STA MARÍA
Corredora
Velarde
Pl. de España
Reina Victoria
HUERTO DEL CURA
Porta de la Morera
Major del Pla
Àngel
Fora
Pl. de los Pontos
Pl. dels Reis Catolics
El Filet
Curtidores
Sanz
Cristóbal
Vinalopó
POL.
0 200 m
Y
Z

GIJÓN

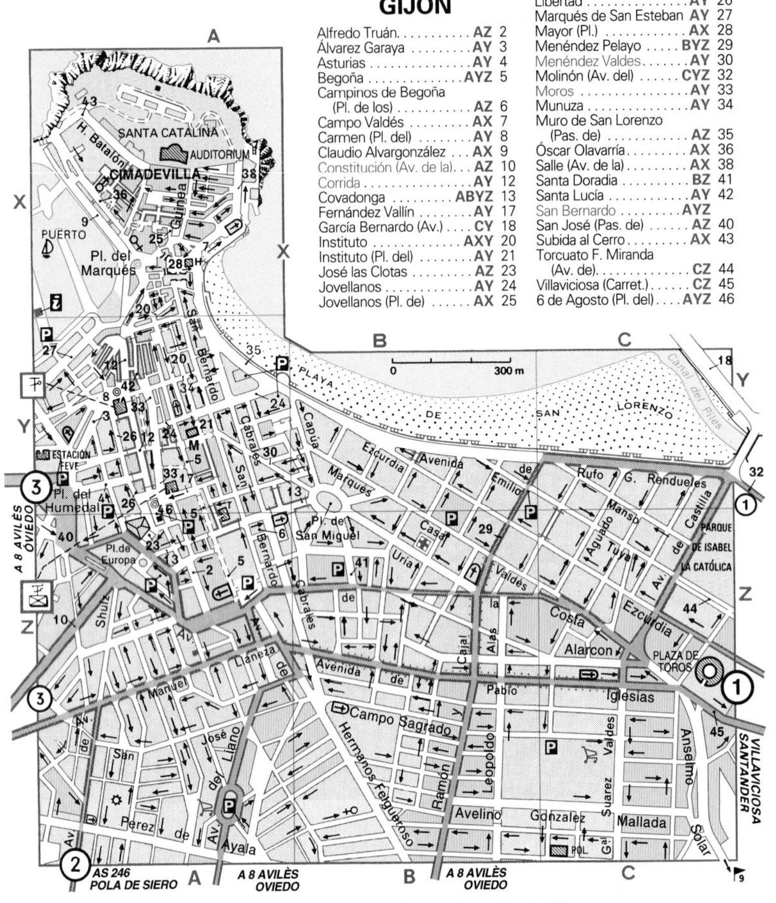

Alfredo Truán........... AZ 2
Álvarez Garaya .... AY 3
Asturias .... AY 4
Begoña .... AYZ 5
Campinos de Begoña (Pl. de los) .... AZ 6
Campo Valdés .... AX 7
Carmen (Pl. del) .... AY 8
Claudio Alvargonzález ... AX 9
Constitución (Av. de la)... AZ 10
Corrida .... AY 12
Covadonga .... ABYZ 13
Fernández Vallín .... AY 17
García Bernardo (Av.) .... CY 18
Instituto .... AXY 20
Instituto (Pl. del) .... AY 21
José las Clotas .... AZ 23
Jovellanos .... AY 24
Jovellanos (Pl. de) ...... AX 25
Libertad .... AY 26
Marqués de San Esteban AY 27
Mayor (Pl.) .... AX 28
Menéndez Pelayo ..... BYZ 29
Menéndez Valdes........ AY 30
Molinón (Av. del) ...... CYZ 32
Moros .... AY 33
Munuza .... AY 34
Muro de San Lorenzo (Pas. de) .... AZ 35
Óscar Olavarría.......... AX 36
Salle (Av. de la).......... AX 38
Santa Doradia .... BZ 41
Santa Lucía .... AY 42
San Bernardo .... AYZ
San José (Pas. de) ...... AZ 40
Subida al Cerro.......... AX 43
Torcuato F. Miranda (Av. de)............. CZ 44
Villaviciosa (Carret.)...... CZ 45
6 de Agosto (Pl. del).... AYZ 46

G

GIRONA/GERONA

Álvarez de Castro .... AZ 2
Argenteria .... BY 3
Ballesteríes .... BY 4
Bellaire................... BY 6
Berenguer Carnicer.......... AY 7
Bonastruc de Porta.......... AY 9
Carme .... BZ 10
Ciutadans.................. BZ 12
Cúndaro................... BY 13
Devesa (Pas. de la) .... AY 14
Eduard Marquína (Pl. de) ..... AZ 15
General Fournàs .... BY 16
General Peralta (Pas. del) ..... BZ 17
Joaquim Vayreda .... AY 18
Juli Garreta .... AZ 19
Llibertat (Rambla de la)....... BZ 23
Nou .... AZ
Nou del Teatre.............. BZ 27
Oliva i Prat .... BY 26
Palafrugell .... BY 28
Pedreres (Pujada de les)...... BZ 29
Ramon Folch (Av. d'en) ...... AY 31
Reina Isabel la Católica .... BZ 36
Reina Joana (Pas. de la) ...... BY 37
Rei Ferran el Católic .... BY 33
Rei Martí (Pujada del) .... BY 34
Santa Clara............... ABYZ
Santa Eugénia.............. AZ 49
Sant Cristòfol .... BY 39
Sant Daniel .... BY 40
Sant Domènec (Pl. de) .... BY 42
Sant Feliu (Pujada de)......... BY 44
Sant Francesc (Av. de) .... AZ 45
Sant Pere (Pl. de) .... BY 48
Ultònia .... AZ 53

FIGUERES / AP 7 - E 15 : PERPIGNAN · OLOT / BANYOLES · C 66 PALAMÓS
N 141 · AP 7-E 15 : BARCELONA, Casa Ensesa · C 65 : S. FELIU DE GUIXOLS · C 65 : QUART D'ONYAR

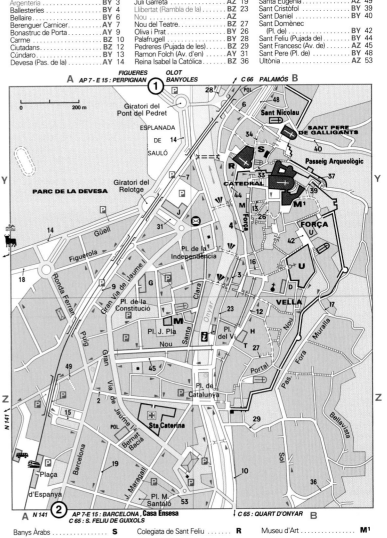

Banys Àrabs .... S
Colegiata de Sant Feliu .... R
Museu d'Art .... M¹

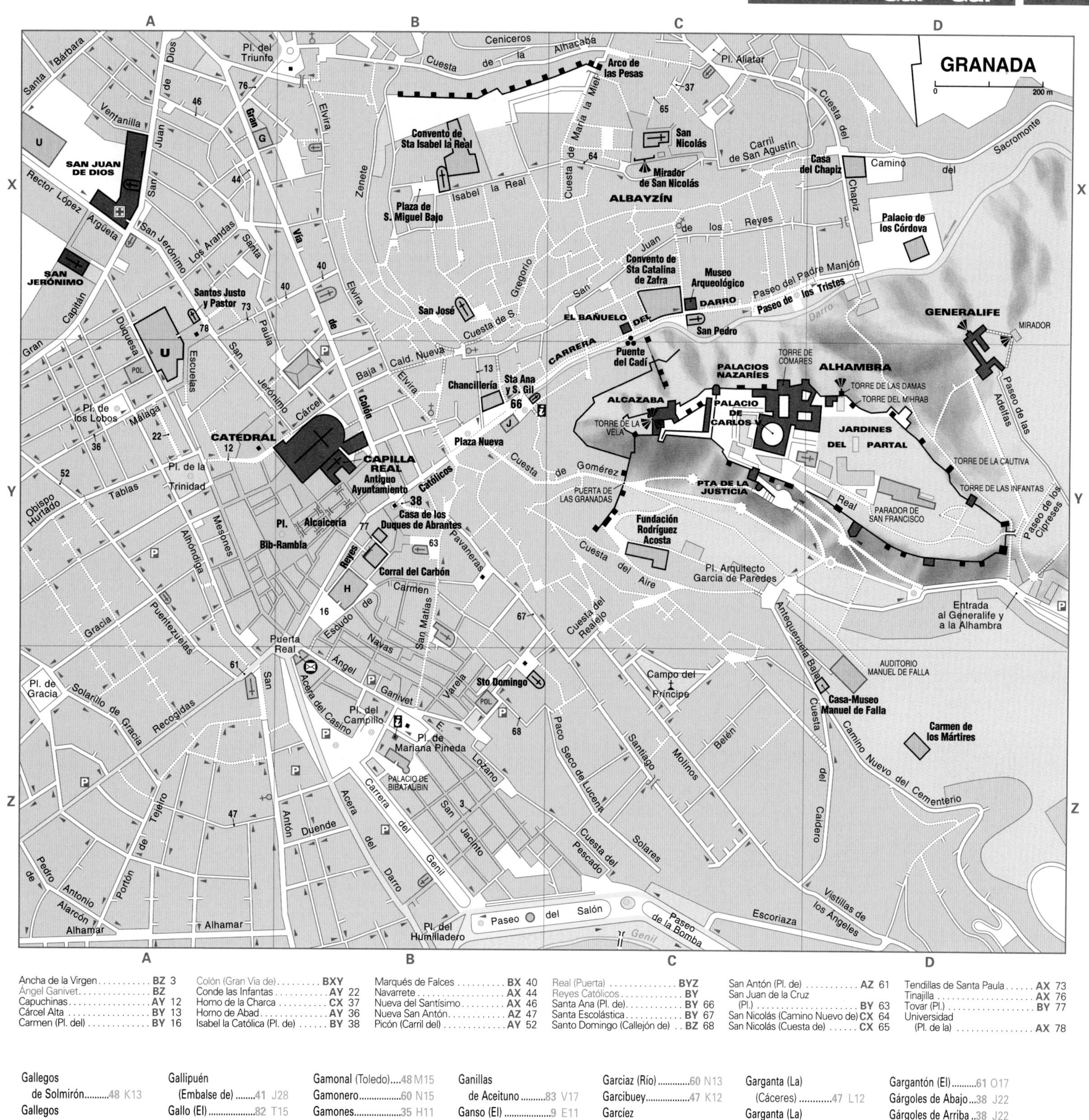

Ancha de la Virgen .... BZ 3
Ángel Ganivet .... BZ
Capuchinas .... AY 12
Cárcel Alta .... BY 13
Carmen (Pl. del) .... BY 16
Colón (Gran Vía de) .... BXY
Conde las Infantas .... AY 22
Horno de la Charca .... CX 37
Horno de Abad .... AY 36
Isabel la Católica (Pl. de) ...... BY 38
Marqués de Falces .... BX 40
Navarrete .... AX 44
Nueva del Santísimo .... AX 46
Nueva San Antón .... AZ 47
Picón (Carril del) .... AY 52
Real (Puerta) .... BYZ
Reyes Católicos .... BY
Santa Ana (Pl. de) .... BY 66
Santa Escolástica .... BY 67
Santo Domingo (Callejón de) .. BZ 68
San Antón (Pl. de) .... AZ 61
San Juan de la Cruz (Pl.) ..... BY 63
San Nicolás (Camino Nuevo de) CX 64
San Nicolás (Cuesta de) ...... CX 65
Tendillas de Santa Paula ...... AX 73
Tinajilla .... AX 76
Tovar (Pl.) .... BY 77
Universidad (Pl. de la) .... AX 78

HUELVA

Alameda Sundheim BZ 2
Arquitecto Pérez Carasa BZ 4
Las Bocas AZ 25
Concepción AZ 9
La Fuente BZ 22
Independencia (Pas.) AZ 18
José Nogales ABZ 20
Marina AZ 28
Martín Alonso Pinzón (Av. de) BZ 29
Méndez Núñez AZ 31
Las Monjas (Pl. de) AZ 26
Pablo Rada BZ 33
Padre Jesús de la Pasión BZ 34
Palacios AZ 35
La Palma AZ 23
Plus Ultra AZ 37
Rábida BZ 39
Sanlúcar de Barrameda AZ 44
Santa Fé (Pas. de) ABZ 46
San Sebastián AY 45
Tomás Domínguez Ortiz (Av. de) AZ 50
Vázquez López AZ 51
3 de Agosto BZ 52

JAÉN

Adarves Bajos .... CZ 2
Álamos .... BZ 3
Alcalde García Segovia...... CX 5
Alféreces Provisionales ..... BX 8
Alhama .... BY 58
Ángel (Puerta del) .... CZ 9
Bernabé Soriano .... BZ 12
Capitán Aranda Alta .... BZ 13
Carmello Torres............ BY 14
Castilla.................. BY 16
Coca de la Piñera (Pl.)....... BY 17
Condestable Iranzo .... AX 18
Correa Weglison........... BY 20
Doctor Civera .... BZ 21
Doctor Eduardo Arroyo ..... BY 22
Doctor Eduardo García Triviño
López .... BX 24
Ejido de Alcantarilla........ BZ 25
Extremadura.............. BX 26
Francisco Coello .... BZ 27
Frente a Jesús .... BZ 44
Fuerte del Rey .... AX 30
Hermanos Pinzón.......... BX 31
Ignacio Figueroa .... BZ 32
Juanito el Practicante ...... AY 34
Juan Pedro Gutiérrez
Higueras .... AX 35
Madre de Dios .... BZ 36
Madre Soledad Torres Acosta BY 38
Maestra.................. BZ 39
Magdalena Baja .... AY 40
Manuel Caballero Venzala ... CX 41
Manuel Jontoya .... BZ 43
Molino de la Condesa....... AY 45
Muñoz Garnica .... BZ 47
Navas de Tolosa .... BY 48
Núñez de Balboa .... BY 49
Obispo Alonso Suárez ...... CY 51
Obispo García de Castro
(Pl.) .... CYZ 54
Obispo González........... BZ 55
Obispo Stúñiga............ BX 52
Puerta del Sol .... BY 56
Salvador Vicente de la Torre . AX 59
Santa Luisa de Marillac
(Pl. de) .... AY 70
Santo Domingo............ AY 71
San Agustín (Pl. de) .... BY 61
San Andrés .... BY 62
San Bartolomé (Pl.)......... BZ 63
San Clemente .... BYZ 65
San Francisco (Pl.).......... BZ 67
San Juan (Pl. de)........... BY 68
Vicente Montuno .... CZ 72
Virgen Capilla .... BCY 74
Virgen de la Cabeza .... BX 73

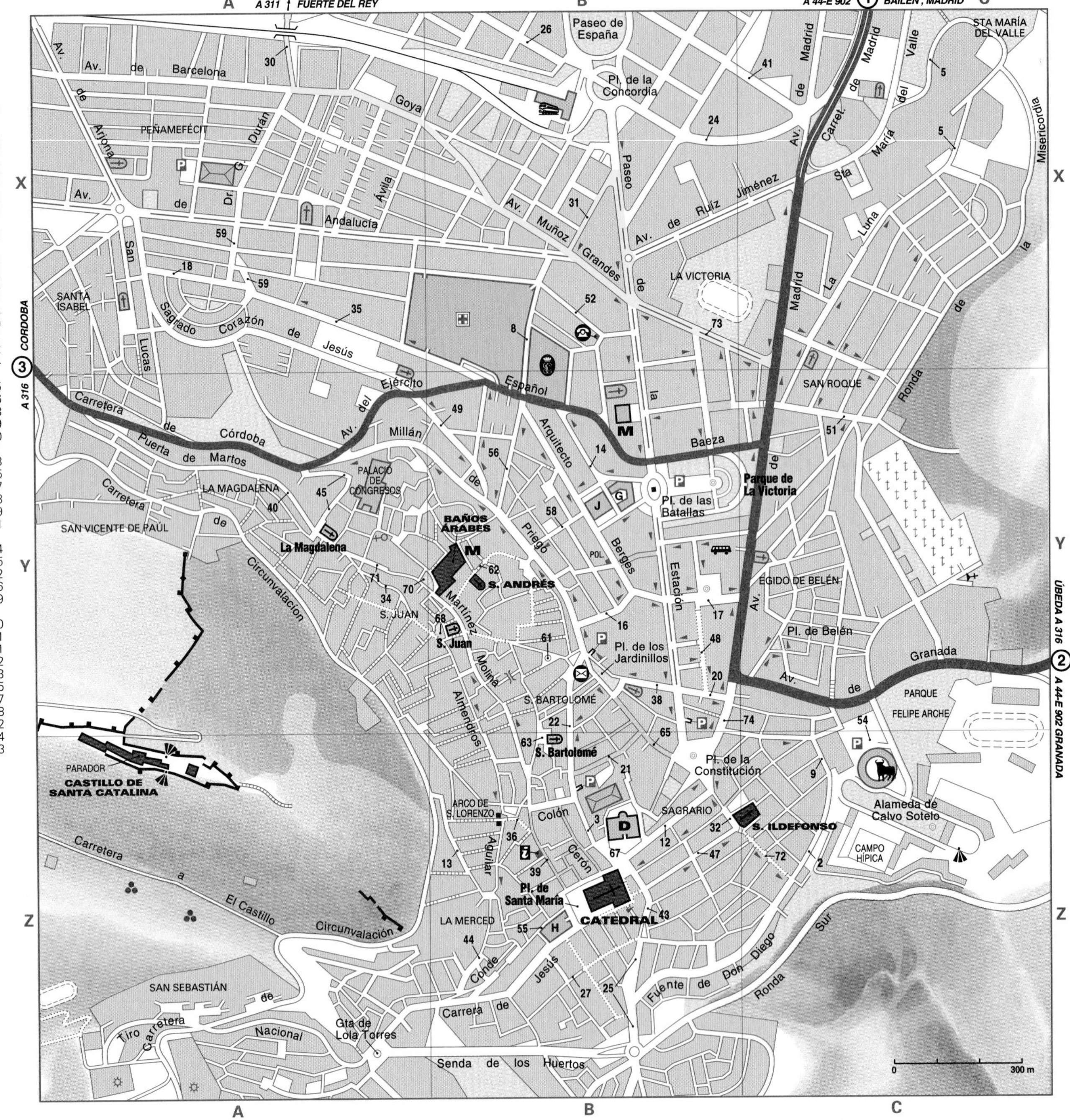

JEREZ DE LA FRONTERA

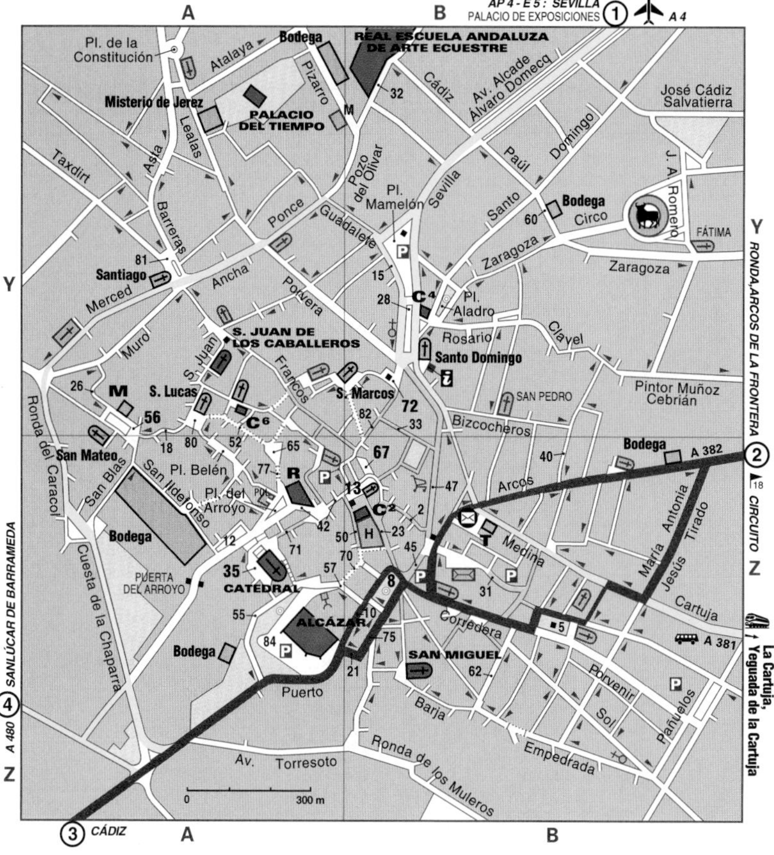

J

I

LEÓN

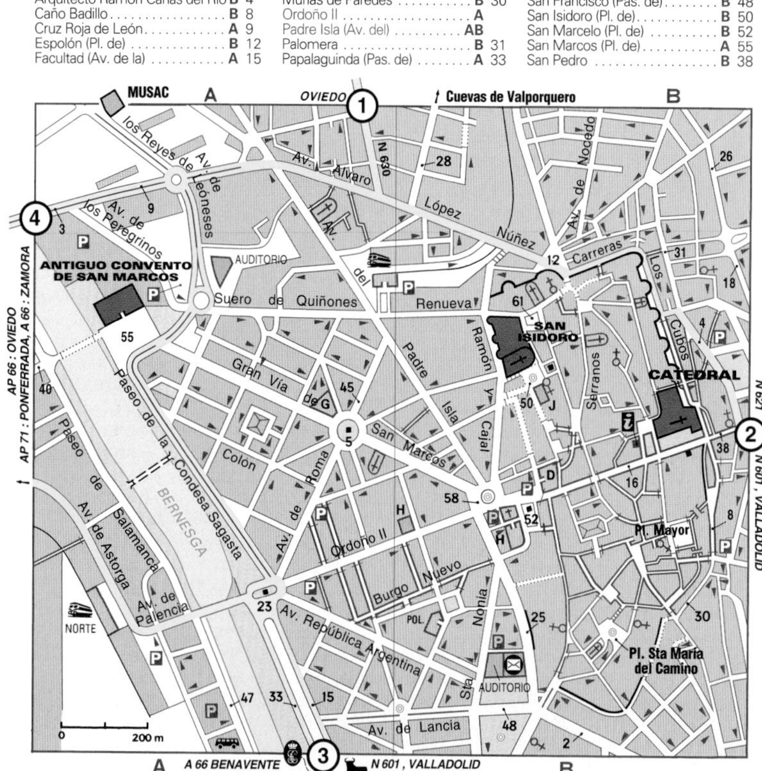

LLEIDA/LÉRIDA

Almadí Vell .... Z 3
Bisbe Messeguer .... YZ 5
Canyeret .... YZ 7
Cardenal Cisneros .... Z 8
Carme .... Y 9
Catedral (Pl. de la) .... Z 10
Comtes d'Urgell .... Y 12
Exèrcit (Av. de l') .... Z 14
Exèrcit (Pl. de l') .... Z 15
Francesc Macià .... Y 16
Gov. Montcada .... Z 18
Magdalena .... Y 24
Major .... Z
Missions (Pl. de les) .... Y 26
Mossèn Jacint Verdaguer (Pl. del) .... Y 27
Paeria (Pl. de la) .... Z 29
Pallars .... Y 30
Pi i Margall .... Y 31
Ramon Berenguer IV (Pl. de) ... Y 32
República del Paraguai .... Z 33
Ricard Vinyes (Pl. de) .... Y 34
Sal (Pl. de la) .... Y 36
Sant Andreu .... YZ 38
Sant Antoni .... Z
Sant Crist .... Z 39
Sant Joan .... Y 41
Sant Joan (Pl. de) .... YZ 42
Sant Josep (Pl. de) .... Z 43
Sant Llorenç (Pl. de) .... Z 45
Sant Martí (Ronda) .... Y 46
Saragossa .... YZ 49
Vallcalent .... Y 55

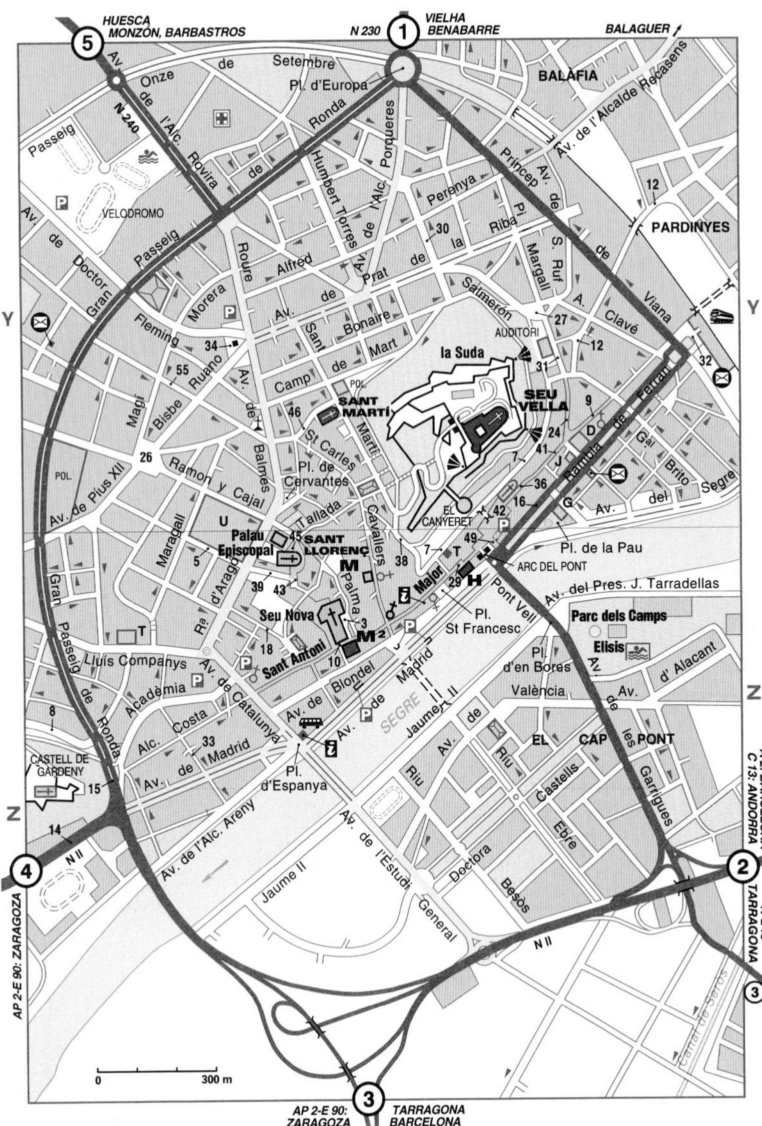

LOGROÑO

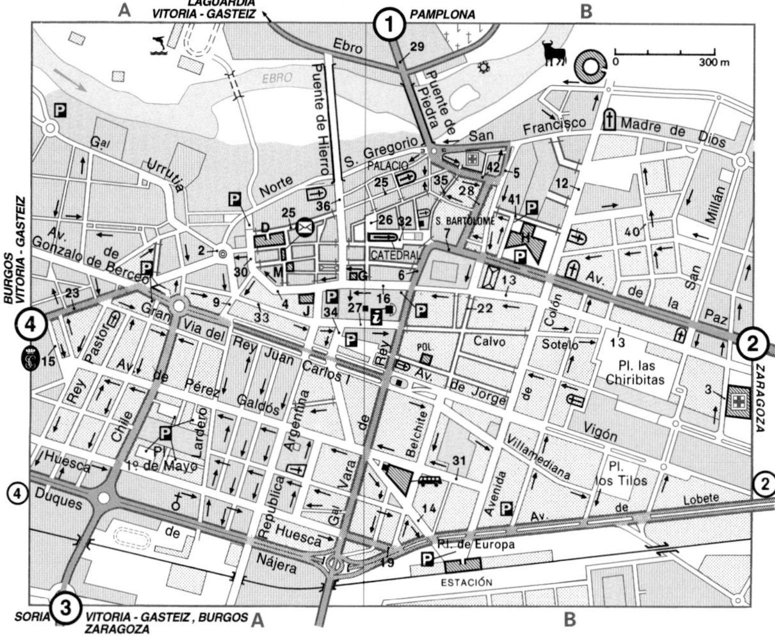
LAGUARDIA VITORIA - GASTEIZ
PAMPLONA
A
B
Ebro
300 m
Puente de Hierro
Puente de Piedra
San Francisco
Madre de Dios
S. Gregorio
PALACIO
Norte
Urrutia
Av. Gonzalo de Berceo
CATEDRAL
S. BARTOLOMÉ
Av. de la Paz
Millán
San
BURGOS VITORIA - GASTEIZ
Gran Vía del Rey Juan Carlos I
Av. de Pérez Galdós
Calvo Sotelo
Pl. las Chiribitas
Av. de Jorge Vigón
ZARAGOZA
Colón
Belchite
Villamediana
Pl. los Tilos
Av. de Lobete
Rey Pastor
Chile
Lardero
Pl. 1° de Mayo
Huesca
Duques de Nájera
República Argentina
Vara de Rey
Gil
Avenida
Pl. de Europa
ESTACIÓN
SORIA
VITORIA - GASTEIZ, BURGOS ZARAGOZA

MADRID

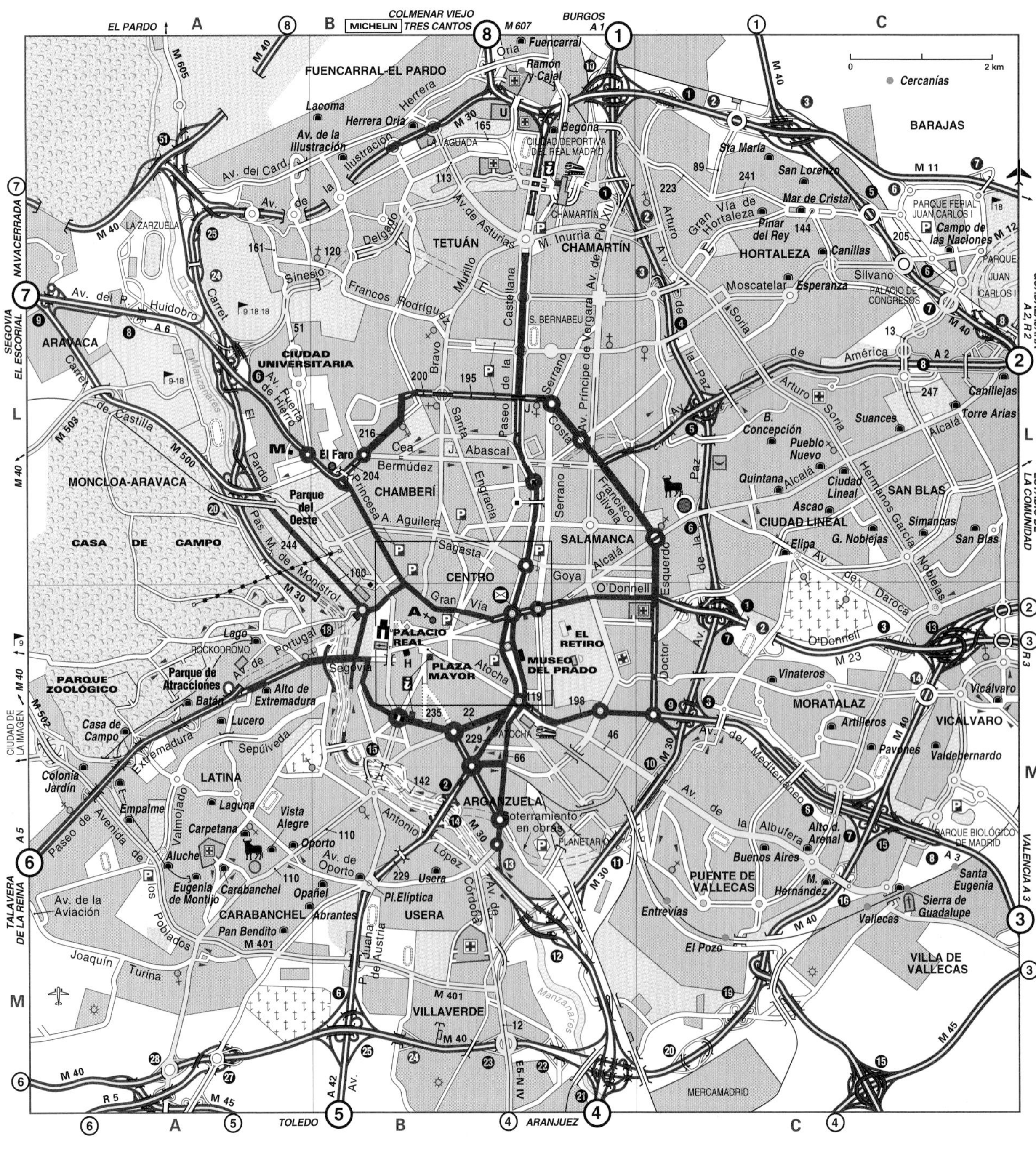

EL PARDO
COLMENAR VIEJO
TRES CANTOS
MICHELIN
BURGOS A 1
FUENCARRAL-EL PARDO
BARAJAS
TETUÁN
CHAMARTÍN
HORTALEZA
CIUDAD UNIVERSITARIA
ARAVACA
MONCLOA-ARAVACA
CASA DE CAMPO
CHAMBERÍ
SALAMANCA
CENTRO
PALACIO REAL
PLAZA MAYOR
MUSEO DEL PRADO
EL RETIRO
PARQUE ZOOLÓGICO
CIUDAD LINEAL
SAN BLAS
MORATALAZ
VICÁLVARO
LATINA
ARGANZUELA
CARABANCHEL
USERA
PUENTE DE VALLECAS
VILLA DE VALLECAS
VILLAVERDE
MERCAMADRID
NAVACERRADA
SEGOVIA EL ESCORIAL
GUADALAJARA A 2, R 2
ESTADIO DE LA COMUNIDAD
VALENCIA A 3
TALAVERA DE LA REINA
TOLEDO
ARANJUEZ
Cercanías
2 km

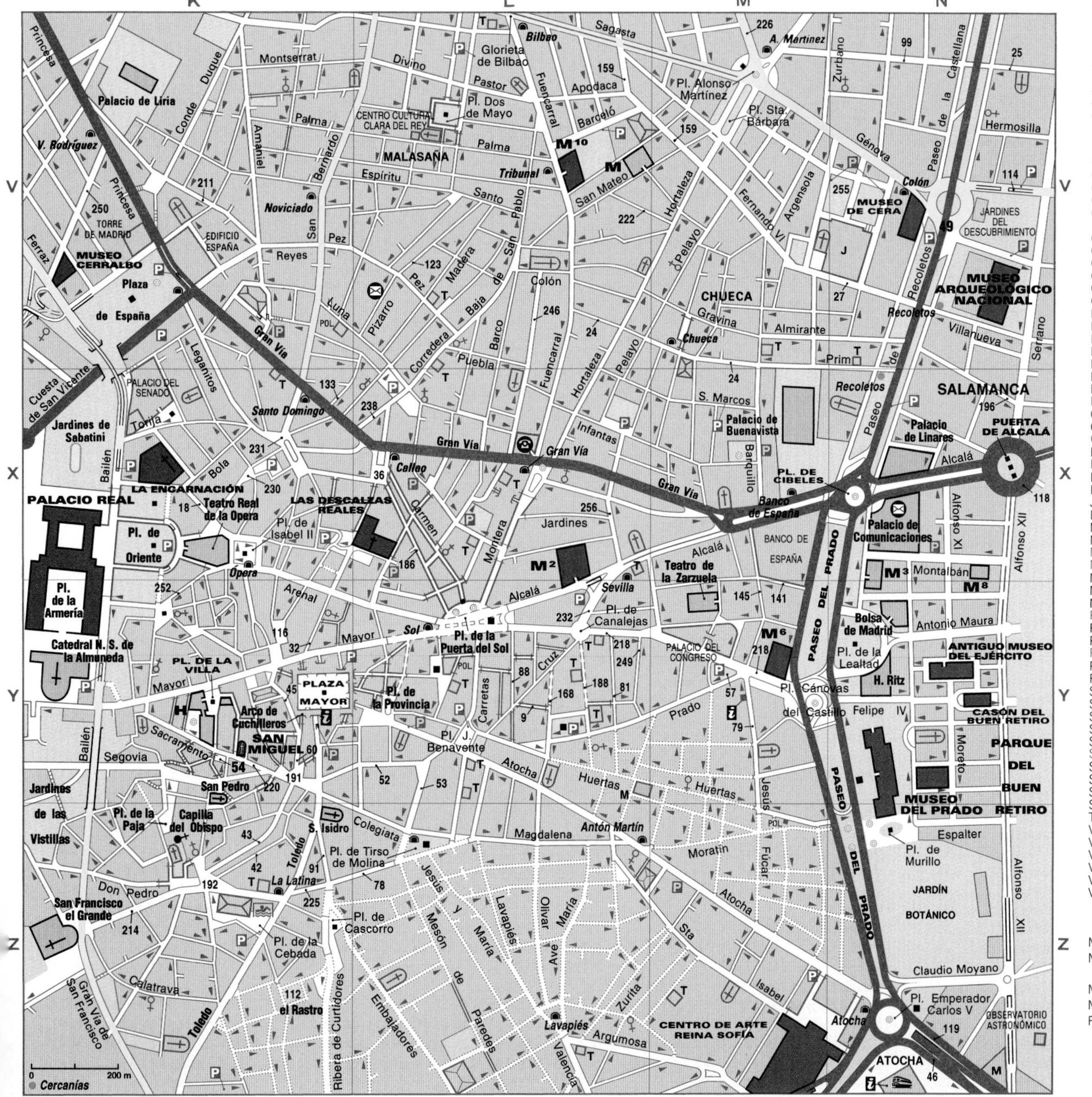

MADRID

Alcalá . . . . . MX
Alvarez Gato . . . . . LY 9
Arenal . . . . . KY
Arrieta . . . . . KX 18
Augusto Figueroa . . . . . MV 24
Ayala . . . . . NV 25
Bárbara de Braganza . . . . . NV 27
Bordadores . . . . . KY 32
Callao (Pl. del) . . . . . LX 36
Carmen LX
Cava Alta . . . . . KZ 42
Cava Baja . . . . . KZ 43
Cava de San Miguel . . . . . KY 45
Ciudad de Barcelona (Av. de la) . . . . . NZ 46
Colón (Pl. de) . . . . . NV 49
Concepción Jerónima . . . . . LY 52
Conde de Romanones . . . . . LY 53
Cordón (Pl. del) . . . . . KY 54
Cortes (Pl. de las) . . . . . MY 57
Cuchilleros . . . . . KY 60
Duque de Alba . . . . . LZ 78
Duque de Medinaceli . . . . . MY 79
Echegaray . . . . . LY 81
Espoz y Mina . . . . . LY 88
Estudios . . . . . KZ 91
Felipe IV . . . . . NY
Fernando el Santo . . . . . NV 99
Fuencarral LV
General Vara del Rey (Pl. del) . KZ 112
Goya . . . . . NV 114
Gran Vía LX
Herradores (Pl. de los) . . . . . KY 116
Hortaleza LX
Independencia (Pl. de la) . . . NX 118
Infanta Isabel (Pas. de la) . . . NZ 119
Jesús del Valle . . . . . LV 123
Libreros . . . . . KX 133
Madrazo . . . . . MY 141
Marqués de Cubas . . . . . MY 145
Mayor . . . . . KY
Mayor (Pl.) . . . . . KY
Mejía Lequerica . . . . . LMV 159
Montera LX
Núñez de Arce . . . . . LY 168
Preciados . . . . . LX 186
Príncipe . . . . . LY 188
Puerta Cerrada (Pl. de) . . . . . KY 191
Puerta del Sol (Pl. de la) . . . . . LY
Puerta de Moros (Pl. de) . . . . . KZ 192
Recoletos . . . . . NX 196
Santa Engracia . . . . . MV 226
Santo Domingo (Cuesta de) . KX 230
Santo Domingo (Pl. de) . . . . . KX 231
San Bernardino . . . . . KV 211
San Francisco (Carrera de) . . . KZ 214
San Jerónimo (Carrera de) . LMY 218
San Justo . . . . . KY 220
San Lorenzo . . . . . LV 222
San Millán . . . . . KZ 225
Sevilla . . . . . LY 232
Tudescos . . . . . LX 238
Valverde . . . . . LV 246
Ventura de la Vega . . . . . LY 249
Ventura Rodríguez . . . . . KV 250
Vergara . . . . . KY 252
Villa de París (Pl. de la) . . . . . NV 255
Virgen de los Peligros . . . . . LX 256

Museo Municipal M10
Museo Nacional de Artes Decorativas M8
Museo Naval M3
Museo Thyssen-Bornemisza . M6
Real Academia de Bellas Artes de San Fernando M2

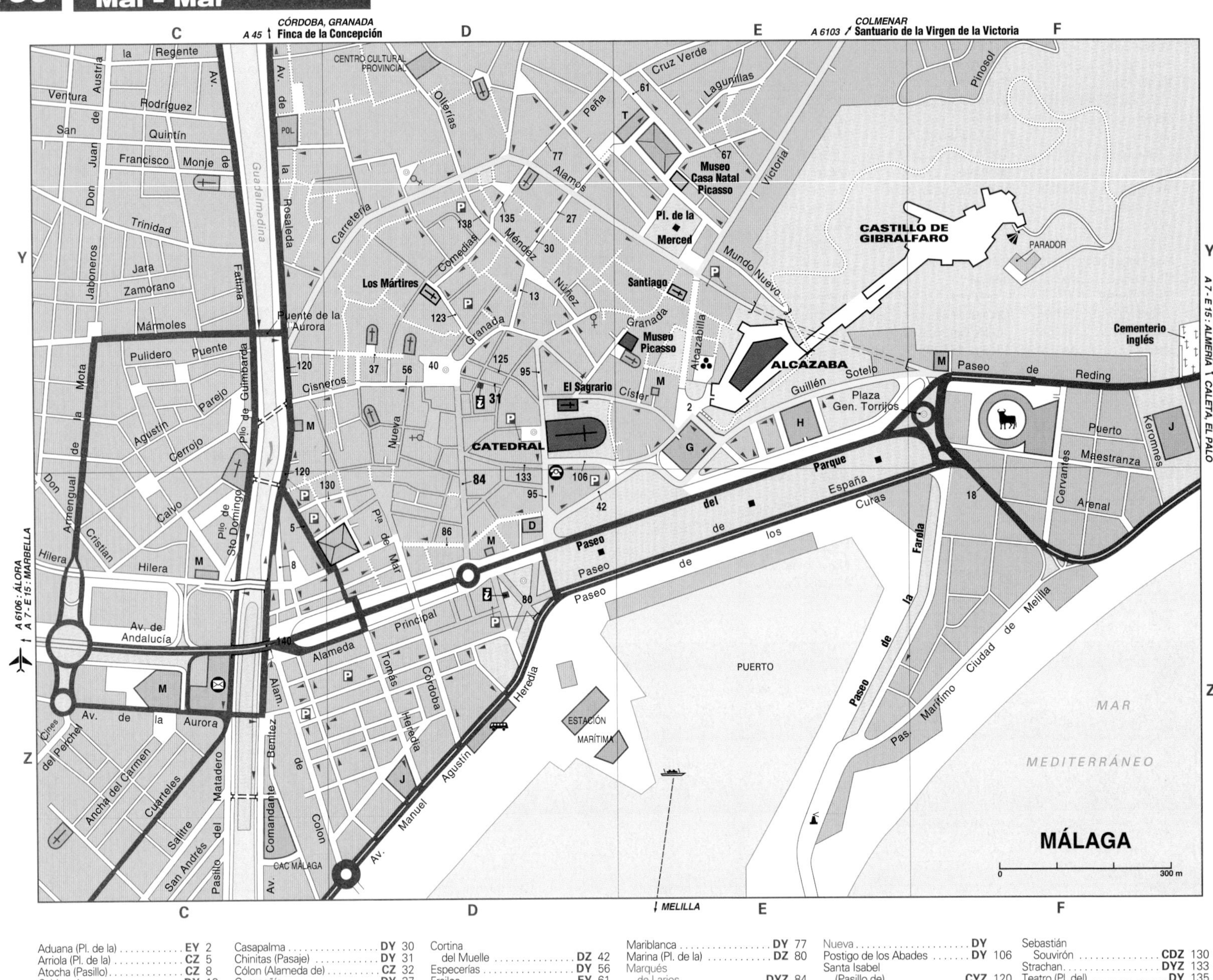
CÓRDOBA, GRANADA
A 45 Finca de la Concepción
COLMENAR
A 6103 Santuario de la Virgen de la Victoria
C
D
E
F
Y
Z
CENTRO CULTURAL PROVINCIAL
Cruz Verde
Lagunillas
Peña
Olletas
Victoria
Museo Casa Natal Picasso
Pl. de la Merced
Mundo Nuevo
CASTILLO DE GIBRALFARO
PARADOR
Santiago
Los Mártires
Granada
Museo Picasso
Alcazabilla
ALCAZABA
Cementerio inglés
El Sagrario
Císter
Guillén Sotelo
Plaza Gen. Torrijos
Paseo de Reding
CATEDRAL
Cisneros
Nueva
Puerto
Maestranza
Keromnes
Cervantes
Arenal
Paseo del Parque
España
Curas
Paseo de los
Farola
Paseo de la Farola
Alameda Principal
Av. de Andalucía
Av. de la Aurora
Puente de la Aurora
Hilera
Mármoles
Pulidero
Puente
Parejo
Agustín
Cerrojo
Calvo
Cristian
Armengual de la Mota
Trinidad
Jara
Zamorano
Jaboneros
Fatima
Guadalmedina
Av. de Rosaleda
Regente
Ventura
Rodríguez
San
Quintín
Francisco
Monje
Don Juan de Austria
Carretería
Comedias
Méndez Núñez
Álamos
Tomás
Córdoba
Heredia
Alam.
Benítez
Colón
Comandante
CAC MÁLAGA
Av. Manuel Agustín Heredia
ESTACIÓN MARÍTIMA
PUERTO
Pas. Marítimo Ciudad de Melilla
MAR MEDITERRÁNEO
MÁLAGA
0
300 m
MELILLA
A 6106 : ÁLORA
A 7 - E 15 : MARBELLA
A 7 - E 15 : ALMERÍA
CALETA, EL PALO
Cines del Perchel
Ancha del Carmen
Cuarteles
Salitre
San Andrés
Pasillo del Matadero
Pllo de Sto. Domingo
Pllo de Guimbarda
Pta de Mar

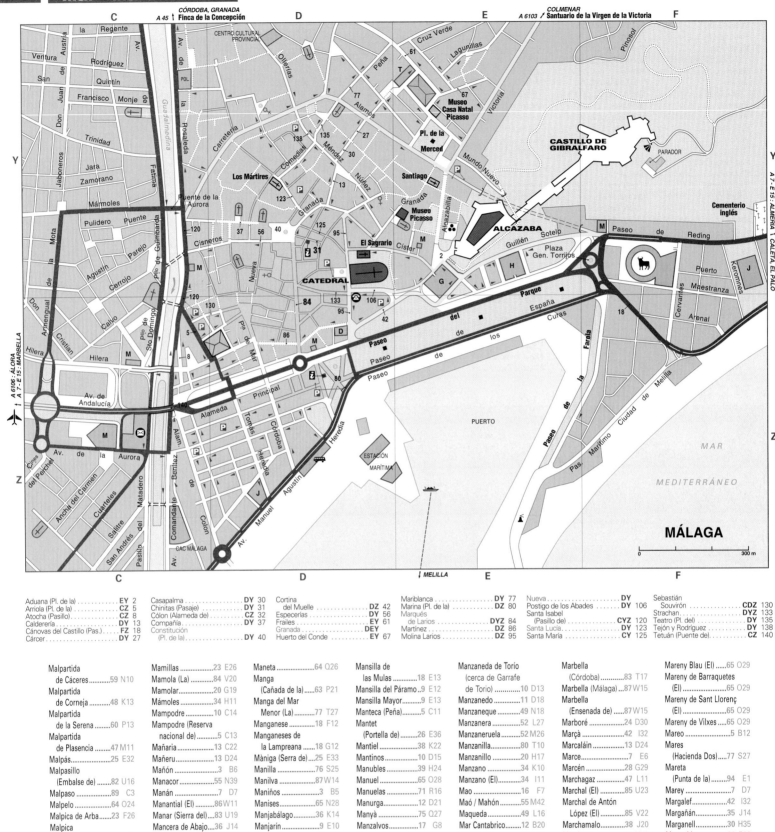

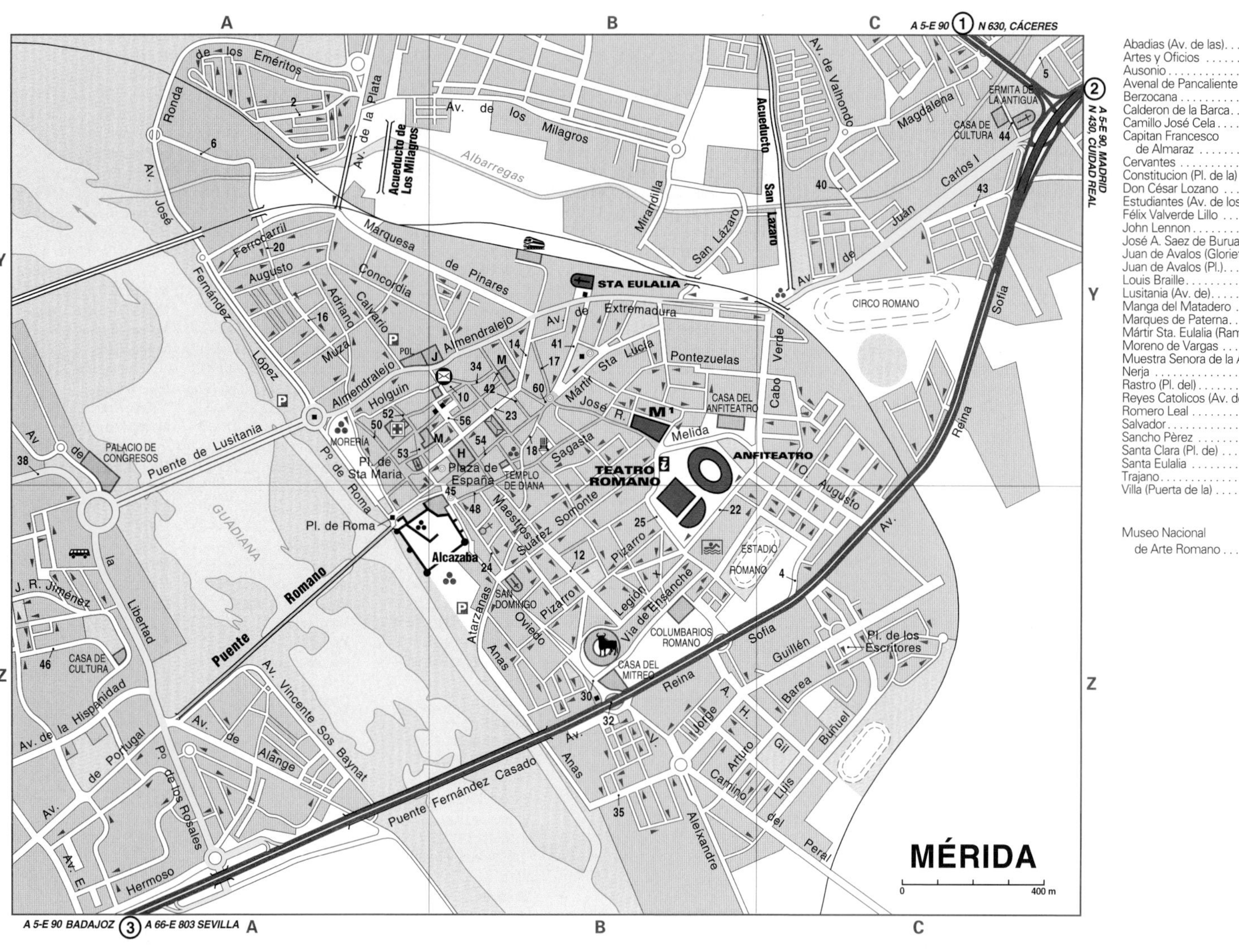

Abadías (Av. de las) AY 2
Artes y Oficios CZ 4
Ausonio CY 5
Avenal de Pancaliente AY 6
Berzocana BY 18
Calderon de la Barca BZ 12
Camillo José Cela BY 14
Capitan Francesco de Almaraz AY 16
Cervantes BY 17
Constitucion (Pl. de la) BY 10
Don César Lozano AY 20
Estudiantes (Av. de los) BZ 22
Félix Valverde Lillo BY 23
John Lennon BZ 24
José A. Saez de Buruaga BZ 25
Juan de Avalos (Glorieta) BZ 30
Juan de Avalos (Pl.) BZ 32
Louis Braille BY 34
Lusitania (Av. de) BZ 35
Manga del Matadero AY 38
Marques de Paterna CY 40
Mártir Sta. Eulalia (Rambla) BY 41
Moreno de Vargas BY 42
Muestra Senora de la Antigua CY 43
Nerja CY 44
Rastro (Pl. del) BZ 45
Reyes Catolicos (Av. de los) AZ 46
Romero Leal BZ 48
Salvador AY 50
Sancho Pèrez AY 52
Santa Clara (Pl. de) BY 53
Santa Eulalia AY 54
Trajano BY 56
Villa (Puerta de la) BY 60

Museo Nacional de Arte Romano BY M¹

MURCIA

N

OVIEDO

Adelantado de la Florida . . . . . BY 2
Alcalde G. Conde . . . . BY 3
Alfonso II (Pl.) . . . . BZ 4
Antiguo Hospital del Principado AY
Argüelles . . . . ABY 5
Arzobispo Guisasola . . . . BZ 6
Cabo Noval . . . . AZ 7
Campo de los Patos (Pl.) . . . . . BY 8
Canóniga . . . . BZ 9
Cimadevilla . . . . BZ 10
Constitución (Pl. de la) . . . . . . BZ 12
Covadonga . . . . AY 13
Daoiz y Velarde (Pl. de) . . . . . . BZ 14
División Azul . . . . AZ 15
Fruela . . . . ABZ 17
Ingeniero Marquina . . . . AY 18
Marqués de Gastañaga . . . . . . BZ 20
Marqués de Santa Cruz . . . . . . AZ 21
Martínez Marina . . . . ABZ 22
Martínez Vigil . . . . BY 23
Melquíades Álvarez . . . . AY 25
Monumentos (Av. de los) . . . . . AY 27
Museo de Bellas Artes de Asturias . . . . BZ
Padre Vinjoy . . . . AZ 28
Palacio Valdés . . . . AY 29
Pelayo . . . . AYZ 30
Pérez de la Sala . . . . AZ 31
Porlier (Pl. de) . . . . BZ 32
Postigo Alto . . . . BZ 33
Riego (Pl.) . . . . BZ 34
San Antonio . . . . BZ 36
San Francisco . . . . ABZ 37
San José . . . . BZ 38
San Vicente . . . . BYZ 39
Tenderina (La) . . . . BY 42
Teniente Alfonso Martínez . . . . BY 44
Uría . . . . AY 45

Norfeu (Cap de) 27 F39
Norias (Embalse de las) 21 E22
Norias (Las) (cerca de Huércal Overa) 76 T24
Norias (Las) (Ciudad Real) 72 Q19
Norias de Daza (Las) (cerca de Almerimar) 84 V21
Noriega 11 B16
Norís 26 E34
Norte (Punta) 89 D1
Nostra Senyora de Bellmunt 27 F36
Nostra Senyora de la Misericordia (Barcelona) 30 H37
Nostra Senyora de la Salut 27 F37
Nostra Senyora de Lluc (Monestir de) 54 M38
Nostra Senyora de Queralt 26 E35
Nostra Senyora del Far 27 F37
Nostra Senyora del Gresolet 26 F35
Nostra Senyora del Mont 27 F38
Nostra Senyora dels Àngels 31 G38
Notáez 84 V20
Nou (La) 26 F35
Nou de Gaiá (La) 42 I34
Novales (Cantabria) 11 B17
Novales (Huesca) 24 F29
Novaliches 53 M28
Novallas 22 G24
Novelda 75 Q27
Novelda del Guadiana 58 P9
Novellaco 23 E26
Novellana 5 B11
Novés (Huesca) 24 E28
Novés (Toledo) 49 L17
Noves de Segre 26 F34
Noviales 38 H20
Noviercas 22 G23
Novillas 22 G25
Novo Sancti Petri 86 W11
Noya (Riera de) 29 G34
Nuarbe 13 C23
Nubledo 5 B12
Nublo (Roque) 92 D3
Nucia (La) 66 Q29
Nueno 23 F28
Nueros 40 J26
Nuestra Santa Fátima (Ermita de) 70 Q13
Nuestra Señora de Alarcos 61 P17
Nuestra Señora de Altagracia (Ermita de) 60 P14
Nuestra Señora de Angosto 12 D20
Nuestra Señora de Araceli 83 T16
Nuestra Señora de Aranz (Ermita de) 38 J22
Nuestra Señora de Argavanzal (Embalse) 17 G11
Nuestra Señora de Bella 80 U8
Nuestra Señora de Chilla (Santuario de) 48 L14
Nuestra Señora de Cortés (Santuario) 63 P22
Nuestra Señora de Escardiel (Ermita) 70 S11
Nuestra Señora de Fuensanta 87 W15
Nuestra Señora de Gador 84 V21
Nuestra Señora de Garón (Ermita de) 20 G17
Nuestra Señora de Gracia 69 R9
Nuestra Señora de Gràcia (Ermita de) 53 M29
Nuestra Señora de Guadalupe 13 B24
Nuestra Señora de Guadalupe (Ermita de) (Ciudad Real) 61 O16
Nuestra Señora de Guadalupe (Ermita de) (La Gomera) 89 E2
Nuestra Señora de Hontanares (Ermita de) 37 I19
Nuestra Señora de las Nieves 12 C19
Nuestra Señora de la Antigua (Ermita de) 59 P12
Nuestra Señora de la Antigua (Santuario de) 62 P20
Nuestra Señora de la Anunciada 18 G14
Nuestra Señora de la Bienvenida 51 K22
Nuestra Señora de la Cabeza 39 J24
Nuestra Señora de la Carrasca 63 P21
Nuestra Señora de la Carrasca (Ermita) 39 J25
Nuestra Señora de la Consolación 81 U12
Nuestra Señora de la Esperanza 74 R24

Negredo 38 I21
Negredo (El) 37 I20
Negreira 6 D3
Negrete (Cabo) 77 T27
Negrilla de Palencia 35 I13
Negro (Zamora) 17 F10
Negro (Río) 4 B10
Negrón 52 L25
Negrón (Túnel de) 9 D12
Negueira de Muñiz 4 C9
Neguillas 38 H22
Neila 21 F21
Neila (Sierra de) 21 F21
Neila de San Miguel 47 K13
Neira 8 D8
Neiro 4 C8
Nela 12 D19
Nembro 5 B12
Nemeño 2 C3
Nemiña 2 C2
Nepas 38 H22
Nerín 24 E30
Nerja 83 V18
Nerja (Cueva de) 83 V18
Nerpio 74 R23
Nerva 69 S10
Nerva (Embalse de) 69 S10
Nervión 12 C21
Nespereira 7 D6
Nestar 11 D17
Nestares 21 F22
Neulos (Pic) 27 E38
Nevada (Sierra) 84 U19
Neves (As) (A Coruña) 3 B6
Neves (As) (Pontevedra) 15 F4
Nevosa (Alto de) 16 G5
Niajo 10 C14
Nicho (Ermita del) 73 S20
Nicova (Rivera de la) 80 T9
Niebla 80 T9
Niefla (Puerto de) 71 Q16
Nietos (Los) 77 T27
Nieva 36 I16
Nieva de Cameros 21 F21
Nieve (Pozo de la) 85 U22
Nieves (A Coruña) 3 B5
Nieves (Cuenca) 51 L24
Nieves (Ermita de las) 94 E3
Nieves (Las) (Sevilla) 69 T11
Nieves (Las) (Toledo) 49 M18
Nieves (Pozo de las) 93 E3
Nigoi 6 E4
Nigrán 6 F3
Nigüelas 84 V19
Nigüella 39 H25
Niharra 36 K15
Níjar 85 V23
Níjar (Campo de) 85 V23
Niñas (Las) 71 S15
Niño (El) 75 R25
Niño (Sierra del) 86 X13
Niñodaguia 16 F7
Niñons 2 C3
Nistal 9 E11
Niveiro 2 C4
Noáin 14 D25
Noalejo 83 T19
Noalla 6 E3
Noarre 25 D33
Nobeda 51 L23
Nobla (Sierra) 14 E27
Noblejas 50 M19
Noceco (cerca de Espinosa de los M.) 12 C19
Noceda (cerca de Castrillo de Cabrera) 8 E10
Noceda (Lugo) 8 D8
Noceda del Bierzo (cerca de Toreno) 8 D10
Nocedo (cerca de Sedano) 11 D18
Nocedo de Curueño 10 D13
Nocedo do Val 16 F7
Noche 3 C7
Nocito 24 F29
Nódalo 21 G21
Nodar 3 C6
Noez 49 M17
Nofuentes 12 D19
Nogais (As) 8 D8
Nogal de las Huertas 19 E16
Nogales (Badajoz) 58 Q9
Nogales (Málaga) 82 V16
Nogales (Palencia) 11 D17
Nogales (Embalse de) 69 Q9
Nogales (Los) 48 L16
Nogales (Rivera de) 69 Q9
Nogalte (Rambla de) 85 T24
Nogar 17 F10
Nogarejas 18 F11
Nograles 38 H21
Nograro 12 D20
Nogueira (Lugo) 7 E6
Nogueira (Ourense) 7 E5
Nogueira (Pontevedra) 6 E3
Nogueira de Ramuín 7 E6
Noguera 52 K25
Noguera (Puerto de) 52 K25
Noguera de Cardós (La) (Riu) 25 E33
Noguera de Tort (La) (Riu) 25 E32
Noguera Pallaresa (La) (Riu) 25 D33
Noguera Pallaresa (Vall de la) 25 E33
Nogueras 40 I26
Nogueras (Las) 65 N26
Noguero 25 F31
Noguerones (Los) 72 T17
Nogueruela (La) 52 L25
Noguerueles 53 L28
Nogueruelas (Sierra de) 53 L28
Nohalos 49 M17
Noharre 36 J15
Noia 6 D3
Noicela 2 C4
Nois 4 B8
Noja 12 B19
Nolay 38 H22
Nombela 49 L16
Nombrevilla 40 I25
Nomparedes 39 H23
Nonaspe 41 I30
Nonó (Cap) 55 O33
Nora 69 R9
Nora (La) (León) 18 F12
Noreña 5 B12

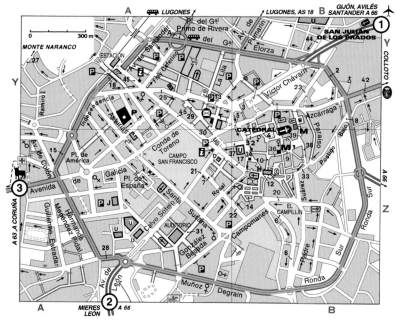

PALENCIA

Antigua Florida (Av. de la) . . . . AY 2
Asturias (Av. de) . . . . AY 3
Barrio y Mier . . . . AY 4
Cardenal Almaraz . . . . AY 5
Cervantes (Pl.) . . . . AY 8
La Cestilla . . . . AZ 23
Eduardo Dato . . . . AY 14
Gil de Fuentes . . . . AZ 17
Ignacio Martínez de Azcoitia . . . . BY 20
Jorge Manrique . . . . AY 21
Juan de Castilla . . . . AY 22
Mayor . . . . AYZ
Mayor (Pl.) . . . . AY 24
Mayor (Puente) . . . . AZ 25
Menéndez Pelayo . . . . AY 26
Padre Faustino Calvo (Pas. del) . . . . AZ 28
Salvino Sierra . . . . AY 32
Santander (Av. de) . . . . ABY 38
Santo Domingo de Guzmán . . AY 40
San Francisco (Pl.) . . . . BZ 6
San Juan de Dios . . . . BZ 33
San Marcos . . . . AZ 34

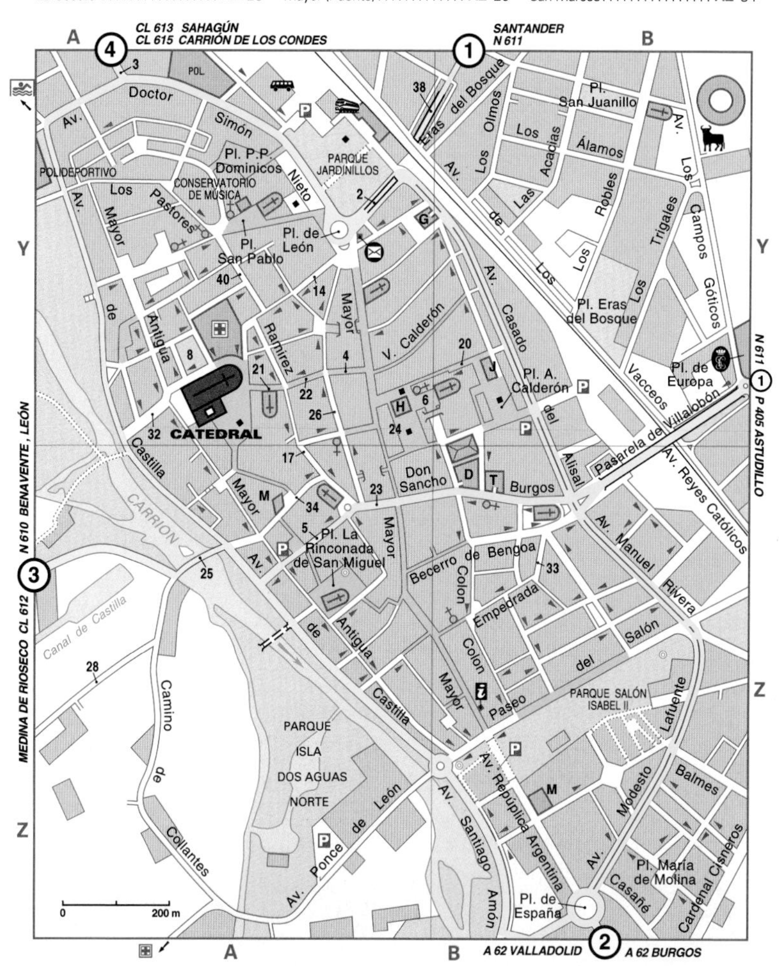

O

LAS PALMAS DE GRAN CANARIA

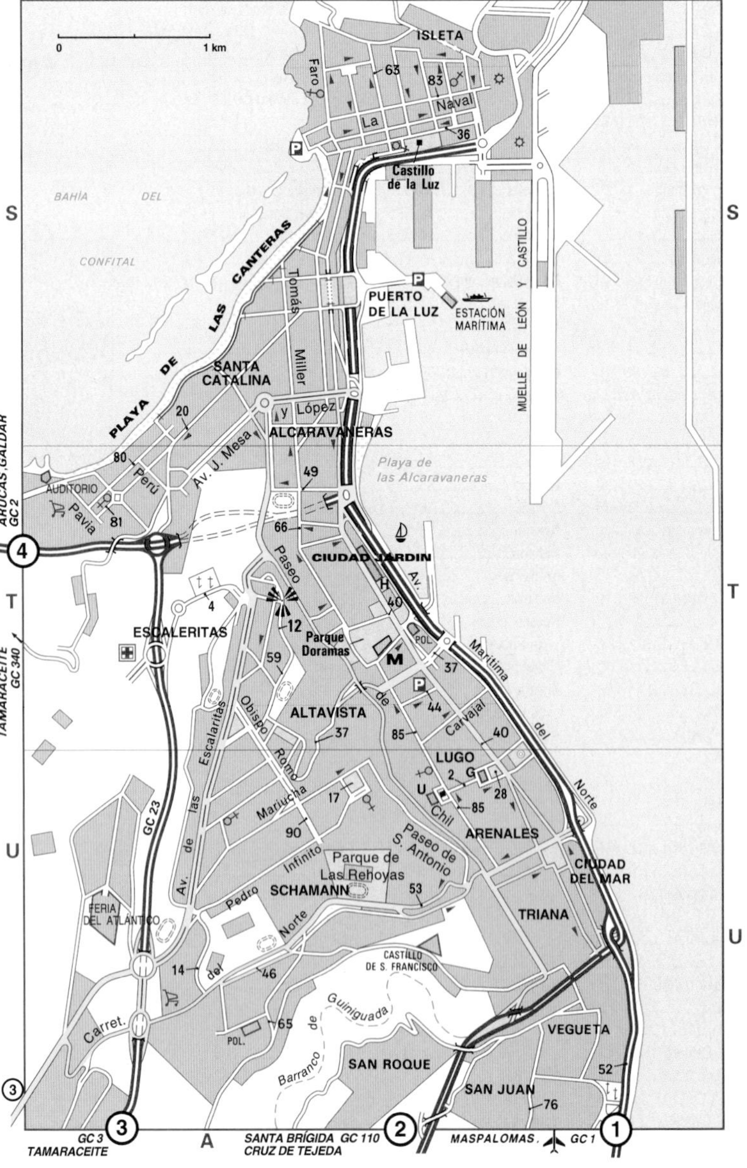

PALMA DE MALLORCA

Ayuntamiento GZ **H** — Casa Berga GY **J** — Museo del Mallorca GZ **M1** — Museo Diocesano GZ **M2** — Palau Solleric GY **Z**

PAMPLONA

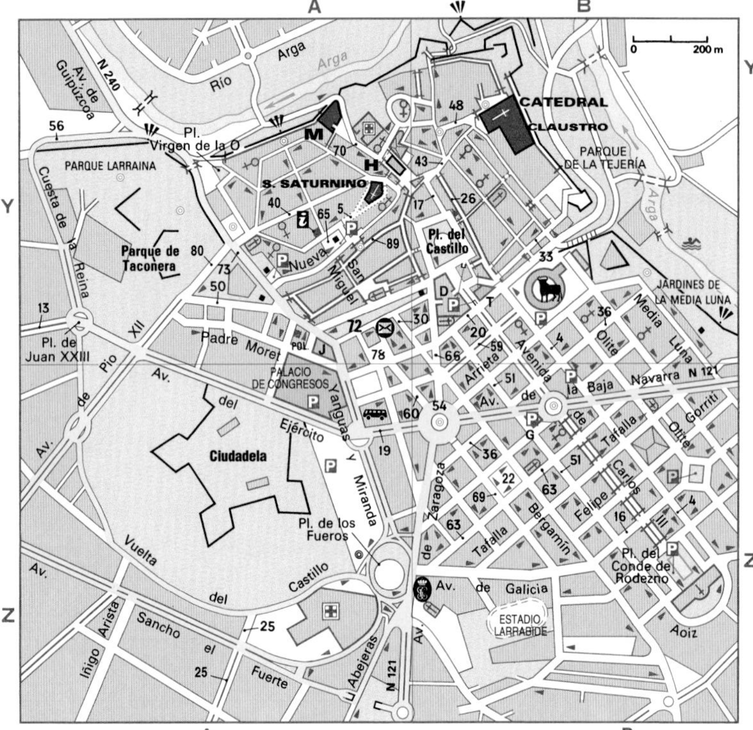

Museo de Navarra ... M

P

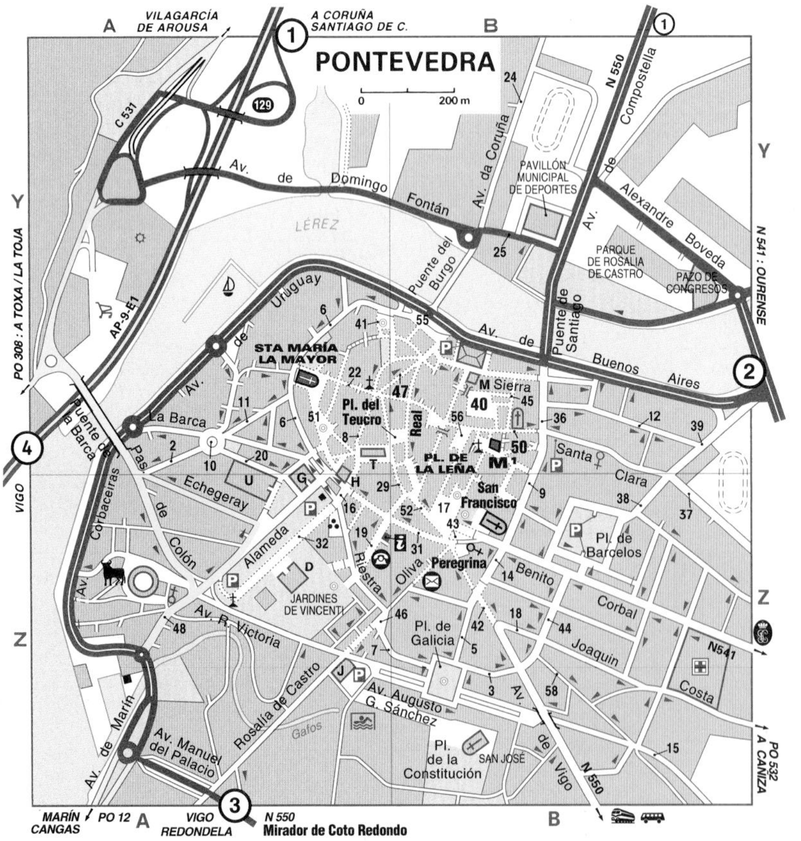
PONTEVEDRA
VILAGARCÍA DE AROUSA
A CORUÑA SANTIAGO DE C.
0 200 m
LÉREZ
PAVILLÓN MUNICIPAL DE DEPORTES
PARQUE DE ROSALÍA DE CASTRO
PAZO DE CONGRESOS
STA MARÍA LA MAYOR
Pl. del Teucro
PL. DE LA LEÑA
San Francisco
Peregrina
JARDINES DE VINCENTI
Pl. de Galicia
Pl. de Barcelos
Pl. de la Constitución
SAN JOSÉ
PO 308 : A TOXA / LA TOJA
N 541 : OURENSE
PO 532 A CAÑIZA
MARÍN CANGAS
PO 12
VIGO REDONDELA
N 550
Mirador de Coto Redondo

Q

R

S

SALAMANCA

Álvaro Gil ... BY 3
Anaya (Pl.) ... BZ 4
Ancha ... ABY
Ángel (Pl.) ... BY 6
Azafranal ... CY
Balmes ... AZ
Bandos (Pl. de los) ... BY 7
Bordadores ... BY 9
Caldereros ... BZ 10
Calderón de la Barca ... BZ 12
Campaña ... BY
Canalejas (Pas. de) ... CYZ
Carmelitas (Pas. de las) ... ABY
Carmen (Cuesta del) ... BY 13
Cervantes ... BY
Champagnat (Av. de) ... AY
Comuneros (Av. de los) ... CY 16
Concilio de Trento (Pl.) ... BZ 18
Condes de Crespo Rascón ... BY 19
Constitución (Pl. de la) ... CY 21
Corillo (Pl.) ... BY 22
Desengaño (Pas.) ... AZ 24
Diego de Cobarrubias (Pl.) ... AY
Dr. Gregorio Marañón (Av.) ... AY
Dr. Torres Villarroel (Pas. del) ... BY 25
Enrique Esteban (Puente) ... BZ 27
España (Pl. del) ... CY
Espoz y Mina ... BY 28
Estación (Pas. de la) ... CY 30
Federico Anaya (Av. de) ... CY 31
Filiberto Villalobos (Av. de) ... AY 33
Fray Luis de Granada ... BY 34
Fregeneda ... AZ
Fuente (Pl. de la) ... BY 36
García Tejado ... AY
Gran Vía ... CY
Grillo ... CYZ
Italia (Av. de) ... BY
Juan de la Fuente ... BZ 37
Libertad (Pl. de la) ... BY 39
Libreros ... BZ 40
María Auxiliadora ... CY 42
Marquesa de Almarza ... CZ 43
Mayor (Pl.) ... BY
Meléndez ... BY 45
Mirat (Av. de) ... BCY
Monterrey (Pl. de) ... BY 46
Obispo Jarrín ... BY 48
Padilla ... CY 49
Palominos ... BZ 51
Patio Chico ... BZ 52
Pedro Mendoza ... CY 54
Poeta Iglesias (Pl.) ... BY 57
Portugal (Av. de) ... CY
Pozo Amarillo ... BY 58
Príncipe de Asturias (Puente) ... BZ 59
Prior ... BY
Progreso (Pas. del) ... AZ
Puerta de Zamora (Pl.) ... BY
Ramón y Cajal ... AY 60
Rector Esperabe (Pas. del) ... BZ
Rector Lucena ... BY 15
Reina (Pl. de la) ... CY 61
Reyes de España (Av.) ... BZ 63
Rosario ... BCZ
Rúa Mayor ... BZ
Sánchez Fabres (Puente) ... AZ 73
Sancti Spiritus (Cuesta) ... CY 75
Santa Clara ... CZ
Santa Eulalia (Pl.) ... CY 69
Santa Teresa (Pl. de) ... BY 70
Santo Domingo (Pl.) ... BZ 72
San Antonio (Pas. de) ... CY
San Blas ... AY 64
San Gregorio ... AZ
San Isidro (Pl. de) ... BYZ 66
San Julián (Pl.) ... CY 67
San Justo ... BY
San Pablo ... BZ
San Vicente (Pas. de) ... AY
Serranos ... BZ 76
Sorias ... BY
Toro ... BCY
Tostado ... BZ 78
Vergara ... CYZ
Villamayor (Av. de) ... AY
Wences Moreno ... BY 79
Zamora ... BY

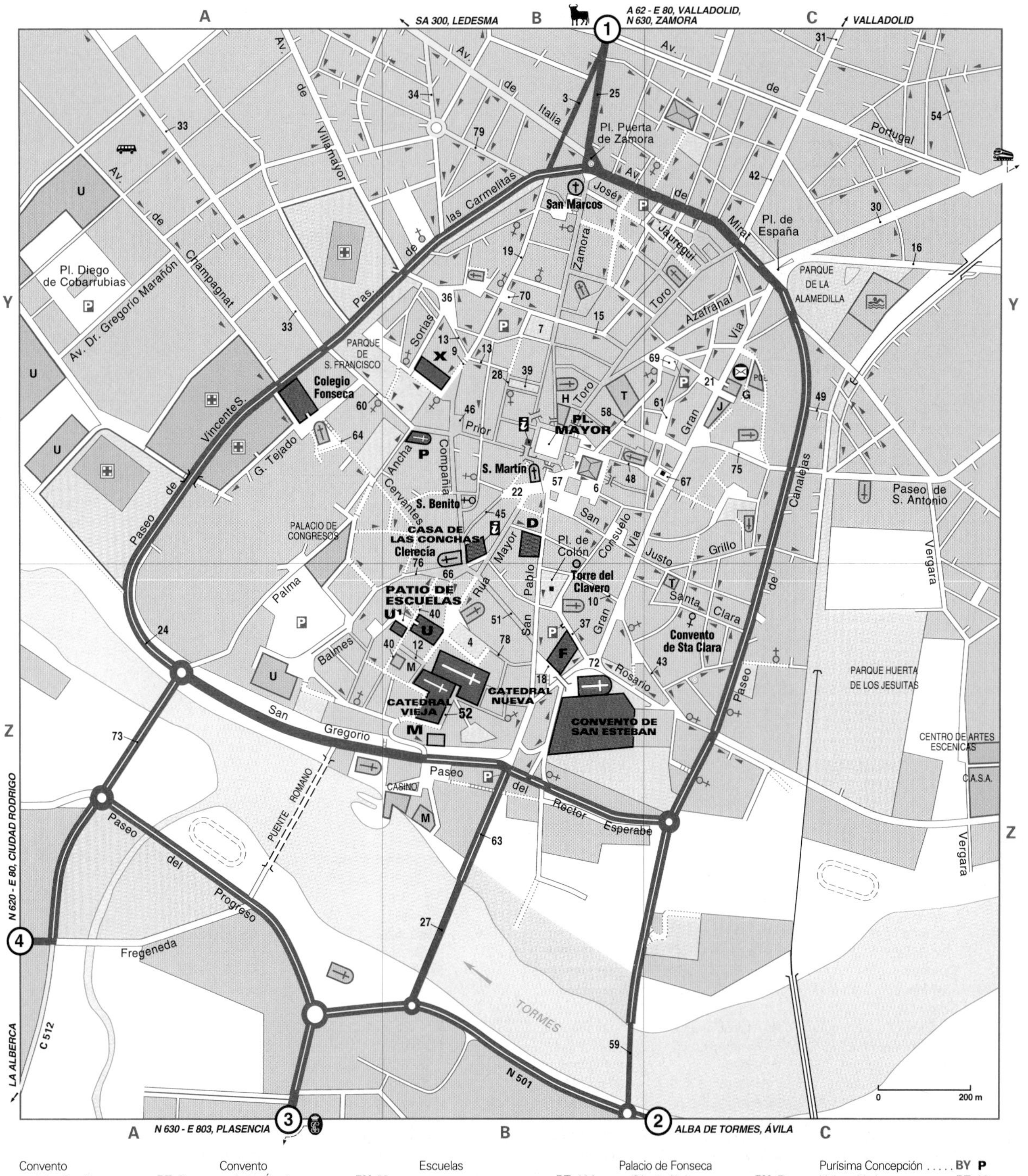

Convento de las Dueñas ... BZ F
Convento de las Úrsulas ... BY X
Escuelas menores ... BZ U[1]
Palacio de Fonseca (Diputación) ... BY D
Purísima Concepción ... BY P
Universidad ... BZ U

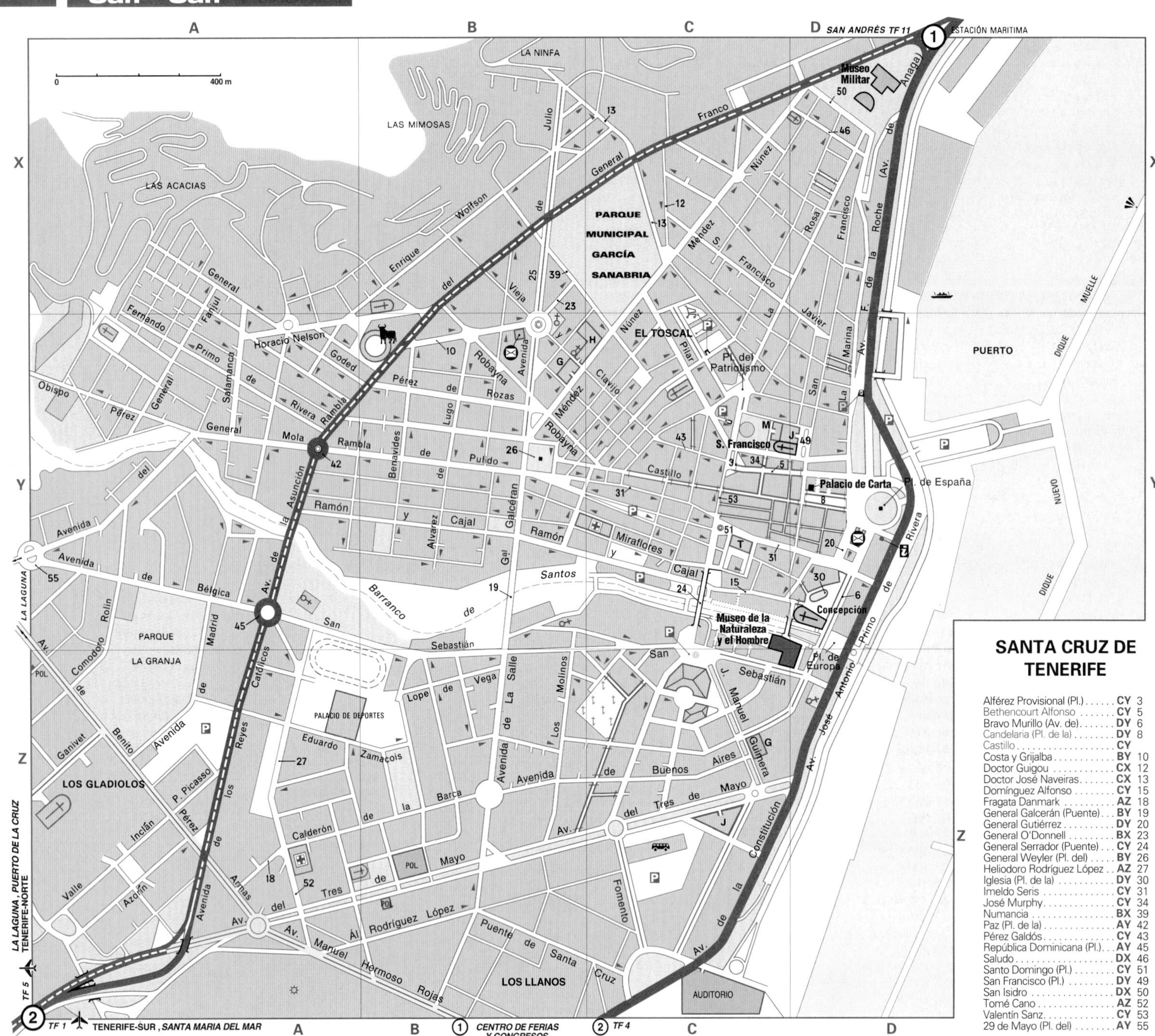
SANTA CRUZ DE TENERIFE
Alférez Provisional (Pl.) . . . . . . CY 3
Bethencourt Alfonso . . . . CY 5
Bravo Murillo (Av. de). . . . . . . DY 6
Candelaria (Pl. de la) . . . . DY 8
Castillo . . . . CY
Costa y Grijalba . . . . BY 10
Doctor Guigou . . . . CX 12
Doctor José Naveiras. . . . . . . CX 13
Domínguez Alfonso . . . . CY 15
Fragata Danmark . . . . AZ 18
General Galcerán (Puente) . . . BY 19
General Gutiérrez . . . . DY 20
General O'Donnell . . . . BX 23
General Serrador (Puente) . . . CY 24
General Weyler (Pl. del) . . . . . BY 26
Heliodoro Rodríguez López . . AZ 27
Iglesia (Pl. de la) . . . . DY 30
Imeldo Seris . . . . CY 31
José Murphy. . . . . CY 34
Numancia . . . . BX 39
Paz (Pl. de la) . . . . AY 42
Pérez Galdós. . . . . CY 43
República Dominicana (Pl.). . . AY 45
Saludo . . . . DX 46
Santo Domingo (Pl.) . . . . CY 51
San Francisco (Pl.) . . . . DY 49
San Isidro . . . . DX 50
Tomé Cano . . . . AZ 52
Valentín Sanz. . . . . CY 53
29 de Mayo (Pl. del) . . . . AY 55
A
B
C
D
X
Y
Z
400 m
SAN ANDRÉS TF 11
ESTACIÓN MARITIMA
LA NINFA
LAS MIMOSAS
LAS ACACIAS
Museo Militar
PARQUE MUNICIPAL GARCÍA SANABRIA
EL TOSCAL
PUERTO
Pl. del Patriotismo
S. Francisco
Palacio de Carta
Pl. de España
Concepción
Museo de la Naturaleza y el Hombre
Pl. de Europa
PARQUE LA GRANJA
PALACIO DE DEPORTES
LOS GLADIOLOS
LOS LLANOS
AUDITORIO
LA LAGUNA, PUERTO DE LA CRUZ TENERIFE-NORTE
TF 5
TF 1
TENERIFE-SUR, SANTA MARIA DEL MAR
CENTRO DE FERIAS Y CONGRESOS
TF 4

SANTANDER

Alfonso XIII (Av.) EZ 4
Andrés del Rio FZ 6
Arrabal EFZ 10
Atalaya (Cuesta de la) EZ 12
Atilano Rodríguez EZ 13
Calderón de la Barca (Av.) EZ 15
Calvo Sotelo (Av.) EZ
Cañadio (Pl.) FZ 19
Casimiro Sáinz FZ 21
Daoíz y Velarde FZ 27
Escalantes EZ 30
Francisco de Quevedo EZ 32
Hospital (Cuesta del) EZ 37
Jesús de Monasterio EZ 42
José Antonio (Pl.) FZ 44
Juan de Herrera EZ 46
Juan de la Cosa FZ 47
Lealtad EZ 49
Marcelino Sautuola FZ 55
Matiás Montero (Pl.) FZ 56
Peña Herbosa FZ 69
Porticada (Pl.) EZ 72
Ramón Dóriga FZ 75
Rúalasal EZ
Rubio EZ 78
San Francisco EZ 82
Valliciergo FZ 90

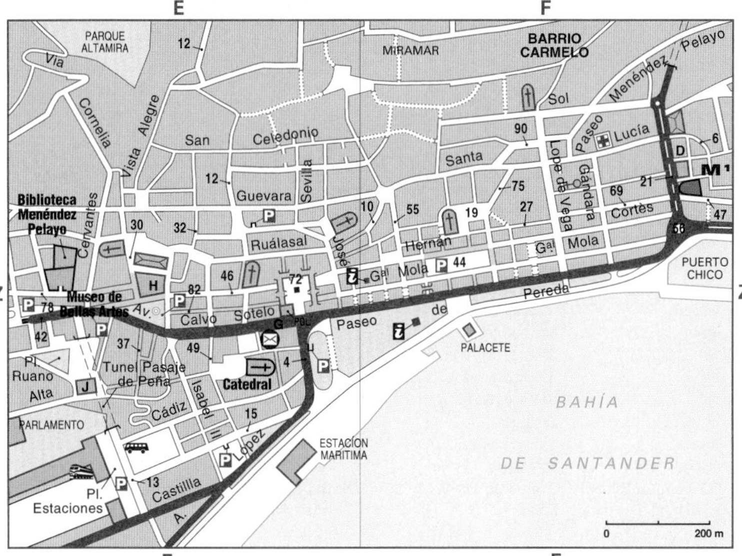

Museo Regional de Prehistoria y Arqueología FZ M[1]

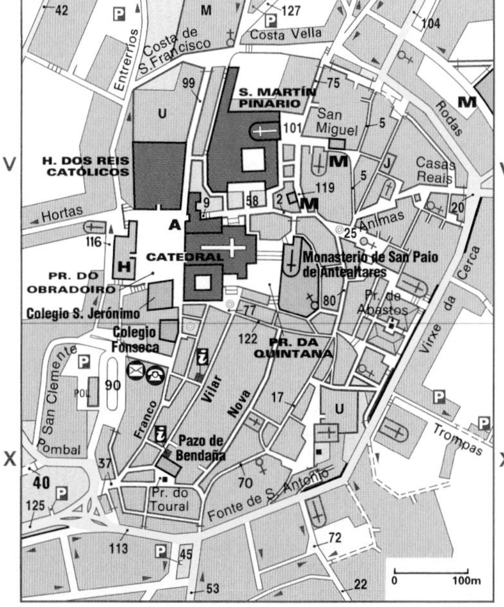

SANTIAGO DE COMPOSTELA

Acibechería V 2
Algalia de Arriba V 5
Arco de Palacio V 9
Caldeirería X 17
Camiño (Porta do) V 20
Castrón Douro X 22
Cervantes (Pr. de) V 25
Faxeiras (Porta da) X 37
Ferradura (Pas. da) X 40
Galeras V 42
Galicia (Pr. de) X 45
Hórreo X 53
Immaculada (Pr. da) V 58
Nova (R.) X
Orfas X 70
Palacio Gelmírez
Patio de Madres X 72
Pena (Porta da) V 75
Praterías (Pr. das) VX 77
Preguntoiro V 80
Rodrigo de Padrón (Av. de) X 90
San Francisco V 99
San Martiño (Pr. de) V 101
San Roque V 104
Senra X 113
Trinidade V 116
Troia V 119
Vilar (R. do) X
Xelmírez X 122
Xoán Carlos I (Av.) V 125
Xoán XXIII (Av. de) V 127

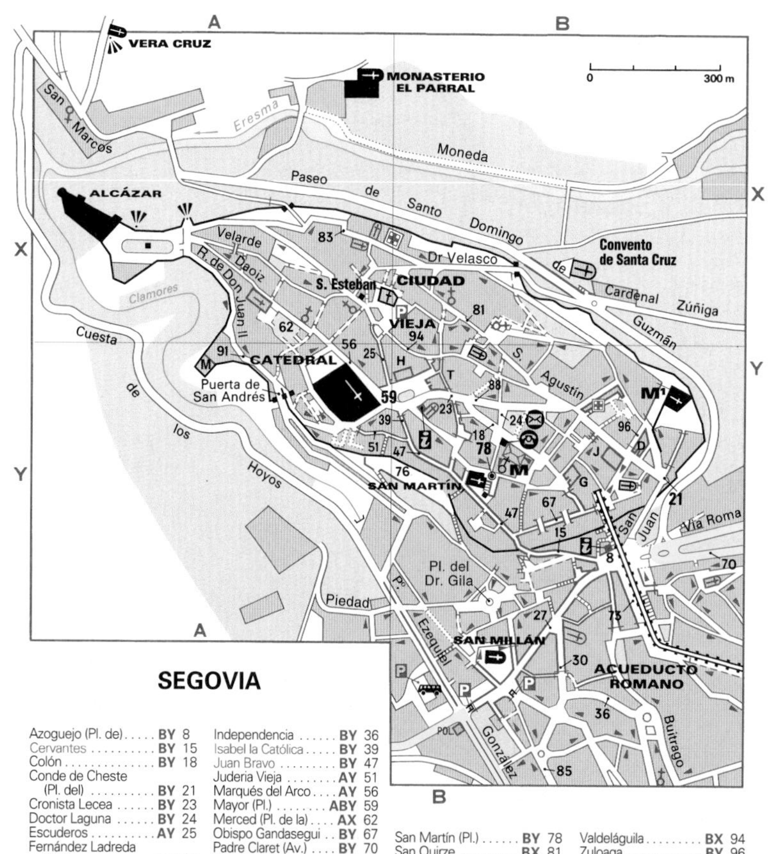

SEGOVIA

Azoguejo (Pl. de) BY 8
Cervantes BY 15
Colón BY 18
Conde de Cheste (Pl. del) BY 21
Cronista Lecea BY 23
Doctor Laguna BY 24
Escuderos AY 25
Fernández Ladreda (Av.) BY 27
Gobernador F. Jiménez BY 30
Independencia BY 36
Isabel la Católica BY 39
Juan Bravo BY 47
Judería Vieja AY 51
Marqués del Arco AY 56
Mayor (Pl.) ABY 59
Merced (Pl. de la) AX 62
Obispo Gandasegui BY 67
Padre Claret (Av.) BY 70
Ruiz de Alda BY 73
Salón (Pas. del) BY 76
Santiago (Puerta de) AX 83
San Martín (Pl.) BY 78
San Quirze BX 81
Serafín BY 88
Socorro AY 91
Valdeláguila BX 94
Zuloaga BY 96

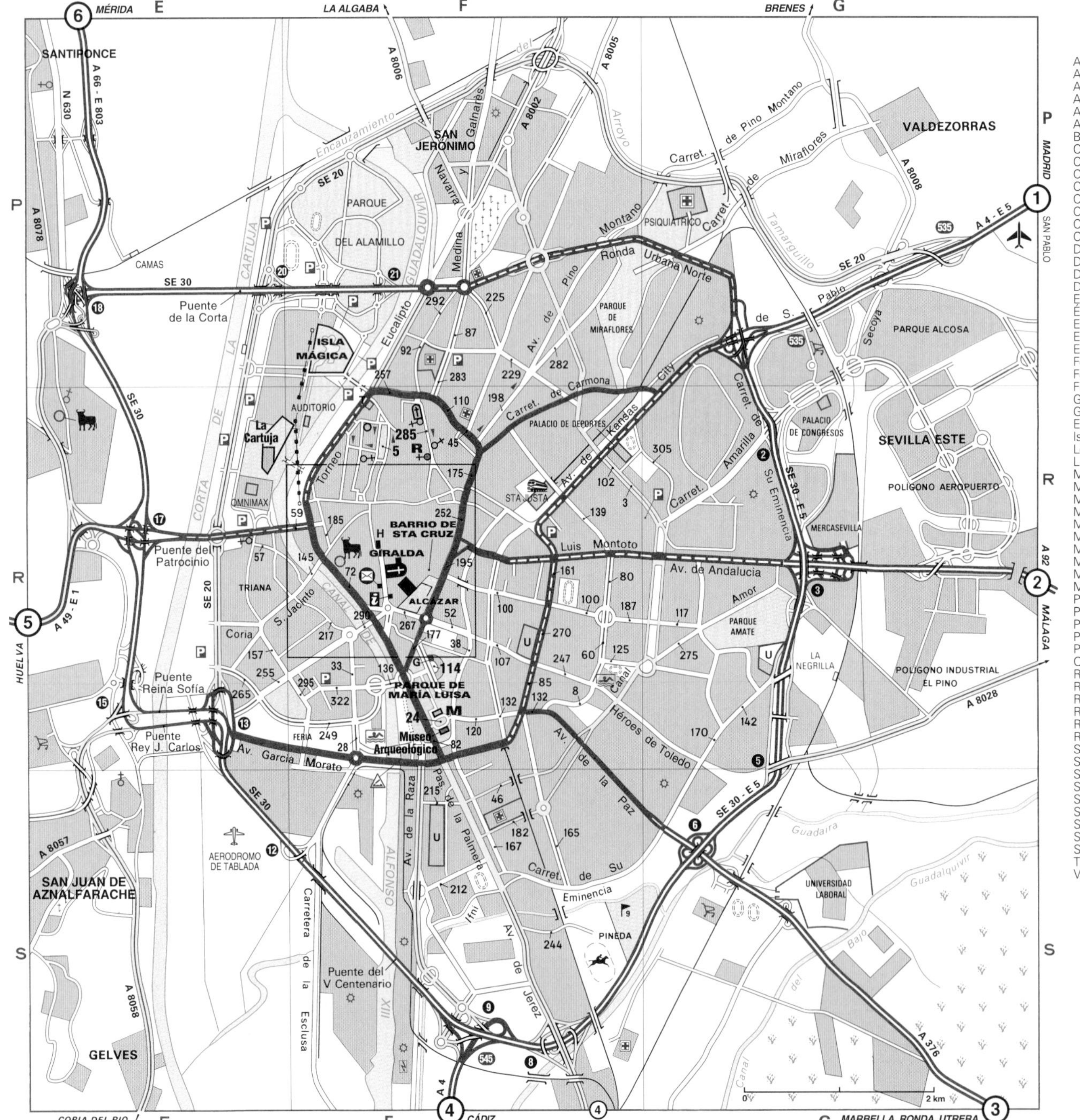

MÉRIDA
LA ALGABA
BRENES
SANTIPONCE
CAMAS
SAN JERÓNIMO
PARQUE DEL ALAMILLO
ISLA MÁGICA
La Cartuja
VALDEZORRAS
PARQUE ALCOSA
SEVILLA ESTE
POLÍGONO AEROPUERTO
BARRIO DE STA CRUZ
GIRALDA
ALCÁZAR
TRIANA
PARQUE DE MARÍA LUISA
Museo Arqueológico
PARQUE AMATE
POLÍGONO INDUSTRIAL EL PINO
AERODROMO DE TABLADA
SAN JUAN DE AZNALFARACHE
UNIVERSIDAD LABORAL
PINEDA
GELVES
HUELVA
MADRID
SAN PABLO
MÁLAGA
CORIA DEL RIO
CÁDIZ
MARBELLA, RONDA, UTRERA

SEVILLA

SEVILLA

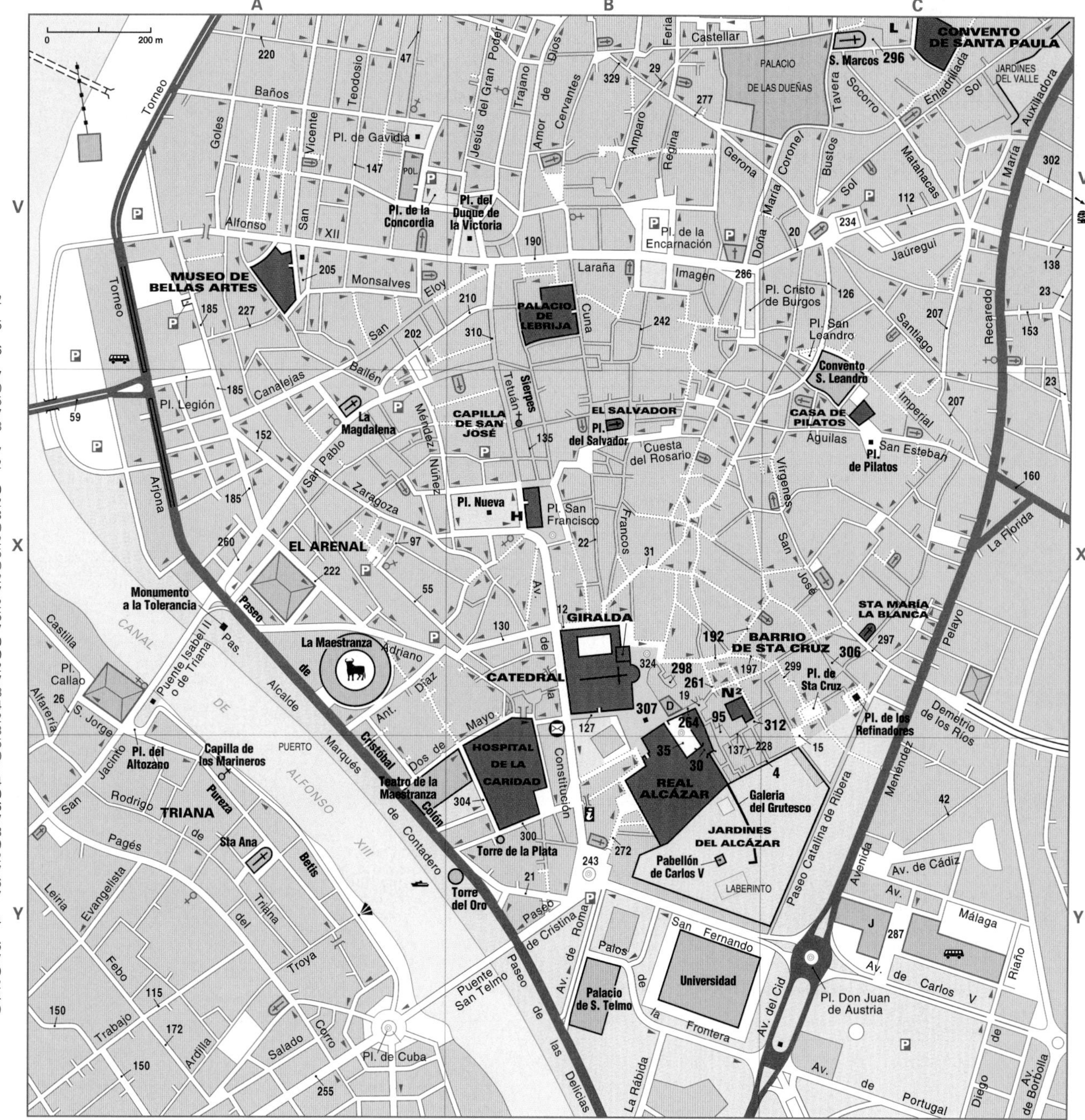

Soto de Caso..........10 C14
Soto de Cerrato........19 G16
Soto de Congas........10 B14
Soto de Dueñas........10 B14
Soto de la Marina.....11 B18
Soto de la Vega........18 F12
Soto de los Infantes...5 B11
Soto de Luiña...........5 B11
Soto de Ribera...........5 C12
Soto de Sajambre....10 C14
Soto de Trevias..........4 B10
Soto de Viñuelas......37 K18
Soto del Barco...........5 B11
Soto del Real...........37 J18
Soto en Cameros.....21 F22
Soto y Amío..............9 D12
Sotobañado y Priorato.............11 E16
Sotoca.......................51 L22
Sotoca de Tajo.........38 J22
Sotodosos................38 J22
Sotogrande...............87 X14
Sotojusto......................6 F4
Sotón (Río)................23 F28
Sotonera (Embalse de)........23 F27
Sotonera (La)...........23 F28
Sotopalacios.............20 E18
Sotos.........................51 L23
Sotos del Burgo.......20 H20
Sotosalbos................37 I18
Sotoserrano..............47 K11
Sotovellanos.............11 E17
Sotragero..................20 E18
Sotres........................10 C15
Sotresgudo...............11 E17
Sotrondio....................5 C13
Sotuélamos...............63 O22
Sousas.......................16 G7
Soutelo........................6 E5
Soutelo Verde...........16 F7
Souto (cerca de Betanzos)........3 C5
Souto (Toques).........7 D6
Soutochao.................16 G8
Soutolongo..................7 E5
Soutomaior..................6 E4
Soutopenedo.............16 F6
Spinola......................86 W12
Su..............................29 G34
Suances.....................11 B17
Suano........................11 D17
Suarbol.......................8 D9
Suarna........................4 C8
Subijana....................12 D21
Subirats....................30 H35
Subiza.......................13 D24
Sucina.......................77 S27
Sudanell....................28 H31
Sueca........................65 O29
Sueiro..........................4 B9
Suellacabras.............22 G23
Suelta Alta................23 G28
Suelza (Punta)...........24 E30
Suera........................53 M28
Sueros de Cepeda......9 E11
Suertes........................8 D9
S'Uestra.....................55 M42
Sueve (Reserva nacional de)..........10 B14
Suevos (cerca de Carnota)...........6 D2
Suevos (cerca de La Coruña).......3 B4
Suflí..........................85 T22
Suido (Sierra del).......6 F4
Sukarieta...................12 B21
Sumacàrcer...............65 O28
Sumoas.......................3 A7
Sunbilla......................13 C24
Sunyer.......................28 H31
Super Molina.............26 F35
Suquets.....................28 G31
Súria..........................30 G35
Suró (Tossal)..............29 H33
Surp..........................25 E33
Susañe........................9 D10
Susana........................6 D4
Susinos del Páramo..........20 E18
Suso (Monasterio de)....21 F21
Suspiro del Moro (Puerto del)...........83 U19
Susqueda (Pantà de).............30 G37
Suterranya.................25 F32

T

Taale..........................74 S22
Tabagón.....................15 G3
Tabajete.....................81 V11
Tabanera de Cerrato............20 F17
Tabanera de Valdavia..........10 E15
Tabanera la Luenga.37 I17
Tabaqueros...............64 N25
Tabar.........................14 D25
Tábara.......................18 G12
Tabarca (Illa de)........77 R28
Tabayesco..................94 F3
Tabaza.........................5 B12
Tabeaio........................2 C4
Tabeirós.......................6 E4
Tabera de Abajo.......35 J11
Tabera de Arriba......35 J11
Tabernanova................2 C2
Tabernas....................85 U22
Tabernas (Rambla de).........85 V22
Tabernas de Isuela...23 F28
Taberno.....................85 T23
Tablada......................37 J17
Tablada de Villadiego........20 E18
Tablada del Rudrón..11 D18
Tabladillo (Guadalajara).......50 K21
Tabladillo (León)..........9 E11
Tabladillo (Segovia).36 I16
Tablado (El)...............88 C3
Tablado (Puerto de)...........69 R9
Tablado de Riviella.....4 B10
Tablas de Daimiel (Parque nacional).62 O19
Tablero (El)................92 D4
Tablillas (Embalse de).........72 Q17
Tablón (Sierra del)...82 V14
Tablones (Los).........84 V19
Taboada (A Coruña)...3 B5
Taboada (Lugo)..........7 D6
Taboada (Pontevedra).........7 D5
Taboada dos Freires...7 D6
Taboadela..................16 F6
Taborno......................91 I1
Tabuenca...................22 G25
Taburiente (Caldera de).........88 C4
Tabuyo del Monte....17 F11
Taca...........................95 G2
Taco...........................91 I2
Tacones.....................49 M16
Tacoronte...................91 H2
Tafalla........................22 E24
Tafira Alta..................93 F2
Tagamanent...............30 G36
Tagana.......................91 J1
Tagarabuena.............35 H13
Tagle..........................11 B17
Tagomago (Illa de)...55 O34
Tagoro.......................91 J6
Taguluche (cerca de Arure).89 B2
Tahal.........................85 U23
Tahiche.......................94 E4
Tahivilla.....................86 X12
Taialà.........................27 F38
Taibilla (Embalse de).......74 R23
Taibilla (Río).............74 R22
Taibilla (Sierra de)....74 R22
Taibique.....................89 D3
Taja.............................5 C11
Tajahuerce.................22 G23
Tajera (Embalse de la)....38 J22
Tajo (Nacimiento del Río)..................52 L24
Tajo (Río)....................45 N7
Tajo de la Encantada (Embalse)............82 V15
Tajo de las Figuras (Cuevas del)..........86 X12
Tajo Segura...............51 M22
Tajo-Urtajo (Balcón del)..........50 L19
Tajonar/Taxoare........14 D25
Tajonera....................50 M20
Tajoneras (Las).........73 Q20
Tajueco......................38 H21
Tajuña (Río)...............38 J22
Tajuya (cerca de La Laguna)....88 C5
Tal...............................6 D2
Tala (La)....................35 K13
Talaies (Les).............54 K31
Talaies d'Alcalà (Les)......................54 K30
Talamanca (Barcelona).........30 G35
Talamanca (Ibiza).....55 P34
Talamanca de Jarama............37 J19
Talamantes................22 G24

TOLEDO

Alcántara (Puente de) CX
Alfileritos BY
Alfonso VI (Pl. de) BX
Alfonso XII BY 3
Alfonso X el Sabio BY 2
América (Av. de) AX
Ángel AY
Ave María BZ
Ayuntamiento (Pl. del) BY 4
Azarquiel (Puente de) CX
Cabestreros (Pas. de) CZ
Cadenas BY 7
Campana (Travesía) BY 8
Cardenal Lorenzana BY 9
Cardenal Tavera BX
Carlos III (Av. de) AX
Carlos V (Cuesta de) BY 13
Carmelitas AY 14
Cava (Av. de la) AX
Cervantes CY
Circo Romano (Pas. del) AX
Colegio de Doncellas AY 17
Comercio BY
Conde (Pl. del) AY 18
Consistorio (Pl. del) BY 19
Cordonerías BY 20
Cruz Verde (Pas. de la) BZ
Duques de Lerma (Av. de los) BX
Esteban Illán BY 24
Gerardo Lobo BX
Hombre de Palo BY 27
Honda BX 28
Juanelo (Ronda de) CY
Mas del Ribero (Av. de) AX
Matías Moreno AY
Merced BY
Nuncio Viejo BY 29
Núñez de Arce BX 32
Padilla (Pl. y Calle de) ABY 33
Padre Mariana (Pl.) BY 34
Pascuales (Cuesta de los) CY 36
Plata BY
Pozo Amargo BZ
Real del Arrabal BX
Recaredo (Pas. de) AX
Reconquista (Av. de la) ABX
Reyes Católicos AY
Rosa (Pas. de la) CX
El Salvador BY 22
Santa Leocadia (Cuesta de) AY
Santo Tomé ABY
San Cristóbal (Pas.) BZ 38
San Juan de Dios AY 40
San Justo (Cuesta) CY
San Justo (Pl.) BY 41
San Marcos BY 42
San Martín (Puente) AY
San Román BY 44
San Sebastián (Carreras de) BZ
San Torcuato BZ
San Vicente (Pl. de) BY 45
Sillería BX
Sixto Ramón Parro BY 46
Sola BZ
Taller del Moro BY 48
Tendillas BY 10
Toledo de Ohio BY 49
Tornerías BYZ 50
Tránsito (Pas. del) AYZ 52
Trinidad BY
Venancio González CX 53
Zocodover (Pl. de) CY

Casa y Museo de El Greco. AY M1

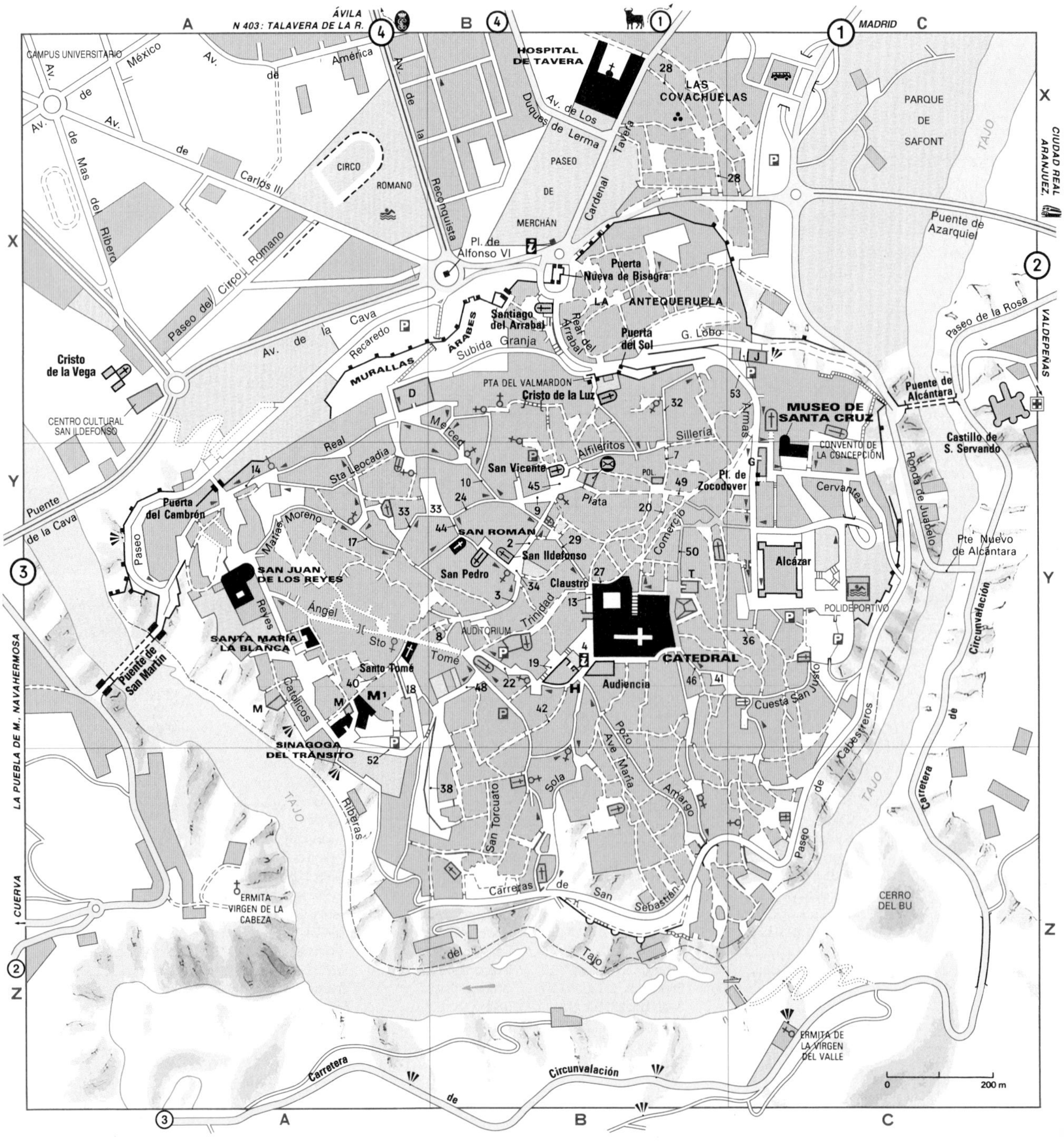

U

V – W

VALÈNCIA

Alcade Reig. . . . . BV 2
Ángel Guimerá . . . . AU 7
Burjassot (Av. de). . . . . AU 9
Campanar (Av.). . . . . AU 10
Cavanilles . . . . BU 14
Constitución (Av. de la) . . . . . BU 15
Doctor Peset Aleixandre (Av.) BU 20
Doctor Tomás Sala (Av. del). . AV 21
Fernando el Católico (G. Vía) . AU 26
Filipinas . . . . BV 29
Gaspar Aguilar (Av. de). . . . . . AV 31
General Avilés (Av.) . . . . AU 32
General Urrutia . . . . BV 36
Giorgeta (Av.) . . . . AV 37
Guadalaviar . . . . BU 38
Hermanos Maristas (Av. de) . BV 42
Ingeniero Manuel Soto (Av.) . CV 43
José Soto Mico . . . . AV 46
Junta de Murs y Valls. . . . . . . BV 44
Liano de la Zaidia . . . . BU 47
Maestro Rodrigo (Av.) . . . . . . AU 51
Mandingora (Av. de). . . . . AV 52
Manuel de Falla (Av.) . . . . AU 53
Menéndez Pidal (Av.). . . . . . . AU 58
Morenas (Camino) . . . . CV 60
Pechina (Paseo) . . . . AU 68
Pérez Galdós (Av. de). . . . . . . AU 69
Peris y Valero (Av. de). . . . . . . BV 71
Pianista Martinez Carrasco
(Av. del) . . . . BV 72
Plata (Av. de la) . . . . BV 76
Primado Reig (Av. del) . . . . . . BU 78
San josé de Calasanz. . . . . . . AU 82
San Vicente Mártir (Av.) . . . . . AV 84
Tirso de Molina (Av.). . . . . AU 92
9 de Octubre . . . . AU 99

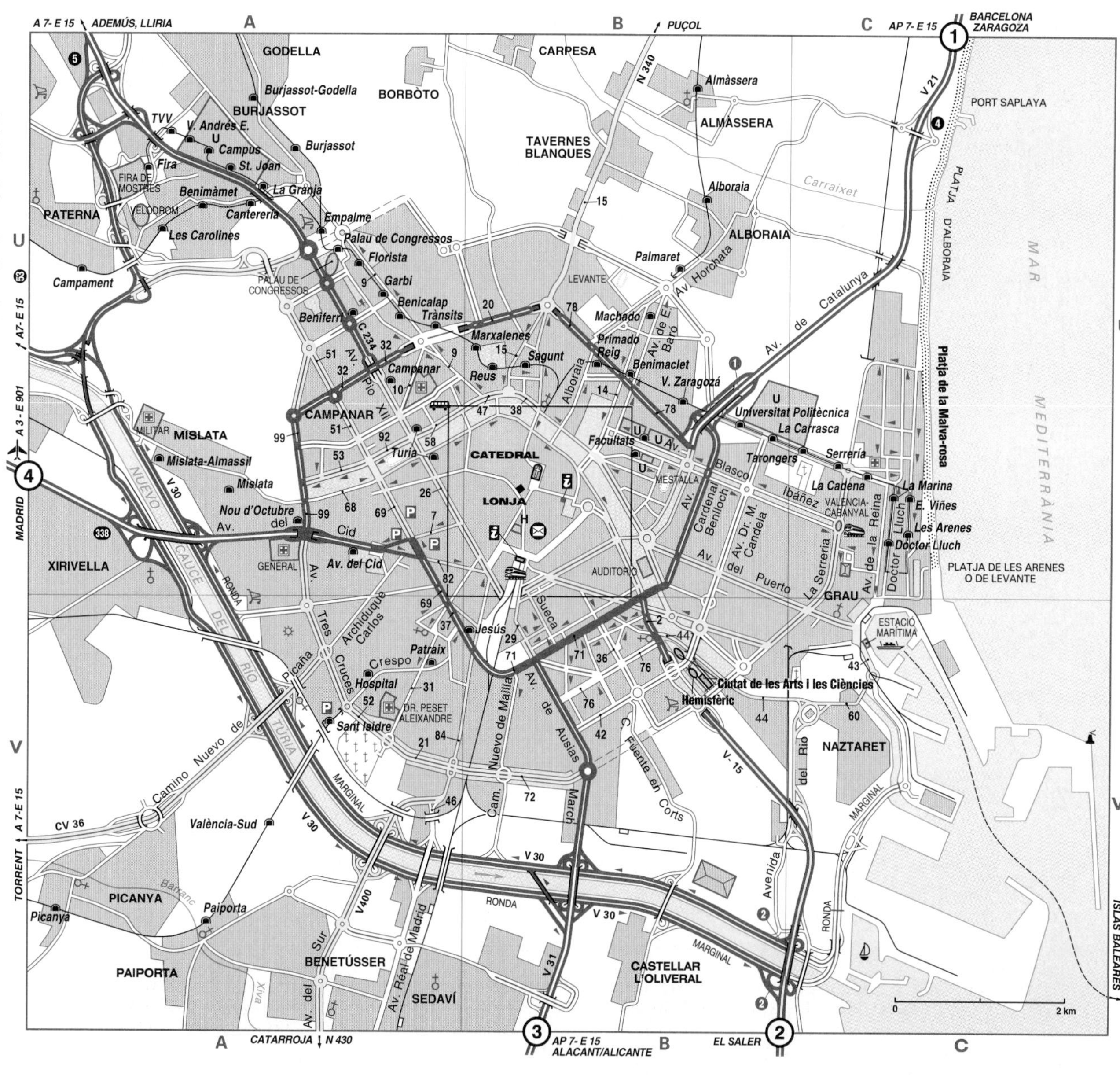

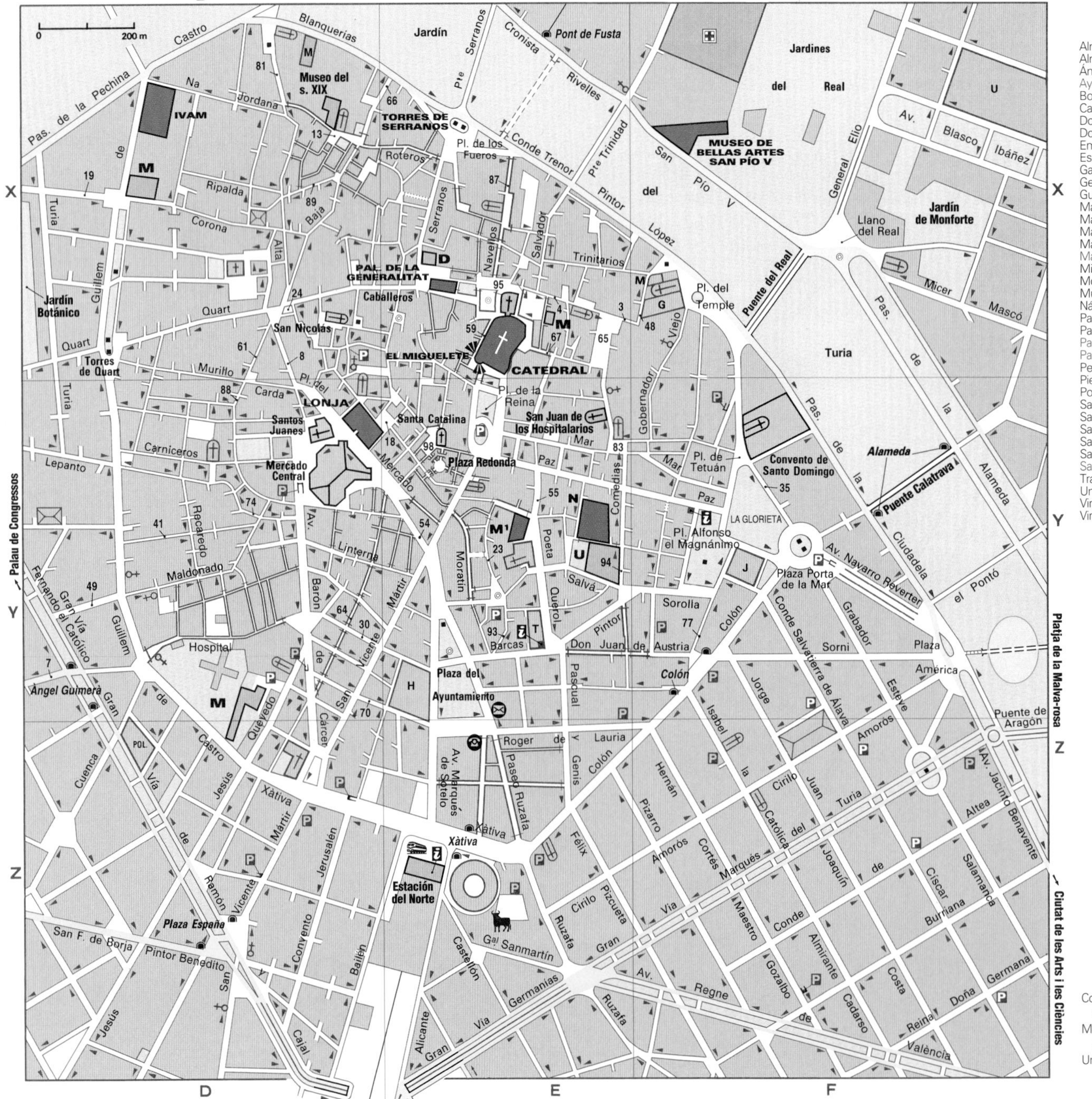
D
E
F
X
Y
Z
200 m
Jardín
Pont de Fusta
Jardines del Real
Museo del s. XIX
IVAM
TORRES DE SERRANOS
Pl. de los Fueros
MUSEO DE BELLAS ARTES SAN PÍO V
Jardín de Monforte
Llano del Real
Jardín Botánico
Torres de Quart
PAL. DE LA GENERALITAT
Caballeros
San Nicolás
EL MIGUELETE
CATEDRAL
Pl. de la Reina
LONJA
Santa Catalina
San Juan de los Hospitalarios
Santos Juanes
Mercado Central
Plaza Redonda
Pl. del Temple
Puente del Real
Turia
Convento de Santo Domingo
Alameda
Puente Calatrava
LA GLORIETA
Pl. Alfonso el Magnánimo
Pl. de Tetuán
Plaza Porta de la Mar
Plaza del Ayuntamiento
Colón
Plaza América
Puente de Aragón
Xàtiva
Estación del Norte
Plaza España
Ángel Guimerà
Palau de Congressos
Platja de la Malva-rosa
Ciutat de les Arts i les Ciències

VALÈNCIA

VALLADOLID

Arco de Ladrillo (Pas. del) .... BZ 2
Arzobispo Gandásegui ...... CY 3
Bailarín Vicente Escudero ... CY 5
Bajada de la Libertad ...... BCY 6
Cadenas de San Gregorio ... CX 8
Cánovas del Castillo .... BCY 9
Cardenal Mendoza .... CY 10
Chancillería .... CX 13
Claudio Moyano .... BY 14
Colegio de Santa Cruz (Pl.) .. CY 40
Doctrinos .... BY 16
Duque de la Victoria .... BY 17
España (Pl. de) .... BY 18
Fuente Dorada (Pl. de) ...... BY 20
Gondomar .... CX 21
Industrias .... CY 23
Jorge Guillén .... BXY 24
Maldonado .... CY 25
Marqués del Duero .... CXY 26
Miguel Iscar .... BY 29
Pasión .... BY 30
Portillo de Balboa .... CX 32
Santiago .... BY 41
Santuario .... CY 42
Sanz y Forés .... CXY 45
San Ildefonso .... BY 36
San Pablo (Pl. de) .... BX 37
Teresa Gil .... BY
Zorrilla (Pas. de) .... ABZ 47

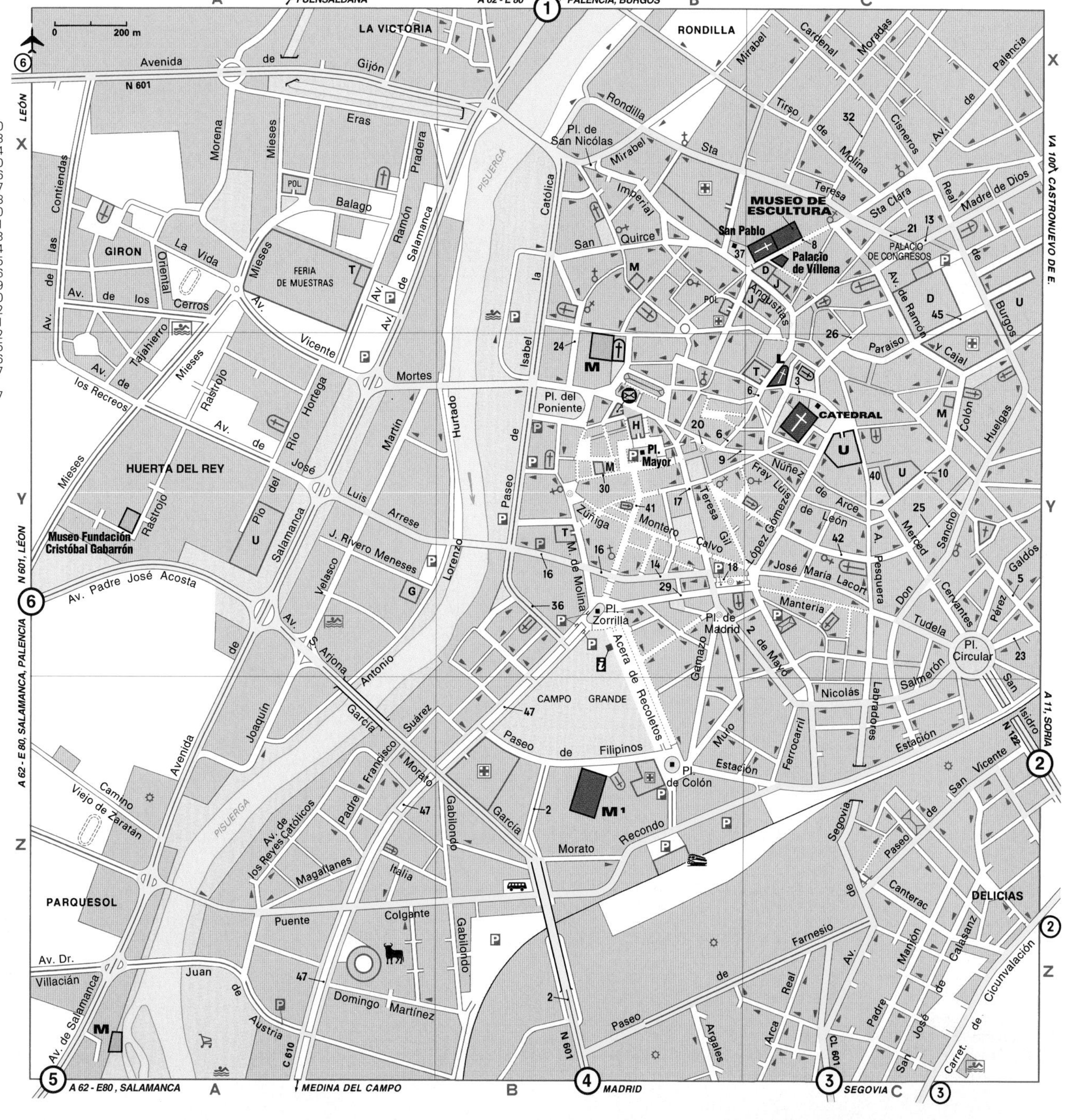

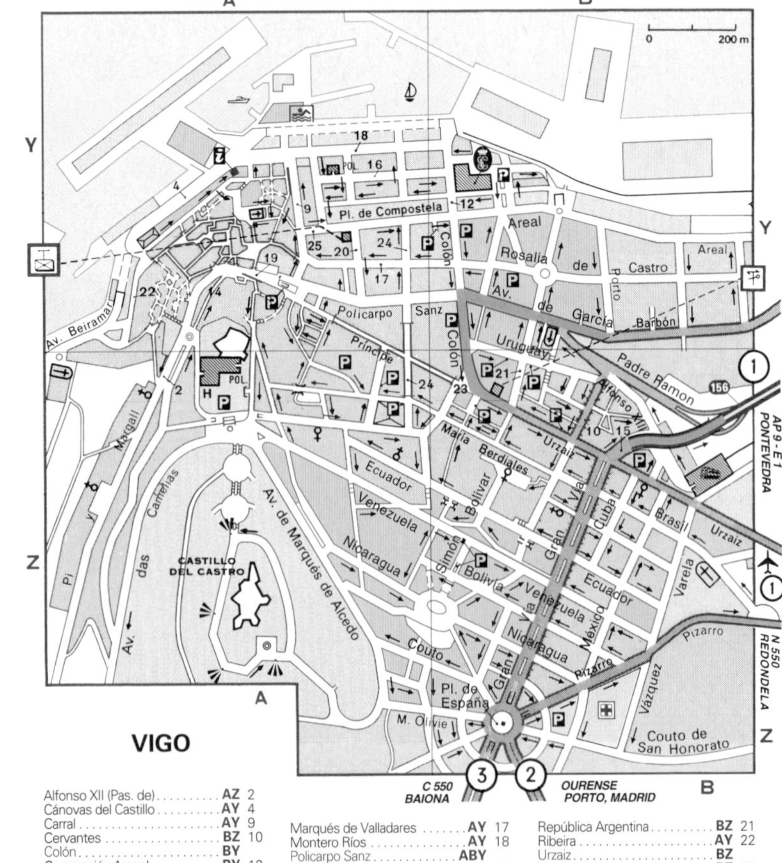

Alfonso XII (Pas. de) ... AZ 2
Cánovas del Castillo ... AY 4
Carral ... AY 9
Cervantes ... BZ 10
Colón ... BY
Concepción Arenal ... BY 12
J. Elduayen ... AY 14
Lepanto ... BZ 15
Luis Taboada ... AY 16
Marqués de Valladares ... AY 17
Montero Ríos ... AY 18
Policarpo Sanz ... ABY
Porta do Sol ... AY 19
Príncipe ... AYZ
Reconquista ... AY 20
República Argentina ... BZ 21
Ribeira ... AY 22
Urzaiz ... BZ
Urzaiz (Pl.) ... BZ 23
Velázquez Moreno ... AYZ 24
Victoria ... AY 25

VITORIA-GASTEIZ

Angulema ....BZ 2
Becerro de Bengoa ....AZ 5
Cadena y Eleta ....AZ 8
Dato ....BZ
Diputación ....AZ 12
Escuelas ....BY 15
España (Pl. de) ....BZ 18
Gasteiz (Av. de) ....AYZ
Herrería ....AY 24
Independencia ....BZ 27
Machete (Pl. del) ....BZ 30
Madre Vedruna ....AZ 33
Nueva Fuera ....BY 34
Ortiz de Zárate ....BZ 36
Pascual de Andagoya (Pl. del) ....AY 39
Portal del Rey ....BZ 42
Postas ....BZ
Prado ....AZ 45
Santa María (Cantón de) ....BY 51
San Francisco ....BZ 48
Virgen Blanca (Pl. de la) ....BZ 55

Museo "Fournier" de Naipes de Álava M4

X

Y

ZARAGOZA

Alfonso I .... YZ
Alfonso V .... Z 6
Candalija .... Z 10
Capitán Portolés .... Z 13
César Augusto (Av.) .... Z 15
Cinco de Marzo .... Z 18
Conde de Aranda .... Z
Coso .... Z
Don Jaime I .... YZ
Independencia (Pas.) .... Z
Magdalena .... Z 42
Manifestación .... Y 43
Sancho y Gil .... Z 58
San Pedro Nolasco (Pl. de) .... Z 63
San Vicente de Paul .... YZ
Teniente Coronel Valenzuela.... Z 67

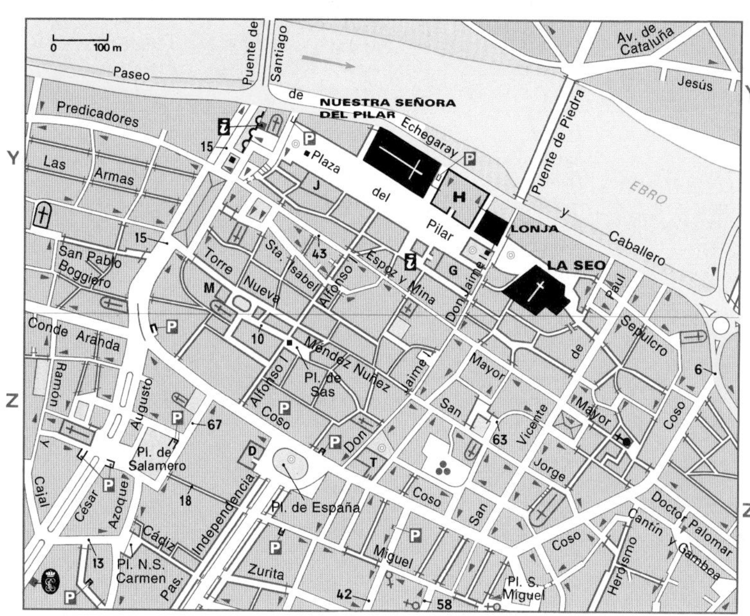

Z

Portugal

AVEIRO

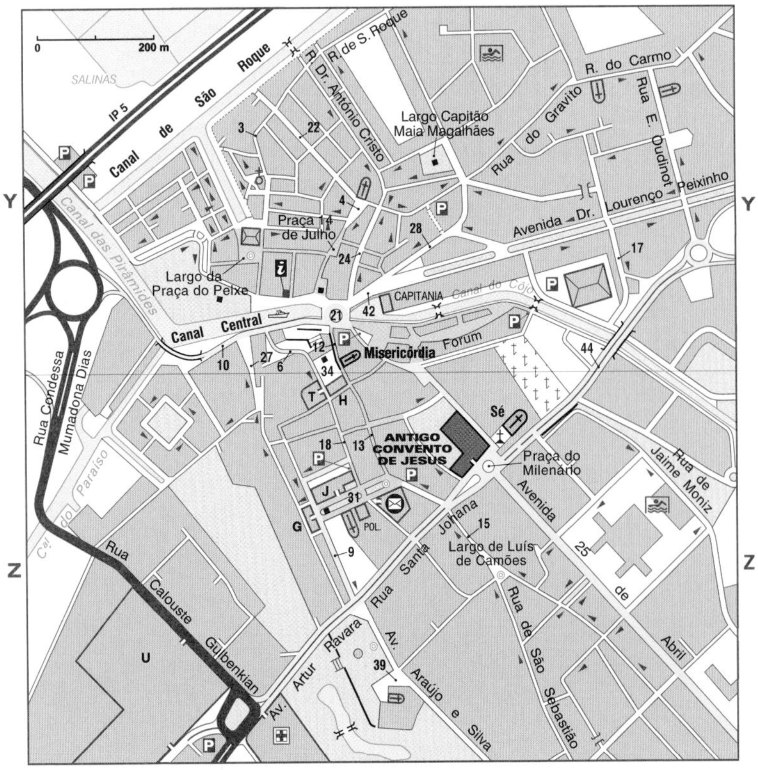

BRAGA

B

C

COIMBRA

Ameias (Largo)....Z 2
Antero de Quental (R.)....V 3
Borges Carneiro (R.)....Z 10
Colégio Novo (R. do)....Y 12
Comércio (P. do)....Z
Coutinhos (R.)....Y 15
Dr João Jacinto (R.)....Y 18
Fernandes Tomás (R.)....Z 25
Fernão de Magalhães (Av.)....Y
Ferreira Borges (R.)....Z 27
Guilherme Moreira (R.)....Z 31
José Falcão (R.)....Z 35
Manutenção Militar (R.)....Y 37
Portagem (Largo da)....Z 42
Quebra-Costas (Escadas do)....Z 44
Saragoça (R. de)....Y 50
Sobre Ribas (R. de)....Z 52
Sofia (R. de)....Y
Visconde da Luz (R.)....Y 54
8 de Maio (Pr.)....Y 56

Mosteiro de Santa Cruz....Y
Museu Nacional Machado de Castro....Z M²

ÉVORA

Álvaro Velho (Largo) .... BZ 3
Aviz (R. de) .... BY 4
Bombeiros Voluntários de Évora (Av.) .... CZ 6
Caraça (Trav. da) .... BZ 7
Cenáculo (R. do) .... BY 9
Combatentes da Grande Guerra (Av. dos) .... BZ 10
Conde de Vila-Flor (Largo) ...... BY 12
Diogo Cão (R.) .... BZ 13
Freiria de Baixo (R. da) .... BY 15
Giraldo (Pr. do) .... BZ
João de Deus (R.) .... AY 16
José Elias Garcia (R.) .... AY 18
Lagar dos Dizimos (R. do) .... BZ 19
Luís de Camões (Largo) .... AY 21
Marquês de Marialva (Largo) ..... BY 22
Menino Jesus (R. do) .... BY 24
Misericórdia (Largo) .... BZ 25
Penedos (Largo dos) .... AY 28
República (R. da) .... BZ
Santa Clara (R. de) .... AZ 30
São Manços (R. de) .... BZ 31
São Miguel (Largo de) .... BY 32
Senhor da Pobreza (Largo) .... CZ 33
Torta (Trav.) .... AZ 34
Vasco da Gama (R.) .... BY 36
1_ de Maio (Pr.) .... BZ
5 de Outubro (R.) .... BYZ 37

Museu de Évora .... BY M[1]
Paço dos Duques de Cadaval .. BY P

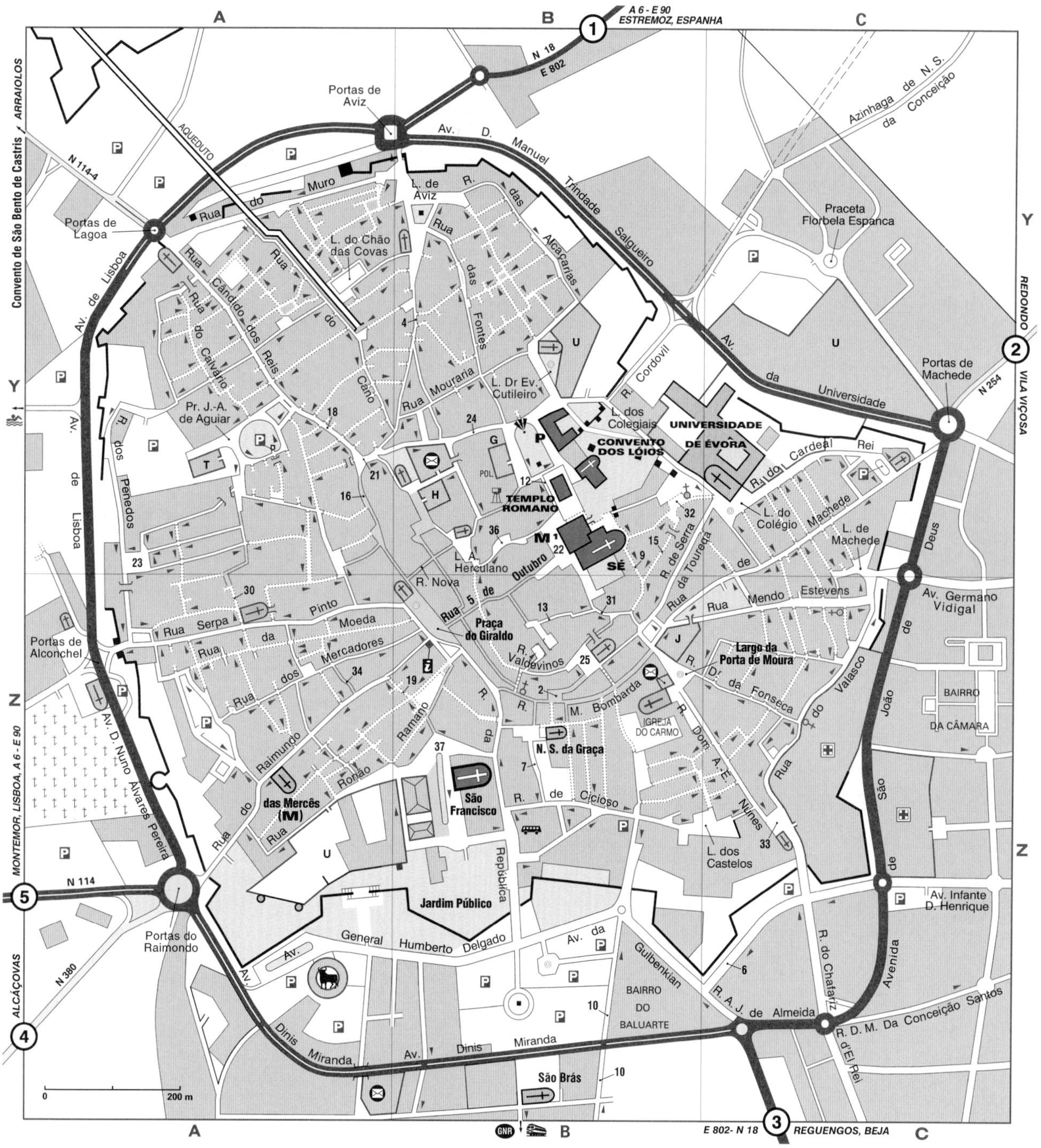

FUNCHAL

F

G

H

I

J

L

M

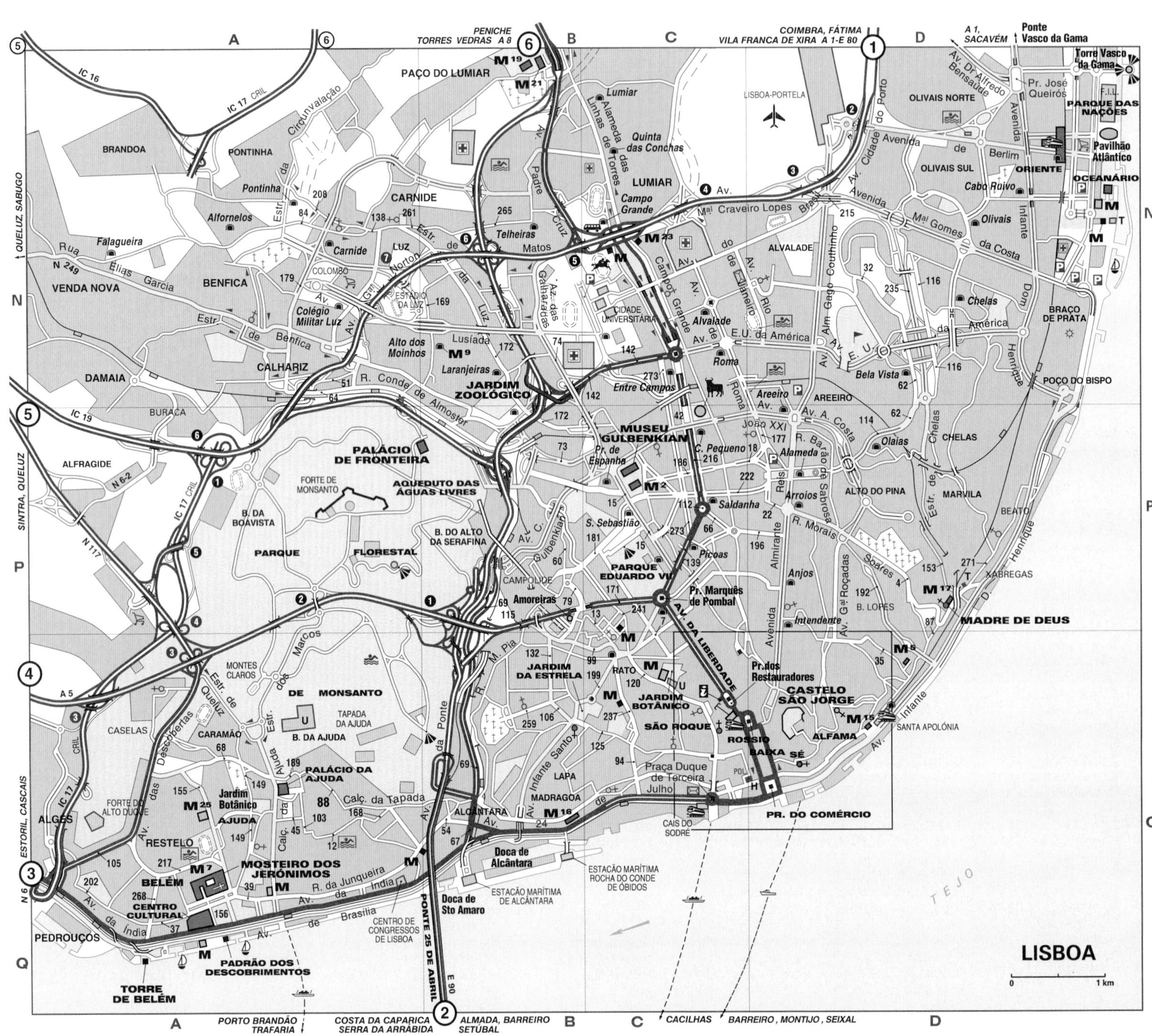

PENICHE
TORRES VEDRAS A 8
COIMBRA, FÁTIMA
VILA FRANCA DE XIRA A 1-E 80
A 1, SACAVÉM
Ponte Vasco da Gama
Torre Vasco da Gama
PARQUE DAS NAÇÕES
Pavilhão Atlântico
OCEANÁRIO
ORIENTE
PAÇO DO LUMIAR
LISBOA-PORTELA
OLIVAIS NORTE
OLIVAIS SUL
Cabo Ruivo
BRANDOA
PONTINHA
Pontinha
CARNIDE
Carnide
Alfornelos
Falagueira
VENDA NOVA
BENFICA
Colégio Militar Luz
LUMIAR
Lumiar
Quinta das Conchas
Campo Grande
Telheiras
CIDADE UNIVERSITÁRIA
ALVALADE
Alvalade
Roma
Areeiro
AREEIRO
Olivais
Chelas
CHELAS
Bela Vista
BRAÇO DE PRATA
POÇO DO BISPO
DAMAIA
CALHARIZ
BURACA
ALFRAGIDE
Alto dos Moinhos
Laranjeiras
JARDIM ZOOLÓGICO
Entre Campos
MUSEU GULBENKIAN
Pr. de Espanha
C. Pequeno
Alameda
Arroios
ALTO DO PINA
MARVILA
PALÁCIO DE FRONTEIRA
AQUEDUTO DAS ÁGUAS LIVRES
FORTE DE MONSANTO
B. DA BOAVISTA
PARQUE FLORESTAL DE MONSANTO
B. DO ALTO DA SERAFINA
CAMPOLIDE
S. Sebastião
Saldanha
Picoas
PARQUE EDUARDO VII
Pr. Marquês de Pombal
Amoreiras
AV. DA LIBERDADE
Anjos
Intendente
B. LOPES
XABREGAS
MADRE DE DEUS
MONTES CLAROS
TAPADA DA AJUDA
B. DA AJUDA
CASELAS
CARAMÃO
PALÁCIO DA AJUDA
JARDIM DA ESTRELA
RATO
JARDIM BOTÂNICO
SÃO ROQUE
Pr. dos Restauradores
CASTELO SÃO JORGE
ALFAMA
ROSSIO
BAIXA
SÉ
SANTA APOLÓNIA
LAPA
MADRAGOA
Praça Duque de Terceira
CAIS DO SODRÉ
PR. DO COMÉRCIO
ALCÂNTARA
Doca de Alcântara
ESTAÇÃO MARÍTIMA ROCHA DO CONDE DE ÓBIDOS
ESTAÇÃO MARÍTIMA DE ALCÂNTARA
Doca de Sto Amaro
CENTRO DE CONGRESSOS DE LISBOA
PONTE 25 DE ABRIL
E 90
Jardim Botânico
AJUDA
FORTE DO ALTO DUQUE
ALGÉS
RESTELO
MOSTEIRO DOS JERÓNIMOS
BELÉM
CENTRO CULTURAL
PEDROUÇOS
PADRÃO DOS DESCOBRIMENTOS
TORRE DE BELÉM
TEJO
LISBOA
0 1 km
QUELUZ, SABUGO
SINTRA, QUELUZ
ESTORIL, CASCAIS
PORTO BRANDÃO
TRAFARIA
COSTA DA CAPARICA
SERRA DA ARRÁBIDA
ALMADA, BARREIRO
SETÚBAL
CACILHAS
BARREIRO, MONTIJO, SEIXAL

LISBOA

Alto de Santa Catarina . . . . JZ **A**[1]
Casa do Alentejo . . . . KX **C**[4]
Igreja da Conceição Velha . . . . LZ **D**[1]
Igreja do Carmo-Museu Arqueológico . . . . KY **M**[4]
Miradouro de Santa Luzia . . . . LY **L**[1]
Museu de Artes Decorativas . . . . LY **M**[13]
Museu de Arte Sacra de São Roque . . . . JXY **M**[11]
Museu Nacional do Chiado . . . . KZ **M**[18]

N

O

MATOSINHOS

PORTO

VILA NOVA DE GAIA

PORTO

SANTARÉM

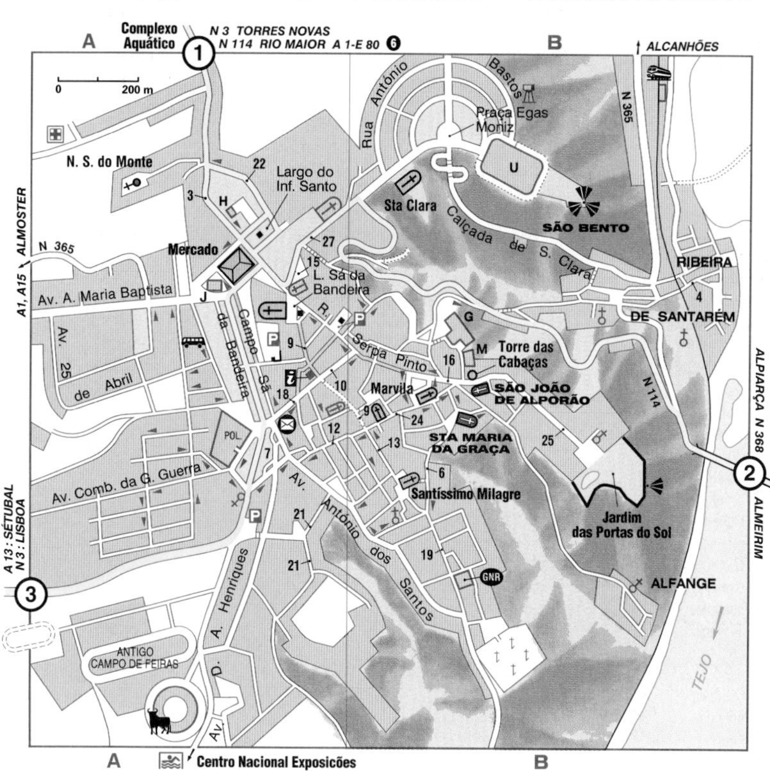

Alex Herculano (R.) .... A 3
Alf. de Santarém (R.) .... B 4
Braamcamp Freire (R.) .... B 6
Cândido dos Reis (Largo) ...... A 7
Capelo Ivens (R.) .... AB 9
G. de Azevedo (R.) .... A 10
João Afonso (R.) .... A 12
Miguel Bombarda (R.) .... B 13
Piedade (Largo da) .... A 15
São Martinho (R. de) .... B 16
Serpa Pinto (R.) .... AB
Teixeira Guedes (R.) .... A 18
Tenente Valadim (R.) .... B 19
Vasco da Gama (R.) .... A 21
Zeferino Brandão (R.) .... A 22
1_ de Dezembro (R.) .... B 24
5 de Outubro (Av.) .... B 25
31 de Janeiro (R.) .... A 27
Complexo Aquático
N 3 TORRES NOVAS
N 114 RIO MAIOR A 1-E 80
ALCANHÕES
200 m
N. S. do Monte
Largo do Inf. Santo
Sta Clara
SÃO BENTO
Praça Egas Moniz
Mercado
L. Sá da Bandeira
RIBEIRA
DE SANTARÉM
Torre das Cabaças
SÃO JOÃO DE ALPORÃO
Marvila
STA MARIA DA GRAÇA
Santíssimo Milagre
Jardim das Portas do Sol
ALFANGE
ANTIGO CAMPO DE FEIRAS
Centro Nacional Exposicões
ALMOSTER
A1, A15
A 13 : SETÚBAL N 3 : LISBOA
ALPIARÇA N 368
ALMEIRIM
TEJO
Av. A. Maria Baptista
Av. 25 de Abril
Av. Comb. da G. Guerra
Av. António dos Santos
Av. D. A. Henriques
Campo Sá da Bandeira
Serpa Pinto
Calçada de S. Clara
Rua António
Bastos
N 365
N 114

SETÚBAL

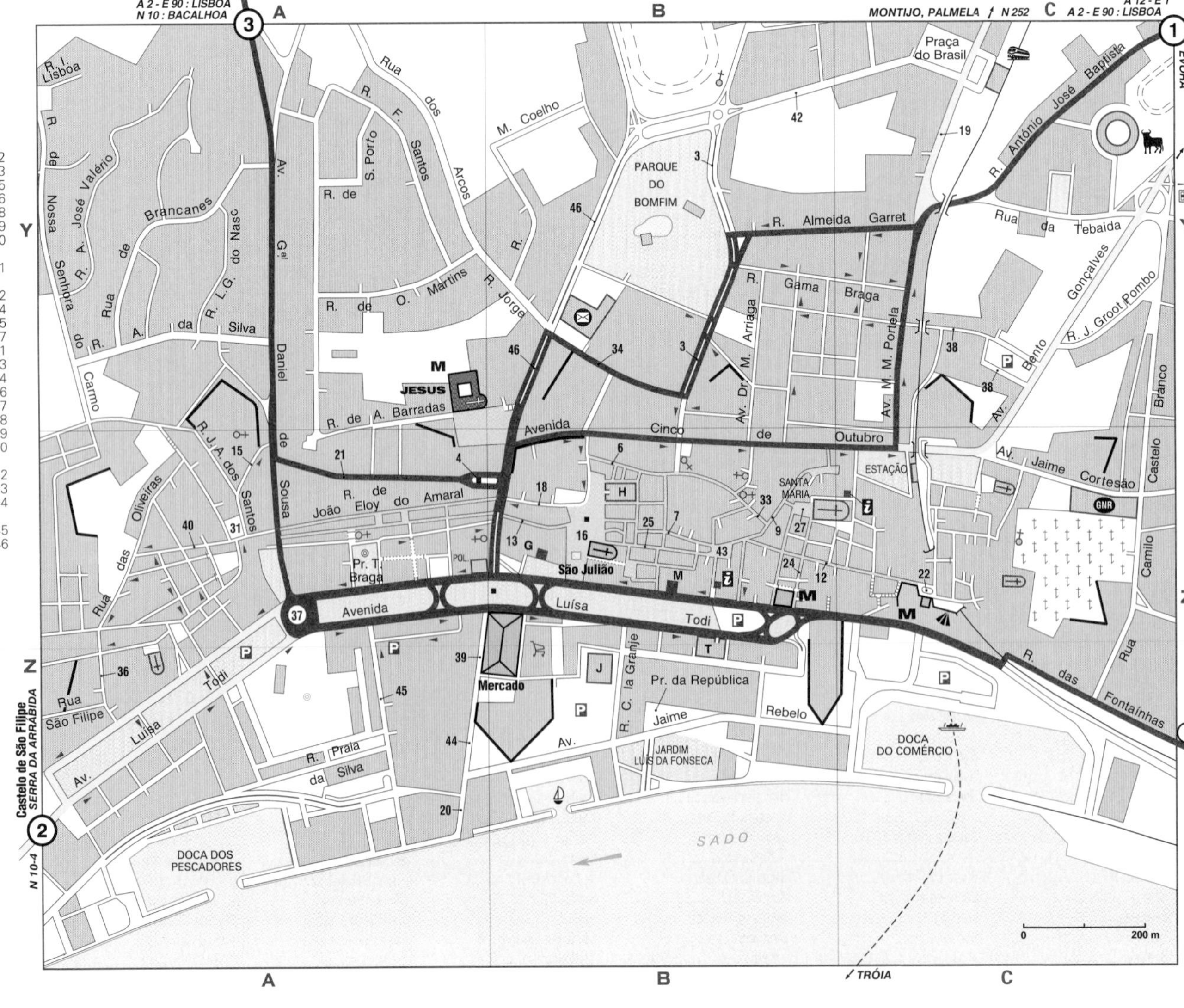
A 2 - E 90 : LISBOA
N 10 : BACALHOA
MONTIJO, PALMELA N 252
A 12 - E 1
A 2 - E 90 : LISBOA
ALCACER DO SAL
ÉVORA
Praça do Brasil
PARQUE DO BOMFIM
R. Almeida Garret
Rua da Tebaida
Av. Jaime Cortesão
Avenida Cinco de Outubro
R. de A. Barradas
R. João Eloy do Amaral
Avenida Luísa Todi
JESUS
São Julião
SANTA MARIA
ESTAÇÃO
GNR
Mercado
Pr. da República
JARDIM LUÍS DA FONSECA
DOCA DO COMÉRCIO
DOCA DOS PESCADORES
SADO
Castelo de São Filipe
SERRA DA ARRÁBIDA
N 10-4
TRÓIA
R. das Fontaínhas
0
200 m

X – Z

Climatología / Climat / Climate / Klima / Klimaat / Clima

Media mensual de temperaturas	Températures (Moyenne mensuelle)	Average daily temperature	Temperaturen (Monatlicher Durchschnitt)	Temperaturen (Maandgemiddelde)	Temperature (Medie mensili)
16 máx. diária 8 mín. diária	16 max. quotidien 8 min. quotidien	16 maximum 8 minimum	16 maximale Tagestemperatur 8 minimale Tagestemperatur	16 maximum 8 minimum	16 max. giornaliera 8 min. giornaliera
Temperatura media del mar	**Température moyenne de l'eau de mer**	**Average sea temperature**	**Durchschnittliche Meerestemperatur**	**Gemiddelde temperatuur zeewater**	**Temperatura media dell'acqua**
14	14	14	14	14	14
Media mensual de precipitaciones	**Précipitations (Moyenne mensuelle)**	**Average monthly rainfall**	**Niederschlagsmengen (Monatlicher Durchschnitt)**	**Gemiddelde maandelijkse neerslag**	**Precipitazioni (Medie mensili)**

0-20 mm · 20-50 mm · 50-100 mm · + 100 mm

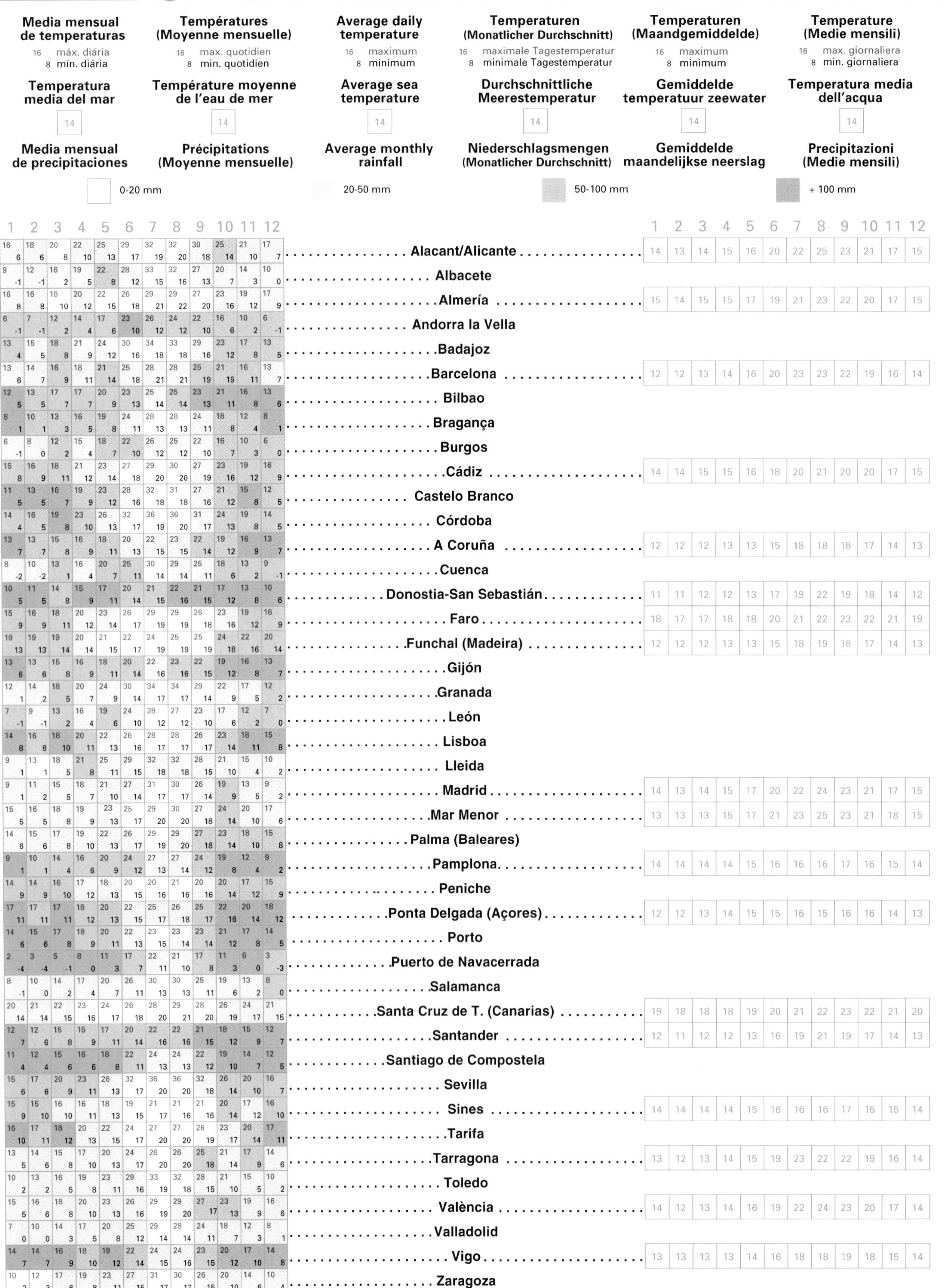

	1	2	3	4	5	6	7	8	9	10	11	12
Alacant/Alicante	16 / 6	18 / 6	20 / 8	22 / 10	25 / 13	29 / 17	32 / 19	32 / 20	30 / 18	25 / 14	21 / 10	17 / 7
Albacete	9 / -1	12 / -1	16 / 2	19 / 5	22 / 8	28 / 12	33 / 15	32 / 16	27 / 13	20 / 7	14 / 3	10 / 0
Almería	16 / 8	16 / 8	18 / 10	20 / 12	22 / 15	26 / 18	29 / 21	29 / 22	27 / 20	23 / 16	19 / 12	17 / 9
Andorra la Vella	6 / -1	7 / -1	12 / 2	14 / 4	17 / 6	23 / 10	26 / 12	24 / 12	22 / 10	16 / 6	10 / 2	6 / -1
Badajoz	13 / 4	15 / 5	18 / 8	21 / 9	24 / 12	30 / 16	34 / 18	33 / 18	29 / 16	23 / 12	17 / 8	13 / 5
Barcelona	13 / 6	14 / 7	16 / 9	18 / 11	21 / 14	25 / 18	28 / 21	28 / 21	25 / 19	21 / 15	16 / 11	13 / 7
Bilbao	12 / 5	13 / 5	17 / 7	17 / 7	20 / 9	23 / 13	25 / 14	25 / 14	23 / 13	21 / 11	16 / 8	13 / 6
Bragança	8 / 1	10 / 1	13 / 3	16 / 5	19 / 8	24 / 11	28 / 13	28 / 13	24 / 11	18 / 8	12 / 4	8 / 1
Burgos	6 / -1	8 / 0	12 / 2	15 / 4	18 / 7	22 / 10	26 / 12	25 / 12	22 / 10	16 / 7	10 / 3	6 / 0
Cádiz	15 / 8	16 / 9	18 / 11	21 / 12	23 / 14	27 / 18	29 / 20	30 / 20	27 / 19	23 / 16	19 / 12	16 / 9
Castelo Branco	11 / 5	13 / 5	16 / 7	19 / 9	23 / 12	28 / 16	32 / 18	31 / 18	27 / 16	21 / 12	15 / 8	12 / 5
Córdoba	14 / 4	16 / 5	19 / 8	23 / 10	26 / 13	32 / 17	36 / 19	36 / 20	31 / 17	24 / 13	19 / 8	14 / 5
A Coruña	13 / 7	13 / 7	15 / 8	16 / 9	18 / 11	20 / 13	22 / 15	23 / 15	22 / 14	19 / 12	16 / 9	13 / 7
Cuenca	8 / -2	10 / -2	13 / 1	16 / 4	20 / 7	25 / 11	30 / 14	29 / 14	25 / 11	18 / 6	13 / 2	9 / -1
Donostia-San Sebastián	10 / 5	11 / 5	14 / 8	15 / 9	17 / 11	20 / 14	21 / 15	22 / 16	21 / 15	17 / 12	13 / 8	10 / 6
Faro	15 / 9	16 / 9	18 / 11	20 / 12	23 / 14	26 / 17	29 / 19	29 / 19	26 / 18	23 / 16	19 / 12	16 / 9
Funchal (Madeira)	19 / 13	19 / 13	19 / 14	20 / 14	21 / 15	22 / 17	24 / 19	25 / 19	25 / 19	24 / 18	22 / 16	20 / 14
Gijón	13 / 6	13 / 6	15 / 8	16 / 9	18 / 11	20 / 14	22 / 16	23 / 16	22 / 15	19 / 12	16 / 8	13 / 7
Granada	12 / 1	14 / 2	18 / 5	20 / 7	24 / 9	30 / 14	34 / 17	34 / 17	29 / 14	22 / 9	17 / 5	12 / 2
León	7 / -1	9 / -1	13 / 2	16 / 4	19 / 6	24 / 10	28 / 12	27 / 12	23 / 10	17 / 6	12 / 2	7 / 0
Lisboa	14 / 8	16 / 8	18 / 10	20 / 11	22 / 13	26 / 16	28 / 17	28 / 17	26 / 17	23 / 14	18 / 11	15 / 8
Lleida	9 / 1	13 / 1	18 / 5	21 / 8	25 / 11	29 / 15	32 / 18	32 / 18	28 / 15	21 / 10	15 / 4	10 / 2
Madrid	9 / 1	11 / 2	15 / 5	18 / 7	21 / 10	27 / 14	31 / 17	30 / 17	26 / 14	19 / 9	13 / 5	9 / 2
Mar Menor	15 / 5	16 / 5	18 / 8	19 / 9	23 / 13	25 / 17	29 / 20	30 / 20	27 / 18	24 / 14	20 / 10	17 / 6
Palma (Baleares)	14 / 6	15 / 6	17 / 8	19 / 10	22 / 13	26 / 17	29 / 19	29 / 20	27 / 18	23 / 14	18 / 10	15 / 8
Pamplona	9 / 1	10 / 1	14 / 4	16 / 6	20 / 9	24 / 12	27 / 13	27 / 14	24 / 12	19 / 8	12 / 4	9 / 2
Peniche	14 / 9	14 / 9	16 / 10	17 / 12	18 / 13	20 / 15	20 / 16	21 / 16	20 / 16	20 / 14	17 / 12	15 / 9
Ponta Delgada (Açores)	17 / 11	17 / 11	17 / 11	18 / 12	20 / 13	22 / 15	25 / 17	26 / 18	25 / 17	22 / 16	20 / 14	18 / 12
Porto	14 / 6	15 / 6	17 / 8	18 / 9	20 / 11	22 / 13	23 / 15	23 / 14	23 / 14	21 / 12	17 / 8	14 / 5
Puerto de Navacerrada	2 / -4	3 / -4	5 / -1	8 / 0	11 / 3	17 / 7	22 / 11	21 / 10	17 / 8	11 / 3	6 / 0	3 / -3
Salamanca	8 / -1	10 / 0	14 / 2	17 / 4	20 / 7	26 / 11	30 / 13	30 / 13	25 / 11	19 / 6	13 / 2	8 / 0
Santa Cruz de T. (Canarias)	20 / 14	21 / 14	22 / 15	23 / 16	24 / 17	26 / 18	28 / 20	29 / 21	28 / 20	26 / 19	24 / 17	21 / 15
Santander	12 / 7	12 / 6	15 / 8	15 / 9	17 / 11	20 / 14	22 / 16	22 / 16	21 / 15	18 / 12	15 / 9	12 / 7
Santiago de Compostela	11 / 4	12 / 4	15 / 6	16 / 6	18 / 8	22 / 11	24 / 13	24 / 13	22 / 12	19 / 10	14 / 7	12 / 5
Sevilla	15 / 6	17 / 6	20 / 9	23 / 11	26 / 13	32 / 17	36 / 20	36 / 20	32 / 18	26 / 14	20 / 10	16 / 7
Sines	15 / 9	15 / 10	16 / 10	16 / 11	18 / 13	19 / 15	21 / 17	21 / 16	21 / 16	20 / 14	17 / 12	16 / 10
Tarifa	16 / 10	17 / 11	18 / 12	20 / 13	22 / 15	24 / 17	27 / 20	27 / 20	26 / 19	23 / 17	20 / 14	17 / 11
Tarragona	13 / 5	14 / 6	15 / 8	17 / 10	20 / 13	24 / 17	26 / 20	26 / 20	25 / 18	21 / 14	17 / 9	14 / 6
Toledo	10 / 2	13 / 2	16 / 5	19 / 8	23 / 11	29 / 16	33 / 19	32 / 18	28 / 15	21 / 10	15 / 5	10 / 2
València	15 / 5	16 / 6	18 / 8	20 / 10	23 / 13	26 / 16	29 / 19	29 / 20	27 / 17	23 / 13	19 / 9	16 / 6
Valladolid	7 / 0	10 / 0	14 / 3	17 / 5	20 / 8	25 / 12	29 / 14	28 / 14	24 / 11	18 / 7	12 / 3	8 / 1
Vigo	14 / 7	14 / 7	16 / 9	18 / 10	19 / 12	22 / 14	24 / 15	24 / 16	23 / 15	20 / 12	17 / 10	14 / 8
Zaragoza	10 / 2	12 / 3	17 / 6	19 / 8	23 / 11	27 / 15	31 / 17	30 / 17	26 / 15	20 / 10	14 / 6	10 / 4

	1	2	3	4	5	6	7	8	9	10	11	12
Alacant/Alicante	14	13	14	15	16	20	22	25	23	21	17	15
Almería	15	14	15	15	17	19	21	23	22	20	17	15
Barcelona	12	12	13	14	16	20	23	23	22	19	16	14
Cádiz	14	14	15	15	16	18	20	21	20	20	17	15
A Coruña	12	12	12	13	13	15	18	18	18	17	14	13
Donostia-San Sebastián	11	11	12	12	13	17	19	22	19	18	14	12
Faro	18	17	17	18	18	20	21	22	23	22	21	19
Funchal (Madeira)	12	12	12	13	13	15	18	19	18	17	14	13
Madrid	14	13	14	15	17	20	22	24	23	21	17	15
Mar Menor	13	13	13	15	17	21	23	25	23	21	18	15
Pamplona	14	14	14	14	15	16	16	16	17	16	15	14
Ponta Delgada (Açores)	12	12	13	14	15	15	16	15	16	16	14	13
Santa Cruz de T. (Canarias)	19	18	18	18	19	20	21	22	23	22	21	20
Santander	12	11	12	12	13	16	19	21	19	17	14	13
Sines	14	14	14	14	15	16	16	16	17	16	15	14
Tarragona	13	12	13	14	15	19	23	22	22	19	16	14
València	14	12	13	14	16	19	22	24	23	20	17	14
Vigo	13	13	13	13	14	16	18	18	19	18	15	14

LEGENDA

Cartografia - 1 : 400 000

Strade
Autostrada - Aree di servizio
Doppia carreggiata di tipo autostradale
Svincoli : completo, parziale
Svincoli numerati
Strada di collegamento internazionale o nazionale
Strada di collegamento interregionale o di disimpegno
Strada rivestita - non rivestita
Strada in cattive condizioni
Strada per carri - Sentiero
Autostrada, strada in costruzione
(data di apertura prevista)

Larghezza delle strade
Carreggiate separate
4 corsie - 2 corsie larghe
2 corsie - 1 corsia

Distanze (totali e parziali)
tratto a pedaggio } su autostrada
tratto esente da pedaggio } su autostrada
su strada

Numerazione - Segnaletica
E 25 A 4 — Strada europea - Autostrada
N IV N 301 — Strada nazionale radiale - Strada nazionale
C 437 SE 138 — Altre Strade

Ostacoli
Forte pendenza (salita nel senso della freccia)
Passo - Altitudine
Percorso difficile o pericoloso
Passaggi della strada:
a livello, cavalcavia, sottopassaggio
Strada vietata - Strada a circolazione regolamentata
Casello - Strada a senso unico
Guado
Innevamento : probabile periodo di chiusura

Trasporti
Ferrovia - Stazione viaggiatori
Trasporto auto:
su traghetto
su chiatta (carico massimo in t.)
Traghetto per trasporto passeggeri
Aeroporto - Aerodromo

Risorse alberghiere - Amministrazione
Località con pianta nella GUIDA MICHELIN
Parador (Spagna) - Pousada (Portogallo)
(albergo gestito dallo stato)
Capoluogo amministrativo
Confini amministrativi
Frontiera

Sport - Divertimento
Arena (Plaza de Toros) - Golf
Rifugio - Campeggi, caravaning
Porto turistico - Spiaggia
Funivia, seggiovia
Funicolare - Ferrovia a cremagliera

Mete e luoghi d'interesse
Edificio religioso - Castello - Rovine
Grotta - Monumento megalitico
Altri luoghi d'interesse
Panorama - Vista
Percorso pittoresco

Simboli vari
Edificio religioso - Castello - Rovine
Grotta - Monumento megalitico
Teleferica industriale
Torre o pilone per telecomunicazioni
Industrie - Centrale elettrica
Raffineria - Pozzo petrolifero o gas naturale
Miniera - Cava
Faro - Diga
Parco nazionale - Riserva di caccia

Piante di città

Curiosità
Edificio interessante
Costruzione religiosa interessante

Viabilità
Autostrada, strada a carreggiate separate
Svincolo : completo, parziale, numero
Grande via di circolazione
Senso unico - Via impraticabile, a circolazione regolamentata
Via pedonale - Tranvia
Colón — Via commerciale - Parcheggio
Porta - Sottopassaggio - Galleria
Stazione e ferrovia
Funicolare - Funivia, cabinovia
Ponte mobile - Traghetto per auto

Simboli vari
Ufficio informazioni turistiche
Moschea - Sinagoga
Torre - Ruderi - Mulino a vento - Torre idrica
Giardino, parco, bosco - Cimitero - Calvario
Arena - Golf - Ippodromo
Stadio - Piscina : all'aperto, coperta
Vista - Panorama
Monumento - Fontana - Fabbrica - Centro commerciale
Porto per imbarcazioni da diporto - Faro
Aeroporto - Stazione della Metropolitana - Autostazione
Trasporto con traghetto :
passeggeri ed autovetture, solo passeggeri
Simbolo di riferimento comune alle piante ed alle carte Michelin particolareggiate
Ufficio postale centrale - Telefono
Ospedale - Mercato coperto
Edificio pubblico indicato con lettera :
D H J — Sede del Governo della Provincia - Municipio - Palazzo di Giustizia
G — Delegazione del governo (Spagna) - Governo distrettuale (Portogallo)
M T — Museo - Teatro
U — Università, grande scuola
POL. — Polizia (Questura, nelle grandi città)
GNR — Carabinieri (Spagna) - Guardia Nazionale Repubblicana (Portogallo)

VERKLARING VAN DE TEKENS

Kaarten - 1 : 400 000

Wegen
Autosnelweg - Serviceplaatsen
Gescheiden rijbanen van het type autosnelweg
Aansluitingen : volledig, gedeeltelijk
Afritnummers
Internationale of nationale verbindingsweg
Interregionale verbindingsweg
Verharde weg - onverharde weg
Weg in slechte staat
Landbouwweg - Pad
Autosnelweg in aanleg - Weg in aanleg
(indien bekend : datum openstelling)

Breedte van de wegen
Gescheiden rijbanen
4 rijstroken - 2 brede rijstroken
2 rijstroken - 1 rijstrook

Afstanden (totaal en gedeeltelijk)
gedeelte met tol } op autosnelwegen
tolvrij gedeelte } op autosnelwegen
op andere wegen

Wegnummers - Bewegwijzering
E 25 A 4 Europaweg - Autosnelweg
N IV N 301 Radiale nationale weg - Nationale weg
C 437 SE 138 Andere wegen

Hindernissen
Steile helling (pijlen in de richting van de helling)
Pas - Hoogte
Moeilijk of gevaarlijk traject
Wegovergangen:
gelijkvloers - overheen - onderdoor
Verboden weg - Beperkt opengestelde weg
Tol - Weg met eenrichtingsverkeer
Wad
Sneeuw : vermoedelijke sluitingsperiode

Vervoer
Spoorweg - Reizigersstation
Vervoer van auto's:
per boot
per veerpont (maximum draagvermogen in t.)
Veerpont voor voetgangers
Luchthaven - Vliegveld

Verblijf - Administratie
Plaats met een plattegrond in DE MICHELIN GIDS
Parador (Spanje) - Pousada (Portugal)
(hotel dat door de staat wordt beheerd)
Hoofdplaats van administratief gebied
Administratieve grenzen
Staatsgrens

Sport - Recreatie
Arena voor stierengevechten - Golfterrein
Berghut - Kampeerterrein (tent, caravan)
Jachthaven - Strand
Kabelbaan, stoeltjeslift
Kabelspoor - Tandradbaan

Bezienswaardigheden
Kerkelijk gebouw - Kasteel - Ruïne
Grot - Megaliet
Andere bezienswaardigheden
Panorama - Uitzichtpunt
Schilderachtig traject

Diverse tekens
Kerkelijk gebouw - Kasteel - Ruïne
Grot - Megaliet
Kabelvrachtvervoer
Telecommunicatietoren of -mast
Industrie - Elektriciteitscentrale
Raffinaderij - Olie- of gasput
Mijn - Steengroeve
Vuurtoren - Stuwdam
Nationaal park - Jachtreservaat

Plattegronden

Bezienswaardigheden
Interessant gebouw
Interessant kerkelijk gebouw

Wegen
Autosnelweg, weg met gescheiden rijbanen
Verkeerswisselaars/Aansluitingen : volledig, gedeeltelijk, nummer
Hoofdverkeersweg
Eenrichtingsverkeer - Onbegaanbare straat, beperkt toegankelijk
Voetgangersgebied - Tramlijn
Colón Winkelstraat - Parkeergarage
Poort - Onderdoorgang - Tunnel
Station, spoorweg
Kabelspoor - Kabelbaan, stoeltjeslift
Beweegbare brug - Auto-veerpont

Overige tekens
Informatie voor toeristen
Moskee - Synagoge
Toren - Ruïne - Windmolen - Watertoren
Tuin, park, bos - Begraafplaats - Kruisbeeld
Arena - Golfterrein - Renbaan
Stadion - Zwembad : openlucht, overdekt
Uitzicht - Panorama
Gedenkteken - Fontein - Fabriek - Winkelcentrum
Jachthaven- Vuurtoren
Luchthaven - Metrostation - Busstation
Vervoer per boot :
passagiers en auto's, uitsluitend passagiers
Verwijsteken uitvalsweg :
identiek op plattegronden en Michelinkaarten
Hoofdkantoor voor poste-restante - Telefoon
Ziekenhuis - Overdekte markt
Openbaar gebouw, aangegeven met een letter :
D H J Provinciale raad - Stadhuis - Gerechtshof
G Vertegenwoordiging centrale overheid (Spanje), Bestuur van het district (Portugal)
M T Museum - Schouwburg
U Universiteit, hogeschool
POL. Politie (in grote steden, hoofdbureau)
Rijkspolitie of - wacht (Spanje) - Rijkspolitie of - wacht (Portugal)

ZEICHENERKLÄRUNG

Kartographie - 1 : 400 000

LA SAFOR

Straßen

Autobahn - Tankstelle mit Raststätte
Schnellstraße mit getrennten Fahrbahnen
Anschlussstellen : Voll - bzw. Teilanschlussstellen
Anschlussstellennummern
Internationale bzw.nationale Hauptverkehrsstraße
Überregionale Verbindungsstraße oder Umleitungsstrecke
Straße mit Belag - ohne Belag
Straße in schlechtem Zustand
Wirtschaftsweg - Pfad
Autobahn, Straße im Bau
(ggf. voraussichtliches Datum der Verkehrsfreigabe)

Straßenbreiten

getrennte Fahrbahnen
4 Fahrspuren - 2 breite Fahrspuren
2 Fahrspuren - 1 Fahrspur

Straßenentfernungen (Gesamt- und Teilentfernungen)

14 10 — Mautstrecke } auf der Autobahn
14 24 10 — mautfreie Strecke } auf der Autobahn
14 24 10 / 24 — auf der Straße

Nummerierung - Wegweisung

E 25 A 4 — Europastraße - Autobahn
N IV N 301 — Radiale Nationalstraße - Nationalstraße
C 437 SE 138 — Sonstige Straßen

Verkehrshindernisse

7-12% +12% — Starke Steigung (Steigung in Pfeilrichtung)
915 (304) — Pass - Höhe
Schwierige oder gefährliche Strecke
Bahnübergänge:
schienengleich - Unterführung - Überführung
Gesperrte Straße - Straße mit Verkehrsbeschränkungen
Mautstelle - Einbahnstraße
Furt
12-4 — Eingeschneite Straße : voraussichtl. Wintersperre

Verkehrsmittel

Bahnlinie - Haltestelle
Autotransport:
per Schiff
15 — per Fähre (Höchstbelastung in t)
Personenfähre
Flughafen - Flugplatz

Unterkunft - Verwaltung

Orte mit Stadtplan im MICHELIN-FÜHRER
Parador (Spanien) - Pousada (Portugal)
(staatlich geleitetes Hotel)
P D — Verwaltungshauptstadt
Verwaltungsgrenzen
Staatsgrenze

Sport - Freizeit

Stierkampfarena - Golfplatz
Schutzhütte - Campingplatz
Yachthafen - Badestrand
Seilbahn, Sessellift
Standseilbahn - Zahnradbahn

Sehenswürdigkeiten

Sakral-Bau - Schloss, Burg - Ruine
Höhle - Vorgeschichtliches Steindenkmal
Sonstige Sehenswürdigkeit
Rundblick - Aussichtspunkt
Landschaftlich schöne Strecke

Sonstige Zeichen

Sakralbau - Schloss, Burg - Ruine
Höhle - Vorgeschichtliches Steindenkmal
Industrieschwebebahn
Funk-, Sendeturm
Industrieanlagen - Kraftwerk
Raffinerie - Erdöl-, Erdgasförderstelle
Bergwerk - Steinbruch
Leuchtturm - Staudamm
Nationalpark - Jagdgebiet

Stadtpläne

Sehenswürdigkeiten

Sehenswertes Gebäude
Sehenswerter Sakralbau

Straßen

Autobahn, Schnellstraße
Nummer der Anschlußstelle : Autobahneinfahrt und/oder -ausfahrt
Hauptverkehrsstraße
Einbahnstraße - Gesperrte Straße, mit Verkehrsbeschränkungen
Fußgängerzone - Straßenbahn
Colón — Einkaufsstraße - Parkplatz
Tor - Passage - Tunnel
Bahnhof und Bahnlinie
Standseilbahn - Seilschwebebahn
B — Bewegliche Brücke - Autofähre

Sonstige Zeichen

Informationsstelle
Moschee - Synagoge
Turm - Ruine - Windmühle - Wasserturm
Garten, Park, Wäldchen - Friedhof - Bildstock
Stierkampfarena - Golfplatz - Pferderennbahn
Stadion - Freibad - Hallenbad
Aussicht - Rundblick
Denkmal - Brunnen - Fabrik - Einkaufszentrum
Jachthafen - Leuchtturm
Flughafen - U-Bahnstation - Autobusbahnhof
Schiffsverbindungen :
Autofähre - Personenfähre
② — Straßenkennzeichnung
(identisch auf Michelin Stadtplänen und - Abschnittskarten)
Hauptpostamt (postlagernde Sendungen) - Telefon
Krankenhaus - Markthalle
Öffentliches Gebäude, durch einen Buchstaben gekennzeichnet :
D H J — Provinzverwaltung - Rathaus - Gerichtsgebäude
G — Vertretung der Zentralregierung (Spanien) - Bezirksverwaltung (Portugal)
M T — Museum - Theater
U — Universität, Hochschule
POL. — Polizei (in größeren Städten Polizeipräsidium)
GNR — Guardia Civil (Spanien) - Guarda Nacional Republicana (Portugal)

KEY

Mapping - 1 : 400 000

LA SAFOR

Roads
Motorway - Service areas
Dual carriageway with motorway characteristics
Interchanges : complete, limited
Interchange numbers
International and national road network
Interregional and less congested road
Road surfaced - unsurfaced
Road in bad condition
Rough track - Footpath
Motorway / Road under construction
(when available : with scheduled opening date)

Road widths
Dual carriageway
4 lanes - 2 wide lanes
2 lanes - 1 lane

Distances (total and intermediate)
Toll roads } on motorway
Toll-free section } on motorway
on road

Numbering - Signs
E 25 A 4 European route - Motorway
N IV N 301 National radial - National road
C 437 SE 138 Other roads

Obstacles
7-12% +12% Steep hill (ascent in direction of the arrow)
915 (304) Pass - Altitude
Difficult or dangerous section of road
Level crossing :
railway passing - under road - over road
Prohibited road - Road subject to restrictions
Toll barrier - One way road
Ford
12-4 Snowbound, impassable road during the period shown

Transportation
Railway - Passenger station
Transportation of vehicles:
by boat
15 by ferry (load limit in tons)
Passenger ferry
Airport - Airfield

Accommodation - Administration
Town plan featured in THE MICHELIN GUIDE
Parador (Spain) - Pousada (Portugal)
(hotel run by the state)
Administrative district seat
Administrative boundaries
National boundary

Sport & Recreation Facilities
Bullring - Golf course
Mountain refuge hut - Caravan and camping sites
Pleasure boat harbour - Beach
Cable car, chairlift
Funicular - Rack railway

Sights
Religious building - Historic house, castle - Ruins
Cave - Prehistoric monument
Other places of interest
Panoramic view - Viewpoint
Scenic route

Other signs
Religious building - Castle - Ruins
Cave - Prehistoric monument
Industrial cable way
Telecommunications tower or mast
Industrial activity - Power station
Refinery - Oil or gas well
Mine - Quarry
Lighthouse - Dam
National park - Game reserve

Town plans

Sights
Place of interest
Interesting place of worship

Roads
Motorway, dual carriageway
Junction complete, limited, number
Major through route
One-way street - Unsuitable for traffic, street subject to restrictions
Pedestrian street - Tramway
Colón Shopping street - Car park
Gateway - Street passing under arch - Tunnel
Station and railway
Funicular - Cable-car
Lever bridge - Car ferry

Various signs
Tourist Information Centre
Mosque - Synagogue
Tower - Ruins - Windmill - Water tower
Garden, park, wood - Cemetery - Cross
Bullring - Golf course - Racecourse
Stadium - Outdoor or indoor swimming pool
View - Panorama
Monument - Fountain - Factory - Shopping centre
Pleasure boat harbour - Lighthouse
Airport - Underground station - Coach station
Ferry services:
passengers and cars, passengers only
Reference number common to town plans and Michelin maps
Main post office with poste restante - Telephone
Hospital - Covered market
Public buildings located by letter :
D H J Provincial Government Office - Town Hall - Law Courts
G Central government representation (Spain), District government office (Portugal)
M T Museum - Theatre
U University, College
POL. Police (in large towns police headquarters)
Civil Guard (Spain) - Portuguese National Police (Portugal)

LÉGENDE

Cartographie - 1 : 400 000

LA SAFOR

Routes
Autoroute - Aires de service
Double chaussée de type autoroutier
Échangeurs : complet, partiels
Numéros d'échangeurs
Route de liaison internationale ou nationale
Route de liaison interrégionale ou de dégagement
Route revêtue - non revêtue
Route en mauvais état
Chemin d'exploitation - Sentier
Autoroute - Route en construction
(le cas échéant : date de mise en service prévue)

Largeur des routes
Chaussées séparées
4 voies - 2 voies larges
2 voies - 1 voie

Distances (totalisées et partielles)
Section à péage } sur autoroute
Section libre } sur autoroute
sur route

Numérotation - Signalisation
E 25 A 4 — Route européenne - Autoroute
N IV N 301 — Route nationale radiale - Route nationale
C 437 SE 138 — Autres routes

Obstacles
Forte déclivité (flèches dans le sens de la montée)
Col - Altitude
Parcours difficile ou dangereux
Passages de la route :
à niveau - supérieur - inférieur
Route interdite - Route réglementée
Barrière de péage - Route à sens unique
Gué
Enneigement : période probable de fermeture

Transports
Voie ferrée - Station voyageurs
Transport des autos:
par bateau
par bac (charge maximum en tonnes)
Bac pour piétons
Aéroport - Aérodrome

Hébergement - Administration
Localité possédant un plan dans le Guide MICHELIN
Parador (Espagne) - Pousada (Portugal)
(établissement hôtelier géré par l'état)
Capitale de division administrative
Limites administratives
Frontière

Sports - Loisirs
Arènes (plaza de toros) - Golf
Refuge de montagne - Camping, caravaning
Port de plaisance - Plage
Téléphérique, télésiège
Funiculaire - Voie à crémaillère

Curiosités
Édifice religieux - Château - Ruines
Grotte - Monument mégalithique
Autres curiosités
Panorama - Point de vue
Parcours pittoresque

Signes divers
Édifice religieux - Château - Ruines
Grotte - Monument mégalithique
Transporteur industriel aérien
Tour ou pylône de télécommunications
Industries - Centrale électrique
Raffinerie - Puits de pétrole ou de gaz
Mine - Carrière
Phare - Barrage
Parc national - Réserve de chasse

Plans de ville

Curiosités
Bâtiment intéressant
Édifice religieux intéressant

Voirie
Autoroute, route à chaussées séparées
Échangeur : complet, partiel, numéro
Grande voie de circulation
Sens unique - Rue impraticable, réglementée
Rue piétonne - Tramway
Colón — Rue commerçante - Parc de stationnement
Porte - Passage sous voûte - Tunnel
Gare et voie ferrée
Funiculaire - Téléphérique, télécabine
Pont mobile - Bac pour autos

Signes divers
Information touristique
Mosquée - Synagogue
Tour - Ruines - Moulin à vent - Château d'eau
Jardin, parc, bois - Cimetière - Calvaire
Arènes - Golf - Hippodrome
Stade - Piscine de plein air, couverte
Vue - Panorama
Monument - Fontaine - Usine - Centre commercial
Port de plaisance - Phare
Aéroport - Station de métro - Gare routière
Transport par bateau:
passagers et voitures, passagers seulement
Repère commun aux plans et aux cartes Michelin détaillées
Bureau principal de poste restante - Téléphone
Hôpital - Marché couvert
Bâtiment public repéré par une lettre :
D H J — Conseil provincial - Hôtel de ville - Palais de justice
G — Délégation du gouvernement (Espagne) - Gouvernement du district (Portugal)
M T — Musée - Théâtre
U — Université, grande école
POL. — Police (commissariat central)
Gendarmerie (Espagne) - Gendarmerie (Portugal)

SIGNOS CONVENCIONALES

Cartografía - 1 : 400 000

LA SAFOR

Carreteras
Autopista - Áreas de servicio
Autovía
Enlaces : completo, parciales
Números de los accesos
Carretera de comunicación internacional o nacional
Carretera de comunicación interregional o alternativo
Carretera asfaltada - sin asfaltar
Carretera en mal estado
Camino agrícola - Sendero
Autopista, carretera en construcción
(en su caso : fecha prevista de entrada en servicio)

Ancho de las carreteras
Calzadas separadas
Cuatro carriles - Dos carriles anchos
Dos carriles - Un carril

Distancias (totales y parciales)
Tramo de peaje } en autopista
Tramo libre } en autopista
en carretera

Numeración - Señalización
E 25 A 4 — Carretera europea - Autopista
N IV N 301 — Carretera nacional radial - Carretera nacional
C 437 SE 138 — Otras carreteras

Obstáculos
7-12% +12% — Pendiente Pronunciada (las flechas indican el sentido del ascenso)
915 (304) — Puerto - Altitud
Recorrido difícil o peligroso
Pasos de la carretera:
a nivel, superior, inferior
Tramo prohibido - Carretera restringida
Barrera de peaje - Carretera de sentido único
Vado
12-4 — Nevada : Período probable de cierre

Transportes
Línea férrea - Estación de viajeros
Transporte de coches:
por barco
por barcaza (carga máxima en toneladas)
Barcaza para el paso de peatones
Aeropuerto - Aeródromo

Alojamiento - Administración
Localidad con plano en LA GUÍA MICHELIN
Parador (España) - Pousada (Portugal)
(establecimiento hotelero administrado por el Estado)
Capital de división administrativa
Limites administrativos
Frontera

Deportes - Ocio
Plaza de toros - Golf
Refugio de montaña - Camping, caravaning
Puerto deportivo - Playa
Teleférico, telesilla
Funicular - Línea de cremallera

Curiosidades
Edificio religioso - Castillo - Ruinas
Cueva - Monumento megalítico
Otras curiosidades
Vista panorámica - Vista parcial
Recorrido pintoresco

Signos diversos
Edificio religioso - Castillo - Ruinas
Cueva - Monumento megalítico
Transportador industrial aéreo
Torreta o poste de telecomunicación
Industrias - Central eléctrica
Refinería - Pozos de petróleo o de gas
Mina - Cantera
Faro - Presa
Parque nacional - Reserva de caza

Planos de ciudades

Curiosidades
Edificio interesante
Edificio religioso interesante

Vías de circulación
Autopista, autovía
Número del acceso: completo, parcial
Vía importante de circulación
Sentido único - Calle impracticable, de uso restringido
Calle peatonal - Tranvía
Colón — Calle comercial - Aparcamiento
Puerta - Pasaje cubierto - Túnel
Estación y línea férrea
Funicular - Teleférico, telecabina
Puente móvil - Barcaza para coches

Signos diversos
Oficina de Información de Turismo
Mezquita - Sinagoga
Torre - Ruinas - Molino de viento - Depósito de agua
Jardín, parque, bosque - Cementerio - Crucero
Plaza de toros - Golf - Hipódromo
Estadio - Piscina al aire libre, cubierta
Vista - Panorama
Monumento - Fuente - Fábrica - Centro comercial
Puerto deportivo - Faro
Aeropuerto - Boca de metro - Estación de autobuses
Transporte por barco:
pasajeros y vehículos, pasajeros solamente
② — Referencia común a los planos y a los mapas detallados Michelin
Oficina central de lista de correos - Teléfonos
Hospital - Mercado cubierto
Edificio público localizado con letra:
D H J — Diputación - Ayuntamiento - Palacio de Justicia
G — Delegación del Gobierno (España) - Gobierno del distrito (Portugal)
M T — Museo - Teatro
U — Universidad, Escuela Superior
POL. — Policía (en las grandes ciudades: Jefatura)
GNR — Guardia Civil (España) - Guardia Nacional (Portugal)